ENRIQUILLO

LEYENDA HISTÓRICA DOMINICANA

MANUEL DE JESÚS GALVÁN

MANUEL DE J. GALVÁN

ENRIQUILLO

LEYENDA HISTÓRICA DOMINICANA
(1503-1533)

CON UN ESTUDIO
DE
CONCHA MELÉNDEZ

CUARTA EDICION

EDITORIAL PORRÚA
AV. REPUBLICA ARGENTINA, 15
MEXICO, 1998

Primera edición, Barcelona, 1882

Primera edición en la Colección "Sepan Cuantos...", 1976

ISBN 968-452-182-0 (Rústica)
ISBN 970-07-0310-X (Tela)

IMPRESO EN MÉXICO
PRINTED IN MEXICO

EL *ENRIQUILLO*

DE

MANUEL DE JESÚS GALVÁN

POR

CONCHA MELÉNDEZ *

* Editorial Porrúa, S. A., agradece a doña Concha Meléndez, haberle permitido publicar su estudio acerca de la obra de Manuel de Jesús Galván, editado por la Universidad de Puerto Rico en 1934.

La tradición indianista en Santo Domingo

Ningún país hispanoamericano ofrece una tradición de literatura indianista más continuada que Santo Domingo. Tradición cíclica, iniciada por Las Casas que alcanza vértice y final al mismo tiempo en la novela *Enriquillo*.

Este amor por las tradiciones indígenas que lleva a los escritores dominicanos a su aprovechamiento más o menos artístico en el drama, la poesía y la novela, trasciende a la escultura: Abelardo Rodríguez Urdaneta modela un Caonabo rebelde y bello al descubrir el significado de los grillos con que acaban de aprisionarlo. El mismo Rodríguez Urdaneta nos decía cómo a tener más estímulo en su arte, hubiera también llevado a la plástica dos temas de gran dramatismo: Anacaona camino del suplicio, y la muerte de Guaroa, este último inspirado en un pasaje de la novela de Galván.

Las Casas tuvo por la Isla Española particular amor. Los veinte primeros capítulos de la *Apologética historia sumaria* están dedicados a describir su geografía, sus frutas, sus árboles, su fauna. El capítulo xx coteja la Española con Inglaterra, Sicilia y Creta, para concluir: "Y esto basta para manifestación de la grandeza, capacidad, amenidad, templanza, suavidad, riqueza, felicidad y excelencias de esta Española sobre todas las islas." [1]

La tradición indígena aparece embellecida en *La historia de las Indias*. De esta obra han derivado, directa o indirectamente los autores románticos de Santo Domingo, los temas y los caracteres de sus obras indianistas. Las Casas presenta con simpatía las grandes figuras indígenas: Guacanagarí, el aliado de los españoles; Caonabo, "señor y rey muy esforzado de la Maguana"; Anacaona, "señalada y comedida señora, muy notable mujer, muy prudente, muy graciosa y parlanciana en sus hablas y artes"; Guarionex, "bueno y pacífico". [2]

Juan de Castellanos dedica parte de la Elegía primera y totalmente la tercera a la conquista de la Española. Su crudo realismo

---

[1] *Apologética historia,* en *Nueva Biblioteca de Autores Españoles* (Madrid, Bailly Balliére e hijo, 1909), XIII, 50.
[2] *Historia de las Indias* (Madrid, M. Aguilar, 1927), II, 455-56.

destruye la poesía de los retratos de Las Casas. De la reina Anacaona
escribe:

> Aquesta fue mujer de Caonabo
> hermano del cacique Behechío
> querida de estos dos por todo cabo
> y respetada del demás gentío
> y aunque de castidad fue menoscabo
> para guerras no tuvo el pecho frío.[3]

Presenta a Enriquillo con más espíritu de venganza que justa rebeldía. Sin embargo, no silencia las cualidades notables del cacique:

> Fue Enriquillo, pues, indio ladino
> que supo bien la lengua castellana,
> era gentil lector, gran escribano,
> y en estas islas tuvo grande mano.[4]

Castellanos es una de las fuentes que cita Galván en el apéndice
de su libro para corroborar la historicidad de su narración en lo que
se refiere a Enriquillo.

Las Casas dedica tres capítulos de su *Historia de las Indias* al
alzamiento del cacique. Lo describe "alto y gentil de cuerpo, bien
proporcionado; la cara no la tenía hermosa ni fea pero teníala de
hombre grave y severo".[5] Anticipa Las Casas lo que han visto en
Enriquillo las generaciones románticas: "Cunde en toda la isla
la fama y victorias de Enriquillo, húyense muchos indios del servicio
y opresión de los españoles y vanse a refugio y bandera de Enriquillo
como a castillo roquero inexpugnable, a se salvar".[6] Tan emocionado
es el relato, que Galván en su novela, al llegar a este episodio, no
tendrá sino ampliar los capítulos de Las Casas.

Tuvo Galván, además de estos precedentes coloniales, antecesores
en el tema indígena durante el romanticismo. Javier Angulo Guridi
escribió en 1867 el drama *Iguaniona*.[7] Escrito en tres actos y en
verso, en él aparecen Guarionex, Guatiguana, la princesa Iguaniona,
un gran sacerdote, Bartolomé Colón y Pedro Avendaño.

La escena sexta es un monólogo de la princesa que resume el
espíritu del drama haciendo la historia de la Conquista en la isla.
Acusa a todos, menos a Bartolomé Colón.

---

[3] *Elegías de varones ilustres*, p. 36.
[4] *Ibid.*, p. 49.
[5] *Op. cit.*, III, 235.
[6] *Ibid.*, III, 236.
[7] Santo Domingo, Imp. J. J. Machado, 1881.

Avendaño en la escena séptima, trata de convencer a Iguaniona de que lo siga. La princesa saca una flor del seno y la aprieta a sus labios. Muere envenenada diciendo: "La tumba antes que sierva." Es el *Igi aya bonghe* —primero muerto que esclavo—, que cantaban en su himno de guerra los ciguayos; el "muero libre" que atribuye Galván al cacique Guaroa.

Este amor a la libertad que infunden los autores románticos en sus personajes indios, resume la angustia y las inquietudes de la Nación dominicana durante las vicisitudes de su historia. En 1867 hacía dos años que la Isla se había declarado libre de la reanexión a España. Antes de esa fecha, los dominicanos habían proclamado su independencia (1821); habían sufrido veintidós años de invasión haitiana; otra vez habían proclamado la República en 1844. La rebeldía del cacique Enriquillo, alcanza pues, para los dominicanos, la categoría de símbolo patriótico de renovada actualidad.

De mucho más valor poético que *Iguaniona* es la obra de José Joaquín Pérez (1845-1900). *Fantasías indígenas* (1876-1877) es una serie de breves poemas donde reaparecen los personajes de la tradición indígena dominicana. No reviven directamente de las páginas de Las Casas: J. J. Pérez utiliza fuentes más inmediatas: los *Apuntes históricos sobre Santo Domingo* de A. Llenas; la *Geografía de la Isla de Santo Domingo* de Javier A. Guridi; la *Historia de los caciques de Haití* por Emil Nau; la novela histórica *Cristóbal Colón* de Lamartine; la *Vida de Cristóbal Colón* por Washington Irving.

Su imaginación, encendida por un don lírico intenso es la fuente principal de estos poemas en donde los heroicos caciques pasan bellamente estilizados por una lejanía vista con nostalgia. Anacaona, la reina poetisa, es la figura dominante. Describiéndola, José Joaquín Pérez anticipa la entonación suavemente melancólica de Zorrilla de San Martín:

> Tal es la digna esposa del valiente
> e indómito cacique de Maguana,
> ¡paloma tropical que el ala tiende
> y del águila el nido amante guarda!
> Su mirada es de luz y amor; su acento
> eco dulce del valle y la montaña
> preludio del laúd de ocultos genios
> que el aire pueblan cuando asoma el alba.[8]

---

[8] *La lira de José Joaquín Pérez* (Santo Domingo, Imp. de J. R. vda. García, 1928), p. 103.

Escribió el poeta una de sus fantasías en prosa: *Flor de palma o la fugitiva de Borinquen*. Anaibelca, hija del cacique de Borinquen Bayoán, es la protagonista. Fascinante y ambiciosa de mando, la borincana pudo inspirar una novela. La leyenda está escrita en mala prosa y es inferior a cualquiera de las *Fantasías* en verso.

Salomé Ureña de Henríquez (1850-1897) suma a la tradición poética indianista su poema *Anacaona*.[9] La introducción describe la raza indígena quisqueyana. Luego el poema va desenvolviéndose según un plan sistemático. A la descripción de Anacaona y Caonabo, las figuras salientes, sigue la profecía del *buitío* que anuncia la destrucción de la raza; la llegada de los españoles; el ataque de Caonabo a Guacanagarí y destrucción del fuerte Navidad; la guerra y liga de caciques; la prisión y muerte de Caonabo. Después de la matanza de Jaragua, el suplicio de la reina. El poema está escrito con la variedad estrófica frecuente en Zorrilla.

"ENRIQUILLO": PANORAMA

La novela *Enriquillo*[10] debe tener para los hispanoamericanos un interés profundo. Leyéndola, asistimos al primer centro de trasplante de la cultura española en América. La novela enmarca la historia de Santo Domingo de 1503 a 1533; el momento de transitorio predominio de la Ciudad Primada, erguida frente al Ozama con su Torre del Homenaje, su flamante palacio de Diego Colón, su catedral, sus conventos de San Francisco y Santo Domingo.

En el fondo, las figuras ya sumisas de los indios; en el centro los grandes personajes de la Conquista que toman la Española como tránsito para sus expediciones más arriesgadas: Hernando Cortés, Vasco Núñez de Balboa, Francisco Pizarro, Diego Velázquez, Juan de Grijalva. La vuelta de Cristóbal Colón de Jamaica y el recibimiento que le hace Ovando constituye un episodio interesante.

Mas todo esto está al margen de la novela que tiene dos núcleos de interés: la corte de los virreyes, don Diego Colón y doña María de Toledo, y Enriquillo, el cacique Guarocuya, a quien vemos pasar de niño a hombre teniendo ante sus ojos el espectáculo de su raza sojuzgada.

---

[9] *Poesías* (Sociedad de amigos del país Santo Domingo, García Hermanos, 1880), pp. 113-208.
[10] *Enriquillo*, primera parte, Santo Domingo, Imp. del padre Billini, 1879; edición completa, Santo Domingo, Imp. García Hermanos, 1882.

El carácter de Guarocuya va acentuándose, hasta que convencido de la inutilidad de toda gestión pacífica, desesperado él mismo por la injusticia y la afrenta, se transforma en un rebelde señor de sus montañas, para ofrecer a los suyos la libertad que la civilización les negaba.

Eje de esos dos núcleos es fray Bartolomé de las Casas, cuya biografía se va insertando gradualmente en la narración, asociándola al hilo de los episodios.

El horizonte histórico no puede ser más vasto. El novelesco es una derivación de lo histórico, sentimentalmente sobria, un inusitado caso de romanticismo atenuado que fluye con dignidad clásica.

Los principales episodios novelescos que así parten de la historia, son los amores de Juan de Grijalva y María de Cuéllar, la muerte de Guaroa, la prueba de los neblíes hecha por Enriquillo ante el virrey.

Tres partes forman la novela. Comienza evocando la matanza de los caciques en Jaragua, medida de conquista realizada por el comendador don Nicolás de Ovando. El autor presenta a Guarocuya niño, con su tía Higuemota, viuda ya de don Hernando de Guevara. Siguen, la aparición súbita de Guaroa quien se lleva al niño a las montañas; las intrigas de Pedro Mojica para apoderarse de la fortuna de Higuemota; la muerte de Guaroa y vencimiento de Cotubaná; las reclamaciones de don Diego Colón y la obtención de sus derechos; su matrimonio con doña María de Toledo, y su venida a la Española con el título de virrey. Comienza en esta parte el episodio de Grijalva y María de Cuéllar.

La segunda parte continúa ese episodio con las intrigas de Pedro Mojica a favor de Velázquez, quien deseaba casarse con la doncella. Como resultado, la separación de los jóvenes: Grijalva se marcha en la expedición de Nicuesa y Ojeda; María de Cuéllar consigue, ayudada por los virreyes, aplazar su boda con Velázquez hasta el término de un año.

Se inicia en esta parte la campaña por la libertad de los indios con el discurso de fray Antonio de Montesino y sus gestiones ante el rey, que originan las ordenanzas de Burgos para mejorar la situación de los indígenas. Termina con la conclusión del episodio de Grijalva y María de Cuéllar: la muerte de ésta en Cuba el mismo día de sus bodas. Grijalva muere a manos de los indios nicaragüenses.

La tercera parte narra el alzamiento de Enriquillo, quien asume la categoría de protagonista. Realizadas después de algunos obstáculos levantados por Mojica, las bodas de Enriquillo y su prima Mencía, muerto ya el protector del joven, don Francisco de Valenzuela, su hijo humilla al cacique, lo somete a la dolorosa situación de encomendado y trata de ultrajar torpemente el honor de Mencía. Enriquillo pide justicia en San Juan de la Maguana, y al no conseguirla, va hasta Santo Domingo con igual resultado. Sin protección inmediata, pues Las Casas se halla en España, Enrique se marcha con su cuadrilla a la sierra del Bahoruco, solar de sus antepasados. Allí se le unen indios de todas partes, y en rebeldía persistente, se mantiene libre con los suyos durante trece años. Al fin Carlos V le escribe ofreciéndole el perdón y la libertad de los indios. Concentrados en el pueblo de Boyá y sus cercanías, los indios vivieron desde entonces libres, gobernados por Enrique.

FUENTES, ESTILO E INFLUENCIAS LITERARIAS

La fuente principal de la novela es la *Historia de las Indias* de Las Casas, que Galván cita textualmente a cada paso; siguen en importancia las *Décadas* de Herrera; las biografías de fray Bartolomé de las Casas escritas por Quintana y Remesal; las *Elegías* de Juan de Castellanos; la *Vida de Colón* por Washington Irving. En un apéndice el autor copia los pasajes históricos sobre los cuales elaboró importantes capítulos de la novela.

Hemos señalado ya el sabor clásico de la prosa galvaniana. Las fuentes en que se documentó Galván, influyeron en su estilo indudablemente. Su manera de narrar recuerda formalmente a Antonio de Solís, mas la contenida melancolía con que describe la extinción de los indígenas, se acerca más a Garcilaso de la Vega (El Inca).

A veces arranca palabras del texto de Las Casas —una de sus maneras de arcaizar su lenguaje— anotándola al mismo tiempo. Así usa y anota "santochado" por idiota o mentecato; [11] "criado", en lugar de protegido; "gruñeron" en el sentido de protestaron. El arcaísmo sin embargo, fluye principalmente del asunto, que obliga al autor el uso del vocabulario indispensable para describir la indumentaria y las costumbres. Reduce a lo estrictamente necesario el uso de palabras indígenas, otro acierto que contribuye a mantener la armonía de su prosa.

Hechizado por la pasión de lejanía, descuida la descripción de la naturaleza, realidad demasiado cercana. La breve descripción del Lago Dulce [12] o la del camino de Santo Domingo a Concepción de la

[11] *Enriquillo* (Imp. García Hermanos, 1882), p. 255.
[12] *Ibid.*, p. 22.

Vega apenas si nos dan bosquejos imprecisos del maravilloso paisaje quisqueyano. Veamos este último. Refiriéndose a Las Casas escribe:

> Deteníase como un niño haciendo demostraciones de pasmo y alegría, ora al aspecto majestuoso de la lejana cordillera, ora a vista de la dilatada llanura o al pie del erguido monte que lleva hasta las nubes su tupido penacho de pinos y *baitoas*. El torrente, quebrando sus aguas de piedra en piedra, salpicando de menudo aljófar las verdes orillas; el caudaloso río deslizándose murmurador en ancho cauce de blancas arenas y negruzcas guijas; el añoso *mamey*, cuyo tronco robusto bifurcado en regular proporción ofrecía la apariencia de gótico sagrario; el inmenso panorama que la vista señorea en todos sentidos desde la cumbre de la montaña, todo era motivo de éxtasis para el impresionable viajero.[13]

Las más veces, Galván acude a Las Casas, como en la descripción de la Real Vega,[14] entresacada de la *Historia de las Indias*.

La aproximación estilística a Garcilaso se logra bellamente en el capítulo XIV, que narra la muerte de Guaroa:

> Distinguíase a primera vista la figura escultural de su caudillo, que abismado en la honda meditación, se reclinaba con el abandono propio de las grandes tristezas en el tronco de un alto córvano, de cuya trémula copa, que el sol hacía brillar con sus primeros rayos, enviaba, el ruiseñor sus trinos a los ecos apacibles de la montaña: Los árboles, meciendo en blando susurro el flexible follaje, respondían armónicamente al sordo rumor del mar cuyas olas azules y argentadas se divisaban a lo lejos desde aquellas alturas, formando una orla espléndida al grandioso panorama.[15]

La manera como introduce aquí Galván la naturaleza, no vuelve a ocurrir en el resto del libro. Denuncia un propósito de adecuar el escenario a la acción dramática que sigue: el asalto inesperado de Diego Velázquez y el combate entre ambos caudillos. Velázquez desarma a Guaroa y entonces:

> Precipitóse Guaroa a recobrar su espada y habiéndose adelantado a impedírselo un español, el contrariado guerrero sacó la daga pendiente de su cintura y después de haber hecho ademán de herir al que estorbaba su acción, viéndose cercado por todas partes, se la hundió repentinamente en su propio seno. ¡Muero libre! dijo; y cayó en tierra exhalando un momento después el último suspiro.
> Así acabó gloriosamente sin doblar la cerviz al yugo extranjero,

[13] *Ibid.*, p. 141.
[14] *Ibid.*, pp. 146-47.
[15] *Ibid.*, pp. 36-37.

el noble y valeroso Guaroa; legando a su linaje un ejemplo de indómita bravura y de amor a la libertad.[16]

La obra sólo tiene algunos pasajes que recuerdan el arte de Scott.
En *Enriquillo* encontramos invertido el procedimiento más feliz del
esquema scottiano; los personajes históricos que sabiamente sitúa
Scott en segundo término llenando el primer plano con los novelescos,
son en Galván los que resaltan a plena luz, mientras lo novelesco
tiene siempre carácter episódico, es derivación a la manera azorinesca
de hechos reales. Así pierde la única posibilidad de realizar —hasta
donde cabe— una perfecta novela histórica, posibilidad que Larreta
aprovechó en *La gloria de don Ramiro*. Al hacer esto, prueba Galván
que no estudió la técnica de Scott y da muestra al mismo tiempo de
su casi intuitiva visión artística. Pues lo novelesco en *Enriquillo*
—y esto es uno de los subidos valores del libro— armoniza bellamente
con lo histórico. Tal el episodio de los amores de Grijalva y María
de Cuéllar y el de los neblíes de Enriquillo. Examinemos éste.

Herrera cita el envío a Carlos V de doce halcones desde Santo
Domingo. Galván atribuye a Enriquillo conocimientos en cetrería
adquiridos del escudero de su padrino Diego Velázquez. El joven
va al Alcázar a visitar a su prima Mencía y Diego Colón le pide que
pruebe la destreza de sus neblíes. Galván escribe:

Numerosas gaviotas blancas y cenicientas revoloteaban a corta
distancia rozando las murmuradoras aguas del Ozama, mientras que
a considerable altura sobre los tejados de los edificios, las juguetonas
golondrinas se cernían en el espacio diáfano describiendo caprichosos
y variados giros.

Enriquillo escogió uno de sus halcones: era un hermoso pájaro
de hosco aspecto, ojos de fuego, cabeza abultada y corvo pico; recias
plumas veteadas de negro y rojo claro decoraban sus alas y tenía
salpicado de manchas blancas el parduzco plumaje de la espalda.
El pecho ceniciento y saliente, las aceradas garras que se adherían
a las carnosas patas cubiertas de blanca pluma, completaban el fiero
y altivo aspecto de aquella pequeña ave que semejaba un águila de
reducidas proporciones.

—¿Queréis una gaviota o una golondrina?
—Lanza el pájaro contra la gaviota primero; las sardinas te lo
agradecerán.

Enrique hizo un rápido movimiento de inclinación con la diestra
hacia el punto que ocupaba una bandada de gaviotas y el inteligente
neblí se disparó en línea recta sobre ellas, apoderándose de una y
volviendo al joven cacique en menos tiempo del que se emplea en
referirlo.

[16] *Ibid.*, pp. 38-39.

Si en la arquitectura general de su libro Galván no sigue a Scott, se aproxima a él en el logrado color local de algunos episodios y en la feliz reconstrucción del pasado que revive. De sabor scottiano son los capítulos XXIV al XXVI, que narran el encuentro de Diego Colón y doña María de Toledo, la petición de mano de la noble doncella, y la proclamación formal del compromiso. Intentó sin lograrlo un personaje humorístico a la manera de Scott: el médico que esmalta sus diagnósticos de latines y alusiones a Avicena.

ACTITUD ANTE ESPAÑA

La reacción favorable hacia España después de los extremos del odio revolucionario la hemos visto apuntar en la visión equilibrada de la Avellaneda al juzgar la Conquista. En *Enriquillo* esta nota se acentúa. Hay, además, evidente propósito de parte del autor, de realzar las nobles hazañas de la Nación española y afirmar que la crueldad de la Conquista fue un hecho de circunstancias propicias al desarrollo de la ambición.

La dedicatoria a don Rafael María de Labra que aparece al frente de la edición de 1882, nos dice como surgió en él la idea de su libro. Fue en el acto de la proclamación de la libertad de los esclavos en San Juan de Puerto Rico:

> Desde el balcón central del Palacio de la Intendencia, un hombre arengaba con ademán solemne, con sonoro acento, aquella inumerable cuanto silenciosa multitud. Aquel hombre estaba investido de todos los atributos del poder; ejercía la autoridad absoluta de la Isla, era el gobernador, capitán general don Rafael Primo de Rivera y en aquel momento cumplía un bello acto de justicia proclamando en nombre de la Nación española, la abolición de la esclavitud en la hermosa Borinquen. Ruidosos y entusiastas vivas a España terminaron aquella escena sublime.[17]

Entonces Galván busca analogías morales en un hecho de los primeros días de la Conquista: recuerda las figuras de fray Bartolomé de las Casas y del cacique Enriquillo y forma el propósito de escribir su libro para dedicarlo a la Sociedad abolicionista española.

Ante la ambición y los vicios de algunos conquistadores, opone la eficacia civilizadora de los frailes dominicos. En el capítulo final hace

---

[17] *Enriquillo*, p. 1.

CONCHA MÉLENDEZ

una observación que precisa su actitud ante España. Refiriéndose al indio Tamayo nos dice:

> El esforzado teniente de Enriquillo se había convertido de una vez, cuando vio por los actos de Hernando San Miguel y Francisco de Barrionuevo, que los mejores soldados españoles eran húmanos y benévolos, y por la carta de gracia de Carlos V a Enriquillo, que los potentados cristianos verdaderamente grandes, eran verdadera- mente buenos.[18]

Esta actitud que anticipa la valoración positiva de lo que en nuestra cultura constituye lo invulnerable español, valoración reali- zada en la época modernista por nuestros pensadores —Rodó en primer término— constituye uno de los aspectos más sugestivos del *Enriquillo*.

José Martí y "Enriquillo"

La lectura de *Enriquillo* produjo en Martí admiración emocio- nada y entusiasta. Él, de juicio tan equilbrado cuando comenta a Whitman y a Wilde, aquí sólo sabe anotar frases admirativas: "¡Qué Enriquillo, que parece un Jesús! ¡Qué Mencía, casada más perfecta que la de fray Luis! ¡Qué profundidad en la intención! ¡Qué transparencia en las escenas! ¡Qué arte en todo el conjunto que baja al idilio cuando es menester y se levanta luego sin esfuerzo y como esfera natural a la tragedia y la epopeya!"[19]

Martí encuentra en el lenguaje de la novela, castidad y donosura, en la presentación de los caracteres "maestría, justeza y acabamien- to". Ve en el libro reunidos, novela, poema e historia.

El capítulo vi, donde el niño Guarocuya es proclamado rey, su paso a través de la cordillera, ya a pie, ya en brazos de los compa- ñeros de Guaroa, hizo vibrar en Martí su innata ternura por los niños. Del capítulo xi, toma la imagen de Las Casas "sin armas, vestido con jubón y ferreruelo". Todavía en el capítulo xii, encuen- tra más detalles sobre el niño: agilidad, buen humor, desagrado cuando lo llevaban en hombros. De aquí recoge también el detalle del beso con que Las Casas saluda al niño. Todo queda en la memo- ria de Martí, y, cuando en *La edad de oro*, revista fundada exclusiva-

---

[18] *Ibid.*, p. 224.
[19] "Carta a Manuel de J. Galván", inserta en *Obras completas* (La Habana, Ed. Gonzalo de Quesada, 1914), XIII, 315-16.

mente para los niños, quiere dar a conocer a sus lectores infantiles el apostolado de Las Casas, revive la visión amable del niño indio:

> Lo mejor era irse al monte con el valiente Guaroa y con el niño Guarocuya, a defenderse con las piedras, a defenderse con el agua, a salvar al reyecito bravo, a Guarocuya. Él saltaba el arroyo, de orilla a orilla; él clavaba la lanza lejos, como un guerrero; a la hora de andar, a la cabeza iba él; se le oía la risa de noche como un canto; lo que él no quería era que lo llevase nadie en hombros. Así iban por el monte cuando se les apareció entre los españoles armados el padre Las Casas, con sus ojos tristísimos, en su jubón y ferreruelo. Él no disparaba el arcabuz, él les abría los brazos. Y le dio un beso a Guarocuya.[20]

No podía escapar a Martí el sentido simbólico del noble cacique. En su ensayo *Heredia* alude a él como enseñanza impresa en el suelo dominicano:

> Santo Domingo, semillero de héroes, donde aún en la caoba sangrienta y en el cañaveral quejoso y en las selvas invictas, está como vivo, manando enseñanzas y decretos, el corazón de Guarocuya.[21]

"ENRIQUILLO", SÍMBOLO NACIONAL

El cacique del Bahoruco representa para la Nación dominicana, el símbolo más alto de civismo y dignidad. Los principales juicios de autores dominicanos que del libro de Galván han llegado hasta nosotros, concuerdan con esta interpretación.

Inicia el símbolo Galván mismo, quien en su novela, no sólo realza el noble carácter de Guarocuya tal como la historia lo muestra, sino que lo idealiza con perfiles de refinamiento que aquél acaso no poseyó. Además, va modelando gradualmente las ansias de libertad de Enriquillo, dándoles una amplitud que no desentona con lo que sabemos del héroe, pero que tampoco tiene validez histórica.

La primera lección la recibe el niño Guarocuya a los siete años, cuando su tío Guaroa, tratando de convencerlo de que lo siga a las montañas, le muestra un andrajoso naboría que cruza la pradera con un haz de leña y le dice:

> —Dime, Guarocuya, ¿quieres ser libre y señor de la montaña, tener vasallos que te obedezcan y te sirvan o quieres cuando seas hombre cargar leña y agua como aquel vil naboría que va allí?[22]

[20] Martí, *El Padre Las Casas. Páginas escogidas* (París, Garnier, s.f.), p. 254.
[21] *Ibid.*, p. 143.
[22] *Enriquillo*, p. 7.

Educándose con gran provecho en el convento de franciscanos de Verapaz, el adolescente muestra predilección por la rebeldía de Viriato y su alzamiento contra los romanos.[23]

Un poco más tarde Galván pone en sus labios estas palabras: "Mientras los de mi nación sean maltratados, la tristeza habitará aquí", palabras que subraya con la mano sobre el pecho.

Galván introduce el matiz apostólico en la insurrección de Enriquillo, cuando dice comentando una de sus victorias:

> Enriquillo no quiere matanza ni crímenes. Quiere tan sólo, pero quiere firme y amorosamente, su libertad y la de todos los de su raza. Quiere llevar consigo el mayor número de indios armados, dispuesto a combatir en defensa de sus derechos; de derechos que los más de ellos no han conocido jamás y que es preciso ante todo hacerles concebir y enseñárselos a definir. Y este trabajo docente, y este trabajo reflexivo y activo, lo hacen en tan breve tiempo la prudencia y energía de Enriquillo y Tamayo combinadas.[24]

No rechaza Enriquillo las elevadas enseñanzas que ha aprendido de los españoles: todas las noches congrega a sus vasallos para rezar el rosario de la Virgen. Pero en el instante de la defensa, cuando Valenzuela y Mojica van a buscarlo a su retiro con fuerza armada, se adelanta a ellos "transfigurado, altivo, terrible".

El autor, comentando el alzamiento, amplía la interpretación nacionalista dándole un carácter continental:

> El alzamiento de Bahoruco aparece como una reacción; como el preludio de todas las reacciones que en menos de cuatro siglos han de aniquilar en el Nuevo Mundo, el derecho de conquista.[25]

Las últimas palabras de la novela, afirman el símbolo sobre las montañas de Bahoruco, el más bello monumento al recuerdo de Enriquillo:

> Este nombre vive y vivirá eternamente: un gran lago lo perpetúa con su denominación geográfica; [26] las erguidas montañas del Bahoruco parece como que lo levantan hasta la región de las nubes y, a cualquier distancia que se alcance a divisarlas en su vasto desarrollo, la sinuosa cordillera, contorneando los lejanos horizontes, evoca con muda elocuencia el recuerdo glorioso de Enriquillo.

[23] *Ibid.,* p. 52.
[24] *Ibid.,* p. 290.
[25] *Enriquillo,* p. 213.
[26] El antiguo lago de *Caguaní,* hoy *Enriquillo.*

Definido ya el símbolo, los intelectuales dominicanos lo acogen y acentúan. Federico García Godoy (?-1923) ve en Enriquillo serenidad, armonía; la describe como obra "clásica por el pensamiento, por la forma y por el estilo".[27] Señala el parentesco de la novela por el corte y por el estilo con obras parecidas de las mejores épocas de la literatura española. Ve también la manera artística hasta donde cabe, con que lo novelesco armoniza con lo histórico.

Creemos que acierta García Godoy en cuanto al clasicismo de forma y estilo en *Enriquillo*. No así en el pensamiento, que nos parece, como hemos tratado demostrar, esencialmente romántico.

Se detiene García Godoy ante el símbolo. Sintetiza Enriquillo para él "un momento histórico de efectiva importancia". Y añade:

> Es un tipo representativo que condensa bella y eficazmente, los dolores, los infortunios, las amarguras, los heroísmos de un pueblo que parecía tocado ya de irremediable decadencia. Ese libro es, y seguirá siendo, a lo que pienso, la más fiel y artística evocación de la época en que empieza a incubarse nuestro destino histórico. Y, como dice el gran Martí, será, en cuanto se le conozca, cosa de toda América.

José Joaquín Pérez, en el prólogo que escribió para la edición de 1882, alude también al simbolismo del cacique:

> Enriquillo es un símbolo y una enseñanza. Es el símbolo perfecto de los oprimidos, de cuantas generaciones han venido batallando contra ese inmenso océano de tempestades que se llama la vida. Sufriendo por él, y más que por él, por los hermanos en quienes se cebaba la codicia, la ambición y la ruindad de todas las pasiones que engendra el egoísmo, es la imagen de la humanidad, que viene derramando lágrimas y sangre en cada etapa de la sucesión de los tiempos, para levantarse un día y otro día a conquistar sus derechos. Diríjase una mirada al vastísimo campo de la historia y desde Espartaco hasta John Brown y Lincoln, se verá reflejado el espíritu que animó al infortunado último cacique de la extinta raza de Haití.

El símbolo ha tomado aquí carácter de universalidad. Inicia además J. J. Pérez el paralelo de Enriquillo con los libertadores de esclavos de la historia, que se repetirá en críticas posteriores.

El intento más serio de interpretación que hemos encontrado de la novela, es de Manuel F. Cestero.[28] En su crítica aporta estas nuevas observaciones: Galván tiene presente la actualidad domini-

---

[27] "La literatura dominicana", *Revue Hispanique* (París-New York, 1916), XXXVII, 82-83.
[28] Manuel F. Cestero, "Ensayos críticos: *Enriquillo*", La Habana, *Cuba Contemporánea* (1917), XIII, 316-37.

cana en el momento de escribir su obra: la agonía y degradación de
los tiempos de la independencia y la restauración después del periodo
anexionista. No retrata sólo las llagas de la sociedad dominicana,
sino de toda Hispanoamérica.

Amplía el paralelo entre Enriquillo y Lincoln: como Lincoln
suprimió la esclavitud pero la suplantó el imperialismo *yankee,* así
en la Española se suprimió también, pero la suplantó la tiranía de los
presidentes dominicanos.

La aplicación del episodio de Enriquillo a la actualidad dominicana había sido insinuada por el autor mismo en la reseña retrospectiva al frente de la tercera edición de su obra.[29] Refiriéndose a los
apologistas del cacique dice:

> No miraron a las convenciones circunstanciales en aquellos días
> de pasión y de lucha para reforzar con su franca adhesión las conclu-
> siones que en el *Enriquillo* se deducen de yerros pasados, como admo-
> niciones aplicables a yerros análogos de aquella actualidad, cuyos
> efectos, previstos entonces, han adquirido ya el sello de lo irremediable.

Cuando Galván escribe estas líneas, es por segunda vez un deste-
rrado voluntario en Puerto Rico a causa de los sucesos políticos
desarrollados en Santo Domingo de 1903 a 1905. Quiere mostrar
imparcialidad absoluta ante los nuevos sucesos. Y en esta edición
suprime la dedicatoria a don José María de Labra —hecho que nos
parece absurdo— y el prólogo de José Joaquín Pérez.

Con esas páginas Galván interpreta su libro como "la expresión
del anhelo de los que aspiran al reinado de la fraternidad y la justicia
en todos los pueblos de habla española".

Cestero va mucho más lejos. Una sección de su ensayo se titula
La filosofía de Enriquillo, que sintetiza así:

> La naturaleza para el hombre es la razón. La felicidad consiste
> en vivir según la naturaleza. Nuestro bien y nuestro mal están en
> nuestra voluntad. Un mismo derecho y una misma ley, la filantropía,
> la solidaridad en el bien: tal es la filosofía que se desprende de
> *Enriquillo.*

Testimonio del entusiasmo que en los dominicanos suscitó *Enriquillo* desde su publicación es el artículo de Federico Henríquez y
Carvajal contestando a una encuesta de la revista *Letras* que dirigía
Horacio Blanco Fombona en Santo Domingo. La encuesta se formulaba así: "¿Cuál es la mejor de las obras nacionales en prosa?"

---

[29] Barcelona, Vda. de J. Cunill, 1909.

Federico Henríquez afirma en ese artículo [30] que *Enriquillo* cuenta "con la consagración de no escaso número de votos en sucesivas generaciones literarias dominicanas." Recuerda cambios de impresiones en que la opinión le fue favorable, en una larga enumeración de nombres entre los cuales están Francisco Gregorio Billini, Salomé Ureña de Henríquez, Eugenio Deschamps, Gastón F. Deligne y Félix E. Mejía. De Mejía copia frases de reacción sentimental:

> El libro me apasiona y mis ojos se nublan de tristeza o arden de indignación al recorrer sus páginas. Porque enseña y deleita, porque crea y no mata. Porque canta, nueva Iliada, la etapa culminante de la primera epopeya quisqueyana. Por todo eso téngola por la mejor obra nacional en prosa.

La generación modernista, representada por Ricardo Pérez Alfonseca, cincela con los últimos toques el símbolo estatuario. En el prólogo que Pérez Alfonseca escribe para el poema *Guarocuya* [31] de Henríquez y Carvajal, dice cómo, "para contemplar a Guarocuya con esa mirada cíclica que compendia en la cabalidad de sus destinos a un hombre que es un pueblo, es necesario tener las pupilas acomodadas a lo infinito".

Pérez Alfonseca ve también al héroe sobre la cordillera del Bahoruco, "hombre con pies de monte o monte con cima de hombre". Ve las páginas de Galván como núcleo de una cordillera ideal, "en que sobre los horizontes de la historia, se empina, martirizada, heroica y libre al fin, la raza quisqueyana".

ENRIQUILLO EN LA LITERATURA

En dos obras más el cacique de Bahoruco es elevado al plano de la ficción literaria. Antecesor de Galván fue, en este aspecto, Marmontel. [32] En su novela *Les Incas* introduce a Enriquillo, quien viene a visitar a Las Casas, enfermo en Santo Domingo. Cuando lo anuncian, Las Casas se dirige a Pizarro y dice: "Vous allez voir un cacique qui, s'étant retiré depuis plus de dix ans dans les montagnes de l'île, s'y conduit avec une valeur et une bonté sans exemple."

En 1924, Federico Henríquez y Carvajal publica su poema *Gua-*

[30] *Letras* (Santo Domingo, agosto 1918).
[31] *Guarocuya. Monólogo de Enriquillo* (Santo Domingo, Imp. Montalvo, 1924).
[32] *Les Incas,* pp. 136-40.

rocuya. El cacique aparece enfermo, próximo a la muerte en su casa de Boyá. En ese instante pasa por su memoria su vida toda que él comenta en monólogo interior. El poeta le atribuye estas palabras finales que recuerdan el último párrafo de la novela de Galván:

La casta de los caciques
conmigo baja a la tumba;
mas queda, como una síntesis
i al aire libre se encumbra,
erecta sobre las lomas

señoreando la altura,
al mar Caribe de frente
de espaldas a la laguna,
ejemplo de patriotismo
la estatua de Guarocuya.

El autor de "Enriquillo"

La importancia de la obra de Galván exige una biografía elaborada con disciplina y precisión. Esa biografía no se ha escrito aún. Requeriría una investigación llena de obstáculos, por estar los documentos necesarios dispersos en revistas y periódicos dominicanos coleccionados en bibliotecas particulares de acceso casi imposible.

Recogemos sin embargo, algunos datos apuntados al margen de lecturas y sobre todo, obtenidos directamente de Federico Henríquez y Carvajal, uno de sus más devotos amigos.

La vida de Galván se desenvuelve limitada por las fechas de 1834 a 1910. No estudió sistemáticamente en ninguna Universidad. Obtuvo la investidura de licenciado en leyes por acto de la Suprema Corte de Justicia, en una época en que el Instituto Profesional de la República estaba clausurado.

Inició su carrera como secretario de don Felipe Dávila Fernández de Castro, enviado a Europa en comisión plenipotenciaria en 1855.

Fue partidario de la reanexión de su país a España, que se consumó por Santana y O'Donnell en 1861. De 1863 a 1865 fue secretario del gobierno civil de Santo Domingo. Declarada de nuevo la independencia, marcha a Puerto Rico, todavía colonia española y allí ocupa el puesto de Intendente de la Real Hacienda. Regresa a su país en 1874, después de haber compartido los años de destierro entre España y Puerto Rico.

Fue Secretario de Relaciones Exteriores en 1876, bajo la presidencia de Espaillat, y en 1879-80, durante el gobierno de Cesáreo Guillermo. En 1892 declaró su adhesión a la causa libertaria de Cuba. Conoce entonces a Martí, quien había ido a la Isla a conferenciar con Máximo Gómez sobre sus planes revolucionarios.

Con Federico Henríquez y Apolinar Tejera, trabaja en el Instituto Profesional de la República en 1895. Fue vicerrector de ese Instituto bajo el rectorado de Billini.

Cuando en 1904 fue derrocado el gobierno de Wos y Gil, Galván era secretario de Estado. De nuevo abandona el país voluntariamente y se establece en Puerto Rico, hasta el año 1910 en que muere repentinamente en la ciudad de San Juan. Está enterrado bajo sencillo mármol en la Capilla del Santísimo Sacramento de la Catedral de Santo Domingo. La inscripción dice estas palabras: "Manuel de Jesús Galván. Falleció en San Juan de Puerto Rico en 1910. Sus restos fueron trasladados a Santo Domingo en marzo de 1917."

Además de *Enriquillo*,* su única obra literaria, Galván realizó intermitente labor periodística. Durante el periodo anexionista fue uno de los redactores de *La Razón*, semanario de aquel gobierno que se publicó de 1862 a 1863. Colaboraba de vez en cuando en periódicos dominicanos: en *El eco de la opinión*, *El teléfono*, *Letras y ciencias*, *La cuna de América*, *Revista literaria* y *La crónica*.

CONCHA MELÉNDEZ.

Universidad de Puerto Rico.

---

* En 1954, la Pan American Union publicó la traducción al inglés del *Enriquillo* bajo el título *The Cross and the Sword*.

ENRIQUILLO

LEYENDA HISTÓRICA DOMINICANA

Demos siquiera en los libros algún
lugar a la justicia, ya que por desgracia
suele dejársele tan poco en los negocios
del mundo.

QUINTANA.

RESEÑA RETROSPECTIVA

La primera parte de esta obra salió a luz en el año 1879, a instancias del filántropo don Francisco X. Billini, presbítero, a quien leí el manuscrito; se editó completa en 1882, llevando a su frente dedicatoria del autor a una distinguida personalidad política de España, y un prólogo de gran valor literario, escrito espontáneamente por el malogrado poeta dominicano don José Joaquín Pérez. Desde entonces fue favorecido *Enriquillo* con la más simpática acogida por un número considerable de conocidos escritores públicos, y con el entusiasta aplauso de cuantos aspiran al reinado de la fraternidad y la justicia en todos los pueblos de habla española. Entre los juicios encomiásticos a que dio motivo la aparición del libro, descuellan el del ilustrado patriota español don Francisco de la Fuente Ruiz, que en México fundó con gran éxito la Unión Ibero Americana, y el del no menos ilustrado y patriota don Manuel de Jesús de Peña y Reinoso, que en Santo Domingo publicó una bella e instructiva monografía didáctica sobre el texto del *Enriquillo*. Debo agregar que la presente edición, con el texto de la carta laudatoria del ilustre José Martí que la encabeza, se debe a la eficaz insistencia de mi buen amigo don Eliseo Grullón y Julia, alma ansiosa del bien y dedicada a ejercerlo. Los mencionados nombres, como otros muchos que reservo, de respetables personas, que aún viven las unas, y otras han pasado a un mundo mejor, obligan por igual mi gratitud; puesto que unos y otros no miraron a las conveniencias circunstanciales en aquellos días de pasión y de lucha, para reforzar con su franca adhesión las conclusiones que en el *Enriquillo* se deducen de yerros pasados, como admoniciones aplicables a yerros análogos de aquella actualidad; cuyos efectos, previstos entonces, han adquirido ya el sello de lo irremediable.

Carece hoy, por lo mismo, de todo interés contradictorio en el campo de la política militante, la presente obra; y por cuanto los referidos prólogo y dedicatoria proclamaban el fin moral positivo que la había inspirado, quedan suprimidos en esta nueva edición, como signo de imparcialidad absoluta; y en sustitución de ambos, se complace en consignar el testimonio de cordial e imperecedera gratitud a todos los favorecedores de *Enriquillo* que aún viven (y sea por muchos años); a la vez que en consagrar un bien sentido, pesaroso recuerdo, a los que un día le fueron propicios, y duermen ya en la paz del sepulcro.

EL AUTOR.

Barcelona (España), 1º junio de 1909.

Sr. Manuel de J. Galván

Señor y amigo: Acabo en este momento de leer su Enriquillo. No supe decirle adiós desde que trabé con él conocimiento, y quedamos tan amigos, que se lo he de ir presentando a todo el mundo, para que me lo alaben y protejan, como si fuese cosa mía, lo cual es, por ser, como será en cuanto se le conozca, cosa de toda nuestra América.

Pienso publicar los méritos del libro; pero no aguardo a esto para decir a V. cuánto gozo he tenido con su lectura. Leyenda histórica no es eso; sino novísima y encantadora manera de escribir nuestra historia americana. En el lenguaje ¡qué castidad, prudencia y donosura! En las observaciones que esmaltan, como diamantes negros una sortija de oro, la narración amena, ¡qué dolorosa ciencia, aprendida, bien se ve, en continuados pesares! En la presentación de los caracteres ¡qué maestría, gradación, justez, acabamiento! ¿Cómo ha hecho V. para reunir en un solo libro novela, poema e historia?

No haga V. otra cosa, luego que concluya su tratado, que escribir cuentos como éste, en que las excelencias son tantas como las palabras, la trascendencia igual a la armonía, y la moderación comparable sólo a la extrema belleza, y causa en mucho de ella. ¡Qué Enriquillo, que parece un Jesús! ¡Qué Mencía, casada más perfecta que la de frey Luis! Y en todo ¡qué poder y hermosura! ¡qué transparencia en las escenas! ¡qué profundidad en la intención! ¡qué arte en todo el conjunto, que baja al idilio cuando es menester, y se levanta luego sin esfuerzo, y como a esfera natural, a la tragedia y la epopeya! Acaso sea esa la manera de escribir el poema americano.

Muy contento de haber hecho el conocimiento de V., que con prenda de tan señalada valía ha enriquecido nuestras letras, le saluda y queda a su servicio.

Su estimador y atento amigo.

JOSÉ MARTÍ.

PRIMERA PARTE

I

INCERTIDUMBRE

El nombre de Jaragua brilla en las primeras páginas de la historia de América con el mismo prestigio que en las edades antiguas y en las narraciones mitológicas tuvieron la inocente Arcadia, la dorada Hesperia, el bellísimo valle de Tempé, y algunas otras comarcas privilegiadas del globo, dotadas por la naturaleza con todos los encantos que pueden seducir la imaginación, y poblarla de quimeras deslumbradoras. Como ellas, el reino indio de Jaragua aparece ante los modernos argonautas que iban a conquistarlo, bajo el aspecto de una región maravillosa, rica y feliz. Regido por una soberana hermosa y amable; [1] habitado por una raza benigna, de entendimiento despejado, de gentiles formas físicas; su civilización rudimentaria, por la inocencia de las costumbres, por el buen gusto de sus sencillos atavíos, por la graciosa disposición de sus fiestas y ceremonias, y más que todo, por la expansión generosa de su hospitalidad, bien podría compararse ventajosamente con esa otra civilización que los conquistadores, cubiertos de hierro, llevaban en las puntas de sus lanzas, en los cascos de sus caballos, y en los colmillos de sus perros de presa.

Y en efecto, la conquista, poniendo un horrible borrón por punto final a la poética existencia del reino de Jaragua, ha rodeado este nombre de otra especie de' aureola siniestra, color de sangre y fuego —algo parecido a los reflejos del carbunclo. Cuando se pregunta cómo concluyeron aquella dicha, aquella paz, aquel paraíso de mansedumbre y de candor; qué fue de aquel régimen patriarcal, de aquella reina adorada de sus súbditos; de aquella mujer extraordinaria, tesoro de hermosura y de gracias, la historia responde con un eco lúgubre, con una relación espantosa, a todas esas preguntas. Perecieron en aciago día, miserablemente abrasados entre las llamas, o al filo de implacables aceros, más de ochenta caciques, los nobles jefes que en las grandes solemnidades asistían al pie del rústico solio de Anacaona, y más tarde ella misma, la encantadora y benéfica reina, después de un proceso inverosímil, absurdo, muere trágicamente en horca infame; a tales extremos puede conducir el fanatismo servido por eso que impropiamente se llama razón de Estado.

Los sucesos cuya narración va a llenar las hojas de este pobre libro tiene su origen y raíz en la espantosa tragedia de Jaragua. Fuerza nos es fijar la consideración en la poco simpática figura del adusto comendador Frey Nicolás de Ovando, autor de la referida catástrofe. En su calidad de gobernador de la isla Española, investido con la abso-

[1] Anacaona, viuda del valeroso Caonabó, cacique de Maguana, era la hermana de Behechio, cacique de Jaragua; pero por su talento superior era la que verdaderamente reinaba, hallándose todo sometido a su amable influencia, incluso el cacique soberano.

7

luta confianza de los Reyes católicos, y depositario de extensísimas
facultades sobre los países que acababa de descubrir el genio fecundo
de Colón, los actos de su iniciativa,
si bien atemperados siempre a la
despiadada rigidez de sus principios
de gobierno, están íntimamente en-
lazados con el génesis de la civilización del Nuevo Mundo, en la que
entró por mucho el punto de partida
trazado por Ovando como administrador del primer establecimiento
colonial europeo en América, y bajo
cuyo dilatado gobierno adquirió Santo Domingo, aunque transitoriamen-
te, el rango de metrópoli de las
ulteriores fundaciones y conquistas
de los españoles.[1]

Contemplemos a este hombre de
hierro después de su feroz hazaña,
perpetrada en los indefensos y descuidados caciques de Jaragua. Veinte días han transcurrido desde aquella horrible ejecución. El sanguinario comendador, como si la enor-
midad del crimen hubiera fatigado
su energía, y necesitara reponerse
en la inercia, permanecía entregado
a una aparente irresolución, impro-
pia de su carácter activo. Tal vez
los remordimientos punzaban sordamente su conciencia, pero él ex-
plicaba de muy distinta manera su
extraña inacción a los familiares
de su séquito. Decía que el sombrío
silencio en que se encerraba durante largos intervalos, y los insom-
nios que le hacían abandonar el
lecho en las altas horas de la noche, conduciendo su planta febril a
la vecina ribera del mar, no eran
sino el efecto de la perplejidad en
que estaba su ánimo, al elegir en
aquella costa, por todas partes bella
y peregrina, sitio a propósito para
fundar una ciudad, en cuyas piedras quedara recomendado a la posteridad su propio nombre, y el re-

cuerdo de sus grandes servicios en
la naciente colonia.[2] Además, se
manifestaba muy preocupado con
el destino que definitivamente debiera darse a la joven y hechicera
hija de Anacaona, la célebre Higuemota, ya entonces conocida bajo el
nombre cristiano de doña Ana, y
viuda con una hija de tierna edad
del apuesto y desgraciado Hernando de Guevara.[3] El comendador,
que desde su llegada a Jaragua trató con grandes miramientos a la
interesante india, redobló sus atenciones hacia ella después que hubo
despachado para la ciudad de Santo
Domingo a la infortunada reina,
su madre, con los breves capítulos
de acusación que debían irremisi-
blemente llevarla a un atroz patíbulo.

Fuera por compasión efectiva que
le inspiraran las tempranas desdichas de Higuemota, fuera por respeto a la presencia de algunos parientes de Guevara que le acompañaban, y los cuales hacían alarde
de gran consideración hacia la joven viuda y de su consanguinidad
con la niña Mencía, que así era el
nombre de la linda criatura, cifran-
do en este parentesco aspiraciones
ambiciosas autorizadas en cierto
modo por algunas soberanas disposiciones; lo cierto es que Ovando,

---

[1] La ciudad de Santo Domingo, ori-
ginariamente fundada por los Colones
en la margen oriental del río Ozama,
fue trasladada por Ovando al sitio
que hoy ocupa, después del ruinoso
huracán de 1502.

[2] Que el pensamiento de vincular su
propia memoria en el nombre de alguna población no era ajeno del comendador de Lares, lo prueba el hecho de haber fundado poco después
un pueblo que llamó Lares de Guahava (Hincha). Recuérdese que ya Colón
había denominado San Nicolás, a uno
de los principales cabos o promonto-
rios de la Isla, en honor del santo del
día en que lo reconoció. Por esto sin
duda no se impuso a otro lugar el
nombre de pila del comendador.

[3] Todos los autores antiguos y modernos que han escrito sobre la conquista hacen mención de los románticos amores de Guevara con la hija de
Anacaona, y los graves disgustos a
que dieron lugar en la colonia. V.: W.
Irving. *Vida y viajes de Cristóbal
Colón.*

al extremar su injusto rigor contra Anacaona, rodeaba a su hija de las más delicadas atenciones. De otro cualquiera se habría podido sospechar que el amor entrara por mucho en ese contraste; pero el comendador de Lares jamás desmintió, con el más mínimo desliz la austeridad de sus costumbres, y la pureza con que observaba sus votos, y acaso no sería infundado atribuir la aridez de su carácter y la extremada crueldad de algunas de sus acciones a cierta deformidad moral, que la naturaleza tiene en reserva para vengarse, cuando siente violentados y comprimidos, por ideas convencionales, los afectos más generosos y espontáneos del alma.[1]

Higuemota, o sea doña Ana de Guevara, como la llamaremos indistintamente en lo sucesivo, disfrutaba no solamente de libertad en medio de los conquistadores, sino de un respeto y una deferencia a su rango de princesa india y de señora cristiana que rayaban en el énfasis. Su morada estaba a corta distancia del lugar que había sido corte de sus mayores y era a la sazón campamento de los españoles, mientras Ovando se resolviera a señalar sitio para la nueva población. Tenía la joven dama en su compañía o a su servicio, los indios de ambos sexos que bien le parecía, ejerciendo sobre ellos una especie de señorío exclusivo: cierto es que su inexperiencia, lejos de sacar partido de esta prerrogativa, sólo se inclinaba a servir de amparo a los infelices a quienes veía más afligidos y necesitados, hasta que uno de los parientes de su hija se constituyó en mayordomo y administrador de su patrimonio, con el beneplácito del gobernador, y gracias a esta intervención eficaz y activa, desde entonces hubo terrenos acotados y cultivados en nombre de doña Ana de Guevara, y

efectivamente explotados, como sus indios, por los parientes de su difunto marido, ejemplo no muy raro en el mundo, y en todos los tiempos.

La pobre criatura, abrumada por intensísimos pesares, hallaba muy escaso consuelo en los respetuosos homenajes de la cortesía española. Los admitía de buen grado, sí, porque la voz secreta del deber materno le decía que estaba obligada a vivir, y a consagrarse al bienestar de su Mencía, el fruto querido y el recuerdo vivo de su contrariado amor. Mencía, de tres años de edad, era un fiel reflejo de las bellas facciones de su padre, aquel gallardo mancebo español, muerto en la flor de sus años a consecuencia de las pérfidas intrigas de Roldán, su envidioso y aborrecible rival. Tan tristes memorias se recargaban de un modo sombrío con las angustias y recientes impresiones trágicas que atormentaban a la tímida Higuemota, habiendo visto inmolar a casi todos sus parientes por los guerreros castellanos, y separar violentamente de su lado a su adorada madre, al ser que daba calor y abrigo a su enfermo corazón. La incertidumbre de la suerte que aguardara a la noble cautiva en Santo Domingo, aunque no sospechando nunca que atentaran a sus días, era el más agudo tormento que martirizaba a la joven viuda, que sobre este particular sólo obtenía respuestas evasivas a sus multiplicadas y ansiosas preguntas.

El pariente más cercano que tenía consigo doña Ana, era un niño de siete años, que aún respondía al nombre indio de Guarocuya. No estaba todavía bautizado, porque su padre, el esquivo Magicatex, cacique o señor del Bahoruco, y sobrino de Anacaona, evitaba cuanto podía el bajar de sus montañas desde que los extranjeros se habían enseñoreado de la isla, y solamente las reiteradas instancias de su tía, deseosa de que todos sus deudos hicieran acto solemne de sumisión a Ovando, lo habían determinado a

[1] El comendador pertenecía a la Orden de Alcántara, cuyos estatutos imponían la observancia del celibato.

concurrir con su tierno hijo a Jaragua, donde halló la muerte como los demás infelices magnates dóciles a la voluntad de Anacaona. El niño Guarocuya fue retirado por una mano protectora, la mano de un joven castellano, junto con su aterrada pariente Higuemota, de aquel teatro de sangriento horror, y después quedó al abrigo de la joven india, participando de las atenciones de que ella era objeto. La acompañaba de continuo, y con especialidad al caer la tarde, cuando los últimos rayos de luz crepuscular todo lo impregnan de vaga melancolía. Doña Ana, guiando los pasos de su pequeñuela, y seguida de Guarocuya, solía ir a esa hora al bosque vecino, en cuyo lindero, como a trescientos pasos de su habitación, sentada al pie de una caobo de alto y tupido follaje, se distraía de sus penas mirando juguetear sobre la alfombra de menuda grama a los dos niños. Aquel recinto estaba vedado a toda planta extraña, de español o de indio, por las órdenes del severo gobernador.

Éste había hecho solamente dos visitas a la joven; la primera, el día siguiente al de la matanza, con el fin de consolarla en su aflicción, ofreciéndole amparo y proveyendo a lo necesario para que estuviera bien instalada y asistida; la segunda y última, cuando despachó a la reina de Jaragua prisionera para Santo Domingo. Doña Ana le estrechó tanto en esa entrevista, con sus lágrimas y anhelosas preguntas sobre la suerte reservada a su querida madre, que el comendador se sintió conmovido; no supo al fin qué responder, y avergonzado de tener que mentir para acallar los lúgubres presentimientos de aquella hija infeliz, se retiró definitivamente de su presencia, encomendando a sus servidores de mayor confianza el velar sobre la joven india y colmarla de los más asiduos y obsequiosos cuidados.

Transcurrieron algunos días más sin alteración sensible en el estado de las cosas, ni para Ovando, que continuaba en su perplejidad aparente, ni para doña Ana y los dos pequeños seres que hacían llevadera su existencia. Una tarde, sin embargo —como un mes después de la cruel tragedia de Jaragua—, a tiempo que los niños, según su costumbre, triscaban en el prado, a la entrada del consabido bosque, y la triste joven, con los ojos arrasados en lágrimas, contemplaba los caprichosos giros de sus juegos infantiles —cuadro de candor e inocencia que contrastaba con el angustioso abatimiento de aquella hiedra sin arrimo— oyó cerca de sí, con viva sorpresa, a tres o cuatro pasos dentro de la espesura del bosque, una voz grave y apacible, que la llamó, diciéndole:

—Higuemota, óyeme, no temas.

La interpelada, poniéndose instantáneamente en pie, dirigió la vista asombrada al punto de donde partía la voz y dijo con entereza:

—¿Quién me habla? ¿Qué quiere? ¿Dónde está?

—Soy yo —repuso la voz—, tu primo Guaroa, y vengo a salvarte.

Al mismo tiempo, abandonando el rugoso tronco de una ceiba que lo ocultaba, se presentó a la vista de doña Ana, aunque permaneciendo cautelosamente al abrigo de los árboles, un joven indio como de veinte y cinco años de edad. Era alto, fornido, de aspecto manso y mirada expresiva, con la frente marcada de una cicatriz de herida reciente; y su traje consistía en una manta de algodón burdo de colores vivos, que le llegaba hasta las rodillas, ceñida a la cintura con una faja de piel; y otra manta de color oscuro, con una abertura al medio para pasar la cabeza y que cubría perfectamente toda la parte superior del cuerpo: sus brazos, como las piernas, iban completamente desnudos; calzaban sus pies, hasta arriba del tobillo, unas abarcas de piel de iguana, y sus armas eran un cuchillo de monte que mal encubierto y en vaina de cuero pendía de su cinturón, y un recio y nudoso bastón de madera de ácano, tan dura como el hierro. En el momento de hablar a doña Ana se quitó de la cabeza su toquilla o casquete de espartillo pardo, dejando en libertad el cabello, que abundante, negro y lacio le caía sobre los hombros.

II

SEPARACIÓN

Higuemota lanzó una exclamación de espanto al presentársele el indio.

No estaba exenta de esa superstición, tan universal como el sentimiento religioso, que atribuye a las almas que ya no pertenecen a este mundo la facultad de tomar las formas corpóreas con que en él existieron, para visitar a los vivos. Creyó, pues, que su primo Guaroa, a quien suponía muerto con los demás caciques el día de la prisión de Anacaona, venía de la mansión de los espíritus, y su primer impulso fue huir.

Dio algunos pasos, trémula de pavor, en dirección de su casa, pero el instinto maternal se sobrepuso a su miedo, y volviendo el rostro en demanda de su hija, la vio absorta en los brillantes colores de una mariposa que para ella había cazado el niño Guarocuya; mientras que éste, en actitud de medrosa curiosidad, se acercaba al aparecido, que se había adelantado hasta la salida del bosque, y dirigía al niño la palabra con benévola sonrisa. Este espectáculo tranquilizó a la tímida joven: observó atentamente al indio, y después de breves instantes, vencido enteramente su terror, prevaleció el antiguo afecto que profesaba a Guaroa, y admitiendo la posibilidad de que estuviera vivo, se acercó a él sin recelo, le tendió la mano con afable ademán, y le dijo:

—Guaroa, yo te creía muerto, y había llorado por ti.

—No, Higuemota —repuso el indio—, me hirieron aquí en la frente, caí sin saber de mí al principiar la pelea, y cuando recobré el sentido me hallé rodeado de muertos, entre ellos reconocí a mi padre, a pocos pasos de distancia, y a mi hermano Magicatex, que descansaba su cabeza en mis rodillas.

"Era ya de noche, nadie vigilaba, y salí de allí arrastrándome como una culebra. Me fui a la montaña, y oculto en casa de un pariente, curé mi herida. Después, mi primer cuidado fue mandar gente de mi confianza a saber de ti, de mi tía Anacaona, de todos los míos. Tamayo se huyó pocos días después, me encontró y me dio razón de todo. He venido porque si tú sufres, si te maltratan, si temes algo, quiero llevarte conmigo a las montañas, a un lugar seguro, que tengo ya escogido como refugio contra la crueldad de los blancos, para todos los de mi raza.

"Espero, pues, tu determinación. Dos compañeros me aguardan cerca de aquí."

—Buen primo Guaroa —dijo Higuemota—, yo te agradezco mucho tu cariñoso cuidado, y doy gracias al cielo de verte sano y salvo. Es un consuelo para mis pesadumbres, éstas son grandes, inmensas, primo mío, pero no se pueden remediar con mi fuga a los montes. Yo sólo padezco males del corazón, en todo lo demás, estoy bien tratada, y me respetan como a la viuda de Guevara, título que me impone el deber de resignarme a vivir, por el bien de mi hija Mencía, que llevará el apellido de su padre, y que tiene parientes españoles que la quieren mucho.

"Yo creo que no te perseguirán, pero debes ocultarte siempre, hasta que yo te avise que ha pasado todo peligro para ti."

Guaroa frunció el entrecejo al escuchar las últimas palabras de su prima.

—¿Piensas —le dijo—, que yo he venido a buscar la piedad o el perdón de esos malvados? ¡No, ni ahora, ni nunca! Tú podrás vivir con ellos; dejaste de ser india desde que te bautizaste y te diste a don Hernando, que era tan bueno como sólo he conocido a otros dos blancos, don Diego y don Bartolomé,[1] que siempre trataban bien al pobre indio. ¡Los demás son malos, malos! Querían que nos bautizáramos por fuerza, y sólo éstos dijeron que no debía ser así, y quisieron que nos enseñaran letras y doctrina cristiana. Y ahora que todos estábamos dispuestos a ser cristianos, y creíamos que las fiestas iban a terminar con esa ceremonia, nos asesinan como a hutías, nos matan con sus lanzas y sus espadas a los unos, mientras que a los demás los asan vivos... No creo en nuestros *cemíes*,[2] que no han tenido poder para defenderse; pero tampoco puedo creer...

—No hablemos más de eso, Guaroa —interrumpió la joven—: me hace mucho daño. Tienes razón, huye a los montes, pero déjame a mí cumplir mi deber y mi destino. Así me lo ha dicho otro español muy bueno, que también se llama don Bartolomé.[3] Soy cristiana, y sé que no debo aborrecer ni aun a los que más mal nos hacen.

—Yo no lo soy, Higuemota —dijo con pesar Guaroa—; y no por culpa mía, pero tampoco sé aborrecer a nadie, ni comprendo cómo los que se llaman cristianos son tan malos con los de mi raza, cuando su Dios es tan manso y tan bueno. Huyo de la muerte, y huyo de la esclavitud, peor que la muerte.[4] Quédate aquí en paz, pero dame

[1] Los dos hermanos de Colón.
[2] Dioses indios.
[3] Las Casas, a quien más adelante verá el lector figurar en esta narración.
[4] Se puede notar en estos discursos de Guaroa cierta inconexión, y hasta ciertas contradicciones que denotan la nebulosidad de ideas y la lucha de afectos indefinidos, propios de un

a mi sobrino Guarocuya, para que se críe libre y feliz en las montañas. Para él no hay excusa posible: no es todavía cristiano; es un pobre niño sin parientes ni protectores blancos, y mañana su suerte podrá ser tan desgraciada entre esta gente, que más le valiera morir desde ahora. ¿Qué me respondes?

Higuemota, que había bajado la cabeza al oír la última proposición de Guaroa, miró a éste fijamente. Su rostro estaba inundado en llanto, y con acento angustiado y vehemente le dijo:

—¡Llevarte a Guarocuya! ¡Imposible! Es el compañero de juegos de mi Mencía, y el ser que más amo después de mi madre y la hija de mis entrañas. ¿Qué sería de ésta y de mí si él no estuviera con nosotras?

—Sea él quien decida su suerte —dijo Guaroa con solemne entonación—. Ni tú ni yo debemos resolver este punto. El Gran Padre de allá arriba hablará por boca de este niño.

Y tomando a Guarocuya por la mano, lo colocó entre sí y la llorosa doña Ana, y le interrogó en los términos siguientes:

—Dinos, Guarocuya, ¿te quieres quedar aquí, o irte conmigo a las montañas?

El niño miró a Guaroa y a doña Ana alternativamente; después dirigió la vista a Mencía, que continuaba entretenida con las flores silvestres a corta distancia del grupo, y dijo con decisión:

—¡No me quiero ir de aquí!

Guaroa hizo un movimiento de despecho, mientras que su prima se sonreía a través de sus lágrimas, como suele brillar el iris en medio de la lluvia. Reinó el silencio durante un breve espacio, y el contrariado indio, que a falta de argumentos volvía la vista a todas partes como buscando una idea en auxilio de su mal parada causa, se

hombre de buen juicio a medio civilizar.

volvió bruscamente al niño, y señalando con la diestra extendida a un hombre andrajoso, casi desnudo —que cruzaba la pradera contigua con un enorme haz de leña en los hombros, y encorvado bajo su peso —dijo con ímpetu, casi con rabia:

—Dime, Guarocuya, ¿quieres ser libre y señor en la montaña, tener vasallos que te obedezcan y te sirvan, o quieres cuando seas hombre cargar leña y agua en las espaldas como aquel vil naborí[1] que va allí?

Pasó como una nube lívida por la faz del niño, volvió a mirar profundamente a Mencía y a Higuemota, y dirigiéndose con entereza a Guaroa:

—¡Quiero ser libre! —exclamó.

—Eres mi sangre —dijo el jefe indio con orgullo. ¿Tienes algo que decir, Higuemota?

Ésta no contestó. Parecía sumida en una reflexión intensa, y sus miradas seguían tenazmente al pobre indio de la leña, que tan a punto vino a servir de argumento victorioso a Guaroa. Luego, como quien despierta de un sueño, puso vivamente ambas manos en la cabeza de Guarocuya, imprimió en su frente un prolongado y tiernísimo beso, y con rostro sereno y convulsivo ademán, lo entregó a Guaroa diciéndole estas palabras:

—Llévatelo: más vale así.

El niño se escapó como una flecha de manos de Guaroa, y corriendo hacia Mencía la estrechó entre sus bracitos, y cubrió su rostro de besos. Después, enjugando sus ojos llorosos, volvió con paso firme adonde su tío, y dijo como Higuemota:

—Más vale así.

Guaroa se despidió tomando la mano de su prima y elevándosela al pecho con respetuoso acatamiento. No sabemos si por distracción o por otra causa, ninguna demostración cariñosa le ocurrió dirigir

a la niña Mencía, y guiando de la diestra a su sobrino, se internó en la intrincada selva. A pocos pasos se perdió de vista entre los añosos y corpulentos árboles, en cuya espesura le aguardaban sus dos compañeros, indios, como él, jóvenes y robustos.

III

LOBO Y OVEJA

El intendente o mayordomo de doña Ana era un hombre como de cuarenta años de edad, llamábase Pedro de Mojica[2] y tenía efectivamente parentesco próximo con el difunto Guevara, y por consiguiente con la hija de Higuemota.

Muy avara de sus dones se había mostrado la naturaleza con aquel individuo, que a una notable fealdad de rostro y cuerpo unía un alma sórdida y perversa. En su fisonomía campeaba un carácter grotesco, del cual trataba de aprovecharse, para mitigar con chistes y bufonadas que excitaban la risa, el desagradable efecto que a todos causaba su pésima catadura, sus espesas y arqueadas cejas, nariz corva como el pico de un ave de rapiña, boca hendida casi hasta las orejas, y demás componentes análogos de toda su persona. Tenía grande esmero en el vestir, pero sus galas, el brocado de su ropilla, las vistosas plumas del sombrero, la seda de sus gregüescos y el lustre de sus armas, todo quedaba deplorablemente deslucido por el contraste de unas car-

---

[1] Así se denominaba a los indios destinados a la servidumbre doméstica.

[2] La Historia refiere que a consecuencia de la prisión de Hernando de Guevara, se sublevó contra el Almirante Colón, Adrián de Mojica, primo de aquél, y pagó con la vida su rebelión, siendo ahorcado, por orden del Almirante, en las almenas del fuerte de la Concepción.

nosas espaldas que parecían ago-
biarle bajo su peso, inclinándole
hacia adelante, y un par de piernas
que describían cada cual una curva
convexa, como evitándose mutuamente. Una eterna sonrisa, que el
tal hombre se esforzaba por hacer
benévola, y sólo era sarcástica y
burlona, completaba este tipo especial, y lo hacía sumamente divertido para quien consiguiera vencer la
repugnancia instintiva, primera impresión que hacía en los ánimos la
presencia del buen hidalgo Pedro
de Mojica.

Su entendimiento era despejado,
trataba los negocios de interés con
grande inteligencia, y su genio especulador y codicioso lo conducía
siempre a resultados seguros y a
medros positivos. Así, mientras que
todos sus amigos y compañeros de
la colonia se dejaban mecer por
ilusiones doradas, y rendían el bienestar, la salud y la vida corriendo
desalados tras los deslumbradores
fantasmas que forjaba su imaginación, soñando siempre con minas
de oro más ricas las unas que las
otras, nuestro hombre tomaba un
sendero más llano y cómodo; veía
de una sola ojeada todo el partido
que podía sacarse de aquellos feraces terrenos y de la servidumbre de
los indios, y, como el águila que
acomete a su presa, se disparaba
en línea perpendicular sobre la viuda doña Ana de Guevara, cuyo
rango y posición especial abrían
inmenso campo a las especulaciones
codiciosas de Mojica, a favor de su
precioso título de pariente y protector nato de la niña Mencía.

Reclamó, pues, la tutela de doña
Ana, cuya inexperiencia, según él,
la hacía incapaz de velar por sí y
por sus intereses; pero Ovando,
aunque decidido favorecedor de don
Pedro, que le había ganado la voluntad con su trato ameno y la lucidez de sus discursos, no quiso
concederle la cualidad de tutor, temiendo investirle con una autoridad que pudiera degenerar en des-

pótica, y producir nuevos cargos
para su ya asendereada conciencia.

No creyó que la altivez del hidalgo se aviniera al título de mayordomo, y su sorpresa fue grande
cuando al contestar a Mojica que,
en su sentir, doña Ana debía go-
bernarse y gobernar su casa ni más
ni menos que como una dama de
Castilla, y que para esto le bastaba
con un buen intendente, don Pedro
le manifestó su deseo de llenar las
funciones de tal, en obsequio a la
fortuna y el porvenir de su tierna
sobrina.

Accedió gustoso el gobernador a
tan honrada y modesta solicitud, y
desde ese punto don Pedro entró
en campaña, desplegando los grandes recursos de su ingenio para lograr más cumplidamente su objeto.

Su principal empeño era apoderarse del ánimo de doña Ana, y a
este fin tentó las vías del amor,
con un arte y una audacia dignos
de mejor éxito que el que obtuvo,
pues la joven a todas sus tentativas
correspondió con un desdén tan
glacial, con unas demostraciones de
antipatía tan francas e inequívocas,
que por fuerza tuvo que reconocer
muy pronto el contrahecho galán lo
ineficaz y absurdo de su pretensión.

Un momento pensó en proponer
a su protector Ovando que le diera
la viuda por esposa, pero recordaba el tono grave, la alta consideración con que el gobernador había
hablado de la joven señora, y de-
sistió de su intento, temeroso de
echarlo todo a perder descubriendo
la ambición que era el móvil oculto
de todas sus acciones.

Se resignó, pues, a su papel de
intendente, y lo desempeñó con rara
habilidad. Prodigaba los agasajos y
caricias a *su amada sobrina* Mencía;
hablaba constantemente de sus propósitos de educarla brillantemente,
de hacer fructificar su fortuna, y
llevarla un día a Castilla para enla-
zarla con algún señor principal: era
celosísimo defensor de los derechos
y prerrogativas de doña Ana, bajo

el doble concepto de princesa india
y señora cristiana; y tanto hizo, que
consiguió captarse el aprecio y la
confianza de la agradecida madre,
convencida al fin de que aquel pariente le había llovido del cielo, y
que, después de ella, nadie podría
tomar un interés más sincero por la
suerte de su Mencía; y al calor de
esta convicción, olvidó completamente los pruritos amorosos de su
intendente, que sólo habían durado
el espacio de tres o cuatro días, al
entrar en funciones cerca de la bella
Higuemota, la que por otra parte
estaba muy avezada a mirar con indiferencia los efectos de la admiración que generalmente causaba su
peregrina hermosura.

Pero el señor Mojica distaba mucho de los sentimientos benévolos
que magistralmente afectaba. La repulsa que sus primeras pretensiones
obtuvieran había herido vivamente
su amor propio; y si por un momento las gracias de la joven habían
impresionado su alma y encendido
en ella alguna chispa de verdadero
amor, el despecho de la derrota había convertido esa chispa en hoguera de odio, y nada le hubiera sido
tan grato como exterminar a aquella
infeliz criatura, a quien las circunstancias y sus cálculos egoístas le
obligaban a tratar ostensiblemente
con la solicitud de un padre, y a
velar cuidadosamente por su existencia y bienestar, como los filones
de cuya explotación debía él recoger
grandes y prontos medros.

Y así, mientras acotaba terrenos
e inscribía en sus registros vasallos
indios al servicio de doña Ana, y
establecía en diversos puntos del
territorio de Jaragua hatos y gran-
jerías de todo género, un pensamiento fijo ocupaba su mente, un
propósito siniestro se asentaba en
su ánimo, un problema tenazmente
planteado ocupaba su imaginación:
hallar el modo de perder a doña
Ana de Guevara, apropiándose todos los bienes de que él, Mojica,
era mero administrador.

IV

AVERIGUACIÓN

Ya las sombras de la noche tendían su manto de gasa sobre los
montes, y oscurecían gradualmente
la llanura, cuando Higuemota, con
su niña de la mano, regresaba de
su paseo triste y reflexiva, habién-
dola abandonado aquella fugaz entereza que acababa de ostentar en
su brusca despedida de Guarocuya.

Salió a recibirla en el dintel de
la habitación el oficioso don Pedro,
quien, según su costumbre, le dirigió su más agradable sonrisa con
un "buenas tardes, prima", y tomó
en seguida a la niña Mencía en sus
membrudos brazos, prodigándole los
más cariñosos epítetos.

De repente, don Pedro revolvió
su mirada escrutadora en todas direcciones, y como hablando consigo mismo, hizo por lo bajo esta
observación.

—¡Pero es extraño! ¿Dónde está
ese rapaz de Guarocuya?

Al oír este nombre, doña Ana se
estremeció, saliendo de la distracción de que no acertara el intendente a sacarla con sus zalamerías
y exagerados elogios a las gracias
de la niña.

El arte de mentir era totalmente
desconocido a la sencilla y candorosa Higuemota, y así, ni siquiera
intentó disimular su turbación al
verse en el caso de explicar la
ausencia de su sobrino. Por de pronto, comprendió la parte crítica de
la situación, que hasta entonces no
se había presentado a su poco ejer-
citada perspicacia. No le había ocurrido, al despedir a Guarocuya, que
este incidente debía ser notado y
ejercer alguna influencia en su posición respecto de la autoridad española. Estaba acostumbrada a mandar en su casa y en los que la rodeaban, con entera libertad, y la
intervención de Mojica estaba tan

hábilmente velada por formas afables y discretas, que apenas se hacía sentir, ni dejaba entender a la viuda que alguien pudiera tomarle cuenta de sus acciones.

Su natural despejo, sin embargo, al oír el nombre de Guarocuya en los labios de Mojica, le advirtió que la situación salía de los términos ordinarios, y que el hecho de la desaparición del niño debía ofrecerse a interpretaciones enojosas. Vaciló un momento, repitió el nombre de su sobrino, y luego dijo con la mayor naturalidad:

—Un hombre se lo llevó.

—¡Se lo llevó! ¿A dónde? —repuso con extrañeza don Pedro.

—A ver a sus parientes de la montaña —contestó tranquilamente doña Ana.

—¿Sus parientes?... ¿Qué hombre es ése? —insistió vivamente Mojica, que encontraba gran motivo de alarma en esta aventura.

Higuemota balbuceó algunas palabras ininteligibles, y ya entonces, perdiendo la serenidad real o fingida que hasta ese punto había conservado, se desconcertó visiblemente, y guardó silencio.

Don Pedro también calló, y permaneció muy preocupado durante la cena, que se sirvió a breve rato. Una vez terminada ésta, rompió el tétrico silencio que había reinado en la mesa, y volvió a interpelar a doña Ana, con acento de mal comprimido enojo, en los términos siguientes:

—Preciso es, señora prima, que me digáis con toda franqueza, adónde ha ido el niño Guarocuya, y quién se lo llevó.

—Ya os he dicho que un hombre se lo llevó a la montaña —respondió con resolución la joven—, y creo que basta, pues no estoy obligada a daros cuenta de lo que yo hago.

—Es verdad —dijo conteniéndose trabajosamente don Pedro—, mas yo debo estar al corriente de todas vuestras relaciones, para cumplir las obligaciones de mi cargo como es debido.

—¿Soy yo prisionera acaso, y vos mi alcaide, señor? Decídmelo sin rodeos.

—No, señora; pero debo dar cuenta de todo al gobernador, y lo que está pasando es muy grave para que no se lo refiera con todos sus pormenores.

Doña Ana reflexionó antes de dar respuesta: en la réplica de Mojica había una revelación: aunque rodeada de respeto y señora de su libertad y de su casa, sus acciones estaban sujetas a la vigilancia de la autoridad, y podrían, al par que las de su infortunada madre, ser acriminadas hasta lo infinito, como trascendentales a la tranquilidad y el orden de la colonia. Además, Guaroa no podría ir muy lejos: hacía poco más de dos horas que se había despedido de ella, y cuatro jinetes bien montados podrían fácilmente, a juicio de la joven, darle alcance y traerle preso, y tal vez darle muerte, que todo podía ser.

Estas consideraciones inspiraron a doña Ana la contestación que debía dar a don Pedro, que con la torva mirada fija en el rostro de la joven parecía espiar sus más recónditos pensamientos.

—Señor primo —dijo Higuemota— no hay nada malo en esto: nada que pueda ofender ni al gobernador, ni a nadie. Mañana os diré quién fue quien se llevó a Guarocuya, y dónde podréis encontrarle.

Don Pedro se conformó muy a su pesar con este aplazamiento, pero él también necesitaba madurar su resolución en una noche de insomnio, antes de dar paso alguno que pudiera comprometer y desbaratar todo el artificio de sus aspiraciones positivistas, y haciendo un esfuerzo, dirigió a su prima una horrible mueca con pretensiones de sonrisa afable, y se despidió de ella diciéndole:

—Está bien, buenas noches, y mañana temprano me lo contaréis todo.

V

SINCERIDAD

Cuando el sol esparció su primera luz, el día siguiente al de los sucesos y la plática que acabamos de recapitular, ya el hidalgo don Pedro de Mojica había concebido y redondeado un plan diabólico.

Cualquiera que fuese la explicación que Higuemota le diera de la aventura de la víspera, el rencoroso intendente estaba resuelto a no dejar pasar la ocasión de perder a la joven en el concepto del gobernador, reivindicando al mismo tiempo la tutela de la niña Mencía, como su más próximo pariente, y entrando así más de lleno en la propiedad de los bienes que administraba; hasta que el diablo le proporcionara los medios de quitar también de su camino aquel débil obstáculo a su codicia, cuando no pudiera llegar a su objeto utilizando sagazmente la inocencia de aquella criatura, que ya creía sujeta a su poder discrecional, como la alondra en las garras del gavilán.

Se vistió apresuradamente, y fue a ver a doña Ana. Ésta acostumbraba dejar temprano el lecho, para sus penas angosto y duro, y salir a la pradera acompañada de una vieja india, a recoger la consoladora sonrisa del alba.

Recibió sin extrañeza a Mojica, que se le presentó al regresar ella de su paseo, y entró desde luego en materia, como quien tiene prisa en zanjar un asunto desagradable.

—Nunca os había visto tan temprano, señor primo: ¿venís a saber lo que pasó con Guarocuya?

—Según lo convenido, señora prima, espero que me lo contaréis todo.

—Es muy sencillo —repuso Higuemota—. Ayer tarde a la hora de paseo se me presentó mi primo Guaroa, me propuso llevarse a Gua-rocuya a la montaña, y no vi inconveniente en ello. Esto es todo.

—Pero, señora —dijo con asombro Mojica—, ¿vuestro primo Guaroa no murió en la refriega de los caciques?

—Eso mismo pensaba yo —contestó Higuemota—, y me asusté mucho al verle, pero quedó vivo, y me dio mucha alegría verlo sano y salvo.

Y así prosiguió el diálogo, con fingida benevolencia por parte de don Pedro, con sencillez y naturalidad por parte de Higuemota, que, como hemos dicho, no sabía mentir, y considerando ya en salvamento a Guaroa, no veía necesidad alguna de ocultar la verdad.

Cuando Mojica acabó de recoger los datos y las noticias que interesaban a su propósito, se despidió de doña Ana con un frío saludo y se encaminó aceleradamente a la casa en que se aposentaba el gobernador.

VI

EL VIAJE

Seguido Guaroa de sus dos fieles compañeros, que alternativamente llevaban, ora de la mano, ora en brazos, al pequeño Guarocuya, según los accidentes del terreno, se internó desde el principio de su marcha en dirección a la empinada cordillera de montañas, por la parte donde más próximamente presentaba la sierra sus erguidas y onduladas vertientes.

Caminaban aquellos indios en medio de las tinieblas y entre un intrincado laberinto de árboles, con la misma agilidad y desembarazo que si fueran por mitad de una llanura alumbrada por los rayos del sol. Silenciosos como sombras, quien así los viera alejarse del camino cautelosamente, no hubiera participado de los recelos que tuvo Higuemota de que pudieran haberles dado alcance los imaginarios jinetes que salieran en su persecución.

Hacia las doce de la noche la luna vino en auxilio de aquella marcha furtiva, y el niño Guarocuya, cediendo al influjo del embalsamado ambiente de los bosques, se durmió en los robustos brazos de sus conductores. Éstos redoblaban sus cuidados y paciente esmero, para no despertarlo.

Así caminaron el resto de la noche, en dirección al sudeste, y al despuntar la claridad del nuevo día llegaron a un caserío de indios, encerrado en un estrecho vallecito al pie de dos escarpados montes. Todas las chozas estaban aún cerradas, lo que podía atribuirse al sueño de los moradores, atendido a que un resto de las sombras nocturnas, acosadas de las cumbres por la rosada aurora, parecía buscar refugio en aquella hondonada. Sin embargo, se vio que la gente estaba despierta y vigilante, saliendo en tropel de sus madrigueras tan pronto como Guaroa llevó la mano a los labios produciendo un chasquido desapacible y agudo.

Su regreso era esperado por aquellos indios, él les refirió brevemente las peripecias de su excursión, y les mostró al niño Guarocuya, que había despertado al rumor que se suscitó en derredor de los recién llegados. Los indios manifestaron una extremada alegría a la vista del tierno infante, que todos a porfía querían tomar en sus brazos, tributándole salutaciones y homenajes afectuosos, como al heredero de su malogrado cacique y señor natural. Guaroa observaba estas demostraciones con visible satisfacción.

Allí descansaron los viajeros toda la mañana, restaurando sus fuerzas con los abundantes aunque toscos alimentos de aquellos montañeses. Consistían éstos principalmente en el pan de yuca o casabe, maíz, batatas y otras raíces; bundá, plátanos, huevos de aves silvestres, que comían sin sal, crudos o cocidos indistintamente, y carne de hutía.

Después de dar algunas horas al sueño, Guaroa convocó a su presencia a los principales indios, que todos le reconocían por su jefe. Les dijo que la situación de los de su raza, desde *el día de la sangre* —que así llamaba a la jornada funesta de Jaragua—, había ido empeorando cada día más; que no había que esperar piedad de los extranjeros, ni alivio en su miserable condición, y que para salvarse de la muerte, o de la esclavitud que era aún peor, no había otro medio que ponerse fuera del alcance de los conquistadores, y defenderse con desesperación si llegaban a ser descubiertos o atacados. Les recomendó la obediencia, diciéndoles que él, Guaroa, los gobernaría mientras Guarocuya su sobrino llegara a la edad de hombre, pero que debían mientras tanto reverenciar a éste como a su único y verdadero cacique, y por conclusión, para reforzar con el ejemplo su discurso, hizo sentar al niño al pie de un gigantesco y copudo roble, le puso en la cabeza su propio birrete, que a prevención había decorado con cinco o seis vistosas plumas de flamenco, y le besó respetuosamente ambos pies, ceremonia que todos los circunstantes repitieron uno a uno con la mayor gravedad y circunspección.

Terminada esta especie de investidura señorial, Guaroa acordó con sus amigos el plan de vida que debían observar los indios libres en lo sucesivo, y se ocupó con esmerada previsión de los mil y mil detalles a que era preciso atender para resguardarse de las irrupciones de los conquistadores. Todo un sistema de espionaje y vigilancia quedó perfectamente ordenado, de tal suerte, que era imposible que los españoles emprendieran una excursión en cualquier rumbo, sin que al momento se trasmitiera la noticia a las más recónditas guaridas de la sierra. Guaroa, hechos estos preparativos, indicó en sus instrucciones finales a los cabos de su confianza el Lago Dulce, al nordeste de aquellas montañas, como punto de reunión general, en caso de que el enemigo invadiera la sierra, y determinó fijamente el lugar en que iba a residir con su sobrino, a la margen de dicho lago. En seguida emprendió su marcha, acompañado de un corto séquito de indios escogidos, que llevaban a Guarocuya cómodamente instalado en una rústica silla de manos, formada de recias varas y flexibles mimbres, y mullida con los fibrosos y rizados copos de la guajaca.

El niño todo lo miraba y a todo se prestaba sin manifestar extrañeza. Tenía siete años, y a esta tierna edad ya entreveía y comenzaba a experimentar todo lo que hay de duro y terrible en las luchas de la existencia humana. Sin duda ráfagas de terror cruzarían su infantil ánimo, ya cuando viera la feroz soldadesca de Ovando dar muerte a los seres que rodeaban su cuna, incluso su propio padre, ya más adelante, cuando el grito agudo del vigía indio, o el remoto ladrido de los perros de presa alternando con los ecos del clarín de guerra, anunciaban la aproximación del peligro, y los improvisados guerreros se aprestaban a la defensa, o respondían con fúnebre clamor a la voz de alarma, creyendo llegada su última hora.

¡Qué tristes impresiones, las primeras que recibió aquel inocente en el albor de su vida! Profundamente grabadas quedaron en su alma benévola y generosa, templada tan temprano para la lucha y los grandes dolores, así como para el amor y todos los sentimientos elevados y puros.

VII

LA DENUNCIA

El diligente don Pedro de Mojica se puso en dos zancadas, como suele decirse, en casa del gobernador. Éste acababa de vestirse, y estudiaba tres o cuatro planos topográficos que tenía en una mesa. Su preocupación capital y constante era la fundación de *su villa*, según se ha dicho al principio de nuestra historia, y los oficiales y caballeros de su séquito, con febril emulación, trazaban cada día un plano, según su buen gusto o su capricho, o bosquejaban un espacio de la costa, el que más adecuado les parecía al efecto, y escribían memorias y descripciones infinitas, que todas merecían la más prolija atención del comendador, deseoso del mejor acierto en tan ardua materia.

Estaba, pues, en esta su ocupación favorita, cuando le anunciaron la presencia de don Pedro.

Éste era tratado por Su Señoría como un amigo de confianza, y tenía sus entradas francas en el gabinete, pero en la ocasión que referimos, renunció estudiadamente a tal prerrogativa, a fin de dar la conveniente solemnidad a su visita. Ovando, que se había incorporado al oír la voz de su fámulo anunciándole a don Pedro, esperó buenamente a que éste entrara enseguida, y tornó a absorberse con gran cachaza en sus estudios topográficos.

Cinco minutos después volvió el ayuda de cámara diciendo:

—Don Pedro de Mojica espera las órdenes de Vuestra Señoría, y dice que tiene que hablarle de asuntos muy graves.

—¡Que entre, con mil diablos! —contestó el comendador—. ¿A qué vienen esos cumplimientos?

Don Pedro creyó apurado el cere-
monial, y entró haciendo a Ovando
una mesurada cortesía.

—¡Qué mala cara traéis hoy, señor hidalgo! —exclamó en tono
chancero el gobernador—. ¿Habéis
descubierto algún nuevo derecho
desatendido de vuestra interesante
prima, y venís a reclamarme su validez?

—Lejos de eso, señor —contestó
Mojica—, vengo a daros una nueva
muy desagradable. Esa doña Ana
que en tanta estima tenéis, es in-
digna de vuestra protección, y siguiendo las huellas de la mala hem-
bra que la dio a luz, paga con trai-
ciones los obsequios que le tributa-
mos, y celebra conferencias con los
indios alzados de la montaña.

Y después de este exordio, refirió
la aventura de la víspera, torciendo
a su antojo la relación de Higuemota, y afeando el cuadro con los más
siniestros toques, a fin de llenar
de recelos y alarmas el ánimo de
Ovando.

Oyó éste al denunciador con profunda atención: su semblante contraído y ceño adusto no prometían
nada bueno para la pobre acusada,
y Mojica no podía dudar del pleno
éxito de su intriga, en lo que interesaba a sus sentimientos vengativos.

Cuando hubo terminado su relato, el gobernador le preguntó en
tono severo:

—¿No tenéis más que decir?

—Concluyo, señor —dijo Mojica—, que doña Ana es culpable,
que como tal merece las penas que
la ley reza contra los reos de traición, incluso la pérdida de bienes,
mas como tiene una hija de caballero español, la cual es inocente
de las culpas de su madre, y el
deber de la sangre como pariente
me impone la obligación de velar
por el bien de esta niña, pido a
Vuestra Señoría que al proceder
contra la madre, adjudique todos
sus bienes a la hija, y me nombre
su universal tutor, como es de justicia.

—Será como deséais —respondió
Ovando, poniéndose en pie— siempre que resulte cierto y verdadero
todo lo que me habéis dicho: en
otro caso —y aquí la voz del comendador se hizo tonante y tomó
una inflexión amenazadora—, apres-
taos a ser castigado como impostor,
y a perder cuanto tenéis, incluso la
vida.

Dichas estas palabras, llamó a
sus oficiales y les dictó varias órdenes breves y precisas. Fue la primera reducir a prisión a don Pedro
de Mojica, que lleno de estupor se
dejó conducir al lugar de su arresto, sin poder darse cuenta de tan
inesperado percance. La segunda
disposición de Ovando fue hacer
comparecer a su presencia a doña
Ana, recomendando toda mesura y
el mayor miramiento al oficial encargado de conducirla, y por último, don Diego Velázquez, capitán
de la más cumplida confianza del
gobernador, recibió orden de aprestarse y disponer lo conveniente para
marchar en el mismo día a las montañas, al frente de cuarenta infan-
tes y diez caballos.

Media hora no había transcurrido
cuando se presentó en la morada
del gobernador la tímida Higuemota, acompañada del oficial que había ido en su demanda, y seguida
de una india anciana que llevaba de
la mano a la niña Mencía. Ovando
recibió a la madre con señalada
benevolencia, y se dignó besar la
tersa y contorneada frente de la pequeñuela, que respondió al agasajo
con plácida sonrisa. La inquietud de
Higuemota cedió el puesto a la más
pura satisfacción al ver un recibimiento tan distinto del que sus
aprensiones la hicieran prometerse,
y cuando el gobernador le dirigió
la palabra, había recobrado su habitual serenidad.

—Decidme, doña Ana de Guevara —dijo Ovando con cierta entonación ceremoniosa y afable al mismo
tiempo—, ¿qué objeto habéis tenido
al conferenciar en secreto con el

rebelde Guaroa, y al entregarle vuestro sobrino, en la tarde de ayer?

—Guaroa, señor —respondió Higuemota—, se me apareció sin que yo esperara su visita, hasta ignoraba que viviera. No le tenía por rebelde, pues sólo me dijo que huía por evitar la muerte, y consentí en que se llevara a Guarocuya, mi querido sobrino, por temor de que éste, cuando fuera más hombre, se viera reducido a esclavitud.

—Os creo sincera, doña Ana —repuso el comendador— pero extraño que temierais nada contra el porvenir de vuestro sobrino, que vivía a vuestro lado, y participaba del respeto que a vos merecidamente se tributa.

—Mi intención ha sido buena, señor —dijo con hechicera ingenuidad la joven—, habré podido incurrir en falta por ignorancia, pero ni remotamente pensé causaros disgusto, pues de vos espero que, así como me dispensáis vuestra protección y hacéis que todos me traten con honor, también llegue el día en que pongáis el colmo a vuestras bondades, devolviendo a mi adorada madre la libertad, y con ella, a mi la tranquilidad y la alegría.

A estas últimas razones, el comendador balbuceó algunas palabras ininteligibles, invadióle una gran emoción, y con voz trémula dijo al fin a la joven:

—No hablemos de eso por ahora... Lo que mi deber me ordena, doña Ana, es evitar que volváis a tener ninguna relación con los indios rebeldes, y como no quiero mortificaros con privaciones y vigilancia importuna, he resuelto que paséis a residir en la ciudad de Santo Domingo, donde viviréis mucho más agradablemente que aquí. Podéis, pues, retiraros y preparar todo lo que necesitéis para ese viaje. Yo cuidaré de vuestra suerte y la de vuestra hija.

Diciendo estas palabras se despidió con un amable saludo, y doña Ana salió de la casa, acompañada como antes, sin saber si debía felicitarse por su nuevo destino, o considerarlo como una agravación de sus desdichas. La idea de que iba a ver a su madre en la capital de la colonia, al cabo se sobrepuso a todos los demás afectos de su alma, y hasta acusó de tardo y perezoso al tiempo, mientras no llegaba el instante de decir adiós a aquellas peregrinas riberas, testigos de sus ensueños de virgen, de sus breves horas de amor y dicha, de sus acerbos pesares como esposa, y, en último lugar, confidentes de sus dolores y angustias, por la sangre y los sufrimientos de la raza india, por la crueldad y los malos tratamientos de que eran víctimas todos los seres que habían cubierto de flores su cuna, y embellecido los días de su infancia. La pobre criatura no podía prever que al mudar de residencia, en vez de encontrar el regazo materno para reclinar su abatida frente, iba a recibir el golpe más aciago y rudo que al corazón de la amante hija reservaba su hado adverso e implacable.

VIII

EXPLORACIÓN

Don Pedro de Mojica fue puesto en libertad el mismo día, volvió a entrar aparentemente en la gracia del comendador, y recibió de éste el encargo, hecho con el dedo índice hacia arriba y el puño cerrado, de administrar con pureza los bienes de doña Ana de Guevara. El solapado bribón se deshizo en protestas de fidelidad, y salió al trote como perro que logra escapar de la trampa donde su inadvertencia le hiciera caer. Reinaba cierta confusión en sus ideas, y su pensamiento andaba con inútil afán, en pos de un raciocinio sosegado y lógico, sin lograr encontrarle, a la manera de un timonel que, perdida la brújula, no acierta a dirigir su rumbo en el seno de la tempestad, y pone la proa de su barco a todos los vientos. Él estaba libre, es verdad, pero doña Ana lo estaba también; él conservaba la intendencia de los bienes de su prima, pero ésta continuaba tan señora y respetada como antes, mientras que el terrible dilema del gobernador ofrecía en último término una horca, para doña Ana, si don Pedro justificaba su acusación; para don Pedro, si doña Ana era inocente.

—¿He triunfado? ¿He sucumbido? —se preguntaba ansiosamente el contrahecho hidalgo—. ¿Quedan las cosas como estaban antes? Pues, ¿por qué me prendió el gobernador?, ¿por qué me puso en libertad? ¿Por qué doña Ana está tranquila? ¿Por qué sigo siendo su intendente? ¿Por qué...? ¡Qué diablos! Ya que ella no me pone mala cara, preguntémosle lo que ha pasado, y ella me dará la clave de este enigma.

Y diciendo y haciendo, Mojica, que en medio de su soliloquio había llegado jadeante a la presencia de Higuemota, y se había sentado maquinalmente mirándola de hito en hito, le dirigió en tono manso y melifluo esta pregunta:

—¿Cómo os recibió el gobernador, señora prima?

—Con la bondad de un padre —respondió sencillamente Higuemota.

—¿Y qué le declarasteis?
—Todo.
—¿Y él, qué dijo entonces?
—Nada.

Don Pedro se quedó estupefacto. Sin duda doña Ana había penetrado su perfidia, y se vengaba burlándose de él. Esto fue lo que ocurrió al hidalgo, pero se equivocaba: la joven, cándida y sencilla, creía que las preguntas de Mojica envolvían el recelo de que el goberna-

dor hubiera mostrado alguna severidad en la entrevista, y concretándose a este concepto, satisfacía a su entender la curiosidad de su oficioso pariente, a quien suponía enterado de la orden de viaje, porque ignoraba absolutamente el percance de su prisión, y la subsiguiente reserva del gobernador.

Estaba acostumbrada a la intervención activa de don Pedro, y en este caso creía que el tenor de su conferencia con Ovando era el único incidente que había escapado a esa intervención.

La perplejidad del hidalgo subió, pues, de punto con este *quid pro quo*. No sabía qué pensar, y ya iba a retirarse en el colmo de la incertidumbre, cuando Higuemota, que también permanecía pensativa, volvió a mirarle, y le dijo:

—Supongo que nos acompañaréis a Santo Domingo.

—¡A Santo Domingo! —exclamó con un sacudimiento de sorpresa Mojica.

—Pues ¿qué no lo sabíais?

—No, señora, es decir... estaba en duda... Algo me dijeron de esto... —murmuraba casi entre dientes Mojica, temeroso de comprometerse más con el gobernador, o de perder su autoridad en el concepto de doña Ana si descubría su ignorancia en la materia de que se trataba.

Reflexionó un momento, y cruzó por su frente un rayo de infernal alegría: ya veía claro. Su intriga no había sido estéril. Doña Ana iba a Santo Domingo en calidad de prisionera, sin sospecharlo, y él se quedaría al frente de sus bienes como tutor de Mencía —esto no era dudoso.

—Sí, señora —dijo esta vez con voz segura— iréis a Santo Domingo, pero yo no puedo acompañaros, porque debo quedarme hecho cargo de vuestra hija...

—¡De mi hija! ¿Qué decís?— interrumpió vivamente doña Ana —mi hija no se aparta de mí, va donde yo fuere, y yo no voy sin ella a ninguna parte.

Mojica no replicó, cualquier palabra suya podía ser indiscreta, y él se consideraba como un hombre de pie sobre un plano inclinado, terso y resbaladizo, cuyo extremo inferior terminara en el borde de un abismo.

Se despidió más tranquilo, y a poco rato fueron a buscarle de parte del gobernador. Acudió al llamamiento, y Ovando le dijo en tono imperativo y áspero:

—Disponed todo lo necesario para que doña Ana se embarque mañana en la noche.

—¿Va en calidad de prisionera, señor?

—¡Va libre! —le dijo el gobernador con voz de trueno— cuidad de que nada le falte a ella ni a su hija, que la acompañen los criados que ella escoja, sin limitarle número, que se le trate con tanto respeto y tanta distinción, como si fuera una hija mía, ¿estáis?

Don Pedro bajó la cabeza, y se fue a cumplir las órdenes del gobernador.

Entre tanto, Diego Velázquez, al frente de su corta hueste, emprendía marcha aquella misma tarde, y pernoctando al pie de los ciclópeos estribos de *la Silla*,[1] entraba al amanecer del día siguiente en los estrechos y abruptos desfiladeros de las montañas. Guaroa y sus indios iban a ser tratados como rebeldes, y reducidos por la fuerza al yugo de la civilización.

IX

LA PERSECUCIÓN

El espionaje de los indios no era un accidente anormal, que se efectuara por virtud de consignas especiales, y sujeto a plan u organización determinada. Era un hecho natural, instintivo, espontáneo, y no ha faltado quien suponga que estaba en la índole y el carácter de aquella raza. Pero esto no era sino una de tantas calumnias como se han escrito y se escriben para cohonestar las injusticias; porque es muy antigua entre los tiranos la práctica de considerar los efectos de su iniquidad como razonables motivos para seguir ejerciéndola. El indio de Haití, confiado y sencillo al recibir la primera visita de los europeos, se hizo naturalmente arisco, receloso y disimulado en fuerza de la terrible opresión que pesaba sobre él, y esta opresión fue haciéndose cada día más feroz, a medida que los opresores iban observando los desórdenes morales que eran la necesaria consecuencia de sus procedimientos tiránicos.

El indio a quien extenuaba el ímprobo trabajo de lavar oro en los ríos, guardaba cuidadosamente el secreto de los demás yacimientos auríferos que le eran conocidos, y aplicaba todo su ingenio a hacer que permanecieran ignorados de sus codiciosos verdugos: si tenía hambre, estaba obligado a refinar sus ardides para hurtar un bocado, a fin de que el látigo no desgarrara sus espaldas, en castigo de su atrevimiento y golosina; y así aquella raza infeliz, de cuyo excelente natural había escrito Colón que "no había gente mejor en el mundo", degeneraba rápidamente, y se hacía en ella ley común la hipocresía, la mentira, el robo y la perfidia. Cuando los cuerpos se rendían a la fatiga y los malos tratamientos, ya las almas habían caído en la más repugnante abyección. Tanto puede la inexorable ferocidad de la codicia.

Los recientes sucesos de Jaragua, al refugiarse Guaroa en las montañas, habían aguzado, como era consiguiente, la predisposición recelosa de los indios. Ningún movimiento de los españoles, ninguna cir-

---

[1] Montaña elevada de Haití, cerca de Léogane. La Selle.

cunstancia por leve e insignificante que fuera, pasaba inadvertida para su atenta y minuciosa observación. Desde las riberas del litoral marítimo donde tenían su asiento los establecimientos y nuevas poblaciones fundadas por los conquistadores, hasta el riñón más oculto de las montañas donde se albergaba el cacique fugitivo, los avisos funcionaban sin interrupción, como las mallas de una densa red, partiendo del *naborí* que con aire estúpido barría la casa del jefe español, y corriendo de boca en boca por un cordón perfectamente continuado de escuchas y mensajeros, del aguador al leñador, del leñador al indio viejo y estropeado, que cultivaba al pie de la montaña un reducido conuco, y del indio viejo a todos los ámbitos del territorio.

Esto hacía que la faena impuesta por Ovando a Diego Velázquez ofreciera en realidad más dificultades de las que a primera vista podían esperarse. El capitán español llevaba por instrucciones capturar o matar a Guaroa a todo trance, debiendo recorrer las montañas con el ostensible propósito de reorganizar el servicio de los tributos, interrumpido y trastornado por la muerte trágica de los caciques. Mientras que la hueste española hacía el primer alto a la entrada de los desfiladeros de *la Silla*, la noticia de su expedición cundía con rapidez eléctrica por todas partes, y llegaba a los oídos del prudente y precavido Guaroa, en la mañana del día siguiente. El jefe indio, que había fijado su residencia en la ribera del lago más distante del camino real, se aprestó inmediatamente a recibir y aposentar los fugitivos que desde el mismo día, según las órdenes e instrucciones que de antemano había comunicado a su gente, no podían menos de comenzar a afluir en derredor suyo. Como se ve, el plan de campaña de los indios tenía por base principal la fuga, y no podía ser de otro

modo, tratándose de una población inerme y aterrada por recientes ejemplares. Después de diez años de experiencia, los indios de la Española, a pesar de su ingénito valor, no podían proceder absolutamente como salvajes sin noción alguna suficiente para comparar sus débiles fuerzas con las de sus formidables enemigos. El periodo de combatir dando alaridos y ofreciéndose en muchedumbre compacta al hierro, al fuego de la arcabucería y a las cargas de caballería de los españoles, había pasado con los primeros años de la conquista, y su recuerdo luctuoso servía esta vez para hacer comprender a Guaroa que debía evitar en todo lo posible los encuentros, y fiar más bien su seguridad al paciente y penoso trabajo de huir con rapidez de un punto a otro, convirtiendo sus súbditos en tribu nómada y trashumante, y esperándolo todo del tiempo y del cansancio de sus perseguidores.

No quiere esto decir que estuviera enteramente excluido el combate de los planes de Guaroa, no. Él estaba resuelto a combatir hasta el último aliento, y de su resolución participaban todos o los más de sus indios; pero solamente se debía llegar a las manos cuando no hubiera otro recurso, o cuando el descuido o la fatiga de los españoles ofreciera todas las ventajas apetecibles para las sorpresas y los asaltos. Fuera de estos casos, la estrategia india, como la de todos los grandes capitanes que han tenido que habérselas con fuerzas superiores, debía consistir en mantenerse fuera del alcance de los enemigos, mientras llegara el momento más favorable para medirse con ellos. Los extremos siempre se confunden, y la última palabra de la ciencia militar llegará a ser probablemente idéntica al impulso más rudimentario del instinto natural de la propia conservación.

Según lo había supuesto el caudillo indio, al caer la tarde del mismo día de la entrada de Velázquez en los desfiladeros, comenzaron a llegar al Lago Dulce los principales moradores de las montañas, con sus deudos y amigos más aptos para las agitaciones y los azares de la vida errante que iban a emprender, y muchos de ellos acompañados de sus mujeres e hijos. Guaroa les dio albergue en un extenso *guanal*, a corta distancia del lago, donde con poco trabajo quedaron improvisadas espaciosas y abrigadas viviendas, cubiertas de guano,[1] cuyos troncos redondos y derechos tienen cierta semejanza con las esbeltas columnas de que tan feliz uso ha sabido hacer la arquitectura árabe. Allí pudo admirarse la previsión del que eligió aquel sitio como punto de reunión general. Los mantenimientos y variedad de víveres enriquecían toda la ribera del azulado y vistoso lago. Sus tranquilas aguas, si no eran las más puras y gustosas al paladar, ofrecían en cambio fácil y abundante pesca, mientras que contra las exigencias de la sed, multitud de fuentecillas y manantiales brindaban sus límpidas y refrigerantes corrientes, deslizándose por en medio de deliciosos vergeles naturales, en los que confundían y estrechaban sus caprichosos lazos, en agraciado consorcio, lozanas enredaderas silvestres cuya pomposa florescencia engalanaba los arbustos con variados y brillantes matices, y donde al pasar, el aura apacible embalsamaba su aliento con los perfumes robados a las yerbas aromáticas.

Diego Velázquez penetró en la sierra, y pronto echó de ver la soledad y el abandono que reinaban, a su alrededor, pocos indios, los

más ancianos, los inválidos y algunas horribles mujeres eran los ejemplares que de la raza se ofrecían a su vista. No era la primera vez que él visitaba la montaña, adonde le habían conducido anteriormente comisiones importantes, como la de percibir los tributos, y persuadir a los indios a formar caseríos o poblados, renunciando a su vida aislada y huraña. En esta diligencia había obtenido lisonjeros resultados, que hacían honor a su talento y su destreza para tratar con aquellos indígenas. Tenía entre ellos algunos conocidos con quienes había ejercido actos de bondad, y que le demostraban siempre gratitud y cariño. Pero en vano buscó, indagó y preguntó por algunos de sus *colombroños*,[2] que así solía llamar familiarmente a los que para significarle amor y adhesión tomaban su nombre, costumbre muy común entre aquellos naturales. Todos huían de su vista cuidadosamente, y es muy probable que mientras Velázquez abrumaba con preguntas inútiles al indio viejo que apáticamente fumaba su *túbano* sentado a la puerta del bohío, el individuo cuyo paradero investigaba con tanto ahínco el capitán español, estuviera mirándolo y oyéndolo desde su escondite en la vecina arboleda.

Esta exploración infructuosa duró un mes: los escasos habitantes con quienes tropezaba Velázquez parecía que se habían dado el santo y seña para responder de un modo invariable: todos hacían el papel de estúpidos, hablaban maquinalmente, y con absoluta incoherencia, de lo que les era preguntado. Si alguna vez se conseguía por excepción topar con un ser medianamente razonable, sus respuestas producían mayor confusión: decía que la gente estaba en el *trabajo*, que la habían dejado atrás, muy lejos, que iba a venir, que la esperaran hasta

---

[1] Guanal es la espesura formada por la especie de palmera que se llama en toda la isla de Santo Domingo guano, y de cuyas anchas pencas u hojas se construye la graciosa techumbre de los bohíos en la mayor parte de los pueblos del sur, donde no abunda la palmera real o de yagua.

[2] Lo mismo que homónimo, o tocayo.

la noche, y cuando ésta llegaba y la gente no, se mostraba el informante muy maravillado, se ofrecía a conducir los españoles al lugar del *trabajo*, y en la primera hondonada, o en la espesura que le parecía a propósito, se ocultaba y evadía como si fuera espíritu puro, dejando a los españoles extraviados en la oscuridad, o entretenidos en coger maíz y raíces alimenticias que abundaban en los cultivos abandonados de toda aquella parte de la sierra.

Alguna vez tomaban la precaución de atar al guía, y amenazarle con palos o con la muerte si cometía algún engaño o trataba de escaparse, pero todo era inútil: llegaban después de mil fatigas a un lugar tan solitario como los demás, y allí se detenía el indio diciendo —aquí los dejé, yo creía que aquí estaban—, o cosa parecida. No se podía obtener mayor luz, ni por buenas ni por malas; comenzaban a menudear los palos sobre el testarudo guía, sin conseguir arrancarle un suspiro, y algunos había tan constantes y sufridos, que morían a golpes, y no volvían a proferir una sola palabra. El capitán se desesperaba con el escaso fruto que iba produciendo su expedición, y sólo una cosa veía en la sorprendente conducta de los montañeses: que la inspiraba el miedo, efecto de la ejecución de Jaragua. Era evidente que los indios huían y se ocultaban por terror, abandonando cuanto tenían y atentos a resguardar solamente las vidas.

Sea por piedad o por política, esta conclusión de Diego Velázquez le indujo a poner en práctica procedimientos más reflexivos y humanitarios. Trató indistintamente bien a todos los naturales que pudo haber a mano, los agasajó y procuró inspirarles confianza en medio de los españoles: si alguno se ofreció a servirle de guía lo dejó en absoluta libertad, dando orden de que le permitieran escapar sin perseguirle ni alborotarle, si tal era su voluntad.

Por último, prodigaba sus amplias botas de vino andaluz, de que andaba bien provisto, dando a gustar el generoso licor a los pobres ancianos, que no tardaban en aficionársele de veras, merced a este mágico estimulante, y así, al cabo de una semana de estar practicando tan benévolo sistema, Velázquez forzaba en sus últimos atrincheramientos la estudiada reserva de sus cotidianos convidados.

Uno de aquellos montañeses —el que más idiota parecía al principio—, llegó un día a embriagarse con las repetidas libaciones, y dio suelta a la entumecida lengua. Velázquez aprovechó diestramente el momento, y arrancó al avinado hablador cuantas noticias e indicaciones le hacían falta. Cuando el indio llegó a rendirse al sueño báquico, ya el capitán español sabía el paradero de Guaroa y de su tribu. Inmediatamente dispuso la marcha para esa misma noche.

Al anochecer volvió el viejo en su acuerdo, recapacitó sobre su funesta indiscreción, y llamando sin demora a un muchacho hijo suyo, acostumbrado sin duda a tales comisiones, lo despachó por en medio de los bosques y al favor de las tinieblas, llevando a Guaroa el aviso de que los españoles iban a caer sobre él.

Fue forzoso abandonar apresuradamente las hospitalarias riberas del Lago Dulce, que por lo poco accidentadas eran de fácil acceso para los caballos, el elemento de guerra más temido por los indios. Una escarpada montaña, casi cortada perpendicularmente por la naturaleza, y cuya cima estaba siempre envuelta en un velo de nubes, fue el sitio escogido por Guaroa para mudar su campo. Esta fortaleza natural solo tenía un descenso practicable, aunque sumamente disimulado por la maleza, del lado sudoeste, daba paso por un angosto y profundo barranco hasta el pie de otra montaña contigua, no menos fragosa y abrupta que la que podemos llamar segundo campamento de Guaroa.

Cuando Velázquez llegó a la orilla del Lago Dulce halló los vestigios de la reciente presencia de los indios, y no pudo menos de admirar la previsora inteligencia con que aquellos infelices habían elegido aquel pintoresco y ventajoso refugio. Hasta se arrepintió por un buen movimiento involuntario de su alma, de haberles perturbado en su pacífico retiro. Como que por lo visto sólo se trataba de perseguir a pobres fugitivos ajenos a todo pensamiento de agresión, dormía en los españoles esa fiebre de exterminio que solía despertarse con trágico fracaso desde que recelaban cualquier intento sanguinario contra su existencia. Y por tanto, seguían la pista a los indios, estimulados más bien por el deber y por el amor propio, y dando rienda a su espíritu aventurero, que ganosos de derramar la sangre de los que casi era un sarcasmo llamar rebeldes. Así, desde que llegaron al guanal del Lago y se hallaron agradablemente instalados, Velázquez quiso descansar unos días en tan bellos sitios, y se limitó a enviar diariamente pequeñas rondas de exploradores a las montañas vecinas.

La que ocupaba Guaroa con su gente sólo era adecuada para servir como reducto de guerra, pero a esta única ventaja se había limitado con aquella mole escarpada el favor de la naturaleza. Los depósitos de agua potable en los canjilones de la granítica meseta eran reducidos y escasos. No había allí sembrados ni cultivos de ninguna especie, y en dos o tres días quedaron consumidos los víveres que se habían llevado del Lago, y las pocas frutas silvestres que se pudieron encontrar. Desde entonces el hambre comenzó a hacerse sentir entre los refugiados de la inhospitalaria montaña; despacharon las mujeres y los niños (excepto Guarocuya) a

sus respectivas casas, y fue preciso organizar cuadrillas de merodeadores que, buscando el rumbo opuesto a la zona que ocupaban los enemigos, fueron extendiendo gradualmente sus excursiones famélicas hasta los valles del río Pedernales, al sur. Ignoraban que en la embocadura de este río se hallaba apostado hacía poco tiempo, con el fin de vigilar y custodiar aquella costa, un destacamento español, cuyos ociosos soldados también vivían del merodeo por los alrededores. Un día, a tiempo que los exploradores de Guaroa, en número de ocho, despojaban un lozano maizal de sus rubias mazorcas, se vieron rodeados de repente por varios soldados españoles, los cuales lograron aprisionar a tres de los indios: los demás emprendieron la fuga para sus montañas, y los presos son conducidos a la presencia de un anciano capitán español que los trata benignamente, les inspira confianza, e interrogándoles con destreza llega a adquirir todos los datos necesarios para saber el paradero de Guaroa y el género de vida que llevaba con su gente. Al saber que los fugitivos eran en tan crecido número, el oficial español se alarma vivamente, y presuroso acude, con la mayor parte de sus soldados y conducido por los indios prisioneros a través de los montes, a participar su descubrimiento a Diego Velázquez.

No tarda el jefe español en emprender operaciones activas para sojuzgar o destruir aquellos indios alzados. Su tropa, dividida en tres destacamentos, penetra por distintas partes en la sierra, llevando por objetivo la escarpada montaña que sirve de asilo a Guaroa.

Pero la vigilancia de este caudillo provee a la defensa con una oportunidad y buen concierto admirables. No bien comienzan a subir los soldados españoles por la áspera eminencia, cuando una lluvia de gruesas piedras derriba a varios de ellos sin vida, tres veces acometen denodados, y otras tantas ruedan revueltos con enormes rocas por aquella empinada ladera.

Esta defensa se hacía en absoluto silencio por parte de los indios: su jefe así lo había ordenado, pero el aviso de que por otro lado de la montaña se presentaban nuevos enemigos puso la consternación en los ánimos, y prorrumpieron en lastimeras exclamaciones.

Solícito Guaroa acude a todos, los exhorta a la esperanza, los tranquiliza, y les señala el punto de retirada que su previsión ha reservado para el trance final, y que los enemigos ignoran. Esto restituye el ánimo a sus hombres, que vuelven a la lucha a tiempo de rechazar el asalto simultáneo de los españoles, y lo consiguen una vez más.

Las sombras de la noche vienen a terminar aquella jornada, y a su favor los indios operan su retirada por el barranco, internándose en las vecinas montañas. Al amanecer del día siguiente, Diego Velázquez ordena nuevamente el asalto de las posiciones disputadas la víspera, y esta vez, sin más resistencia que la opuesta por los obstáculos naturales de la áspera subida, llega a la cumbre de la montaña, quedándose estupefactos los agresores al encontrar su altiplanicie en la más completa soledad.

X

CONTRASTE

Muchos días de activas pesquisas son necesarios para llegar a descubrir el nuevo paradero de los indios: otros tres asaltos con igual éxito resiste Guaroa, y logra evadirse con todos los suyos como la primera vez.

Pero no consiguen escapar de igual modo a la persecución, cada vez más apremiante y activa, del hambre. Entre aquellas breñas hay pocas siembras: las frutas silvestres, el mamey, la guanábana, la jagua y el *cacheo* escasean de más en más, las *hutías e iguanas* [1] no bastan a las necesidades de la tribu, y es preciso buscar otra comarca más provista de víveres, o morir.

El jefe indio no vacila: los merodeadores que pocos días antes habían logrado huir de las manos de los españoles en el campo de maíz, en las inmediaciones del río Pedernales, reciben orden de ir a explorar aquel mismo contorno, para determinar el punto preciso que ocupan los conquistadores en esa parte de la costa, y el número de sus soldados.

Las prudentes instrucciones de Guaroa, fielmente ejecutadas, dan por resultado el regreso feliz de los exploradores al cabo de tres días: hacia la boca del río, según lo que refieren, los españoles tienen una guardia como de veinte hombres: de éstos una ronda de ocho individuos sale todas las mañanas a recorrer los contornos, pero al anochecer regresan a su cuartel para pasar la noche todos reunidos.

El campo indio se puso en marcha aquella misma tarde con dirección a los maizales, adonde llegaron hacia la media noche. El maíz fue brevemente cosechado hasta no quedar una mazorca, y los indios, cargados de provisión para algunos días, volvieron a internarse en las montañas, hacia el este de Pedernales, aunque acamparon mucho más cerca de las siembras que cuando levantaron su campo de la víspera.

La ronda española echó de ver el despojo al día siguiente. Los

---

[1] *Hutía* era el único cuadrúpedo que se halló en la isla al tiempo de! descubrimiento: su tamaño era el de un perro pequeño. *Iguana,* especie de gran lagarto, cuya carne era muy estimada de los indígenas.

pacíficos indios del contorno, interrogados por los españoles sobre la desaparición del maíz, no sabían que responder, y, en su afán de justificarse contra toda sospecha, ayudan a los soldados a practicar investigaciones activas, que muy pronto hacen descubrir las huellas de los nómadas nocturnos.

El oficial que tenía a su cargo el puesto de Pedernales, despachó inmediatamente un correo a Diego Velázquez para advertirle lo que ocurría, pero este emisario, que era un natural del país, tardó muchos días en atravesar las montañas para llegar al campamento de los españoles, de nuevo instalados en las orillas del Lago.

Diego Velázquez había regresado a este último sitio por más fértil y cultivado, con su tropa diezmada, hambrienta y extenuada por sus penosas marchas por aquellas casi inaccesibles alturas. Dio cuenta de su situación a Ovando, que permanecía en Jaragua, habiendo hecho al fin elección de sitio y trazado el plan para la fundación de la villa de *Vera Paz*, a corta distancia del Río Grande, y en las faldas de *la Silla*. El buen comendador creyó sin duda desagraviar la Majestad Divina y descargar su conciencia del crimen de Jaragua, echando los cimientos de una iglesia y un convento de frailes franciscanos, al mismo tiempo que colocaba la primera piedra de la casa municipal de la futura villa, y ordenaba la construcción de una fortaleza, que debía dominar la población desde un punto más escarpado, al nordeste.

En estas ocupaciones le halló la misiva de su teniente Diego Velázquez, causándole extraordinaria indignación la audacia de los rebeldes indios. Mandó al punto reforzar con cincuenta hombres al capitán español, y que fueran por mar a Pedernales otros veinticinco, para que reunidos a la fuerza que allá estaba, cooperaran enérgicamente a la nueva campaña que Velázquez emprendería entrando en la sierra por el lado del norte. Estas fuerzas van perfectamente equipadas, y provistas de víveres, que se embarcan en la carabela destinada a la costa del sur una parte, mientras que la otra acompaña al destacamento de tierra, llevada en hombros de los indios de carga.

Cuando todo estaba listo, y la carabela acababa de recibir su cargamento, un hombre, joven aún, de porte modesto al par que digno y majestuoso, un español del séquito de Ovando, se presentó en el alojamiento de éste. Al verle, el gobernador manifestó grata sorpresa y exclamó en tono familiar y afectuoso:

—Gracias a Dios, licenciado, que os dejáis ver después de tantos días. ¿Ha pasado ya vuestro mal humor y tristeza? Mucho lo celebraré.

El individuo tan benévolamente increpado contestó:

—Dejemos a un lado, señor, mis melancolías: de este mal sólo puede curarme la convicción de hacer todo el bien que está a mi alcance a mis semejantes. Y pues que, loado sea Dios, Vuestra Señoría está de acuerdo conmigo en que espiritual y materialmente conviene atraer con amor y dulzura estos pobres indios de Jaragua, que todavía andan llenos de terror por los montes, más bien que continuar cazándoles como bestias feroces, contra toda ley divina y todo derecho humano...

—¿Volvéis a vuestro tema, señor Bartolomé? ¿Qué más queréis? Los indios meditaban nuestro exterminio, su inicua reina trata de adormecernos pérfidamente para que sus vasallos nos degüellen en el seno de su mentida hospitalidad, ¿y quisierais que hubiéramos tendido el cuello a los asesinos como mansos corderos?

—Hablemos seriamente, señor: me parece que sólo en chanza podéis decir eso que decís, y esa chanza, cuando aún humean las hogueras de Jaragua, es más cruel todavía que vuestro juego del herrón, y el signo sacrílego de tocar vuestra venera para comenzar la matanza en aquella tarde funesta.

—Basta, señor Las Casas —dijo el gobernador frunciendo el ceño—, os estáis excediendo demasiado. Ya os he dicho que me pesa tanto como a vos la sangre vertida, la severidad que he debido desplegar, pero si os hallaseis en mi puesto, a fe mía, licenciado, que haríais lo mismo.

Bartolomé de las Casas se sonrió, al oír esta suposición, de un modo original, el gobernador pareció advertirlo, y repuso con impaciencia:

—Al cabo, ¿qué deseáis? ¿Qué objeto trae vuestra visita?

—Deseo, señor, acompañar la expedición a Pedernales: allí debe haber crímenes que prevenir, lágrimas que enjugar, y mis advertencias tal vez eviten muchos remordimientos tardíos.

—Estáis bueno para fraile, señor Bartolomé.

—Ya otra vez os he dicho, señor, que pienso llegar a serlo, con la ayuda de Dios, y hago en la actualidad mi aprendizaje.

Ovando miró a su interlocutor, y algo de extraordinario halló en aquella fisonomía iluminada por una ardiente caridad, pues le dijo casi con respeto:

—Id con Dios, señor Bartolomé de las Casas y no creáis que tengo mal corazón.

El hombre ilustre que más tarde había de asombrar hasta a los reyes con su heroica energía en defensa de la oprimida raza india, se inclinó ligeramente al oír esta especie de justificación vergonzante, y contestó gravemente:

—El Señor os alumbre el entendimiento, y os dé su gracia.

Formulado este voto salió con paso rápido, y dos horas después navegaba con viento favorable en dirección a la costa del sur.

XI

EL CONSEJO

Tan pronto como Diego Velázquez recibió las fuerzas que aguardaba en Lago Dulce, emprendió su nueva expedición al centro de las montañas, concertando su movimiento con el comandante de Pedernales, según las instrucciones de Ovando, para que siguiendo el curso del río, aguas arriba, con las debidas precauciones, fuera ocupando cuantos víveres y mantenimientos hallara al paso en aquellas riberas, que eran precisamente las más cultivadas, tanto para aumentar las provisiones de los expedicionarios, cuanto para privar de ese recurso a los indios. De este modo contaba Velázquez con que, marchando con rumbo directo al sur desde el Lago, hasta llegar al río, y siguiendo aguas abajo, no podría menos de encontrarse a los dos o tres días con la tropa procedente de la costa, y ya reunidas sus fuerzas, penetraría en lo alto de la sierra para impeler los indios hacia la parte menos escabrosa, en dirección a la boca del río, donde lograría desbaratarlos fácilmente.

La primera parte de este plan salió conforme a los cálculos del jefe español, por cuanto al tercer día de su marcha se encontró con los de Pedernales acampados en un recodo del río, al pie de la montaña, en un punto en que ésta se yergue brusca y casi perpendicularmente desde la misma ribera, mientras que las límpidas aguas fluviales sirven de orla a la verde y amenísima llanura que se extiende a la margen occidental. Pero en lo que del plan respectaba a los alzados indios no salió tan acertado, porque al empezar el ojeo [1] después de algunas

[1] Término de caza: equivale a exploración.

horas de descanso, se hallaron señales ciertas de que habían abandonado su último campamento, inmediato a las siembras del Pedernales, y volvían a esconderse en las inaccesibles alturas.

He aquí lo que había sucedido. Mientras la tropa reposaba, algunos de los indios que llevaban en hombros las provisiones se evadieron con su carga en busca de sus compatriotas, a quienes prestaron el doble servicio de proveerles de alimentos para muchos días, y de advertirles la proximidad de los perseguidores.

La exasperación de Diego Velázquez llegó al colmo cuando se convenció de que los indios se le escurrían de entre las manos, después de tan penosas diligencias para dar con ellos, pero con esa constancia invencible que fue el carácter distintivo de los hombres de hierro que acometieron la conquista del mundo revelado por el genio de Colón, el jefe español dio nuevas órdenes y disposiciones para llegar al objeto que hacía ya casi tres meses estaba persiguiendo inútilmente.

Disponíanse, pues, los españoles a levantar el campo, cuando Bartolomé de las Casas, que acompañaba al comandante de la costa, sin armas, vestido con jubón y ferreruelo negros (lo que le daba un aspecto extraño entre aquellos hombres equipados militarmente), y llevando en la mano un nudoso bastón rústico, que le servía de apoyo en los pasos difíciles del río y las montañas, se acercó familiarmente a Velázquez y le dijo sonriendo:

—Señor Diego, *frustrè laboras;* en vano trabaja vuestra merced: los indios se escaparán de vuestras manos en lo sucesivo, como vienen haciéndolo hasta aquí, y nuestras armas van a quedar deslucidas en esta campaña contra un adversario invisible, que no nos ataca, que evita hasta las ocasiones de resistirnos, y no hace más guerra que huir, para salvar su miserable existencia.

—¿Qué queréis decir, señor Bartolomé?

—Quiero decir que si en vez de proseguir vuestra merced organizando cacerías contra esos infelices seres inofensivos, procurarais hacerles entender que no se trata de matarlos, ni de hacerles daño, ellos se darían a partido, con grande gloria vuestra y salud de vuestra ánima.

Diego Velázquez no era un malvado: impresionable, como todos los de su raza, imbuido en las falsas ideas religiosas y políticas de su tiempo, seguía el impulso fatal que movía a todos los conquistadores, queriendo someter a fuego y sangre los cuerpos y las almas de los desgraciados indios, pero su generosidad se manifestaba tan pronto como una ocasión cualquiera, una reflexión oportuna detenía sus ímpetus belicosos, y la razón recobraba su imperio. El lenguaje de Las Casas, diestramente impregnado de sentimientos compasivos, disipó las prevenciones sanguinarias del guerrero español, como la luz solar disipa las nieblas de una mañana de otoño.

—Pero ¿quién persuadirá a los indios de que pueden entregarse bajo seguro? —preguntó Velázquez a Las Casas.

—Yo —respondió éste sencillamente—, iré con guías indios, veré a Guaroa, y espero reducirlo a buenos términos.

Velázquez se admiró de esta resolución, que revelaba una intrepidez de género desconocido para él, la intrepidez de la caridad, y como la fe es contagiosa, llegó a participar de la que alentaba el magnánimo corazón de Las Casas: avínose al buen consejo de éste, y desde entonces vislumbró un éxito completo para la pacificación que le estaba encomendada.

XII

PERSUASIÓN

Veamos entretanto cuál era la situación del campo de Guaroa. Su gente, regularmente.provista de subsistencias para algunos días, gracias a la deserción de los indios de Pedernales del campo español, comenzaba a avezarse a la vida nómada y azarosa que había emprendido. Ya sabían aquellos hijos de las selvas, gracias a las lecciones y el ejemplo de su caudillo, improvisar barracas con ramas de árboles, para resguardarse de la intemperie: ya cada uno de los fugitivos, además del recio arco de mangle con cuerda de cabulla y saetas de guaconejo,[1] sabía manejar con destreza y agilidad una pesada macana, o estaca de ácano, madera tan dura y pesada como el hierro, y los más atrevidos hablaban de no permanecer más tiempo a la defensiva, sino acechar a sus perseguidores, y causarles todo el daño posible.

Pero el prudente Guaroa no aspiraba a tanto: su plan, como ya dijimos, se reducía a irse sustrayendo con su tribu de la persecución, cambiando continuamente de sitio, y no pelear hasta no verse en el último aprieto, contando con la posibilidad de hallar un escondite en aquellas breñas, bastante oculto e inaccesible para que los españoles perdieran hasta la memoria de que había indios alzados.[2]

Esto ofrecía varias dificultades, y principalmente la de no abundar los *jagüeyes,* o charcas de agua, en aquellas alturas. El indio previsor, cada vez que mudaba de sitio, se aplicaba a hacer cavar hondas fosas en los vallejuelos o barrancos que separaban una eminencia de otra, en aquella intrincada aglomeración de montañas, logrando así reforzar sus defensas, y en las frecuentes lluvias que atrae la sierra, estancar crecidas cantidades de agua.

Guarocuya seguía siendo el objeto de todos los cuidados, y el ídolo de aquella errante multitud de indios. Su gracia infantil, su humor igual y benévolo, sus juegos, todo interesaba altamente a los pobres fugitivos, que cifraban en aquel niño esperanzas supersticiosas. Corría, saltaba con imponderable agilidad, seguía a pie, sin fatiga ni embarazo, a su vigoroso tío, por los caminos más ásperos, hasta que admirado de tanta fortaleza en tan tiernos años, Guaroa lo hacía llevar en hombros de algún recio indio, sin que el niño mostrara en ello satisfacción o alegría.

Un joven jaragüeño, de 24 años de edad, que había estado al servicio del célebre alcalde mayor Roldán, cuando éste se rebeló contra Colón en Jaragua, era el que con más frecuencia llevaba sobre sus espaldas al infantil cacique. Su amo le había impuesto el nombre español de Tamayo, por haber encontrado semejanza entre algunos rasgos de la fisonomía del indio con los de otro criado de raza morisca que tenía ese nombre, y se le había muerto a poco de llegar de España a la colonia. El antiguo escudero de Roldán parecía haber heredado el aliento indómito de aquel caudillo, primer rebelde que figura en

---

[1] *Mangle,* árbol de madera muy dura y flexible. *Cabulla,* fibra de gran resistencia que se extrae del cactus llamado maguey o pita, y de la que se hacen cuerdas muy sólidas. *Guaconejo,* es otra especie de madera durísima.

[2] No era absurdo el propósito de Guaroa. En 1860 se capturaron en las montañas del Bahoruco tres *biembie-*

nes, pertenecientes a una tribu de salvajes de raza africana, que aún existe allí alzada, y de que sólo dan noticias incoherentes y tardías algunos monteros extraviados.

la historia de Santo Domingo. Manejaba bien las armas españolas, llevaba espada y daga que logró hurtar al escaparse a las montañas, y hallaba singular placer en hacer esgrimir esas armas a su pupilo Guarocuya, que por esta causa, y por conformarse Tamayo a todos sus gustos y caprichos de niño, lo amaba con predilección.

Siendo el único que podía decirse armado entre los indios, Tamayo era tal vez por lo mismo el más osado y más fogoso de todos. Un día, seguido del niño Guarocuya, descendió de la montaña un buen trecho alejándose del campamento: vagaba a la ventura buscando iguanas, nidos de aves y frutas silvestres, cuando advirtió que se acercaban haciéndole señas dos indios, precediendo a un hombre blanco, uno de los temidos españoles. Éste, sin embargo, nada tenía de temible en su aspecto ni en su equipo. Iba vestido de negro, y su única arma era un bastón, que le daba el aire pacífico de un pastor o un peregrino.

Tamayo miró con sorpresa a los viajeros, pero sin inmutarse, desenvainó su espada, se puso en guardia y preguntó a los indios qué buscaban.

La respuesta le tranquilizó completamente, y más el rostro afable, para él muy conocido, de Las Casas, que no era otro el compañero de los guías indios. Éstos contestaron a Tamayo indicándole al emisario español, y diciéndole en su lengua que venía a hablar con el jefe de los alzados.

Antes que acabaran de explicarse, Guarocuya, reconociendo a Las Casas, había corrido a él con los brazos abiertos, dando muestras del más vivo júbilo: el español lo recibió con bondadosa sonrisa, se inclinó a él, le besó cariñosamente en la mejilla, y le dijo:

—Mucho bien te hace el aire de las montañas, muchacho.

Volvió a la vaina Tamayo su aguzada tizona, y quitándose el sombrero que a usanza española llevaba, se acercó a Las Casas y le besó la mano.

Éste lo miró como quien evoca un recuerdo:

—¿Quién eres? Me parece conocerte— le dijo.

—Sí, señor —contestó el joven indio—, vuestra merced me ha visto primero en Santo Domingo, hace un año, sirviendo a mi señor Roldán, cuando lo embarcaron para España. Poco después mi nuevo amo me trataba muy mal, y me vine a mi tierra a servir a mi señora Anacaona, hasta el día de la desgracia.

—Cierto —repuso Las Casas—. Guíanos a donde está tu jefe.

En el camino Tamayo explicó a Las Casas la razón del respeto afectuoso que manifestaba hacia su persona. Siempre le vio sonreír y consolar a los pobres indios: en Jaragua presenció su dolor y desesperación al ver la matanza de los caciques.

En cuanto al niño, la alegría que experimentó al ver aquel hombre de ojos expresivos, de semblante benévolo, se explica por los agasajos y pequeños regalos que recibiera de Las Casas en los cortos días que mediaron entre la llegada de éste con Ovando a Jaragua, y la sangrienta ejecución de los caciques. El niño se hallaba a su lado, en la plaza, en el acto de la salvaje tragedia, y fue el bondadoso Las Casas quien lo tomó en brazos, y arrastrando a Higuemota, helada de terror, puso a ambos en momentánea seguridad, velando después sobre ellos, hasta que Ovando dio cabida a un sentimiento compasivo —oyó quizás la voz del remordimiento—, y les acordó protección y asistencia. La criatura pagaba al filantrópico español los beneficios que su inocencia no alcanzaba a comprender, demostrándole la más afectuosa y espontánea simpatía.

Las Casas fue recibido con respeto y cordialidad por el jefe indio. Habló a éste largamente: le pintó con vivos colores la miseria de su estado actual, lo inminente de su ruina, el daño que estaba causando a los mismos de su raza, y la bondad con que Velázquez se ofrecía a recibirlo otra vez bajo la obediencia de las leyes, cuyo amparo le aseguraba, prometiéndole obtener para él y los suyos un completo perdón del gobernador Ovando. Al oír este nombre aborrecido, Guaroa contestó estas palabras: *"Pero yo no perdono al gobernador, y si he de vivir sometido a él, mejor quiero morir."* ¡Notable concepto, que denotaba la irrevocable resolución de aquel generoso cacique! Bien es verdad que los sentimientos heroicos eran cosa muy común en los indios de la sojuzgada Quisqueya, raza que se distinguió entre todas las del Nuevo Mundo por sus nobles cualidades, como lo atestiguan Colón y los primitivos historiadores de la conquista, y como lo probaron Caonabó, Guarionex, Mayobanex, Hatuey y otros más, cuyos nombres recogió cuidadosamente la adusta Clío.[1]

De los argumentos de Las Casas hubo sin embargo, uno que hizo gran fuerza en el ánimo del cacique, tal fue el reproche de estar causando la ruina de su raza. La recta conciencia de aquel indio se sublevó al ver delante de sí erguida la responsabilidad moral de tantas desdichas. Al punto reúne en torno suyo a todos sus compañeros, les dice lo que ocurre, les trasmite las observaciones de Las Casas, y los exhorta a acogerse a la benignidad y la

clemencia de los conquistadores. Todos o los más están convencidos, bajan la cabeza, y aguardan la señal de partir. Una voz pregunta a Guaroa —y tú, ¿qué harás?— permaneceré solo en los bosques —dice sencillamente el caudillo, y mil gritos y sollozos protestan contra esa inesperada resolución.

Tamayo el primero se obstina en acompañarle, otros cien siguen su ejemplo, y pronto el efecto de los discursos de Las Casas y del mismo Guaroa va a perderse ante el exceso de abnegación de los indios, y su adhesión al honrado jefe que les enseñó el amor a la libertad.

El español dice entonces con entereza:

—Pues bien, tenéis el derecho a vivir como las fieras, de comprometer vuestra existencia, de haceros cazar de día y de noche por estos montes, pero no tenéis el derecho de sacrificar a vuestros caprichos este pobre niño, que no sabe lo que hace, ni tiene voluntad propia. Yo me lo llevaré para que sea feliz, y algún día ampare y proteja a los que de vosotros queden con vida, en su temeraria rebelión contra los que sólo quieren haceros conocer el verdadero Dios.

Este lenguaje arroja la confusión en las filas. Tamayo y otros muchos juran que no dejarán ir al niño cacique, y Las Casas deplora el mal éxito de su misión, cuando Guaroa interviene, diciendo —tiene razón el español, no debemos sacrificar a Guarocuya: que se vaya con él, y que le acompañen todos. Así conviene, porque entonces no será difícil que me permitan permanecer en paz en mis montañas, pero si somos muchos, no me lo permitirán.

Presentando así bajo una nueva fase el asunto, el generoso Guaroa sólo se propone determinar a sus compañeros a abandonarle y salvarse sin él. Y realmente lo consigue: Las Casas emprende el regreso al campamento español seguido de Tamayo, que confía sus armas a Guaroa,

---

[1] Musa de la Historia. Suplicamos al lector que no nos crea atacados de la manía *indiófila*. No pasaremos nunca los límites de la justa compasión a una raza tan completamente extirpada de la cruel política de los colonos europeos, que apenas hay rastro de ella entre los moradores actuales de la isla.

y toma en brazos al niño: en pos de éste va la mayor parte de los indios alzados: unos pocos se quedan con su jefe, ofreciendo presentarse al día siguiente, lo que no cumplieron, sin duda por más desconfiados, o por causas de ellos sólo sabidas.

Al percibir la multitud de los rendidos, Velázquez, en la embriaguez del entusiasmo, estrechó en sus brazos a Las Casas, felicitándole por el buen resultado de su empresa, y besó afectuosamente a Guarocuya, diciendo que desde aquel momento se constituía su padrino y protector: los indios sometidos fueron tratados con agasajo y dulzura, y durante tres días la paz y el contento reinaron en la vega afortunada que el Pedernales riega y fertiliza con sus rumorosas corrientes: el triunfo de los sentimientos humanos sobre las pasiones sanguinarias y destructoras parecía que era celebrado por la madre naturaleza con todas las galas y magnificencias de la creación, en aquellos parajes privilegiados del mundo intertropical.

XIII

DESENCANTO

En medio de la pura alegría que experimentaba el capitán español, saboreando el insólito placer de practicar el bien, y de convertir en misión de paz y perdón su misión de sangre y exterminio, una inquietud secreta persistía en atormentarle. Las instrucciones que Ovando le remitiera a Lago Dulce eran tan terminantes como severas. El rigoroso gobernador sólo había previsto un caso: el de forzar a los indios en sus posiciones, perseguirlos sin tregua ni descanso, y castigar ejemplarmente a todos los rebeldes. Nunca admitió la hipótesis de una rendición a partido, ni menos de una

gestión pacífica por parte de su teniente. Esto último, en las ideas dominantes de Ovando, no podía ser considerado sino como una monstruosidad. Los naturales o indígenas eran numerosos; los españoles, aunque armados y fuertes, eran muy pocos, y su imperio sólo podía sustentarse por un prestigio que cualquier acto de clemencia intempestiva había de comprometer. Éste era el raciocinio natural de los conquistadores, y Diego Velázquez estaba demasiado imbuido en la doctrina del *saludable terror,* para poder sustraerse al recelo de haber cometido, al transigir con los indios, una falta imperdonable en el concepto del gobernador.

Las Casas, a quien comunicó sus escrúpulos, le tranquilizó con reflexiones elocuentes, sugeridas por su magnánimo corazón; y tal era su confianza en que Ovando no podría menos de darse por satisfecho del éxito obtenido con los rebeldes, que se ofreció a llevarle personalmente la noticia, aun no comunicada por el indeciso Velázquez. El expediente pareció a éste muy acertado, escribió sus despachos al comendador en términos breves, refiriéndose absolutamente al relato verbal que de los sucesos debía hacer Las Casas. Partió, pues, el buen licenciado, contento y seguro de dejar en pos de sí la paz y la concordia en vez de la desolación y los furores de la guerra.

De acuerdo con Velázquez se llevó a Tamayo y el niño, a fin de que no se demorara el bautizo de éste: Velázquez reiteró su propósito de proteger al agraciado caciquillo, sintiendo que el deber le privara de servirle de padrino en el acto de recibir la iniciación en la fe del Cristo.

Hízose la travesía por mar con próspero tiempo y muy en breve. Tan pronto como puso el pie en la ribera de Yaguana, acudió el celoso licenciado a la presencia de Ovando, a cumplir su comisión. Fue recibido con perfecta cortesía por el comendador, que de veras le estimaba, pero en la reserva de su actitud, en el ceño de su semblante, echó de ver Las Casas que no era día de gracias. Efectivamente, Ovando estaba de pésimo humor, porque hacía dos días que el heroíco y honrado Diego Méndez, el leal amigo del almirante don Cristóbal Colón, había llegado a Jaragua, enviado por el ilustre descubridor desde Jamaica, en demanda de auxilios por hallarse náufrago y privado de todo recurso en aquella isla. El viaje de Méndez y sus cuatro compañeros, en una frágil canoa desde una a otra Antilla, tiene su página brillante y de eterna duración en el libro de oro del descubrimiento, como un prodigio de abnegación y energía.

Ovando, resuelto a no suministrar los socorros pedidos, sentía sin embargo dentro del pecho el torcedor que acompaña siempre a las malas acciones, a los sentimientos malignos. Mordíale como una serpiente el convencimiento de que su proceder inicuo, abandonando a una muerte cierta al grande hombre y sus compañeros en la costa de un país salvaje, le había de atraer la execración de la posteridad. La presencia de Méndez, el acto heroico llevado a cabo por aquel dechado de nobleza y fidelidad, era a sus propios ojos un reproche mudo de su baja envidia, de su menguada y gratuita enemistad hacia el que le había dado la tierra que pisaba, y la autoridad que indignamente ejercía. En medio de esta mortificación moral y de tan cruel fluctuación de ánimo, le halló Las Casas cuando fue a darle cuenta de la pacificación del Bahoruco, y así predispuesto contra todo lo bueno, vio en la benéfica intervención del licenciado y en la clemencia de Diego Velázquez el más punzante sarcasmo, la condenación más acerba de sus ma-

los impulsos, y por lo mismo una violenta cólera se apoderó de él, estallando como desordenada tempestad.

—¿A esto fuisteis, señor retórico, al Bahoruco? —dijo encarándose con Las Casas—. ¿Qué ideas tenéis sobre la autoridad y el servicio de sus Altezas los Reyes? ¿Habéis aprendido en vuestros libros a ir como suplicante a pedir la paz a salvajes rebeldes, a gente que sólo entiende de rigor, y que de hoy más quedará engreída con la infame debilidad que ha visto en los españoles? ¡Esto es fiar en letrados! ¡Oh! Yo os aseguro que no me volverá a acontecer, y en cuanto a Velázquez, ya le enseñaré a cumplir mejor con las instrucciones de sus superiores.

—Señor gobernador —dijo en tono firme Las Casas—: Diego Velázquez no tiene culpa alguna, prestó el crédito que debía a mis palabras, a la recomendación con que Vuestra Señoría se sirvió honrarme, y sea cual fuere el concepto que os merezcan a vos, hombre de guerra, mis letras y mis estudios, ellos me dicen que lo hecho, bien hecho está, y sólo el demonio puede sugeriros ese pesar y despecho que demostráis porque se haya estancado la efusión de sangre humana.

—Retiraos en mal hora, licenciado —repuso el irritado gobernador—, y estad listo para embarcaros para Santo Domingo mañana mismo. No hacéis falta aquí.

Las Casas se inclinó ligeramente, y salió con paso tranquilo y continente sereno.

En cuanto Ovando quedó solo, escribió una vehemente carta a Diego Velázquez, reprendiéndole por haberse excedido de sus instrucciones, y ordenándole que sin demora se pusiera en campaña para exterminar los indios que hubieran permanecido alzados. Un correo llevó aceleradamente esta carta a Pedernales, atravesando las montañas.

El mismo día,. Las Casas condujo al niño Guarocuya al naciente convento de Padres Franciscanos, un vasto barracón de madera y paja que provisionalmente fue habilitado por orden de Ovando en la Vera Paz, mientras se construía el monasterio de cal y canto. Los buenos franciscanos recibieron con grandes muestras de amistad a Las Casas, y gustosos se encargaron del niño con arreglo a las recomendaciones del licenciado, hechas por sí y a nombre de Diego Velázquez, quien proveería a todas las necesidades del caciquillo. En el mismo acto procedieron a administrarle el bautismo, y, por elección de Las Casas, se le impuso el nombre de ENRIQUE, destinado a hacerse ilustre y glorioso en los anales de la Española.

Tamayo quedó también en el convento al servicio del caciquillo, a quien amaba con ternura.

Cumplidas estas piadosas atenciones, el licenciado Las Casas hizo sus cortos preparativos de viaje, y al amanecer del siguiente día, impelida su nave por las auras de la tierra, se alejó de aquella costa siempre hermosa y risueña, aunque manchada con los crímenes y la feroz tiranía del comendador Frey Nicolás de Ovando.

XIV

UN HÉROE

Diego Velázquez recibió la terrible orden del gobernador cuando menos la esperaba. Inmensa pesadumbre embargó su ánimo al ver que había incurrido en el enojo de su jefe, y atento sólo a desagraviarle, puso en pie su gente, y al favor de la luna entró otra vez en las montañas, muy de madrugada, en busca de Guaroa y los demás indios que aún no se le habían sometido personalmente.

El capitán español llevaba guías indios expertos, a quienes se había ofrecido una gran recompensa si se lograba capturar a los alzados, prometiéndose a dichos guías que no se quería otra cosa que apoderarse de aquellos obstinados rebeldes, para tratarlos tan bien como a los que se habían presentado voluntariamente.

Creyeron los pobres indios esta engañosa promesa, juzgando por su propia experiencia de la bondad y mansedumbre de Velázquez y sus soldados, y a las tres horas de marcha advirtieron al jefe español que habían llegado al pie de la montaña que servía de albergue a Guaroa.

Amanecía plenamente: de los ranchos o cabañas cubiertas de ramas de árboles, que servían de viviendas a los confiados y perezosos indios, se escapaba ese humo azulado y leve que denuncia los primeros cuidados con que el hombre acude a las más imperiosas necesidades de su existencia: algunos vagaban con aire distraído alrededor de la ranchería, o *yucuyagua*,[1] llevando en la boca el grosero túbano.[2] Distinguíase a primera vista la figura escultural de su caudillo, que abismado en honda meditación, se reclinaba, con el abandono propio de las grandes tristezas, en el tronco de un alto y robusto córvano, de cuya trémula copa, que el sol hacía brillar con sus primeros rayos, enviaba el ruiseñor sus trinos a los ecos apacibles de la montaña: los árboles, meciendo en blando susurro el flexible follaje, respondían armónicamente al sordo rumor del mar, cuyas olas azules y argentadas se divisa-

[1] Así llamaban los indios a sus agrestes caseríos, de los que, según docto testimonio de una carta escrita en latín por los frailes dominicos y franciscos de la isla, en aquel tiempo al Gobierno de España, no querían salir.

[2] Hojas de tabaco retorcidas.

ban a lo lejos desde aquellas alturas, formando una orla espléndida al extenso y grandioso panorama.

Aveníanse con tan magnífica escena, aquella quietud, aquel absoluto descuido de los indios: es de presumir que, cerciorados por sus espías de que no se había hecho daño alguno a los presentados por Las Casas, los rezagados estuvieran meditando llevar también a efecto su completa sumisión, y de aquí provinieran su confianza y negligencia.

De improviso, el estridente sonido de un clarín rasga los aires, partiendo de un ángulo de la meseta, y apenas se extingue la última nota de su bélica tocata, otro clarín y otro contestan desde los dos ámbitos opuestos, apareciendo por los tres puntos a la vez la hueste española, precedida del fragor de sus arcabuces, del áspero ladrido de sus perros de presa, y al grito en Granada poco antes glorioso de ¡cierra España!, intempestivo y profano en aquel monte, cargando con ciega furia a salvajes inofensivos e indefensos.

Atónitos, sorprendidos y aterrados los infelices indios con la brusca acometida de los guerreros españoles, prorrumpen en clamores lastimeros y tratan de huir, pero la muerte les sale al paso por todas partes, en el filo de los aceros castellanos: la sangre de las víctimas enrojece el suelo, el incendio no tarda en asociarse a la obra de exterminio, y las pajizas cabañas, convertidas en ardiente hoguera, abrasan los cuerpos de los que paralizados por el terror permanecen a su pérfido abrigo: los que medio chamuscados ya, huyen del fuego, son rematados por el furor de los hombres, y sólo consiguen una muerte más pronta en las puntas de las lanzas. Por todo aquel campo reinan la desolación y el estrago.

Un guerrero indio, sin embargo, uno solo, hace frente con ánimo varonil a la ruda embestida de los desatados agresores, y esgrimiendo una fulgurante espada castellana sorprende a su vez, por el extraordinario arrojo y la fuerza de sus golpes, a los soldados, que no esperaban hallar un ánimo tan brioso en medio de tantos consternados fugitivos, un león formidable entre aquellos tímidos corderos.

Tres muertos y cinco heridos yacían en tierra, al rigor de los golpes del bizarro indio, y los soldados cargaban nuevamente sobre él, resueltos a exterminarlo, cuando una voz imperiosa los contuvo, diciendo:

—¡Teneos! —¡No le matéis!

Era Diego Velázquez, que acudía con la espada desnuda. Desde lejos había visto al denodado combatiente defender su vida del modo heroico que se ha dicho, y su índole generosa volvió a preponderar, inspirándole el deseo de salvar aquel valiente.

—Ríndete —le dijo—, y yo seré tu amigo, y nadie te hará mal.

—¿Quién cree en tus palabras? —contestó con desprecio Guaroa (que no era otro el esforzado indio)—. Cuando nos habías ofrecido la paz, y contábamos con ella, vienes con los tuyos a asesinarnos a traición: ¡sois falsos y malvados!

—¡Ríndete! —repuso Velázquez, haciendo un rápido movimiento de avance, y dirigiendo la punta de su espada al pecho de Guaroa.

Éste retrocedió vivamente, descargando al mismo tiempo un tajo furioso que el capitán español paró con magistral habilidad. El combate se trabó entonces entre los dos, no permitiendo el caballeroso Velázquez que ninguno de los suyos le ayudara. Llovían las cuchilladas de Guaroa como atropellado granizo, pero todas se estrellaban en el arte y la imperturbable sangre fría de su adversario, el cual cien veces pudo atravesar el corazón del impetuoso indio, pero que no aspiraba sino a desarmarlo, como lo consiguió al cabo, mediante un diestro movimiento de desquite.

Precipitóse Guaroa a recobrar su espada, y habiéndose adelantado a impedírselo un español, el contrariado guerrero sacó la daga que llevaba pendiente de la cintura, y después de haber hecho ademán de herir con ella al que estorbaba su acción, viéndose cercado por todas partes, se la hundió repentinamente en su propio seno. ¡*Muero libre!*, dijo, y cayó en tierra exhalando un momento después el último suspiro.

Así acabó gloriosamente, sin doblar la altiva cerviz al yugo extranjero, el noble y valeroso Guaroa, legando a su linaje un ejemplo de indómita bravura y de amor a la libertad, que había de ser dignamente imitado en no lejano día. El caudillo español, movido a respetuosa compasión ante aquel inmerecido infortunio, derramó una lágrima sincera sobre el cadáver del jefe indio, al que hizo dar honrosa sepultura en el mismo sitio de su muerte. La semilla del bien, depositada por el ilustre Las Casas en el ánimo de Diego Velázquez, no podía ser ahogada, y comenzaba a germinar en aquel joven militar, de índole bondadosa, aunque extraviada por las viciosas ideas de su tiempo, y por los hábitos de su ruda carrera.

XV

CONSUELO

Llegó felizmente a la metrópoli colonial el licenciado Las Casas, once días después de su partida de Jaragua. Su notable talento, la amenidad de su trato y la bondad de su carácter, le habían captado todas las simpatías de los moradores, grandes y pequeños, de la naciente ciudad del Ozama, y así, fue recibido con generales demostraciones de afecto y alegría al desembarcar en el puerto. Su alojamiento estuvo constantemente lleno de amigos que iban a oír de su boca noticias relativas al gobernador Ovando y a los sucesos que había presenciado en Jaragua. Los pobres indígenas, empleados en los trabajos públicos, y los que más sufrían la opresión de los colonos, acudían como atraídos instintivamente por aquel ser benéfico, que los trataba con amor y liberalidad, preludiando de este modo los cien y cien actos heroicos que más tarde le granjearan el hermoso dictado de *protector de los indios*.

Las impresiones que el licenciado había traído de Jaragua se manifestaban enérgicamente en sus conversaciones, y la vehemencia de su lenguaje, alzándose contra las tiranías y crueldades de que había sido testigo, le atrajo desde entonces enemistades y animadversión de parte de todos aquellos que se habían acostumbrado a considerar el Nuevo Mundo como una presa, y a sus naturales como bestias domesticables y de explotación usual, ni más ni menos que el asno o el buey. Muchos de los colonos que fueron a visitarle salieron hondamente disgustados de la extremada libertad de sus invectivas, que herían de lleno sus intereses y contrariaban sus ideas favoritas. Las Casas decía altamente que no quería que los lobos lo tuvieran por amigo.

Uno de sus primeros cuidados fue visitar y consolar a Higuemota, cuyo viaje desde Jaragua a la capital se había efectuado hacía más de dos meses, sin incidente digno de mención. Llegó la infeliz hija a su destino, supo el fin atroz y afrentoso de su madre, y pensó morir de dolor al ahogarse en su pecho la quimérica esperanza que había abrigado de volver a verla y vivir en su compañía. Recordemos el ingenioso recurso de aquel celebrado pintor griego,[1] que no hallando el medio de expresar suficientemente los afectos de un padre que ve inmolar a su amada hija, lo presentó en su cuadro cubierto el rostro con un velo. De igual modo debemos renunciar al propósito de describir la situación en que quedó el ánimo de la pobre Higuemota, al saber que la infortunada reina de Jaragua había perecido en horca infame.

Cuando Las Casas la vio, apenas podía conocerla, tal era la demacración de sus facciones, el trastorno y la descomposición de su antes tan bella y agraciada fisonomía. Ella se reanimó un tanto al percibir a Las Casas, y una fugaz sonrisa, más triste que las lágrimas, iluminó como un rayo crepuscular su abatido semblante.

—Ánimo, señora —le dijo con voz conmovida Las Casas—. El mal que los hombres os hacen, Dios Nuestro Señor os lo recompensará un día.

—La muerte sería el mejor bien para mí, señor Bartolomé, si no tuviera esta hija —contestó la doliente doña Ana.

—Por ella debéis vivir, señora, y sufrir con resignación vuestras desdichas. No perdáis, por la desesperación o la inconformidad, el rico galardón que vuestros sufrimientos os dan el derecho de prometeros en un mundo mejor, y esperad tranquilamente a que el Todopoderoso quiera poner fin a tantas pruebas.

Para la desamparada joven era un consuelo este lenguaje, y las respetuosas demostraciones de interés compasivo que le prodigaba Las Casas. Su corazón se desahogó en el llanto, y desde entonces recobró el valor necesario para tolerar la existencia, consagrándola exclusivamente al amor de su angélica Mencía.

[1] Timantes: *El sacrificio de Ifigenia,* fue el asunto de su cuadro.

Ovando había dispuesto que se proveyese con amplitud a las necesidades materiales de doña Ana, pero sus órdenes, dictadas a distancia, fueron obedecidas parsimoniosamente en esta parte, pues los oficiales encargados de cumplirlas, no estando al cabo de la solicitud especial que las inspiraba, tampoco creían empeñada su responsabilidad en descuidar el cumplimiento de ellas, y por lo mismo, no había quien se ocupara en someter las operaciones del codicioso administrador Mojica a una eficaz intervención, provechosa a los intereses de la viuda de Guevara. Felizmente, Las Casas no era hombre que se conformara con ser espectador mudo de los daños causados por la iniquidad, sin aplicarse con todas sus fuerzas a procurar la reparación o el remedio. Vio a la bella india sumida en honda tristeza, indiferente a todo, y si no privada de recursos y asistencia, careciendo de aquellas decororas comodidades que requerían su rango y sus condiciones personales. El licenciado, con su actividad y eficacia características, tomó a su cargo la protección de aquella desgraciada joven; instó, reclamó, proveyó a todo, y obtuvo que las autoridades, avergonzadas de su descuido y temiendo el enojo de Ovando, dedicaran su atención y su celo al bienestar de doña Ana, colmándola de cuantos obsequios permitían los recursos de la colonia, al mismo tiempo que reducían a Mojica a la obligación perentoria de rendir cuentas de su administración.

XVI

EL SOCORRO

No tuvo tiempo Las Casas, al despedirse de Yaguana, de ver a Diego Méndez, enviado desde Jamaica por el náufrago y desamparado Colón en demanda de auxilios. Los dos eran muy amigos, pero ya se sabe que el licenciado tuvo que disponer en breves horas su viaje en cumplimiento de las estrechas ordenes del irritado gobernador. Siéte meses estuvo el leal emisario del Almirante instando en vano al duro y envidioso Ovando, para que enviara los ansiados socorros a los náufragos de Jamaica. Bajo un pretexto y otro, el comendador difería indefinidamente el cumplimiento de un deber tan sagrado como importante. Por último, el infatigable Méndez obtuvo licencia para retirarse a Santo Domingo a esperar barcos de España, a fin de asistir a aquel importante objeto. Después de un penoso viaje a pie, desde Jaragua hasta el Ozama, llegó por fin Méndez a la capital, donde fue cariñosamente recibido y hospedado por Las Casas.

Lo que estas dos almas generosas y de tan superior temple experimentaron al comunicarse recíprocamente sus aventuras, sus observaciones y sus juicios, la indignación en que aquellos dos corazones magnánimos ardieron al darse cuenta de la ingratitud y dureza con que era tratado el grande hombre que había descubierto el Nuevo Mundo; como de la crueldad que iba diezmando a los infelices naturales de la hermosa isla Española, sería materia muy amplia, y saldría de las proporciones limitadas de esta narración. Baste decir en resumen que aquellos dos hombres, ambos emprendedores, enérgicos y de distinguida inteligencia, no se limitaron a deplorar pasivamente las maldades de que eran testigos, sino que resolvieron combatirlas y corregirlas por los medios más eficaces que hallaran a la mano, o en la órbita de sus facultades materiales e intelectuales.

Desde entonces el nombre de don Cristóbal Colón resonó por todos los ámbitos de Santo Domingo, acompañado de amargos reproches al gobernador Ovando. En todas las reuniones públicas y privadas, en la casa municipal y en el atrio del templo como en la taberna y en los embarcaderos de la marina, a grandes y pequeños, laicos y clérigos, marineros y soldados, hombres y mujeres, a todos y a todas partes hicieron llegar Las Casas y Méndez la noticia del impío abandono en que Ovando dejaba a Colón y sus compañeros en Jamaica, privados de todo recurso y rodeados de mil peligros de muerte. Esta activa propaganda conmovió profundamente los ánimos en toda la colonia, y cuando Ovando regresó al fin, de Jaragua, encontró la atmósfera cargada de simpatías por Colón, y de censuras a su propia conducta; pero altivo y soberbio como era, lejos de ceder a la presión del voto general, se obstinó más y más en su propósito de dejar al aborrecido grande hombre desamparado y presa de todos los sufrimientos imaginables.

Tal era la disposición de los ánimos en la capital, cuando llegó la noticia de que los indios de Higüey se habían rebelado. El terrible Cotubanamá —el bravo indio que, sublevado anteriormente, fue reducido a la obediencia por el valor y la sagacidad política de Juan de Esquivel, tomó en señal de amistad el nombre de su vencedor, y cumplía los capítulos pactados con estricta fidelidad—, había vuelto a dar el grito de guerra contra los españoles, porque Villaman, teniente de Esquivel, contra los términos estipulados por éste al celebrar la paz, exigía de los indios que llevaran los granos del cultivo obligatorio a Santo Domingo. Los soldados españoles vivían además muy licenciosamente en aquella Provincia, y a su antojo arrebataban las mujeres a los pobres indios, sus maridos. Éstos, después de mil quejas inútiles, colmada la medida del sufrimiento con las exigencias arbitrarias de Villaman, se armaron como pudieron, y con su caudillo Cotubanamá al frente, atacaron un fuerte que había construido Esquivel cerca de la costa, lo quemaron, y mataron la guarnición, de la que no se escapó sino un soldado que refirió en Santo Domingo los pormenores del trágico suceso.

Ovando creyó buena la oportunidad para ocupar poderosamente la atención pública y desviarla del vivo interés que la atraía hacia el náufrago Colón. Pero se engañaba. Al mismo tiempo que Juan de Esquivel volvía a salir contra los sublevados indios de Higüey, los vigilantes amigos del Almirante, Casas y Méndez, no dejaban adormecerse los compasivos sentimientos que habían logrado suscitar en su favor.

Casi dos años hacía que los frailes franciscanos, en número de doce, habían pasado al Nuevo Mundo con Ovando, instalándose en la naciente ciudad de Santo Domingo. En su convento, modestísimo al principio, recibieron la instrucción religiosa muchos caciques de la isla, sus hijos y allegados, con arreglo a las próvidas órdenes comunicadas por la reina Isabel al gobernador.

De este mismo plantel religioso salieron para ejercer funciones análogas los buenos frailes que ya hemos mencionado, en Jaragua, encargados por Las Casas de la educación del niño Enrique, antes Guarocuya, señor del Bahoruco.

El licenciado y Diego Méndez fueron solícitos a hablar con el Prior de los franciscanos, el padre fray Antonio de Espinal. Era éste un varón de ejemplar virtud y piedad, muy respetado por sus grandes cualidades morales, más aún que por el hábito que vestía. Recibió placenteramente a los dos amigos, siéndolo muy afectuoso de Las Casas, en cuya compañía había venido de España en la misma nave. Convino con ellos en que era inicuo el proceder de Ovando respecto de Colón, y se ofreció a hablarle, para reducirlo a mejores sentimientos.

Así lo hizo en el mismo día. Ovando recibió al buen religioso con las mayores muestras de veneración y respeto, y cuando supo el objeto de su visita, se mostró muy ofendido de que se le juzgara capaz de abrigar malas intenciones respecto del almirante.

—Mientras aquí se me acrimina —dijo—, y se supone que miro con indiferencia la suerte de un hombre a quien tanto respeto como es don Cristóbal, ya he cumplido con el deber de mandarle un barco, el único de que pude disponer en Jaragua, después que su emisario Méndez se vino para aquí, a encender los ánimos con injustas lamentaciones.

Ovando, con esta declaración equívoca, lograba salir del paso difícil en que se hallaba. Cierto era que, después de la partida de Diego Méndez de Jaragua, había enviado a Diego de Escobar con un pequeño bajel, que por todo socorro conducía para Colón un barril de vino y un pernil de puerco,[1] fineza irónica del gobernador de la Española para el descubridor del Nuevo Mundo; pero por lo demás, Escobar no llevaba a los tristes náufragos otro consuelo que la expresión del supuesto pesar con que Ovando había sabido sus infortunios, y la imposibilidad de mandarles un barco adecuado para conducirlos a Santo Domingo, por no haber ninguno entonces en la colonia, aunque ofreciendo enviarles el primero que llegara de España.

Cumplido este singular encargo a calculada distancia de los barcos náufragos, Escobar se hizo nuevamente a la vela, dejando al infortunado almirante y a sus subordina-

---

[1] Histórico: casi todos los hechos de este capítulo están ajustados a la verdad histórica.

dos en mayor aflicción que antes de tener semejante prueba de la malignidad del comendador. Éste, sin embargo, se refería equívocamente a la comisión de Escobar, cuando hizo entender a fray Antonio *que había mandado un barco a don Cristóbal.* El buen religioso se retiró muy satisfecho con esta nueva, que momentáneamente tranquilizó a Casas y Méndez, quienes jamás pudieron figurarse el cruel sarcasmo que la tal diligencia envolvía.

Esperaron, pues, más sosegados, el regreso del barco, en el que contaban ver llegar a los náufragos, pero su asombro no tuvo límites, ni puede darse una idea de su indignación, cuando a los pocos días regresó Escobar con su bajel, y, por confidencia de unos de los marineros tripulantes, supieron la verdad de lo sucedido. Volvieron a la carga con más vigor, revolvieron todas sus relaciones en la ciudad, que eran muchas, y refirieron el caso a fray Antonio, que participó del enojo y la sorpresa de los dos amigos.

Entonces se empleó contra el malvado gobernador un resorte poderoso, terrible, decisivo en aquel tiempo. El primer domingo siguiente al arribo de Escobar con su barco, los púlpitos de los dos templos que al principio eran los únicos en que se celebraba el culto en la capital de la colonia, resonaron con enérgicos apóstrofes a la caridad cristiana olvidada, a los deberes de humanidad y gratitud vilipendiados en las personas del ilustre Almirante y demás náufragos abandonados en las playas de Jamaica.[1] Hasta se llegó a amenazar a los responsables de tan criminal negligencia con la pena de excomunión mayor como a impíos fratricidas. El golpe fue tan rudo como irresistible, el sentimiento público estaba profundamente excitado y el perverso gobernador vencido y avergonzado expidió el mismo día las órdenes necesarias para que saliera una nave bien equipada y provista de toda clase de auxilios en busca de los náufragos.

Al mismo tiempo hizo Ovando facilitar a Diego Méndez las cantidades que había recaudadas de las rentas del Almirante, creyendo que el fiel emisario las llevaría consigo a España antes del arribo de aquél a la colonia; pues sabía que el mayor deseo de Méndez era cumplir en todas sus partes las instrucciones de don Cristóbal pasando a la corte a ventilar sus asuntos con los soberanos, y no le pesara al maligno gobernador que Colón, hallándose sin aquellos recursos a su llegada a Santo Domingo, acelerase el término de su residencia en la colonia, que era lo que más convenía a la ambición de Ovando, siempre alarmado con los legítimos derechos del Almirante al gobierno de que él estaba en posesión, por efecto del injusto despojo ejercido contra aquel grande hombre por los celos políticos de Fernando el Católico. Diego Méndez usó mejor de aquel dinero: con la menor parte de él compró una carabela de buena marcha, que cargada de provisiones y cuanto podía necesitar Colón, fue despachada en horas con rumbo a Jamaica, desluciendo así el tardío socorro enviado por Ovando; y el resto lo entregó a fray Antonio para que lo pusiera en manos del Almirante a su arribo a las playas de Santo Domingo. Sólo entonces emprendió el valeroso y leal amigo de Colón su viaje a España.

[1] "Quejábase mucho el Almirante del comendador, &, y dijo que no lo proveyó, hasta que por el pueblo de esta ciudad se sentía y murmuraba, y los predicadores en los púlpitos lo tocaban y reprendían". Las Casas, *Historia de Indias.* (Cap. XXXVI, libro II.)

XVII

LA PROMESA

Las Casas por su parte, no estando ya retenido en la capital por el noble interés de ayudar a Méndez en su ardua empresa de hacer entrar en razón al comendador, pidió a éste licencia para ir a Higüey a compartir los trabajos de la expedición contra los indios sublevados. Bien recordó Ovando la solicitud idéntica que le hizo el licenciado en Jaragua, cuando quiso asistir a la guerra del Bahoruco, pero esta vez estaba completamente seguro de que los esfuerzos caritativos de Las Casas serían estériles, y que sus sanguinarias instrucciones a Esquivel tendrían puntual ejecución al pie de la letra. Por consiguiente, concedió de buen grado y con sarcástica sonrisa, la licencia que se le pedía, contento en su interior de los trabajos que el generoso joven iba a arrostrar en Higüey, para recoger el amargo desengaño de que nadie le hiciera caso. Efectivamente, Casas no hizo en aquella guerra de devastación y exterminio sino el papel nada grato para su compasivo corazón, de espectador y testigo de las más sangrientas escenas de crueldad, contra las que en vano levantaba su elocuente voz para evitarlas o temperar el furor implacable de Esquivel y sus soldados. Todo se llevó a sangre y fuego: la espada y la horca exterminaron, a porfía, millares y millares de indios de todas clases y sexos. Inútilmente se ilustró aquella raza infeliz con actos de sublime abnegación inspirados por el valor y el patriotismo.[1] El

caudillo español, con sus cuatrocientos hombres cubiertos de acero, y algunas milicias de indios escogidos en la sumisa e inmediata provincia de Icayagua, no menos valerosos y aguerridos que los higüeyanos, todo lo arrolló y devastó en aquel territorio que ofrecía además pocas escarpaduras inaccesibles y lugares defensivos. El jefe rebelde Cotubanamá, cuya intrepidez heroica asombraba a los españoles, reducido al último extremo, habiendo visto caer a su lado a casi todos sus guerreros, se refugió en la isla Saona, contigua a la costa de Higüey, permaneció allí oculto por algunos días, y al cabo fue sorprendido y preso por los soldados de Esquivel, a pesar de la desesperada resistencia que les opuso. Conducido a Santo Domingo, no valió la empeñada recomendación de su vencedor, movido sin duda por un resto de la antigua amistad que profesaba al valeroso cacique, para que se le perdonara la vida, y el inexorable Ovando lo hizo ahorcar públicamente. Las Casas había regresado a la capital, no bien terminó la campaña, con el alma enferma y llena de horror por las atrocidades indecibles que había presenciado en la llamada guerra de Higüey.

—Buenas cosas habréis visto, señor Las Casas —dijo el comendador con cruel ironía al presentársele el licenciado.

—Ya las contaré a quien conviene —respondió el filántropo.

—¿A quién? —repuso altivamente Ovando.

—¡A la posteridad! —replicó mirándole fijamente Las Casas.

[1] En esa guerra cruel en vano quisieron los conquistadores servirse de guías indios para sus operaciones. Los higüeyanos, con espartana abnegación, se precipitaban por los derriscos y morían voluntariamente antes que prestarse a ayudar al exterminio de sus hermanos. Abundan los testimonios históricos de esos hechos de alta virtud.

XVIII

SALVAMENTO

Al cabo de un año de angustias y esperanzas constantemente defraudadas, vieron llegar los tristes náufragos de Jamaica los deseados bajeles salvadores. No es de este lugar la narración minuciosa de los trabajos , y las peripecias que experimentó el magnánimo Colón en aquel periodo de durísimas pruebas. Él y su esforzado hermano don Bartolomé habían tenido que luchar contra la insubordinación y la licencia de la mayor parte de sus compañeros, se habían visto expuestos a morir de hambre, a causa de negarse los indios, agraviados por los españoles rebeldes, a proveerles de víveres, lo que al cabo obtuvo Colón, recobrando al mismo tiempo la veneración de aquellos salvajes, gracias al ardid de pronosticarles un eclipse de luna próximo como señal del enojo divino, por haberle ellos desamparado. La realización del eclipse, y acaso más aún, la resolución con que los dos ínclitos hermanos tuvieron que castigar al fin los desmanes de su gente, le atrajeron las mayores muestras de adhesión de parte de los indios, que le ofrecieron sus toscos alimentos en abundancia.

La salud del Almirante quedó profundamente quebrantada con los innumerables padecimientos físicos y morales que le abrumaron en aquella desdichadísima expedición.

Cuando llegó el momento de despedirse de los indios, derramaron éstos lágrimas de pesar por la ausencia de Colón, a quien creían un ser bajado del cielo; tanto se recomienda, aun en el ánimo de ignorantes salvajes, la práctica de los principios de humanidad y de justicia.

La adversidad que incesantemente acompañó al Almirante en todo el curso de este su cuarto viaje de descubrimientos, persistió en contrariarle durante la travesía de Jamaica a la Española. Vientos recios de proa, las fuertes corrientes entre ambas islas, y la mar siempre tormentosa, le hicieron demorar cuarenta y seis días en esa navegación que se hacía ordinariamente en ocho o diez. Anclaron los dos bajeles en el puerto de Santo Domingo el 13 de agosto de 1504.

XIX

EL PRONÓSTICO

Conmovidos como estaban todos los ánimos a favor de Colón, cuyos grandes trabajos e infortunios eran en aquel tiempo el tema favorito de los discursos y las conversaciones en la Española, la noticia de su arribo al puerto fue sabida con universal regocijo. A porfía acudieron solícitos a recibir al grande hombre todos los moradores de la ciudad primada de las Indias, así personas constituidas en autoridad, como los simples particulares, y tanto sus más íntimos amigos, como lo que con mayor fiereza le habían hostilizado en los días de su poder. Ovando el primero, sea por efecto de disimulo y de su política cortesana, o bien porque realmente se sintiera conducido por el torrente de la simpatía general, a sentimientos más dignos y elevados de los que antes dejara ver respecto del ilustre navegante, se apresuró a prodigarle las más rendidas muestras de respeto y deferencia. Un oficial de su casa fue a la rada en un bote ricamente equipado, a invitar a Colón en nombre del gobernador a entrar con sus naves en el puerto del Ozama. La fresca brisa del medio día era favorable a esa entrada, que los dos bajeles efectuaron a todas velas, y con tal celeridad y gallardía que se les hubiera creído animados del deseo de responder a la impaciencia de los numerosos espectadores que guarnecían toda la ribera derecha del caudaloso Ozama. Cuando los bajeles arriaron sus velas y detuvieron su marcha, una inmensa aclamación llenó el espacio, vitoreando al descubridor y Almirante, vítores que Ovando sancionó, subyugado por las circunstancias, alzando de la cabeza el birrete de terciopelo negro con lujosa presilla, en señal de cortesía al glorioso nombre de Colón. Apareció éste sobre la alta popa de su nave, apoyándose trabajosamente en el brazo de un joven adolescente de simpática fisonomía, su hijo natural y más tarde su historiador, Fernando Colón, el cual le había acompañado a despecho de su juvenil edad, en todas las rudas pruebas de aquel terrible viaje. Muy en breve recibió la falúa del gobernador, decorada con gran magnificencia, a los dos hermanos, el Almirante y don Bartolomé Colón, y al joven Fernando. El entusiasmo de la multitud llegaba a su colmo, pero al desembarcar el Almirante, la expresión de ese entusiasmo cambió de súbito, y de regocijada y ruidosa que era, se tornó en silenciosa y patética. Los trabajos, las privaciones y las angustias del alma habían impreso su devastadora huella en aquel semblante venerable, y encorvado penosamente aquel cuerpo macilento que todos habían conocido erguido y recio como un busto de antiguo emperador romano: su frente, acostumbrada a recibir la luz del cielo investigando los secretos del horizonte e interrogando la marcha de los astros, se inclinaba ahora tristemente hacia la tierra, como aspirando ya al descanso del sepulcro... Las lágrimas brotaron

de todos los ojos y rodaron por todas las mejillas al contemplar la viviente ruina, y muchos sollozos se oyeron entre la multitud. Las Casas acudió el primero a estrechar profundamente conmovido la diestra del grande hombre, y Ovando se adelantó entonces vivamente a recibirle, celoso en esto, como en todo, de la primacía de su cargo. Colón correspondió con afectuosa sonrisa a esta demostración, y el gobernador le estrechó entre sus brazos, compungido y lloroso como si fuera el mejor amigo de aquel hombre, cuyos sufrimientos e infortunios había él agravado con su maligna y estudiada indolencia. Así, la hipocresía y la ambición han caminado siempre juntas.

Los Colones se alojaron en la misma casa del gobernador, que a nadie quiso ceder la honra de hospedarles, colmó de agasajos al Almirante, y todo marchó en paz y armonía durante los días que éste destinó al descanso y a restaurar sus fuerzas, pero cuando después llegó el caso de arreglar y dirimir las cuestiones de intereses y de atribuciones jurisdiccionales de las autoridades respectivas, hallándose muy confusas y mal definidas por las ordenanzas e instrucciones de la corona las que competían a Colón como almirante de las Indias, y a Ovando como gobernador de la Española, ocurrieron desde luego quejas y disidencias profundas entre ambos. El gobernador puso en libertad a Porras, el más culpable de los sediciosos de Jamaica, y quiso formar causa a los que, peleando por sostener la autoridad de Colón, había dado muerte a los rebeldes cómplices de aquel traidor. Para proceder así invocaba Ovando sus prerrogativas, que se extendían expresamente a Jamaica; mientras que Colón alegaba títulos mucho más terminantes, que le daban mando y autoridad absoluta sobre todas las personas que pertenecían a su expedición, hasta el regreso a España. Su firmeza impidió la formación del mencionado proceso.

Halló en el mayor desorden y abandono sus rentas e intereses de la Española. Lo que con mucho trabajo pudo recoger alcanzaba a penas para equipar los buques que debían conducirlo a España. No menor pesadumbre le causó el estado de devastación en que halló la raza india, en su mayor parte exterminada, y lo que de ella quedaba sometido a dura servidumbre. Para evitar o corregir tan lamentables desórdenes habían sido ineficaces los esfuerzos de la magnánima reina Isabel la Católica en favor de Colón, instada por las quejas de Antonio Sánchez de Carvajal, su apoderado y administrador, y en favor de los indios, excitada su indignación por la noticia de las crueldades de Ovando, y especialmente por la matanza de Jaragua y la ejecución de la desdichada Anacaona. Colón vertió lágrimas sobre el fin de esta princesa y sobre la suerte de la isla que era objeto de su predilección. Horrorizado de cuantos testimonios se acumulaban a sus ojos para convencerle del carácter feroz y sanguinario que fatalmente había asumido la conquista, llegó a arrepentirse de su gloria, y a acusarse, como de un desmesurado crimen contra la naturaleza, de haber arrebatado sus secretos al Océano, sacrílega hazaña que había abierto tan anchos espacios al infernal espíritu de destrucción y de rapiña.

El licenciado Las Casas, cuya amistad se estrechó íntimamente con el Almirante y su hermano don Bartolomé en aquel tiempo, les hizo saber que Higuemota residía en Santo Domingo, y los dos hermanos quisieron ver por última vez a aquel vástago de la desgraciada familia real de Jaragua. Recibióles la joven india con el afecto de una hija, acostumbrada como estaba desde la niñez a la festiva afabilidad del Adelantado. Al ver a éste recordó la infeliz los días de su pasada prosperidad, cuando inocente y dichosa, en el regazo materno y rodeada del cariño de Behechio y sus súbditos, conoció a don Bartolomé, que por primera vez conducía la hueste española a aquellas deliciosas comarcas. Lloró amargamente, como lloraba todos los días, sobre la memoria de su infortunada madre, sobre su amor desgraciado y sobre el porvenir incierto de su tierna hija. Los ilustres viajeros se esforzaron en consolar a aquella interesante víctima de tantas adversidades, y Colón, elogiando el desvelo de Las Casas por el bienestar de la madre y de la hija, no solamente le exhortó a continuar ejerciendo sus benéficos cuidados, sino que se ofreció a ayudarle con todas sus fuerzas y su poder en tan buena obra, haciendo obligación de su casa y herederos la alta protección sobre aquella familia de caciques, y especialmente respecto de la suerte y estado de la niña Mencía, cuya ideal hermosura se realzaba con la plácida expresión de su agraciado semblante, al recibir las paternales caricias de los venerables extranjeros, como si su infantil instinto le revelara todo el precio de aquella tutelar solicitud. El Adelantado, con su carácter franco y jovial, decía a su hermano:

—Si yo tuviera un hijo, le destinaría esta linda criatura por esposa.

—Es muy hermosa, Bartolomé, ¡será muy desdichada! —respondió a media voz el Almirante, con el acento de profunda convicción que le era habitual.

XX

ASTROS EN OCASO

No pasaron muchos días más sin que Colón, enfermo de cuerpo y de espíritu, cansado de las continuas discusiones que tenía que sostener con Ovando para hacer valer sus derechos y restablecer sus mal parados intereses, concluyera sus preparativos de viaje y se embarcara con rumbo a España.

Esta última navegación no fue más feliz que las demás de todo su cuarto viaje de descubrimientos. La tempestad furiosa se obstinó en acompañar y maltratar las naves en que iban él y su familia, como si las olas del Océano quisieran vengarse del que doce años antes había vencido su resistencia y desgarrado triunfalmente el velo que ocultaba la existencia del Nuevo Mundo.

Invirtiéronse casi dos meses en este viaje de Santo Domingo a San Lúcar, adonde llegaron los buques desmantelados y amenazando hundirse, el 7 de noviembre. Colón fue conducido a la ciudad de Sevilla, que miraba como su puerto de descanso, y los últimos días de su cansada existencia los pasó dirigiendo a la Corona sentidas representaciones en favor de los indios, cuya desgraciada suerte pintaba con los más vivos colores, y reclamando sus derechos y prerrogativas para su hijo don Diego, paje de los soberanos. Todo su empeño porque se le hiciera justicia resultó inútil. Postrada su protectora la magnánima Isabel en el lecho de muerte, Colón se vio ingratamente desatendido por Fernando el Católico, que a fuer de político calculador y egoísta, interesado además por sistema en la extensión del poder real, veía con celos el engrandecimiento de la familia del descubridor, y se entregaba a las rastreras inspiraciones de sus émulos.

Murió Isabel en el mismo mes de noviembre del año 1504, y las últimas recomendaciones que hizo a su real esposo fueron en favor de la raza india, pidiendo perentoriamente el relevo y castigo de Ovando, por sus hechos atroces y san-

guinarios. Estas generosas voluntades de la noble reina por de pronto quedaron sin cumplimiento, pero no deja de ser castigo terrible para un malvado ver sobre su nombre el perdurable anatema de sus crímenes legado a la posteridad en los postreros instantes de una soberana grande y célebre en la Historia.

Colón no tardó mucho tiempo en seguir al sepulcro a su augusta protectora. La lucha moral a que su noble espíritu estaba entregado, viendo sometidas a discusión y a evasivas pérfidas sus más legítimas reclamaciones, recogiendo por todo premio de sus gloriosos afanes la ingratitud de un monarca infiel, envuelta, como por sarcasmo, en vacías demostraciones de aprecio y cortesía, que, según escribió después Las Casas, *nunca le fueron escaseadas por el rey Fernando;* tantos disgustos y desengaños aceleraron el fin de sus días, y trasladado a Valladolid últimamente, el 20 de mayo de 1506 se extinguió aquella ilustre y fecunda existencia. Tuvo el consuelo de morir rodeado de sus hijos Diego y Fernando, y de varios amigos leales, entre los que se distinguían el fiel y valeroso Méndez, y su compañero en la heroica travesía de Jamaica a Española, Bartolomé Fiesco.

XXI.

EL CONVENTO

Tres años habían transcurrido desde la muerte de Colón. Durante ese trienio, ningún suceso público que interese a nuestra narración hallamos en las crónicas e historias de aquel tiempo. Ovando continuó gobernando a la isla Española, y dando diversión a sus remordimientos —si algunos experimentaba por la ferocidad de sus pasados actos contra los pobres indios—, en el ensanche y embellecimiento de la ciudad de Santo Domingo, en la construcción de templos y edificios piadosos, y en la fundación de diversas poblaciones, de las que unas subsisten todavía, como son Puerto Plata y Monte Cristo, y otras han desaparecido sin dejar el menor rastro o vestigio de su existencia: esta última suerte cupo a Santa María de la Vera Paz.

Allí prosperaba, más que ningún otro instituto de religión y utilidad pública, el convento de padres franciscanos que tenían a su cargo la educación de los caciques del antiguo reino de Jaragua, y entre ellos, mimado y atendido más que ninguno, el niño Enrique.

Varias causas concurrían a la predilección de los reverendos frailes hacia el infantil cacique: en primer lugar, la gracia física y la feliz disposición intelectual del niño, que aprendía con asombrosa facilidad cuanto le enseñaban, y manifestaba una extraordinaria ambición de conocimientos literarios y científicos superior a su edad. Todo llamaba su atención, todo lo inquiría con un interés que era la más sabrosa distracción de los buenos franciscanos. En segundo lugar, las recomendaciones primitivas del licenciado Las Casas, frecuentemente reiteradas en cartas llenas de solicitud e interés por el niño que había confiado a aquellos dignos religiosos, de quienes en cambio se había él constituido procurador y agente activo en la capital de la colonia, para todas las diligencias y reclamaciones de su convento ante las autoridades superiores, al mismo tiempo que, bajo la dirección de religiosos también franciscanos, hacía los ejercicios preparatorios para abrazar el estado eclesiástico, al que de veras se había aficionado por el hastío y repugnancia que le inspiraban las maldades que diariamente presen-

ciaba. Por último, Diego Velázquez, teniente de Ovando en Jaragua, seguía por su parte atendiendo solícito al infante indio, y proveyendo con cariñosa liberalidad a todas sus necesidades, como si fuera su propio hijo, no dejando adormecer su celo en este punto las frecuentes misivas del eficaz y perseverante Las Casas, con quien tenía establecida la más amistosa correspondencia.

De esta manera, Enrique recibía la mejor educación que podía darse en aquel tiempo: desde la edad de ocho años aprendía la equitación con el diestro picador que tenía a su cargo el hato [1] de su padrino y protector, situado a media legua del convento. Dos años más tarde comenzó a ejercitarse en el arte de la esgrima, al que manifestaba la mayor afición, llegando poco tiempo después a merecer los aplausos del mismo Velázquez, cuya habilidad y maestría en la materia no reconocían superior.

Para esta parte de la instrucción de Enrique estaban señalados dos días a la semana, en que el muchacho, discurriendo libremente hasta el hato, seguido de su fiel Tamayo, respiraba con placer el puro ambiente de los bosques. Sin embargo, cuando terminados sus ejercicios volvía por la tarde al convento, al cruzar por la cumbre de una verde colina que cortaba el camino, sus ojos se humedecían, y su semblante, contraído por un pesar visible, tomaba la expresión de la más acerba melancolía. Desde allí se divisaba la casita que había sido de Higuemota, la pradera y el caobo de los paseos vespertinos, y este recuerdo, hiriendo repentinamente la imaginación del niño, le infundía el sentimiento intuitivo de su no comprendida orfandad.

[1] Así se denominaron en la Española, desde el principio de su colonización, las dehesas destinadas a la crianza de toda clase de ganado.

Bien había preguntado a Las Casas primero, y a los frailes franciscanos después, por el paradero de doña Ana y su tierna hija, habiéndose lisonjeado con la esperanza de volver a encontrarlas cuando el licenciado le tomó consigo para regresar a Yaguana. Se le había dicho y se le repetía siempre que estaban en Santo Domingo, y que algún día se vería a su lado, y Las Casas, que de todo sabía sacar partido para el bien, le mandaba razón de ellas, estimulándole al estudio y a hacerse un hombre de provecho para que pudiera acompañarlas pronto, y servirles de apoyo. Esta idea echaba naturalmente hondas raíces en el ánimo de Enrique, y es de creer que influyera mucho en su aplicación y en la temprana seriedad de su carácter.

Entre los religiosos que con más placer se dedicaban a la noble tarea de cultivar la inteligencia de los educandos en el convento de Vera Paz, era fray Remigio el que obtenía la predilección de Enrique, y el que con más infatigable paciencia contestaba a sus innumerables preguntas, y resolvía cuantas cuestiones proponía el niño. El padre Remigio era un religioso natural de Picardía en Francia, y su ciencia y la santidad de su vida lo hacían justamente venerable para sus compañeros, que lo trataban con tanto o más respeto que al buen superior de la comunidad. En cuanto a éste, era un fraile muy anciano y taciturno, de quien se decía que en el siglo había sido un personaje rico y poderoso, lo que nada tenía de extraño, pues era muy frecuente en aquellos tiempos que príncipes y grandes señores acudieran a encerrar en el claustro, como a un puerto de refugio, la nave de su existencia, combatida y averiada por las borrascas de la vida, o a expiar acaso con las mortificaciones ascéticas algún crimen sugerido por la ambición y las demás pasiones mundanas.[1] Este padre superior conservaba de su real o conjeturada grandeza pasada una afición decidida al estudio de la Historia, y su rostro melancólico y adusto sólo se animaba con la lectura que en las horas de refectorio hacían por turno los jóvenes educandos, de algunos de los altos hechos de la antigüedad griega y romana, alternando con trozos de la Sagrada Escritura, que de rigor estaba prescrita por la regla conventual.

Cuando la vez tocaba al joven Enrique, era fácil observar la profunda impresión que en su ánimo causaban los rasgos de abnegación, valor o magnanimidad. Mientras que los demás niños escuchaban con igual indiferente distracción las animadas narraciones de Quinto Curcio, Valerio Máximo, Tito Livio y otros célebres historiadores, el precoz caciquillo del Bahoruco sentía los transportes de un generoso entusiasmo cuando leía las proezas ilustradas en aquellas páginas inmortales. Fray Remigio usaba de este medio como el más a propósito para inculcar en el alma de sus alumnos el amor al bien y a la virtud.

Había un episodio histórico que conmovía profundamente a Enrique, y sobre el cual prolongaba sus interminables interrogatorios al paciente profesor. Era la sublevación del lusitano Viriato contra los romanos. ¿Cómo pudo un simple pastor, al frente de unos hombres desarmados, vencer tantas veces a los fuertes y aguerridos ejércitos romanos? ¿Quién enseñó a Viriato el arte de la guerra? ¿Por qué el general romano no lo desafió cuerpo a cuerpo, en vez de hacerlo matar

[1] En prueba de que no es inverosímil este episodio, consta que el año 1516 pasó a la isla Española en compañía de otros religiosos franciscanos un fraile, hermano del rey de Escocia. Herrera: Década 2ª.

a traición? Estas preguntas y otras muchas por el estilo formulaba aquel niño extraordinario, y el buen padre Remigio, entusiasmado a su vez, las satisfacía con el criterio de la verdad y de la justicia, depositando en el alma privilegiada de su discípulo gérmenes fecundos de honradez y rectitud.

De tan plausibles progresos intelectuales y morales se complacía el sabio preceptor en dar cuenta minuciosa, con harta frecuenciá, a sus amigos el licenciado Las Casas y Diego Velázquez. En todas las acciones del joven cacique se reflejaban los nobles sentimientos que tan excelente educación iba desarrollando en su magnánimo pecho. Manso y respetuoso para con sus superiores, compasivo para todos los desgraciados, sólo llegaba a irritarse cuando en su presencia era maltratado algún condiscípulo suyo por otro más fuerte, o cuando veía azotar algún infeliz indio, sobre el que al punto ejercía la protección más enérgica y eficaz, increpando la dureza del injusto agresor, y, en los casos extremos, acudiendo a las vías de hecho con la valentía de un halcón. Siendo considerado por todos como si fuera hijo de Diego Velázquez, que gobernaba por delegación casi absoluta de Ovando aquella dilatada comarca, el celo impetuoso, y a veces imprudente, del audaz jovencillo, en vez de proporcionarle riesgos y enemistades, le granjeaba el respeto de los opresores, que admirando tanta energía en tan pocos años, acataban sus reproches llenos de razón, y dictados por un espíritu de justicia y caridad.

Mojica, a quien hemos olvidado un tanto, iba también al convento una vez por semana a visitar a Enrique, a quien manifestaba mucho afecto por lisonjear a su padrino, el teniente gobernador. Una vez que fue a la capital, con objeto de rendir las cuentas de su mayordomía, volvió con recados de doña Ana y algunos regalillos para el muchacho, que desde entonces sintió borrarse la antipatía que le inspiraba el meloso hidalgo. Éste era buen músico, tañía la guzla morisca con mucha habilidad, y llevó su complacencia hasta dar a su *amiguillo,* como llamaba a Enrique, varias lecciones que fueron pronto y bien aprovechadas. Sin embargo, habiendo oído un día al escudero de Diego Velázquez ejecutar en la trompa de caza un aire marcial, Enrique se aficionó a este instrumento que en poco tiempo tocaba con singular maestría, dándole la preferencia sobre el laúd árabe.

Por más que parezcan triviales todos estos pormenores sobre el que primitivamente se llamó Guarocuya, ninguno de ellos es indiferente para el curso de nuestra narración, pues según los testimonios históricos de más autoridad, este esmero con que era educado el infante indio, en los días de la adversidad *debía hacer más dolorosa su infeliz condición.*[1] Así creemos justificada la amplitud que nos hemos complacido en dar a este capítulo.

XXII

CAUSA DE ODIO

Un día —era en el verano de 1509—, la religiosa quietud del convento franciscano de Vera Paz fue interrumpida hacia las dos de la tarde por un estruendoso tropel de caballos, que se detuvo en el patio exterior del monasterio. Un momento después anunciaban al padre superior la visita del teniente gober-

---

[1] Moreau de Saint Méry, siguiendo al Padre Charlevoix. Éste escribió de Enrique: "Et personne ne méritait moins le malheureux sort oú il se trouvait rèduit."

nador Diego Velázquez, que en equipo de viaje iba a despedirse de los
frailes, y a incorporar en su séquito a
Enriquillo, como todos llamaban familiarmente al cacique del Bahoruco.

Había recibido Velázquez aquel
mismo día la noticia de la llegada
a Santo Domingo del nuevo gobernador, el almirante don Diego Colón, que reemplazaba al comendador Frey Nicolás de Ovando, y este
cambio exigía imperiosamente la
presencia del comandante español
de Jaragua en la capital de la isla,
tanto por el deber de ofrecer sus
respetos al nuevo jefe de la Española, cuanto por la obligación de despedir a Ovando, que le había favorecido con su confianza, y por la
conveniencia de definir personalmente con el gobernador almirante
su propia situación en lo sucesivo.
Quería, por último, llevar a Enrique, no solamente por dar lucimiento a su comitiva con aquel simpático y distinguido mancebo indio,
sino también por razones políticas
que no carecían de fundamento. La
administración de Ovando había
sido despótica y cruel para con la
población indígena, que decrecía
rápidamente al peso de los malos
tratamientos; y todos sabían en la
isla cuál había sido la última voluntad de la reina doña Isabel sobre
que se castigara al Comendador de
Lares por sus actos sanguinarios, y
las anhelosas recomendaciones de
la ilustre moribunda al rey su marido, a la princesa doña Juana su
hija, y al esposo de ésta, por que
se enseñara religión y sanas costumbres a los indios, se les prote-
giera y educara solícitamente, y "no
se consintiera ni diese lugar a que
los indios e vecinos e moradores de
las Indias e Tierra firme ganada e
por ganar, reciban agravio alguno
en sus personas e bienes. E mas
mando que sean bien e justamente
tratados, e si algún agravio han recibido, lo remedien e provean".[1]

[1] Testamento de Isabel la Católica.

Los adversarios de Colón, los primitivos rebeldes de la colonia, apo-
yados y amparados por Ovando, formaban un partido privilegiado, que
venía disfrutando desde hacía más
de siete años todas las gracias y concesiones de la colonización, en detrimento de los que habían permanecido fieles a la autoridad del Almirante, y adictos a su persona en
los días de su adversidad. La brutal
explotación de los indios era el tema
favorito de las quejas que estos par-
tidarios de la justicia hacían llegar
continuamente a la Corte, clamando
contra la tiranía de sus afortunados
antagonistas, y contra su propio
disfavor. Su regocijo, pues, no tuvo
límites al saber que un hijo del gran
Colón llegaba a ejercer el primer
mando del Nuevo Mundo, como gobernador de la Española.

Estas circunstancias despertaron
en el ánimo de Velázquez el recelo
de verse envuelto en las serias res-
ponsabilidades que era consiguiente
pesaran sobre Ovando y sus tenientes al efectuarse el cambio de gobernador. Mientras más tardío había
sido el cumplimiento de las piadosas voluntades de la reina católica,
más severo se dibujaba el aspecto de
esa responsabilidad; porque, desde
que los colonos se convencieron
de que el frío egoísmo del rey don
Fernando en nada pensaba menos
que en desagraviar la memoria de
su noble esposa, creyeron asegura-
da para siempre la impunidad de su
infame tiranía contra la desamparada nación india, y extremaron su
destructora opresión, por el afán de
lucrarse más pronto, siguiendo el
no olvidado consejo del impío Bobadilla.[2]

Al ver ahora llegar al hijo del
Descubridor, cuyos generosos sentimientos guardaban perfecta armonía
con los de la difunta reina, los malvados opresores tenían forzosamen-

[2] "Aprovechad cuanto podáis este
tiempo, porque nadie sabrá cuanto
durará."

te que estar amedrentados, alzándose contra ellos para hacerles esperar el castigo de sus crímenes el grito aterrador de su propia conciencia. Natural era, por lo mismo, que todos los que en medio de aquel general olvido de los sentimientos humanos habían guardado algún respeto filantrópico y honesto, acudieran a proveerse de los testimonios que habían de acreditar su conducta a los ojos del nuevo gobernador. Por eso Diego Velázquez llevaba a Santo Domingo en su compañía al joven cacique, para cuya orfandad había sido en efecto una providencia tutelar, y que debía servirle ahora como prueba elocuente de sus sentimientos humanitarios. Complacíase, pues, doblemente en las perfecciones que adornaban a su protegido, y una vez más experimentaba la profunda verdad del adagio vulgar que dice: *hacer bien nunca se pierde.*

Media hora más tarde los preparativos concernientes al viaje de Enrique estaban terminados, y éste, en traje de montar de aquel tiempo, se despedía de la comunidad entera en presencia de Diego Velázquez y los oficiales de su séquito. A todos los buenos religiosos iba el joven estrechando afectuosamente la mano. El prior y el padre Remigio bajaron hasta el portal acompañando a su pupilo, y por hacer honra al comandante Velázquez. Ambos abrazaron con efusión al conmovido mancebo, dándole el ósculo de paz y deseándole toda clase de prosperidades. Enrique correspondió con lágrimas de sincera gratitud a estas expresivas demostraciones de paternal cariño.

En seguida montó en un brioso caballo andaluz que le aguardaba enjaezado vistosamente: su fiel Tamayo, conduciendo una mula que llevaba las maletas del joven, se reunió con los fámulos y equipajes de Diego Velázquez, y la abigarra-

da comitiva partió a buen paso por el camino de Santo Domingo.

Un jinete de mala catadura se acercó a poco andar a Enriquillo, que continuaba triste y cabizbajo, y tocándole familiarmente en el hombro le dijo:

—Anímate, mocoso, vas a ver a tu tía Higuera-rota.

Enrique detuvo su caballo, y mirando con ceño al que así le apostrofaba, respondió:

—Como os vuelva a tentar el diablo desfigurando el nombre de mi tía, señor don Pedro, tened cuenta con vuestra joroba, porque os la romperé a palos.

Don Pedro de Mojica —que no era otro el bromista—, al oír esta amenaza, en vez de mostrarse ofendido, soltó una ruidosa carcajada: todos los circunstantes incluso Velázquez, rompieron a reír de buena gana, y lo más extraño es que el mismo Enrique acabó por asociarse al buen humor de los demás, mirando sin enojo a Mojica.

La razón de este cambio súbito en sus disposiciones iracundas es muy llana: además de que en su bondadosa índole los movimientos coléricos eran muy fugaces, lo que el hidalgo burlón le había dicho en sustancia era *que iba a ver a su tía Higuemota;* y si le había ofendido la forma irrespetuosa empleada para hacer llegar a su oído este grato recuerdo, no por eso dejaba de inundarle en júbilo inmenso el corazón.

Por lo que respecta a Mojica, la expresa alusión hecha a una de sus más visibles imperfecciones físicas le había herido en lo más vivo de su amor propio, y desde entonces juró un odio eterno al joven indio, aunque disimulando sus sentimientos rencorosos cuanto lo exigían las circunstancias y su conveniencia personal, que era en todos los casos su principal cuidado y el punto concreto de su más esmerada solicitud. Por eso pudo ahogar en una car-

cajada hipócrita, si bien convulsiva
e histérica, el grito de rabia que se
escapó de su pecho al escuchar la
injuriosa réplica que en un rapto
de pasajera indignación le lanzó al
rostro Enriquillo.

XXIII

RECLAMACIÓN

Retrocedamos ahora un tanto, y
narremos las interesantes peripecias
porque hubo de pasar el advenimiento del joven almirante don
Diego Colón a los cargos de virrey
y gobernador de la Isla Española y
de las otras tierras del Océano descubiertas hasta entonces en las Indias de poniente, como al goce de
las demás dignidades y prerrogativas legítimamente heredadas de su
glorioso padre, a cuya posesión le
habían suscitado innumerables obstáculos la ingratitud y la codicia,
que tanto como la envidia y la calumnia se aposentan habitualmente,
desde las más remotas edades, en
los palacios de los poderosos.

Educado don Diego en el de los
reyes católicos, su carácter leal y
sin doblez le había preservado de
la corrupción ordinaria de las cor-
tes: sus cualidades morales al par
que su despegado talento y la distinción de toda su persona, dotada
de singular gracia y apostura, hacían de él un cumplido caballero,
digno por todos conceptos del grande apellido que llevaba y de sus
altos destinos. Fue el suyo, sin embargo, como había sido el de su
padre, luchar perpetuamente con la
injusticia y la calumnia, herencia
funesta que recogió como parte in-
tegrante de su vasto patrimonio.

Continuó el hijo las instancias y
reclamaciones que dejó pendientes
el ilustre almirante al morir, y continuaron las dificultades y torpes

evasivas que habían acibarado los
últimos días de aquel grande hombre. Dos años, día por día, con
incansable perseverancia estuvo el
despojado heredero instando al Rey
y al Consejo de Indias por la posesión de los bienes y títulos que le
pertenecían, siempre infructuosa-
mente.

La historia ha registrado una frase enérgica y feliz del joven recla-
mante a su soberano. Acababa éste
de regresar de Nápoles en 1508, y
don Diego volvió a la carga con
nuevo ardor, invocando la equidad
del monarca, a quien dijo "que
no veía la razón de que su alteza
le negara lo que era su derecho,
cuando lo pedía como favor, ni de
que dudara poner su confianza en
la fidelidad de un hombre que se
había educado en la misma casa
real".

El rey contestó que no era porque dudara de él que difería satis-
facerle, sino por no abandonar tan
grande cargo a la ventura, a sus
hijos y sucesores, a lo que replicó
Diego Colón oportunamente: "No
es justo, señor, castigarme por los
pecados de mis hijos, que están
aún por nacer."

El impasible Fernando persistió
en su infundada negativa, y lo único a que accedió fue al permiso que
el alentado mancebo le pidió para
entablar pleito contra la Corona
por ante el Consejo de Indias, que
de este modo pronunciaría sobre la
legitimidad de sus derechos. El astuto monarca no podía desear medio más adecuado a sus deseos de
demorar indefinidamente y echar
por tierra las razonables pretensiones de don Diego.

Entonces principió un largo e
intrincado proceso, que costó a
Diego Colón mucho dinero y no
pocas pesadumbres. No hubo suti-
leza que no saliera a luz, promovi-
da por la malignidad y la envidia,
o bien por el deseo servil de agradar al soberano a expensas del
atrevido súbdito. Se rechazaba la

pretensión de Diego al título de virrey, arguyendo que la concesión hecha por los reyes al almirante don Cristóbal de ese título a perpetuidad, no podía continuar, por ser contraria a los intereses del Estado y a una ley de 1480 que prohibía la investidura hereditaria de ningún oficio que envolviera la administración de justicia. Más lejos aún fue el atrevimiento de los enemigos de Colón, quienes declararon que el descubridor había perdido el virreinato como castigo *de su mal proceder.*

Diego Colón, a fuer de buen hijo, volvió resueltamente por el buen nombre de su padre: desmintió en términos categóricos la imputación depresiva a la memoria del Almirante, que se asignaba como causa a la pérdida de la dignidad de virrey. Acusó de criminal la audacia del juez Bobadilla que le envió prisionero a España en 1500 con el inícuo proceso formado en la Española, cuyos cargos y procedimientos fueron expresamente reprobados por los soberanos en 1502, en cartas que dirigieron al ilustre perseguido expresándole el sentimiento que su arresto les había causado, y prometiéndole cumplida satisfacción. No menos victoriosamente deshizo don Diego la mendaz alegación de que su padre no había sido el primer descubridor de tierra firme en las nuevas Indias, y las numerosas pruebas testimoniales que adujo para sostener la gloria de ese descubrimiento fueron de tanta fuerza y tan concluyentes, que llevaron el convencimiento de la verdad a todos los ánimos. El Consejo Real de Indias, contra las protervas esperanzas del rey Fernando, inspirándose en la dignidad e independencia que tanto enaltecieron en aquel siglo las instituciones españolas, falló unánimemente en favor de los derechos reclamados por don Diego, reintegrando en todo su puro brillo el mérito de Colón.

Sin embargo, de este glorioso triunfo del derecho contra el poder, estaba muy lejos de haber llegado al cabo de sus pruebas la energía y la paciencia del joven almirante. Esperó todavía algún tiempo que el monarca, sin más estímulo que el deseo de mostrarse respetuoso con la justicia, le daría posesión de sus títulos y prerrogativas, pero cuando después de muchos días, consumido en la impaciencia de su inútil esperar, habló por fin al rey pidiendo el cumplimiento del fallo a su favor, oyó con penosa sorpresa nuevas excusas y pretextos fútiles, sobre su extremada mocedad, la importancia del cargo de virrey, y la necesidad de meditar y estudiar el asunto, razones todas que hicieron convencer a don Diego de que jamás obtendría de su soberano el goce real y efectivo de sus derechos hereditarios, por más incontrovertibles que fueran.

XXIV

EL ENCUENTRO

Este gran retroceso en sus legítimas esperanzas exasperó al joven, que en muchos días no se presentó en la corte. Fernando, en cuanto notó su ausencia, se informó de él con vivo interés, porque a pesar de las sugestiones de su política egoísta no podía menos de profesarle afectuosa estimación, por sus distinguidas cualidades. Un paje fue de orden del mismo rey a preguntar por don Diego a su alojamiento, y volvió con la contestación de que se hallaba en cama con calentura.

A esta nueva, el monarca expresó altamente su sentimiento y cuidado: tal vez la conciencia le remordía como culpable, por su injusticia, de la enfermedad del mancebo. Ante el interés que por éste manifestaba el rey, los cortesanos, que en todo tiempo y en todas partes se parecen, empezaron a porfía a dar muestras de gran cuidado por la salud del joven almirante. La inquietud y la emoción llegaron a su colmo cuando el soberano, dirigiéndose a don Fernando de Toledo, comendador mayor de León y hermano del duque de Alba, le dijo estas palabras:

—Primo mío, ved de mi parte a Diego Colón, y decidle cuánto siento su enfermedad, y cuán de veras le estimo.

El comendador se inclinó respetuosamente, y se dispuso a cumplir el real encargo, a tiempo que el monarca volvió a llamarle, y le dijo en secreto algunas palabras.

Cuando llegó a la casa de don Diego, el regio emisario fue recibido por Fernando Colón, que quiso excusar a su hermano de la visita, diciendo que había dormido muy mal la noche anterior, y que en la actualidad descansaba, pero el comendador insistió en ver al enfermo, afirmando que creía llevarle el alivio con su visita.

Conducido al aposento de don Diego, le hallaron efectivamente en su lecho, pero al tomarle la mano el comendador observó que no tenía alteración su calor natural, ni ofrecía ningún otro síntoma de enfermedad que un tinte de sombría tristeza esparcido en el semblante.

—¿Qué tenéis, don Diego? —le preguntó en tono amistoso; —¿cuál es vuestro mal?

—Mi mal, señor, está en el corazón, que ya sangra y desfallece ante la injusticia del rey.

—No habléis en tales términos de vuestro señor y el mío —dijo el de Toledo frunciendo ligeramente el entrecejo—. Creed más bien que tendrá sus razones graves, ligadas con el bien del Estado, al no acceder a vuestros deseos.

—Es, señor —repuso don Diego—, que no puedo conformarme con que la razón de Estado ahogue mis legítimos derechos, ni veo qué

males pueden sobrevenir al rey ni al Estado, de que se me haga justicia, siendo como soy un fiel vasallo.

—Pues bien, don Diego, no dejéis de serlo con vuestras impaciencias, ved que perderéis mucho en ello. El rey, mi primo. y señor, os quiere y estima, y en prueba de esta verdad, aquí me tenéis que vengo de orden suya a aseguraros su aprecio y cariño.

—Mucho agradezco a su alteza y os agradezco a vos el cuidado, ilustre comendador.

—Hay más todavía, señor don Diego —continuó don Fernando de Toledo—: traigo encargo del rey de deciros que enteramente convencido de vuestra fidelidad, os propone el título de duque, con una cuantiosa renta sobre los beneficios de la corona, con tal que cedáis a ésta vuestros derechos y títulos heredados de don Cristóbal vuestro ilustre padre, que son incompatibles con las prerrogativas reales.

A estas palabras se incorporó Diego Colón, miró fijamente al comisario regio, y le dijo con voz sonora y ademán altivo:

—Dignáos decir al rey, que yo, su fiel súbdito, consentiré gustoso en que me despoje de todo haber, de toda dignidad y preeminencia, y en servirle como el último de sus soldados o como su más humilde vasallo, más bien que sacrificar voluntariamente, por pacto de vil interés, ninguno de los dictados que como testimonio de su gloria me legó mi inmortal progenitor.

Don Fernando de Toledo, profundamente conmovido, tendió la diestra al generoso mancebo, diciéndole:

—Tenéis razón, don Diego, mucha razón. Adiós.

Tan pronto como el enviado del rey le dejó solo, Diego Colón se levantó con vivacidad febril, se vistió, y dispuso salir de paseo a caballo con su hermano don Fernando. Éste le objetaba la inconveniencia de presentarse en público cuando había hecho anunciar en palacio que estaba enfermo, y a esa circunstancia había debido la visita del noble comendador, en nombre del rey, pero el joven almirante acalló los reparos de su buen hermano diciéndole que él no sabía fingir, que había dicho la verdad a don Fernando de Toledo, y que su partido estaba tomado ya, conformándose con su suerte, y por consiguiente, que la tristeza y el abatimiento lo habían abandonado, como sucede siempre que el hombre acepta con ánimo resignado los reveses de la fortuna.

Era Fernando Colón, por la superioridad de su talento, así como por la nobleza y generosidad de sus sentimientos y su educación filosófica, muy capaz de apreciar esta resolución varonil de don Diego, y así no hizo más que aplaudirla, y confirmarle en ella con elocuentes reflexiones. Departiendo de esta manera los dos nobles hermanos, su paseo fue ameno y se prolongó hasta muy avanzada la tarde. Al regreso, ambos jinetes, lleno el ánimo de ideas plácidas y el semblante iluminado con los reflejos de su pura conciencia, conversaban todavía animadamente, mientras que sus dóciles corceles marchaban airosos al paso regular y contenido, como cuidando de no interrumpir aquella agradable y discreta conversación. Iban así, atentos el uno al otro, por la vasta alameda que conducía a la puerta principal de Valladolid, cuando se cruzaron con varios escuderos que precedían a una joven dama, acompañada de tres o cuatro señores, todos a caballo.

Los Colones saludaron cortésmente al pasar junto a la brillante comitiva, uno de cuyos jinetes, el comendador mayor don Fernando de Toledo, detuvo su caballo al contestar el saludo de los hermanos, y dijo:

—Parad todos, señores: ¿cómo así, don Diego, tan lozano y arrogante, cuando suponía que estabais aún con vuestra calentura?

Recogieron los dos hermanos las bridas de sus caballos, y don Diego contestó a la interpelación del comendador:

—Señor, vuestra visita me hizo tanto bien, que mató como por encanto la melancolía que me atormentaba, y me sentí bueno en el acto.

—¿Sabéis, don Diego, que el rey está muy enojado con vos? Le he dicho palabra por palabra vuestra respuesta. Pero, ¿qué hago? ¿Cómo os impido acercaros a saludar esta amazona, que no me perdonará tamaña descortesía?

Y el buen caballero invitaba con el gesto a sus interlocutores a acercarse a la joven y bella dama, que había detenido su caballo a algunos pasos de distancia.

Llegáronse a ella los tres, y mientras los hermanos dirigían sus cumplidos a la dama, el comendador dijo a ésta:

—María, mi amada hija, felicita al almirante don Diego por su dignidad y entereza. Hoy ha dado gran prueba de sí. El rey mismo se ha quedado maravillado, y en vez de enojarse, don Diego, desea volveros a ver, y espera que al fin quedaréis satisfecho de él.

Dichas estas palabras, don Fernando saludó muy afectuosamente a los dos hermanos, y la joven al despedirse les dirigió una sonrisa candorosa, que expresaba de un modo inequívoco la más franca simpatía.

Alejáronse el uno del otro los dos grupos, narrando al pormenor el comendador a su hija la escena de por la mañana en casa de don Diego, mientras que éste repetía dos y tres veces, como hablando consigo mismo: ¡Qué hermosura tan espléndida!

Fernando Colón movió la cabeza maliciosamente, y guardó silencio respetando la preocupación de su hermano.

XXV

LA DEMANDA

Transcurrieron tres días desde la tarde del paseo y el encuentro de los dos hermanos con el comendador mayor y su bella hija. Efectivamente lo era la joven doña María, hija única de aquel gran señor, que tenía próximo parentesco con el rey don Fernando, y era hermano menor del poderoso duque de Alba. Criada con gran recato en la casa de éste último, y a la vista de la bondadosa duquesa, a cuyos cuidados había tenido don Fernando de Toledo que confiar la infancia de su hija, por haber quedado viudo prematuramente; sólo hacía tres meses que, acababa de formar, y completada su distinguida educación, el comendador había presentado en la corte aquel lozano botón de rosa, cuyo donaire y gentileza atrajeron inmediatamente la admiración y simpatía de la nueva reina, doña Germana de Fox, y de la gente cortesana. Don Diego Colón no había tenido ocasión de verla: asistía diariamente, por mero deber, a la antecámara del rey, pero consagrado en cuerpo y alma a sus reclamaciones, viendo tal vez con secreto disgusto el solio que había sido de su bienhechora, la grande Isabel, ocupado por otra princesa, al persuadirse de que nunca obtendría justicia, su mal humor y su despecho lo mantenían alejado de las recepciones solemnes de palacio, y de todo lo que tuviera aires de fiesta o diversión.

El momento en que se ofreció a su vista la amable y hechicera criatura, era el más oportuno para que sus sentidos, predispuestos con el bienestar de una reacción repentina de su ánimo —hasta aquel día presa de la irritación y la impaciencia—, transmitieran a lo más íntimo de su ser la plácida impresión que en un pecho juvenil y sensible no podía menos de causar tan soberana belleza. El corazón humano tiene horror al vacío, y mientras que el hielo de los años no llega a enfriar su ardimiento, necesita de objetivos que ejerciten su febril actividad: a una ilusión frustrada sigue una ilusión nueva, y un bien en perspectiva no tarda en compensar la pena del bien perdido, cuando la resignación se toma el trabajo de abrir la puerta a la esperanza.

Subordinado a esta ley constante, don Diego, el mismo día en que, exagerando las intenciones del rey Fernando, tomaba su partido y decía adiós a sus brillantes destinos como heredero del gran descubridor, daba entrada en su franco y generoso pecho a un sentimiento gratísimo, a un dulce cuanto vehemente afecto, que venía a ocupar el puesto a que su legítima ambición, defraudada por la injusticia de los hombres, acababa de renunciar con más desdén que pesadumbre. Necesitaba un cuidado que lo distrajera, preservando de los embates del desaliento su resignación desinteresada; y el amor, numen fecundo de todas las inspiraciones magnánimas, presentaba a sus ojos, en hora feliz, un objeto digno de su adoración, al que debía ofrecer como tributo la efusión entera de su alma, consagrándole todos los altos pensamientos, los sueños de oro y los castos deseos de su ardiente fantasía.

Quedó, pues, Diego Colón deslumbrado por la hermosura y la gracia de doña María de Toledo, y rendido al tiránico poderío del amor. Al tercer día de insomnio, de preocupación pertinaz y de indecisos antojos, el joven caballero, como quien al fin recoge las riendas a la vagarosa imaginación, entabló con su hermano don Fernando el siguiente diálogo, a tiempo que les servían el desayuno.

—¿Sabes, Fernando, en lo que pienso?

—Lo adivino —respondió Fernando con su sonrisa benévola y sutil.

—No puedes adivinarlo —replicó don Diego.

—Me atrevo a afirmarlo —repuso don Fernando.

—Pues dilo desde luego, que probablemente vas a hacerme reír.

—Piensas —dijo con lentitud y gravedad don Fernando—, en casarte con doña María de Toledo.

El pobre don Diego palideció, y con voz entrecortada repuso:

—Hombre, no hay tal..., yo sí..., pudiera ser..., no del todo. Vamos, Fernando, francamente: has adivinado mi pensamiento.

—No era preciso ser hechicero para dar con el acertijo, Diego —dijo don Fernando riéndose del aspecto sorprendido de su hermano—. Ese pensamiento te punza como una jaqueca desde la tarde del encuentro, y me pèrsuadí de ello en el acto.

—Bueno, ¿y qué dices de esto? ¿Apruebas mi elección? Porque te declaro, mi querido Fernando, que, o me caso con doña María, o renuncio al mundo y me hago fraile.

—¿Quieres que te diga mi parecer, Diego? Vamos esta tarde a visitar al comendador mayor de León, como es nuestro deber, y le pides la mano de su hija.

Don Diego se quedó aturdido, le pareció exorbitante la frescura con que su hermano afrontaba el asunto, y le dijo:

—¿Estás loco, muchacho? ¿Cómo voy yo a salir así, *hospite insalutato,* con esa pretensión al Comendador?

—Mira, Diego, los matrimonios, o vienen de Dios, o vienen del diablo. Los de Dios, se vienen por el camino real, y andan a la luz del día, los de Satanás buscan las veredas y escondrijos, y escogen tiempo y hora, como quien anda en acecho... No te encojas de hombros, ni te impacientes, óyeme: he reflexionado mucho en estos tres días sobre tu pasión por doña María, y

sus consecuencias probables. El recado del rey, la visita del comendador, el encuentro casual, todo me dice que es inspiración divina tu súbito amor, y que ni debes ocultarlo, ni temer repulsa, ni diferir tu enlace con la ilustre casa de Alba. Si en vez de irte en derechura a tu objeto, te pones a imitar a los enamorados de mala ley, y andas tanteando el terreno, y andas buscando circunloquios, ¡te pierdes, Diego, te pierdes! Es imposible que doña María no tenga pretendientes a porrillo, y ¡ay de ti, si te dejas tomar la delantera por otro que la merezca!

—Razón tienes, Fernando, esta tarde iremos a visitar al comendador, pero tú serás quien aborde el asunto del pedimento, yo no me siento con el ánimo necesario.

—Allá veremos, Diego, si tú mismo en el momento crítico no puedes valerte, no tengas cuidado, me sobra decisión para sacarte del empeño.

Diego Colón abrazó a su hermano, y estuvo muy alegre el resto de la mañana. Enviaron un criado a anunciar su visita al comendador para las tres de la tarde, y media hora después un lacayo de éste llegó a decirles que su señor los recibiría gustoso a la hora indicada.

Discutieron los dos todavía largamente su plan de conducta, y tanto hizo el joven Fernando, tan buena maña se dio en sus elocuentes y sagaces inducciones, deducciones y conclusiones, que logró convencer al medroso don Diego de que el padre de su adorada accedería de buen grado a la proposición matrimonial, como sumamente ventajosa para las dos casas.

Llegó la hora de la visita, y por más que al ser introducidos los dos hermanos en el suntuoso salón de recibimiento del comendador mayor, el enamorado mancebo estuviera todavía vacilando sobre cuáles fueran los términos más convenientes para formular su demanda, la acogida que les hizo el noble señor disipó inmediatamente sus temores.

Al ver a sus huéspedes, don Fernando de Toledo se adelantó, y extendiéndoles ambas manos, dijo:

—Mucho me complace, ilustres caballeros, vuestra visita, y esta casa se honra con ella.

—Gracias, señor don Fernando —dijo ·don Diego, mientras que su hermano se inclinaba cortésmente—. Vuestra amable bondad nos ·atrae, y nos da aliento para mirar a vuestra altura sin vértigo...

—Tratadme con toda llaneza, amigos míos —interrumpió el comendador, temiendo sin duda que el *discreteo,* según la moda de aquel tiempo, remontara tan alto que se perdiera de vista.

—Tal vez, señor —dijo entonces con su habitual sonrisa Fernando Colón —llegue el caso de que os parezca demasiado familiar nuestra visita.

—¿Por qué? —repuso con naturalidad el comendador.

—Porque además de cumplir el grato deber de saludaros, el objeto de· nuestra visita es tratar de un asunto de familia.

—Nada puede serme más satisfactorio, amigos míos —volvió a decir el comendador—, que vuestra confianza, y que lleguéis a persuadiros de que todo lo que pueda interesaros, me interesa.

Fernando Colón miró de un modo expresivo a ´su hermano, y éste tomó la palabra, exento ya de todo temor o aprensión.

—Pues bien, señor don Fernando, hablaré con la franqueza que hablaría a mi padre; os someteré el proyecto que he formado: si no mereciere vuestra aprobación, me lo significaréis lisa y llanamente, sin necesidad de esplanarme razón alguna. Aceptaré sumiso lo que decidiereis, dando por mi parte estimación, sobre todo, a vuestra benévola amistad.

Este exordio modesto causó en el ánimo bondadoso de don Fernando de Toledo una impresión altamente lisonjera, que acabó de predisponerle del todo en favor de don Diego.

—Hablad, hijo mío —respondió con acento blando y conmovido.

—Aspiro a ese dulce nombre —prosiguió vivamente don Diego—. Amo a vuestra hija, y deseo ingresar en vuestra ilustre casa. Esta aspiración podrá tacharse de desmedida, pero Cristóbal Colón me dio el ser, y si mis timbres son nuevos, los simboliza todo un mundo, nuevo también, descubierto por mi heroico progenitor.

—Guárdeme el cielo, señor almirante —dijo don Fernando—, de desconocer los prominentes y extraordinarios méritos de vuestro padre, así como soy el primero en apreciar vuestras. prendas personales. No hallo, pues, excesiva vuestra pretensión, ni será mi voluntad el obstáculo en que pueda estrellarse. Tengo, no obstante, que llenar otros deberes, que pesar otras consideraciones, y consultar otras voluntades, antes de daros una contestación definitiva.

—Lo comprendo, señor, y estoy dispuesto a aguardar sin impaciencia todo el tiempo que creyereis necesario para vuestras deliberaciones: os debo ya gratitud, por haberos dignado considerar mi pretensión, en vez de rechazarla desde luego.

—Dentro de tres días, don Diego —concluyó el comendador levantándose de su sitial—, os comunicaré mi decisión.

Los Colones se despidieron, recibiendo nuevas demostraciones de cordial cortesía de ·parte de don Fernando de Toledo.

Ya en la calle, don Diego dijo con aire compungido a su hermano:

—¡Deshauciado estoy, Fernando, no hay esperanza para mí!

—Antes de tres días —contestó don Fernando—, podrás llamar tuya a doña María de Toledo.

Diego Colón cerró los ojos con

un estremecimiento nervioso, como enajenado a la sola idea de alcanzar tan codiciada ventura.

XXVI

APOGEO

Después... No hemos de inventar, por el único interés de dar colorido novelesco a nuestra narración, peripecias que, alejándose de la verdad de los hechos, compliquen la sencilla trama de los amores del joven almirante. La historia dice que su pretensión no halló obstáculos, y hemos de respetar la historia, aunque palidezca nuestro verídico relato, antes que recargar la acción principal y real de nuestros personajes con incidentes fabulosos y de grande efecto dramático, que sólo darían por resultado irritar nuestra pobre imaginación, y cansar la paciencia del benévolo lector.

Creemos, sí, indispensable poner a prueba esa paciencia, consagrando algunas líneas más al prosaico y monótono asunto de las fáciles bodas de don Diego Colón.

Han transcurrido los tres días señalados por el comendador mayor don Fernando de Toledo, para dar su contestación definitiva a la demanda del enamorado joven. En el mismo salón de artesonado techo y resplandeciente de lujo donde hemos visto a los dos hermanos benévolamente recibidos por el ilustre magnate, se hallan reunidos los principales deudos, parientes y amigos de la casa de Toledo. El astro cardinal de aquella deslumbrante constelación es don Fadrique, el jefe de la familia, el ilustre y poderoso duque de Alba, primo y valido del rey Fernando, que le debía gratitud por recientes y muy importantes pruebas de acrisolada lealtad.

Allí está también la duquesa su bella esposa, joven aún, cubierta de rico brocado y brillante pedrería. La acompaña un vistoso enjambre de gallardísimas y elegantes damas, prez y ornamento de la corte de Castilla; mas entre todas aquellas beldades atrae las miradas, y fascina con los celestiales y puros resplandores de su incomparable hermosura, la hija de la casa, la encantadora María de Toledo.

Acaba de cerrar la noche, pero sus tinieblas están vencidas y humilladas. En los salones y amplios corredores del gótico palacio del comendador, numerosos blandones centellean en bruñidos candelabros, y la luz que proyectan puede competir victoriosamente con la del día. Fuera, en los jardines, poblados de magníficas estatuas, y en la calle, reina la fascinadora claridad de la luna, que se destaca limpia y serena en un cielo azul, tachonado de millones de fúlgidas estrellas. La primavera, coronada de rosas, adulada por el céfiro, que en su honor llena el ambiente con los perfumes robados a las flores, ostenta risueña sus más preciados atavíos.

Diego y Fernando Colón se presentan debidamente anunciados, y conducidos por don García, hijo del duque de Alba, y otros dos apuestos jóvenes de la familia, que han ido a recibirles hasta la puerta principal del salón. Un murmullo general reina por algunos instantes a la vista de los dos simpáticos hermanos, y todos los semblantes se animan con una expresión de agrado sumamente lisonjera para los recién llegados.

Don Fernando de Toledo, después de las ceremonias del recibimiento y presentación de los Colones al duque y a los demás convidados, después de un breve rato de cumplidos galantes tributados por don Diego y su hermano a la duquesa y a las damas, toma la palabra, y elevando la voz en medio del silencio general, dice al duque de Alba:

—Hermano mío: yo os ruego que, como cabeza de nuestra casa, os dignéis declarar nuestro acuerdo al señor don Diego Colón, y a los demás señores y ricas-hembras aquí presentes.

Don Fadrique se puso inmediatamente en pie, asintiendo a la invitación de su hermano, saludó con una inclinación de cabeza a don Diego y a la concurrencia, sentóse en seguida, y habló en estos términos:

—Señor don Diego Colón: sometida vuestra demanda matrimonial a consulta mía y de la familia, por mi muy amado hermano don Fernando, aquí presente, la consideramos detenidamente, y concluimos por calificarla de digna y aceptable. No era nuestro ánimo, sin embargo, violentar en lo más mínimo la voluntad de mi amada sobrina doña María, y cumplimos con el deber de explorarla, excitándola a manifestar sus disposiciones respecto de vuestra persona, con absoluta libertad e independencia. Obtuvimos su declaración, que os fue enteramente favorable... En seguida acudimos a impetrar la venia de nuestro muy reverenciado primo y soberano, como era nuestro deber y nos es grato deciros que el regio consentimiento ha sido acordado graciosamente por su alteza. Podéis por tanto, considerar como vuestra prometida a doña María de Toledo.

"Vais, pues, señor don Diego Colón, a ingresar en nuestra familia, a ligar vuestra sangre con la sangre casi real de la casa de Toledo. No tenemos por desigual este enlace, y más bien lo creemos por todos títulos digno y honroso, pero sois joven, vuestra carrera personal va a principiar ahora, hasta el día sólo habéis tenido ocasión de manifestar vuestro carácter noble y pundonoroso. Por nuestra parte, nunca dimos cabida a la necia presunción de que las proezas de nuestros antepasados, el heredado lustre de nuestro linaje, habían de bastar

a nuestra gloria y nuestro orgullo como grandes de Castilla, antes al contrario, creímos que aquellas ventajas fortuitas, hijas del acaso, ajenas de nuestro esfuerzo y de nuestra elección, sólo debían servirnos de acicate para no ser, en servicio de la Patria y de la Fe, menos que nuestro ilustres ascendientes, y estas manos, como las de mi hermano el comendador mayor, han sabido ganar a lanzadas, contra infieles y franceses; y este pecho ha podido obtener a fuerza de valor y fidelidad, timbres y preseas que han renovado y mantenido refulgente el brillo de los blasones de nuestra casa.

"Sois hijo del gran Cristóbal Colón, y sabéis, por consiguiente, a lo que estáis obligado. Esperamos de vos que seais siempre, por la virtud y el esfuerzo, digno de vuestro glorioso padre, y que el cielo os haga tan feliz como todos los presentes deseamos.

Si el discurso del noble duque pareciere al discreto lector un tanto ampuloso y difuso, tenga la bondad de recordar que en aquel tiempo las reminiscencias de la Edad Media, que apenas acababa de pasar, se confundían con los primeros destellos de la civilización moderna; que el incomparable Miguel de Cervantes no había nacido todavía, ni, por lo mismo, estaba en la mente de ningún hombre el engendro feliz de aquel ingenio inmortal, que había de echar por tierra las sublimes fantasías caballerescas, a una con las abigarradas y enfáticas formas literarias que servían de marco a tan heroicos desvaríos y románticas locuras.

El comendador confirmó con un signo de asentimiento lo dicho por su hermano don Fadrique: el almirante dio las gracias a ambos con sencillas frases y acento conmovido, y recibió las entusiastas felicitaciones de los circunstantes. Poco después se adelantó el comendador con paso mesurado y majestuoso, tomó de la mano a don Diego y lo condujo donde estaba su prometida, toda ruborizada y temblorosa. Algunas discretas frases de don Diego la tranquilizaron gradualmente, al cabo de media hora los dos afortunados novios se contemplaban con éxtasis, se confiaban en voz baja sus castos deseos y deslumbradoras esperanzas; los demás concurrentes hacían como que no veían la encantadora escena, y planteaban en animados grupos conversaciones distintas. Hubo sarao, profusión de delicadas golosinas, y reinó la alegría hasta la media noche, hora en que terminó la fiesta de los esponsales, señalándose el plazo de veinte días para la conclusión y celebración del matrimonio.

Estos veinte días fueron sin duda los más felices de la vida de don Diego, que tenía franquicia absoluta para visitar a su prometida, y los aprovechaba pasándose las horas, para él brevísimas, en familiar conversación con su adorada María, en casa de los duques. Llegó en esta época a su apogeo la fortuna de los Colones, a quienes la Corte entera tributaba aplauso y homenaje, habiéndose fundido la frialdad glacial del rey al calor de la protección que hallaban en el duque los intereses de don Diego. Desde entonces el soberano prodigó favor y agasajo a los hijos del gran Colón, y se complació en ser justo *al fin*. Tal es por lo común la justicia de los reyes.

XXVII

DERECHOS HEREDITARIOS

Decir que las bodas de Diego Colón y María de Toledo fueron celebradas con soberbia pompa, extendernos a reseñar minuciosamente los pormenores de este fausto acontecimiento, sería, lo uno, exponernos a ser tachados de superfluidad, porque tratándose de personajes de tan elevada alcurnia, próximos parientes del monarca el padre y el tío de la novia, no es necesario sino la asistencia del simple sentido común de nuestros lectores, para dar por supuesto que nada había de omitirse para revestir al suceso con todo el esplendor y lucimiento que la etiqueta española y el carácter ceremonioso de aquella época imponían a todos los interesados en el asunto; y lo otro, es decir, la narración de los incidentes de aquella fiesta, nos parece materia de muy pueril sustancia para distraer por más tiempo la atención de esos mismos lectores, a quienes, sobre el natural sentido común, creemos asistidos de algo más raro, que es el buen sentido, para distraer su atención, repetimos, de los hechos concretamente relacionados con los episodios más interesantes de esta verídica historia, que todavía está en el caso de consagrar algunas páginas más a aquellos prolegómenos, sin cuyo conocimiento sería muy difícil o imposible apreciar en su verdadero valor el carácter de los protagonistas y la índole moral de sus actos y su conducta.

Abreviaremos, pues, cuanto sea posible, nuestra revista retrospectiva de los acontecimientos, para seguir narrando concisamente las peripecias que aún nos separan de la acción prominente y el asunto principal de este desaliñado libro.

Los veinte días que transcurrieron entre los esponsales o la promesa matrimonial, y el acto solemne de pronunciar los cónyuges el juramento de pertenecerse recíprocamente por toda la vida, no fue tiempo perdido para los intereses de la naciente casa de Colón. El duque de Alba, que gozaba de absoluta privanza con el rey, no era hombre que hacía las cosas a medias, y corriendo por su cuenta la fortuna de su nuevo sobrino, los autos en favor de éste, acordados por el Supremo Consejo de las Indias —que hasta entonces habían permanecido sin cumplimiento, como letra muerta— recibieron la sanción del regio *exequatur*, o sea la real venia, como entonces se decía. El rey don Fernando, solamente regateó el título de virrey para Diego Colón, aunque si bien se examina, lo que regateó su alteza no fue el título, que al cabo se concedió *pro forma o in nomine*, frase que en el indigesto lenguaje de los letrados de aquel tiempo significaba lo mismo que mera decoración, o vano adorno, lo que el rey no sólo regateó, sino que negó obstinadamente, fue la efectividad de las funciones de virrey, que a pesar de su real firma y palabra empeñada con el gran Cristóbal Colón, encontraba siempre exorbitante para el legítimo heredero de sus bien y previamente definidos derechos como descubridor.

Don Fernando el Católico convenía de buen grado en que el almirante don Diego fuera el primer personaje del Nuevo Mundo, pero en punto a autoridad, el profundo político que había sabido fundar en España la preponderancia del poder real sobre las sediciosas pretensiones de los grandes, nunca podía desistir de amenguar las prerrogativas hereditarias del hijo de Colón. Una cosa había sido prometer, cuando el mundo cuya existencia afirmaba el oscuro navegante se conceptuaba generalmente como el sueño de una imaginación calenturienta, y otra cosa era cumplir, falseando los principios inflexibles de todo un sistema de gobierno, cuando ese mundo surgía con el esplendor de una realidad victoriosa, de las profundidades del Océano.

Por eso el rey Fernando, al mismo tiempo que confería a Diego Colón la autoridad de gobernador de la Isla Española y sus dependencias, en reemplazo del comendador Ovando, contra cuyas cruel-

dades surgían, al cabo de tanto tiempo, en un rincón de la real memoria las apremiantes recomendaciones que hiciera al morir doña Isabel la Católica; procuraba restringir disimuladamente esa autoridad, y meditaba la creación de la Real Audiencia de Santo Domingo, que se llevó a efecto un año después, y por la misma causa los émulos de Diego Colón en su gobierno, hallaron en la Corte oídos complacientes para sus torpes calumnias, acogidas más de una vez por la injusta suspicacia del monarca...; pero no anticipemos unos sucesos a otros, que acaso tendremos que mencionar esas miserables intrigas en el discurso de nuestra narración.

Todo estaba previsto y arreglado para la partida al Nuevo Mundo del almirante don Diego y su bella consorte, desde el día siguiente de su enlace. Un brillante y escogido acompañamiento de damas y caballeros distinguidos por su noble estirpe, tanto de la corte de Castilla como de las primeras casas de Andalucía, quedó formado en la ciudad de Sevilla, donde pasaron algunos días los virreyes, como se les denominaba por todos, dando la última mano a los preparativos de viaje. Los tíos del almirante, don Diego y don Bartolomé, cuya experiencia consumada en los asuntos de gobierno de las Indias se consideraba indispensable para la inauguración del mando de su sobrino, habían asistido junto con él a las últimas audiencias del monarca, y recibido las reales instrucciones, por las que debían regular sus consejos y los actos del joven gobernador.

En cuanto a Fernando Colón, sus gustos modestos y su afición a los estudios le traían remiso a la idea de atravesar otra vez el Atlántico, de que tan ingratos recuerdos conservaba, habiendo experimentado los grandes trabajos y peligros del cuarto y último viaje de su padre; pero el mismo rey Fernando, que estimaba su carácter y sus distinguidos talentos de un modo extraordinario, le instó porque también acompañara a su hermano a la Española, y pidiera para sí lo que mejor estuviera a sus deseos. Nada quiso el desinteresado joven, y sólo se determinó a hacer el viaje cuando Diego Colón le manifestó que, "sin él, su dicha habría de ser incompleta, porque de ella habían sido artífices principales la perspicacia y vivaz inteligencia con que él había alentado sus pretensiones matrimoniales".

Embarcáronse todos estos ilustres personajes con su brillante y numeroso séquito, en el puerto de San Lúcar, donde los aguardaba una lucida escuadra de veinte y dos velas, el día 9 de junio de 1509, y después de mes y medio de próspera navegación, saludaron con indecible júbilo las verdes costas de la isla Española, arribando a Santo Domingo al finalizar el mes de julio.

XXVIII

MUTACIÓN

No estaba el gobernador Ovando en la capital de la colonia en aquellos días. Hallábase en Santiago, lugar muy ameno y salubre, a orillas del caudaloso río Yaque, cuya posición central le permitía atender a los negocios de todo el Cibao cómodamente, y vivía muy ajeno a la idea de ser relevado del gobierno de la Isla. En igual descuido yacían todos los empleados y demás colonos, al extremo de que un sobrino del gobernador, que éste había hecho alcaide de la fortaleza de Santo Domingo, llamado Diego López, faltando a sus deberes, se encontraba ausente de su puesto, y atendiendo a una granja o estancia que tenía, distante como dos leguas de la ciudad.

Al divisarse la escuadra compuesta de tan crecido número de bajeles, se cubrió de curiosos toda la ribera del mar, y algunos botes provistos de bastimentos salieron a cual más lejos a hacer su tráfico según solían cada vez que se avistaban naves en el horizonte. A poco rato una de estas embarcaciones regresó a tierra después de haber vendido sus víveres a una fusta que se había adelantado a los otros buques de la escuadra, y entonces supieron los curiosos la noticia del arribo del nuevo gobernador, la cual cundió por toda la ciudad con rapidez eléctrica. Los oficiales reales y el Ayuntamiento, aturdidos con tal novedad, se decoraron aceleradamente, corrieron a la marina, y embarcándose en una falúa de gala, salieron a la rada a ofrecer sus respetos a los ilustres viajeros; pero por mucha diligencia que desplegaron, cuando los remeros se abrían por los pechos haciendo volar la embarcación oficial por fuera de la boca del puerto, ya la escuadra toda había echado anclas, y los barcos parecía que aguardaban con impaciencia, balanceados por las gruesas olas de la rada, el cumplimiento de las etiquetas de ordenanza.

Los regidores y oficiales abordaron a la galera capitana, fueron recibidos con agrado por don Diego Colón y su familia, y formularon su voto ferviente de que cuanto antes hicieran su desembarco los insignes huéspedes.

Preguntó el almirante por el gobernador y el jefe de la fortaleza, y fue informado de su ausencia. Una hora después se dio la orden de levar anclas la nave capitana y las demás en que iban los equipajes más precisos: entraron con viento favorable en la ría, y se efectuó el desembarco en medio de un numeroso gentío, que al estruendo de los cañones de la escuadra haciendo las salvas de ordenanza, prorrumpió en vítores a los Colones con ese frenético entusiasmo a que tan fácilmente se entrega en todas partes, por motivos y razones más o menos fundadas, la ciega e impresionable multitud.

Brindaron los regidores al almirante y su familia con un alojamiento tan conveniente cuanto las circunstancias de la colonia y la ninguna preparación del momento podían permitir; pero don Diego les contestó que agradecía su ofrecimiento, no aceptándolo por razones políticas, y después de haber estado en el templo principal dando gracias a Dios cristianamente por su feliz arribo, se dirigió a la fortaleza, de la cual tomó inmediata posesión sin más ceremonias ni cumplimientos de ningún género.

A esta sazón ya lós correos devoraban la distancia en todas direcciones, llevando la noticia de tan gran novedad a todos los ámbitos de la isla. Ovando se puso en marcha para la capital sin demora, y su contrariedad y enojo fueron grandes cuando supo la falta en que había incurrido su sobrino, el alcaide de la fortaleza de Santo Domingo, no hallándose en su puesto al llegar el nuevo gobernador.

Tal fue al menos el desahogo que dio a su desabrimiento, cohonestándolo con el indicado motivo. El almirante y su esposa le hicieron el más amable recibimiento, pero el irascible comendador insistía en deplorar con acritud la indisciplina de su joven pariente, y en su propósito de castigar el desorden de un modo ejemplar. Fue preciso que don Diego interpusiera cortésmente su ruego en favor del delincuente, y Ovando hubo de deponer al fin el ceño, y encubrir del todo su mal humor, para entregarse en cuerpo y alma a los deberes de la etiqueta cortesana.

Inauguráronse, pues, grandes fiestas, convites, saraos, cabalgatas a los campos vecinos, y cuanto puede sugerir a los ingenios aduladores la riqueza desocupada. La colonia reunía todos los elementos de una pequeña corte, en la que resplandecían los más delicados refinamientos de la época. Los seis años de paz tiránica que Ovando llevaba en el gobierno habían elevado la isla Española al apogeo de su grandeza; los brazos de los indios aplicados a las construcciones civiles bajo la dirección de entendidos arquitectos, habían convertido la humilde nereida del Ozama en una hermosa ciudad, provista de edificios elegantes y vistosos, con calles tiradas a cordel y casas particulares de aspecto imponente y gran suntuosidad interior, y el lujo se había desarrollado a tal extremo, que el adusto rey Fernando, cuya mirada perspicaz todo lo veía en la vastísima extensión de los reinos y dominios sometidos a su cetro, hubo de dictar más de una vez pragmáticas severas, especialmente encaminadas a restringir la refinada ostentación a que estaban entregados los opulentos moradores de la isla Española.[1]

Los virreyes por su parte, jóvenes, recién casados y ricos, habían hecho las más ostentosas prevenciones para instalarse con el decoro de su rango en la opulenta colonia. Las damas de su séquito, "aunque más ricas de belleza que de bienes de fortuna", según la expresión usual de lós historiadores de aquel tiempo, se ataviaban con todo el esmero y bizarría que sus altas aspiraciones y los ilustres apellidos que llevaban exigían de ellas; y los caballeros lucían análogamente los más de ellos los ricos trajes que el año anterior se habían hecho en Italia, cuando regresaron a España acompañando al gran capitán Gonzalo de Córdoba, que se retiraba cubierto de gloria de su virreinato de Nápoles.

Se explica, pues, que el tren y boato de las fiestas y ceremonias públicas en la capital de la Española, justificaran el dictado de *pe-*

***

[1] Herrera. *Décadas.*

queña *corte*, que, siguiendo a más de un escritor de fama, hemos dado a la magnífica instalación de los virreyes en su gobierno. Ovando trató de poner pronto término a la mortificación que sin duda debía experimentar, participando de unos festejos que, sobre celebrar su propia caída, eclipsaban los mejores días de su finado poder en la colonia. Ya aceleraba sus preparativos de marcha, cuando un terrible huracán desató su furia sobre la isla, maltratando lastimosamente la lucida escuadra que había conducido a Diego Colón, y en que debía embarcarse el comendador. La nave capitana, que era muy hermosa, se fue a pique, cargada de provisiones y de otros efectos de valor, que aún no se habían desembarcado. Cuando al siguiente día salió el sol, sus rayos alumbraron un cuadro de sombría desolación, tanto en la costa como en el mar. Miserables despojos, fragmentos flotantes, árboles descuajados, casas de madera sin puertas ni techumbre, se ofrecían a la vista por todas partes. Afortunadamente, en la ciudad del Ozama era ya muy considerable el número de las casas y fábricas de cal y canto. Por fuerza hubo de demorarse la partida de Ovando, hasta rehabilitar los barcos que necesitaba para su regreso a España.

Este retardo dio lugar a otra mortificación mayúscula para el orgulloso comendador, cual fue presenciar las publicaciones y apertura del juicio de residencia a que debían someterse sus actos de gobierno y los de sus alcaldes mayores. Llamóse a son de trompa a los agraviados y quejosos, y en los lugares más públicos y concurridos se fijaron carteles o edictos declarando que se recibirían por espacio de treinta días las denuncias e inscripciones en demanda contra el que poco tiempo antes era omnipotente y gobernaba como señor absoluto las cosas de la colonia y del Nuevo Mundo —de donde conocían, según

el historiador Herrera, *que no es bueno ensoberbecerse en la prosperidad.*[1]

XXIX

INFORMES PERSONALES

Todo el empeño de Diego Velázquez y su séquito por hacer con rapidez el viaje desde Vera Paz a Santo Domingo resultó inútil. El huracán, obstruyendo los caminos y engrosando las aguas de los ríos y torrentes, hizo sumamente penosas y lentas las jornadas de los viajeros, que al cabo de doce días llegaron a la capital molidos, hambrientos, y muy despojados ya del lucimiento y gallardía con que salieron de Jaragua.

Aposentóse Velázquez con su gente en una de las casas del comendador Ovando, que había hecho construir varias muy hermosas durante su gobierno. Hizo pasar respetuoso aviso de su llegada aquella misma tarde al nuevo gobernador, pidiendo ser admitido a su presencia en la mañana del siguiente día, y excusándose de no hacer su visita de homenaje inmediatamente, por el mal estado de todo su equipaje. El virrey contestó defiriendo a la demanda, y absolviendo a Velázquez de los rigores de la etiqueta oficial.

Aquella noche se habló ampliamente de los recién llegados viajeros en los salones de la fortaleza, donde residía don Diego Colón con toda su familia. Desde España venía sabiendo el joven almirante cuanta era la importancia de Diego Velázquez en la colonia, como que éste y Juan Esquivel eran los tenientes de Ovando que sobresaliendo en habilidad y fortuna habían

[1] Década 1ª L. VII. Cap. X.

domado la fiereza de los indios rebeldes de la isla, aunque con notoria diferencia en sus procedimientos, pues Velázquez, más sagaz y
buen político que Esquivel, había
realizado la pacificación del oeste
haciendo todo lo posible por conservar la raza india, y en sus campañas de Bahoruco y Haniguayagua
no había dado cabida a la ferocidad que desplegara el famoso capitán de la guerra de Higüey.

Escuchaba el almirante con vivo
interés los informes que sobre todas
aquellas personas, conocidas en la
Española, le suministraba un señor
anciano, de aspecto respetable por
su blanca y luenga barba y fisonomía benévola. Era éste don Francisco Valenzuela, hidalgo y colono
principal, que había pasado a la
isla con el descubridor en su segundo viaje, y avecindado en San
Juan de la Maguana, donde poseía
ricos hatos de ganado vacuno y
caballar, se había mantenido fiel y
consecuente amigo de la familia de
Colón, en su buena como en su
mala fortuna. Se hallaba en la capital casualmente, a la sazón que
llegó el nuevo gobernador. Habló
de Diego Velázquez con encomio,
y luego pasó revista uno por uno
a los individuos más distinguidos
de las comarcas meridionales y occidentales que acompañaban al vencedor de Guaroa y de Hatuey, in-
tercalando en sus disertaciones sobre cada uno curiosas noticias relativas al estado de la isla y a los
pasados sucesos.

—Con el capitán don Diego, decía, viene Valdenebro, uno de los
dos caballeros que más corridos
quedaron en la guerra de Higüey,
cuando el primer alzamiento de Cotubanamá. Ni él, ni su compañero
Pontevedra volvieron a presentarse
en esta ciudad desde aquel suceso,
a consecuencia del cual se fue Valdenebro a vivir a la Maguana, y
Pontevedra se embarcó para España,
huyendo de la rechifla de sus com-

pañeros de armas. Figúrense vuesas
mercedes que esos dos hidalgos, muy
preciados de valientes y diestros en
toda suerte de esgrima, al comenzar-
se una facción en aquella guerra,
estando los dos a caballo, vieron a
un indio que estaba contemplándo-
los a campo raso, con aire desdeñoso y de desafío.

"Dejadme ir a matarle", dijo
Valdenebro a su amigo, y lanzó su
caballo en la dirección del indio.
Éste se enfrenta al jinete y le dis-
para una flecha, a tiempo que el
castellano le pasa el cuerpo con su
lanza; y el herido, sin dar muestras
de dolor, se corrió por la misma
lanza, y el herido, sin dar muestras
nos de Valdenebro. Viéndose éste
sin su lanza, saca la espada y también la mete por el cuerpo al indio,
que de igual modo se la quitó de
las manos, teniéndola envasada en
el cuerpo: sacó entonces el caballero su puñal, y lo hundió en el pecho al indio que se lo quitó de las
manos igualmente, quedando Valdenebro completamente desarmado.
Acude Pontevedra, que veía el caso,
a herir al prodigioso indio con la
lanza, y punto por punto repitió el
herido la proeza, quitando al segundo combatiente lanza, espada y
puñal, y dejando a ambos desarmados y confusos a la vista de todo
el campo castellano: el heroico indio, como si desdeñara tomar venganza de sus agresores, se retira entonces con todas las armas que tan
esforzadamente conquistara, y va
a caer exangüe entre los suyos, que
le aplauden con entusiastas alaridos.
Pocos instantes después rindió el
espíritu, orgulloso y satisfecho.[1]

—Notable caso —dijo don Diego
Colón—, y valor digno de los mejores días de Esparta. Mas, decidme: ¿no se averiguó el nombre de
aquel bizarro higüeyano?

—Se hicieron diligencias infruc-

---

[1] Histórico: copiamos el hecho casi
al pie de la letra de la narración de
Herrera. Década I. Libro V, cap. IV.

tuosas. Supe el caso de boca del mismo capitán Esquivel, que deploraba la terquedad o estupidez de aquellos salvajes, de quienes nunca pudo obtener noticia sobre un nombre tan digno de eterna memoria.

"Volviendo a Valdenebro, jamás ha podido consolarse de haber perdido feamente sus armas, a vista de los dos campos fronteros, ni había querido salir de la Maguana, adonde lo condujo su vergüenza, hasta ahora que, según acaba de decirme don Diego Velázquez, ha conseguido éste vencer sus escrúpulos y reducirlo a que venga a besar las manos a los señores virreyes.

"Además, trae consigo el capitán Velázquez a un mozo notable por su despego y travesura, llamado don Hernando Cortés, que se incorporó a la comitiva en Compostela de Azua, donde reside ha más de cinco años desempeñando la escribanía de aquel Ayuntamiento. Es hombre de gran talento y que promete ser de mucho provecho, aunque manirroto, pendenciero a veces, y muy atrevido con las mujeres ajenas. Ejerce gran predominio en cuantos llegan a tratarle de cerca, y parece nacido con un sello de superioridad, como si toda su vida hubiera acostumbrado mandar a los demás.

"También verán ucedes un sujeto de cara y talle muy extraños, de esos que vistos una vez no pueden olvidarse nunca. Éste es un hidalgo que se ha enriquecido administrando los bienes de una señora india viuda de Hernando de Guevara...

—Conozco la viuda y la historia —interrumpió Diego Colón—: mi buen padre me recomendó mucho al tiempo de morir, la protección de esa señora y su hija: don Bartolomé de las Casas me ha hecho saber interesantes pormenores de ese asunto, y de qué pie cojea el tal administrador, Mojica de apellido, si mal no recuerdo.

—Precisamente. Pues entonces sólo me falta hablaros de un muchacho indio ahijado de Velázquez, que lo trae muy mimado, y tiene por nombre Enriquillo.

—También tengo noticia de ese joven cacique, y lo veré con mucho gusto —repuso don Diego—. Me han dicho que es pariente de la viuda de Guevara, y que ambos pertenecen a la familia que reinaba en Jaragua. Deseo conocer esos lugares y la gente que los puebla, que se asegura es la más hermosa y distinguida de estos indígenas. Por lo que respecta a Enriquillo, don Bartolomé dice que sus preceptores, los frailes franciscanos, escriben de él que su inteligencia extraordinaria hace honor a la raza india. Pronto lo veré por mí mismo, y compartiré gustoso con Velázquez la obligación de protegerle.

—Me alegro de que tenga usía tan buenas disposiciones para con él: ese muchacho, como el indio que desarmó a Valdenebro y Pontevedra, como Cotubanamá, y otros muchos, son la prueba más concluyente de que la raza indígena de estas regiones es tan aventajada en razón y facultades morales como cualquiera de las más privilegiadas de Europa o de Asia.

—Lo creo como vos, señor Valenzuela —dijo gravemente don Diego—, y me propongo proceder en mi gobierno con arreglo a tan juicioso y bien fundado dictamen.

XXX

EFECTO INESPERADO

Mientras que don Francisco Valenzuela daba cuenta circunstanciada en la fortaleza de la vida y hechos de Diego Velázquez y sus compañeros de viaje, éstos recibían en su alojamiento la visita de don Bartolomé de las Casas.

Apresuróse Velázquez a recoger noticias sobre los cambios recientes ocurridos en el personal del gobierno de la colonia, y supo con satisfacción y regocijo que el nuevo gobernador estaba muy altamente predispuesto en su favor. Decía Las Casas modestamente que el almirante había salido de España animado de esas favorables disposiciones, pero el capitán se obstinó en dar gracias al licenciado con la más cordial efusión, atribuyendo a sus informes y a su influencia los buenos auspicios bajo los cuales iba a presentarse al nuevo árbitro de la fortuna y la riqueza en el mundo occidental.

Es indecible la emoción con que Enriquillo correspondió a su vez a las cariñosas frases que le dirigió Las Casas, al ser presentado a éste por Diego Velázquez. "Ved aquí vuestra obra y la mía", había dicho éste a su antiguo consejero del Bahoruco, y fijando el licenciado un momento su mirada de águila en las facciones del joven indio.

—¡Enriquillo! —exclamó—. ¡Bendito sea Dios! ¡Cómo ha crecido este muchacho, y qué apostura y fortaleza está mostrando! Abrázame, hijo mío. ¿Eres feliz? ¿Estás contento?

—Mi padrino es muy bueno para mí, señor licenciado —dijo Enriquillo—, y estoy contento porque os veo a vos, mi protector, y porque creo que vos me haréis ver muy pronto a la familia que aquí tengo...

—Ahora mismo, muchacho, si tu padrino lo permite. ¡De cuánto consuelo va a servir tu presencia a tu pobrecita tía! Mira, ella está enferma, muy delicada, pero no vayas a hacer pucheros y a amargarle el gusto de verte.

—No temáis flaqueza de mi parte —repuso el joven con tono firme y severo—. Me habéis escrito más de una vez que yo debo ser el apoyo de mi tía Higuemota y mi prima Mencía, y esa idea está clavada

aquí —concluyó, llevándose la mano al pecho.

Diego Velázquez prestó gustoso su venia a la excursión de Enrique con el licenciado, y ambos se dirigieron con planta rápida a la morada de Higuemota.

Ésta yacía reclinada en un ancho sitial de mullido asiento, y las sombras del sepulcro se dibujaban ya con lúgubre expresión en su semblante pálido y demacrado. Su hija, bella y luminosa como el alba de un día sereno, estaba a sus pies, en un escabel que daba a su estatura la medida necesaria para apoyar los codos blandamente en las rodillas de la enferma, reposando en ambas manecitas su rostro de querubín, con la vista fija en los lánguidos ojos de su madre.

Llegó Enrique, conducido por Las Casas, a tiempo de contemplar por breves instantes aquel cuadro de melancólica poesía, y luego adelantaron ambos hasta la mitad del salón. Al percibirlos doña Ana de Guevara hizo un movimiento, incorporándose lentamente.

—¿Sois vos, mi buen señor licenciado? —dijo con su voz siempre armoniosa, aunque velada por la debilidad de la tisis que la consumía—. Muy a tiempo venís, y me parece que hace un siglo desde vuestra última visita.

—Es, señora, que en cuanto de mí depende, me propongo hacerme acompañar siempre que llego a veros, de algún lenitivo a vuestra tristeza. El otro día creí traeros un consuelo con la visita del señor virrey y su buena esposa, hoy vengo con algo que creo ha de seros más grato.

—Difícil es, señor Las Casas, que nada pueda complacerme más que aquella bondadosa visita de los señores virreyes, de quienes tan ardientes protestas de amistad y protección recibí para mí y para mi amada hija.

—Pues bien: aquí está una persona que va a proporcionaros muchos momentos parecidos, pues tiene para con vos grandes obligaciones, y hasta... bastante próximo parentesco.

A estas palabras, el licenciado tomó del brazo a Enriquillo y lo presentó a doña Ana. El joven dobló una rodilla y dijo con voz balbuciente:

—Mi buena tía Higuemota, dádme vuestra bendición.

—¡Guarocuya! —exclamó con transporte súbito doña Ana—, ¡oh, Dios mío! Señor Las Casas, ¡cuánta gratitud debo a vuestros beneficios! Me parece que recobro mis fuerzas... Sobrino de mi corazón, acércate, deja que yo bese tu frente.

E inclinándose Enriquillo hacia su tía, recibió efectivamente un ósculo de aquellos labios incoloros y fríos, con el mismo recogimiento religioso que se apoderaba de su ser cuando solía recibir la comunión eucarística en el monasterio de Vera Paz.

—Mira, Guarocuya —prosiguió la enferma, en una especie de acceso febril—: besa a tu prima, a la que, si Dios oye mis ruegos, ha de ser tu esposa.

Y diciendo estas palabras, doña Ana reclinó la cabeza en el respaldo del sillón, cerró los ojos y guardó silencio. Las Casas y Enrique creyeron por breve espacio que dormía: la niña removió dos o tres veces la diestra de su madre, llamándola a media voz, con este dulce dictado: ¡Madrecita mía! Inútilmente: prolongándose demasiado el silencio y el sueño, Las Casas se decidió a tomar el pulso a la enferma, y reconoció con espanto que aquel era el silencio de la muerte y el sueño del sepulcro. Doña Ana de Guevara, o sea Higuemota, había dejado de existir. Su corazón, desgarrado por todas las penas, connaturalizado con la adversidad, no pudo resistir la violencia de un arranque momentáneo y expansivo de alegría, una brusca sensación de júbilo, y su alma pura, acostumbrada a la aflicción y al abatimiento, sólo se reanimó un breve instante para volar a los cielos.

XXXI

IMPRESIONES DIVERSAS

El recibimiento que se hizo a Diego Velázquez en la mansión de los virreyes, el siguiente día, a las nueve de la mañana, fue tan cordial como distinguido. El almirante, acompañado de sus tíos, acogió al comandante de Jaragua como a un antiguo amigo, lo presentó a la virreina y sus damas, y le retuvo a almorzar en la fortaleza.

Velázquez hizo a su vez la presentación de los individuos de su séquito, para cada uno de los cuales tuvo el gobernador un cumplido afable o una frase cortés.

Echó de menos en aquel acto a Enriquillo:

—Me habían dicho, señor don Diego, que con vos había venido un joven indio, vástago de los caciques de Jaragua.

—Efectivamente, señor —contestó Velázquez—. Traje conmigo a Enriquillo, que así es llamado por todos, y a quien amo como a un hijo, pero un triste acaecimiento lo ha afectado de tal modo, que está en el lecho con una fuerte calentura.

Y Velázquez refirió la muerte de Higuemota, según se la había participado Las Casas.

—Mucho siento ese suceso —dijo el almirante don Diego—, y aquí comienza el cumplimiento de un deber que me impuso mi buen padre don Cristóbal... Esposa mía, vos cuidaréis de la orfandad de la niña que tanta impresión os hizo con su rara belleza el otro día. Yo tomaré a mi cargo la salud del joven Enrique, pues considero, señor

don Diego Velázquez, que vuestra
instalación de viajero recién llegado
no os ha de permitir holgura para
esa atención.

—A ella ha provisto desde el
principio mi excelente amigo el licenciado Las Casas, que por el motivo que discretamente ha anticipado vueseñoría, hizo conducir anoche mismo a Enriquillo al convento
de padres franciscanos, con quienes
reside ahora el licenciado, y en
donde mi ahijado estará perfectamente asistido.

—No importa —repuso Diego
Colón—: le enviaré mi médico, y
cuidaré de que nada le falte.

Y dio las órdenes correspondien-
tes en seguida.

Por su parte la virreina, con esa
solicitud caritativa que convierte en
ángeles a las mujeres, fue en persona a separar a la huérfana del
cadáver de su madre, sugiriéndole
su compasión ingeniosa y tierna el
más delicado artificio para conseguir su objeto sin desgarrar el corazón de la interesante criatura. Dictó además doña María, de concierto
con Las Casas, disposiciones peren-
torias para que los funerales de
Higuemota se hicieran con el decoro y lucimiento que correspondían
a su rango, y así se efectuó en la
tarde de aquel mismo día.

El almuerzo fue servido, y se re-
sintió al principio de la tristeza que
como una nube envolvía los ánimos
por efecto de aquella muerte, que
había venido a remover los sentimientos compasivos de la concurrencia. El único que estaba preocupado y triste por causa distinta era
nuestro antiguo conocido don Pedro Mojica, reflexionando que las
cosas podían venir de modo que se
viera constreñido a entregar la administración de los bienes de la difunta con estrecha cuenta de sus operaciones. El vivo interés que manifestaban los virreyes por la suerte
de la niña heredera, parecía al codicioso hidalgo de pésimo augurio
para sus intereses.

Poco a poco, sin embargo, y a
pesar de estos preliminares, la buena sociedad y los vinos generosos
hicieron su efecto, desatando las
lenguas e introduciendo el buen humor en la bien servida y suntuosa
mesa de los virreyes. Diego Velázquez, sometido a la influencia de
aquella atmósfera donde se confundían y combinaban los misteriosos
efluvios de la juventud, la belleza
y la opulencia delicada y sensual,
sentía la impresión de un bienestar
y una dicha no gustados por él
hacía mucho tiempo. Pasaban por
su imaginación, como ráfagas de luz
y de armonía, las reminiscencias de
los encantados cármenes de Granada, en donde se habían deslizado
entre risas y placeres, como las
corrientes juguetonas de límpido
arroyuelo entre las flores de ameno
prado, los días de su feliz adoles-
cencia.

Estas dulces y gratas memorias,
a una con la magia de unos ojos
negros como el azabache, que ver-
tían el fuego de sus fascinadoras
pupilas sobre la arrogante y simpática figura de Velázquez, causaron
en el pecho del impresionable comandante, súbito incendio de amor.
María de Cuéllar, amiga y confidente íntima de la virreina, hija
única del contador Cristóbal de
Cuéllar, poseía, con una belleza peregrina, ese encanto irresistible, ese
inefable hechizo que todo lo ava-
salla, esparciendo en torno suyo
inspiraciones celestes y el tranquilo
embeleso de la felicidad. Contem-
plábala extasiado, indiferente a
cuanto lo rodeaba, un joven dotado
de rara hermosura, de tez morena
y sonrosada, y cuyos labios rojos
como la amapola apenas estaban
sombreados por el naciente bozo.
La linda doncella, después de satisfacer su femenil curiosidad anali-
zando las facciones y el traje severo, al par que rico y elegante, de
Diego Velázquez, volvió su rostro
al susodicho joven, y le dirigió una

sonrisa que encerraba todo un poema de ternura.

Velázquez se contristó visiblemente: había visto la expresiva demostración de la doncella, y no era dudoso que aquellos dos seres, que parecían hechos el uno para el otro, se adoraban recíprocamente.

Concluido el almuerzo, se formaron grupos que discurrían por la sala en conversación familiar. El comandante de Jaragua aprovechó la oportunidad para tomar del brazo a Hernán Cortés, diciéndole:

—Vos, que conocéis a todo el mundo, decidme: ¿quién es ese mozo de aire afeminado que os ha apretado la mano hace un instante?

—¿Aquél? —preguntó Cortés, señalando al consabido mancebo.

—El mismo —contestó Velázquez.

—Ése es Juan de Grijalva, natural de Cuéllar —dijo Cortés sonriendo—: le conozco hace mucho tiempo..., cuatro horas a lo sumo.

—¿Dónde y cómo? —replicó Velázquez admirado.

—Esta mañana, vos dormíais aún cuando yo salí a brujulear por la ciudad. Me dirigía a la marina, pero topé en el camino con don Francisco Valenzuela, que me invitó a visitar las caballerizas del virrey, a lo que accedí de buen grado, y con tan buena fortuna, que llegamos a tiempo de ver a este mozo, que vos tenéis por afeminado, cabalgando en un endiablado potro cordobés, negro como la noche y fogoso como una centella... Me dio tentación de montar el impetuoso bruto, y Grijalva, muy complaciente, se avino a ello, haciéndome después grandes cumplidos por lo que llamaba mi destreza. En suma, quedamos íntimos amigos, como habéis podido observar, que yo no necesito mucho tiempo para conocer si un hombre merece mi amistad, y este joven hidalgo, a menos que yo me equivoque mucho, tiene gran corazón.

Velázquez oyó el animado relato de Cortés, y guardó silencio quedándose pensativo.

Llegó a este tiempo el médico del virrey. Interrogado sobre el estado de Enriquillo, el grave doctor dio cuenta de su encargo con toda la solemnidad que requería el prestigio de la ciencia en aquel tiempo.

—Llegué al convento —dijo—, y con la venia del padre prior, a quien requerí en nombre de vueseñoría, fui conducido a la celda que ocupa el joven enfermo. Es un doncel admirablemente constituido, de rico y generoso temperamento. La calentura, *febris acuta,* ha encontrado material abundante en que hacer presa —*abundantia sanguinis;* y el delirio me indicó un peligroso agolpamiento a la cabeza, *congestio inminens.* Siguiendo las indicaciones de Avicena en estos casos, apliqué dos buenas sangrías en ambos brazos, y un *pediluvium,* baño de pies, hirviente, *fervidus.* Permanecí en observación por espacio de más de una hora, y vi el reposo apoderarse del paciente, *restauratio causa requietionis.* Ahora le he dejado profundamente dormido, con los pies envueltos en paños de aceite tibio, *oleum calefactum;* y certifico que, si los frailes que lo asisten le hacen guardar el régimen que he prescrito, a saber: dieta y tisana de ruibarbo, antes de un mes habrá recobrado la salud, *prœsanabit.* Pero debo decir a vueseñoría que lo dudo, porque entre aquellos padres vive un laico que sin miramiento alguno se ha atrevido a contradecirme y a llamarme cara a cara ignorante... *stultus.*

Y el doctor dijo esto último con un ademán cómicamente trágico.

—¿Quién ha tenido esa osadía, doctor? —exclamó el almirante, sin poder contener la risa.

—Un *quidam* —respondió el médico—, que he visto venir más de una vez a visitaros, y a quien oí que los frailes apellidaban licenciado Casas. En todo caso, si realmente es

licenciado, debería respetar un poco
más la ciencia.

—Ciertamente —repuso don Diego Colón—, es sujeto que goza de
merecido aprecio, y me admira que
os haya ofendido sin motivo.

—Pretendió que la tisana de ruibarbo —prosiguió el resentido pe-
dante—, no valía para el caso lo
que el jugo de la piña, y fue hasta
a porfiarme que, para la calentura,
Avicena hacía mayor recomendación
del tamarindo que del ruibarbo...
Califiqué de herejía la audacia de
aquel intruso, y entonces, citándo-
me textos en latín de no sé qué
autores, inventados en su caletre,
acabó por decirme con gran desvergüenza que yo era un doctor in-
docto, un mentecato.

—No tengáis cuidado, mi excelente doctor —concluyó el almirante—, yo pondré buen orden para
que el desacato no se repita.

Diego Velázquez había asistido a
todo este diálogo, manifestando el
más vivo interés por lo que se refería a su protegido. Cuando el grave galeno se retiró, el convidado,
seguido de Cortés y su comitiva, se
despidió del anfitrión y de las damas, diciendo que iba a cumplir el
deber de velar por la salud de Enriquillo.

—Tened presente nuestro deseo
de verle por acá tan pronto como
convalezca —le dijo el virrey, es-
trechándole cordialmente la mano.

XXXII

LUCHA SUPREMA

—¿Por quién tañen tan tristemente esas campanas? —preguntó
en la tarde del mismo día el ex-
gobernador don Nicolás de Ovando a su sobrino Diego López.

—Por la dama india viuda de
Guevara, señor tío, que murió anoche— respondió López.

—¡Válgame Dios, sobrino!... Y
esas galeras ¿cuándo estarán re-
puestas y listas a emprender viaje?
Témome que si tardo aquí algunos
días más, también por mí lancen
esas campanas a los aires su fúnebre tañido.

Este melancólico augurio no se
realizó, pero Ovando, minado por
una secreta y cruel pasión de ánimo, se despidió de la isla un mes
después de la muerte de Higuemota, haciendo donación de sus casas
y heredades a los conventos de la
colonia y al hospital de San Nicolás, que había fundado el mismo
comendador en Santo Domingo.[1]
El resto de sus días lo pasó en
continuas molestias que le suscitaban las reclamaciones contra actos
de su gobierno. Fueron éstas en tan
crecido número, que el rey tuvo
al fin que intervenir, declarando
que era transcurrido el término fatal de la residencia.[2]

No gustó mucho tiempo el célebre ex-gobernador de la Española
el reposo que la bondad de su soberano quiso proporcionarle, y murió a los dos años de haber regresado a España.

Figúrasenos que para el inexorable tirano de Hispaniola, como
para todos los déspotas que, abusando de una autoridad ilimitada,
han legado cien crímenes a la memoria de la posteridad, los últimos
instantes de la existencia transcurrieron entre las angustias de un
combate moral, librado en los pro-
fundos antros de su espíritu. —¿Por
qué no pude más?— grita la soberbia humillada e impotente; ¿por
qué pude tanto?— clama sobreco-
gida la conciencia.

---

[1] Edificio grandioso que existe aún
en pie, aunque muy deteriorado. Año
1892.

[2] Véase el apéndice. Nota 1ª.

SEGUNDA PARTE

I

La ambición deprava el ánimo, y como que se nutre a expensas de los demás afectos que exaltan y embellecen el corazón humano. Noble o rastrera, ya la excite un objeto grande y elevado, ya tomando el carácter vil de la avaricia sea provocada por un fin puramente sórdido y material, el primer efecto de la ambición es subordinar y avasallar a su imperio todos los sentimientos del hombre que llega a aceptarla como el móvil de sus acciones, arrollando sin piedad o abandonando con desdén cualquier consideración generosa que pueda servir de obstáculo a las aspiraciones preconcebidas.

No era vulgar la ambición de Diego Velázquez, de muy temprano acostumbrado a empresas arduas, a cargos de representación e importancia. Había sido Velázquez, bajo el gobierno de Ovando, el verdadero fundador de las villas y poblaciones del sudoeste de la Española, era el más rico de los conquistadores, y el que más renombre había adquirido como organizador y administrador de los territorios que su pericia y su esfuerzo habían pacificado en pocos meses. En rededor suyo, a su vista, Juan de Esquivel solicitaba del joven almirante el cargo de poblar y gobernar la isla de Jamaica; Ponce de León, protegido del ex-gobernador Ovando, obtenía el gobierno de la bella isla de Puerto Rico; Alonso de Oje-

da y Diego de Nicuesa, organizaban en el puerto de Santo Domingo sus tan ruidosas cuanto desgraciadas expediciones al Continente; mientras que otros hombres de corazón igualmente intrépido y de imaginación ardiente, un Vasco Núñez, un Hernán Cortés y muchos más, rumiaban en sus proféticos ensueños de gloria y de grandezas, proyectos inverosímiles, brillantes quimeras con que entretenían sus ocios, esperando la ocasión propicia para ejercitar su espíritu aventurero en las empresas que debían conducirles a la muerte, o al pináculo de la fortuna.

¿Había de permanecer Velázquez ajeno a este orden de ideas, conformándose con la fama y los laureles adquiridos, y dando por terminada su carrera como conquistador? Ni lo permitían sus años, que no llegaban a la edad madura, ni mucho menos el temple de su carácter, ya avezado a las emociones de la lucha, y a los goces del éxito, tan a propósito para desarrollar esa hidropesía del alma que se denomina la ambición.

Era, pues, ambicioso Diego Velázquez, por más que, como acabamos de decir, sus pensamientos se alzaran a no vulgares esferas. Pero de cualquier modo, esa pasión bastaba para desnaturalizar los buenos impulsos del corazón de Velázquez, y el amor llegaba algo tarde a tocar a sus puertas.

Fue esto una desgracia: si ese amor se hubiera enseñoreado como soberano de aquel pecho varonil, ahogando o excluyendo todo otro afecto que pudiera oponérsele, indudablemente la abnegación habría compartido su dominio, matando al nacer cualquier proyecto encaminado a destruir la felicidad de la hermosa e inocente María de Cuéllar. Pero el egoísmo despiadado estaba en vela, y la voz de las especulaciones positivas se dejó oír. Para eso estaba allí el odioso Pedro de Mojica, siempre astuto, siempre en acecho y a caza de favor o de lucro. Él tomó a su cargo combinar el amor y la ambición en los planes y proyectos de Velázquez. La posición, las riquezas del codicioso hidalgo estaban en juego, le era preciso asegurar la tutela de su sobrina Mencía, continuar con la provechosa administración de sus bienes patrimoniales: la influencia del comandante de Jaragua le interesaba por todo extremo, ¿qué le importaba lo demás? A todo trance quería grangearse un poderoso protector.

Conoció a primera vista, con su mirada perspicaz y penetrante, la naciente pasión de Velázquez por María de Cuéllar: vio el partido que de este incidente podía sacar para sus intereses, e inmediatamente se puso en campaña con la actividad que lo caracterizaba. En pocos días improvisó estrecha amistad con don Cristóbal, el contador real, padre de la linda doncella, sedujo diestramente la imaginación del incauto viejo con la perspectiva de un enlace por todos títulos adecuado y ventajoso, entre la joven dama y un hombre de tan magnífica posición y carrera como era don Diego, y consiguió, a fuerza de maña y artificio, la venia paterna, y casi una comisión expresa para sondear los sentimientos de Velázquez y abrir camino a una negociación matrimonial.

Así provisto de una facultad tan extensa, Mojica se fue en derechura a Velázquez, que le acordaba alguna distinción amistosa, y le dijo con familiar volubilidad:

—Señor don Diego: vuestra merced es rico, es valiente, bien reputado, de todos bien quisto, guapo mozo..., y sin embargo, no es feliz. ¿Qué le falta para serlo? Lo que le faltaba a Adán cuando estaba solo en el paraíso, una compañera.

—Puede que tengáis razón, don Pedro —respondió Velázquez sonriendo.

—Estoy segurísimo, señor —repuso Mojica—, y en vuestra mano está el remedio. Podéis hacer elección entre las bellas damas que rodean a la virreina [1] y yo os respondo que cualquiera que sea la escogida, será vuestra.

—Voy a haceros ver, señor Mojica, que no es eso tan fácil como lo pintáis —dijo lentamente Velázquez—: mi elección está hecha, y sin embargo, la elegida no será mía: su corazón pertenece a otro.

—¿De quién se trata, señor? —insistió con vivacidad Mojica—. Quiero ser vuestro confidente, soy todo vuestro, y de antemano os respondo del éxito de vuestras pretensiones.

—Pues bien, amigo mío, os lo diré todo: hace días que suspiro por la bella, la hechicera, la divina María de Cuéllar: la amé desde el día que la vi por primera vez en la fortaleza; pero ella ama a otro: su corazón pertenece a Juan de Grijalva; tengo de ello la triste certidumbre.

—Tranquilizaos, señor: no es posible que ese mozalbete imberbe, sin nombre ni porvenir, sea el rival de un hombre como vos, ni se atreva a aspirar a la mano de la hija del contador real, el mejor partido de toda la Española. Dejadme obrar, y os repito que doña María de Cuéllar será vuestra esposa.

—Sin embargo —objetó don Diego—, yo no querría la mano de esa niña sin su corazón, y ya os dije

1 "Llamaban universalmente a su consorte (de Diego Colón) *la virreina*." W. Irving.

que ella lo ha dado a ese mozalbete imberbe que os parece tan insignificante.

—¿Qué decís? ¡Señor don Diego! —exclamó con vehemencia Mojica—. A los diez y ocho años una niña no tiene voluntad seria, sino caprichos... ¿En qué fundáis vuestra creencia de que Grijalva sea el posesor afortunado del amor de esa joven? Tomad la mano y estad seguro de que, en pos de la mano, el corazón será vuestro.

—Yo los he visto mirarse de un modo tan expresivo..., sonreír el uno al otro con aire tal de inteligencia, que... —insistió don Diego como destilando las palabras, y en tono de vacilación y de duda, en el que evidentemente se notaba su deseo de ser derrotado por la vivaz argumentación de su interlocutor.

—En suma —concluyó Mojica—, con un poco de astucia todo se arreglará, y por meras sospechas y aprensiones basadas en apariencias engañosas tal vez, no debéis renunciar a la posesión de la criatura más bella y agraciada de toda la colonia, y a la alianza de familia con un hombre como el contador, cuyas riquezas, unidas a las vuestras, os han de hacer el más poderoso de todos los pobladores de Indias, poniéndoos en aptitud de levantar vuestro nombre a la esfera de los más celebrados en las historias...

—Bien está, Mojica —interrumpió Velázquez con resolución—: cedo a vuestra elocuencia. Si tan fácil os parece que doña María llegue a ser mi esposa, os confío mi suerte, emplead los medios que vuestra discreción os sugiera como más oportunos, y logrado el éxito, contad con que no soy un ingrato.

Así, el pacto quedaba hecho: los escrúpulos de delicadeza hacían lugar en el ánimo del enamorado Velázquez a la vanidad y a las especulaciones ambiciosas, que falseando su carácter, le habían de empeñar en una vía donde le aguardaban no pocas espinas y remordimientos.

Desde aquel punto, la pretensión amorosa del comandante de Jaragua descendió a la categoría de un negocio: se calcularon fríamente las probabilidades en pro y en contra, se hizo cuenta de los obstáculos que podrían presentarse, y se trazó el modo de eliminarlos, arrollarlos o suprimirlos... Por supuesto, que Mojica, cuyo espíritu de intriga y travesura hacía de él un precioso confidente para casos tales, se calló lo que ya sabía sobre las excelentes disposiciones que abrigaba el padre de doña María de Cuéllar respecto de Velázquez. En cambio proveyó a todos los detalles del plan de campaña que tenía por objeto la conquista de la mano, con, o sin el corazón, de la interesante doncella.

II

ANSIEDAD

Pertenecía el contador real don Cristóbal de Cuéllar, por sus principios y sus ideas, al siglo en que había nacido, ese fecundo siglo decimoquinto, que cierra la tenebrosa Edad Media con la caída del Imperio de Oriente, la conquista de Granada y el descubrimiento del Nuevo Mundo. Mitad sombra y mitad luz, aquella centuria, al expirar, preludiaba dignamente al gran siglo del Renacimiento de las letras y las artes, a que tanto contribuyó la emigración a Italia de los más ilustres sabios y literatos de la ya mahometana Constantinopla. Los últimos destellos del feudalismo, los postrimeros resplandores de una civilización grosera, que tenía por base el despotismo de los señores, y el envilecimiento de los vasallos, aparecían más lívidos y siniestros al confundirse con los primeros albores de la Edad Moderna, cuando despertaba de su letargo secular el espíritu humano, y se acogía a la concentración del poder real como a un puerto de refugio contra la bestial opresión de los múltiples tiranos.

Imponíase entonces a la conciencia de los pueblos la idea de la real potestad, como hoy se impone la idea democrática bajo la forma racional de la República, consecuencia del mayor adelanto de las ciencias morales y políticas. Y por un efecto natural del horror que inspiraban las reminiscencias del feudalismo, los entendimientos vulgares se inclinaban a convertir en culto apasionado y fanático el cumplimiento de los deberes de súbdito; extremo a que se ve llegar aun en nuestros días a muchos hombres de mérito, que creen encontrar en la exageración del principio de autoridad el precioso talismán que ha de preservar las sociedades modernas de la invasión de las ideas demagógicas, lo que no es sino un error funesto que tiende, aunque inútilmente, a hacer retroceder la historia, deteniendo el carro triunfal de la civilización y el derecho.

Inteligencia vulgar era la del señor de Cuéllar, cuyo monarquismo idólatra iba hasta hacerle repetir con frecuencia que "por el servicio del rey daría gustoso dos o tres tumbos en el infierno".[1] Hombre leal y honrado por lo demás, profesaba con entera buena fe sus principios y opiniones, llevándolos hasta las últimas consecuencias, y de aquí que sus ideas sobre la autoridad, y más que todo la autoridad paterna, lo condujeran, como era el común sentir en aquella época, hasta el punto de negar toda voluntad, y toda personalidad, ante el supremo deber de la obediencia. Se concebirá pues, fácilmente, la conclusión

que de semejantes premisas debía derivarse para la pobre corderilla que daba el tierno dictado de padre al señor de Cuéllar.

Una joven decente y bien educada, según el código social de aquel tiempo, nunca se casaba por su elección, sino por la voluntad de sus padres. En cuanto a la inclinación, las simpatías y las antipatías, eran asunto que nada tenían que ver con el matrimonio. No entraban en cuenta.

Pronto llegó el día en que, con la activa intervención de Mojica, don Diego Velázquez obtuvo del contador real la solemne promesa de que la joven María de Cuéllar sería su esposa.

La inocente criatura oyó con estupor la notificación del acuerdo paterno, que para ella equivalía a una sentencia de muerte.

—¡Padre mío! —balbuceó apenas, y sus labios trémulos se negaron a dar paso a las palabras.

Viendo su palidez mortal, el temblor de todo su cuerpo, don Cristóbal la contempló con asombro.

—¿Qué te pasa, hija? —le preguntó con afectuoso interés—. ¿Estás enferma? ¿Quieres que llame a las criadas?

—No, padre mío —dijo María penosamente—. Quiero hablaros a solas... Esa noticia..., esa promesa de matrimonio que habéis hecho... No estaba yo preparada a eso... ¡Yo no quiero casarme! —añadió con vehemencia, y ya repuesta de su primera impresión—. No quiero dejar vuestro lado. ¡Ay!, ¿por qué no está viva mi madre?

Y la pobre criatura prorrumpió en sollozos.

Su padre la miró conmovido, pero disimulando sus impulsos de sensibilidad, nubló el ceño y dijo con acento ligeramente irritado:

—¡Vamos, señorita! Se me figura que no estáis en vuestro juicio. ¿A qué viene ese lloriqueo? ¿Se trata de hacerte algún daño, o de unir

---

[1] Histórico. Las Casas en su *Historia de las Indias,* censura severamente esta frase desdichada del contador Cuéllar.

tu suerte a la de un caballero joven, rico, de claro renombre y gran porvenir? Esa repugnancia por el matrimonio es un acto de rebelión de tu parte, y nada más. ¿Qué sabes tú lo que te está bien? Obedece a tu padre, como es tu obligación, y serás dichosa... Mi palabra está empeñada, y no hay más que decir.

—Pero... —repuso como concibiendo una idea súbita la atónita y azorada María—, ¿y la virreina?, ¿y el almirante? ¿Habéis consultado la voluntad de ellos?

—No tengo ese deber, niña —dijo secamente don Cristóbal—. Me basta con hacerles saber lo acordado y resuelto cuando llegue el tiempo oportuno, y lo haré de un modo que los deje satisfechos.

Un rayo de esperanza templaba la consternación de la doncella, que apenas escuchaba ya a su padre. Los virreyes la salvarían. Esto pensaba la infeliz, y se aferraba a su pensamiento como el náufrago al frágil leño en que confía llegar a la ribera deseada.

Estaba resuelta a confiar su secreto a la virreina, a decírselo todo. Todo en este caso no era mucho, pues que se reducía a hacer la confesión franca de sentimientos que ya la virreina había traslucido, haciéndolos objeto de uno que otro delicado y gracioso epigrama, contra cuyo alcance la doncella, ruborizada y confusa, protestaba siempre.

Esta vez tan pronto como pudo ir, según su diaria costumbre, a la fortaleza, y se vio a solas con la virreina, se arrojó toda llorosa en sus brazos, y le manifestó en frases entrecortadas por la emoción el estado de angustia en que se hallaba su ánimo, con el anuncio que le había hecho su padre de haberla prometido en matrimonio a Velázquez.

—Vos sabéis, señora —añadió—, que yo no puedo consentir en ese enlace, cuya sola idea me horroriza, porque más fácil me sería morir, que borrar de mi pecho la imagen del que adoro...

—¿Grijalva? —se apresuró a concluir la virreina.

—Sí, señora —continuó la joven—, os lo negaba no sé por qué, os lo negaba con el extremo de los labios, aunque no me pesaba que estuvierais penetrada de la verdad. Mi fe en vos, en vuestra cariñosa amistad, me impulsaba a declararos todos mis sentimientos; pero me contenía no sé qué importuna vergüenza de que ahora me arrepiento, pues quizás con más franqueza de mi parte, vos hubierais tenido medio de proteger mi inocente amor, haciéndolo autorizar por mi padre, y así se hubiera evitado este contratiempo.

Doña María de Toledo contempló con vivo interés a su amiga: amábala con fraternal ternura, y hubiera conquistado la felicidad de ella aun sacrificando una parte de la suya propia.

—¿Pero vuestro padre os ha dicho, según lo que me habéis referido, que había hecho formal ofrecimiento de vuestra mano a don Diego Velázquez? —preguntó a la doncella.

—¡Oh! Sí, señora, y eso es lo que me angustia. Conozco a mi padre, y se que sólo un grande empeño de parte vuestra y del señor almirante pudiera hacerle desligarse de su compromiso.

La virreina movió la cabeza con aire de tristeza y desconfianza.

—No es ese el medio, querida mía —dijo—. Mi esposo es demasiado fiel guardador de sus propios compromisos, muy esclavo de su palabra cuando la empeña, para poder esperar de él ningún paso en el sentido que vos indicáis. Además, él y yo no podríamos, sin faltar a todos los miramientos que nos impone nuestro rango, ofender a don Diego Velázquez atravesando bruscamente nuestra influencia en el camino de sus aspiraciones, mucho menos cuando se trata de aspiraciones amorosas rectamente dirigidas.

María de Cuéllar sintió el frío de la muerte en el corazón al escuchar las juiciosas observaciones de la virreina. Ésta notó el efecto de sus palabras, y repuso con viveza:

—No quiere esto decir que todo esté perdido, no, mi querida María. Medios habrá para... Estoy reflexionando... ¡Ea! —añadió después de una breve pausa —creo hallar el camino.

Y con la decisión de quien está seguro de la lucidez de su idea, la noble señora agitó la campanilla de plata que descansaba sobre un velador de mármol negro, allí contiguo. A la vibración sonora y argentina acudió un escudero, y recibió esta orden de labios de la virreina.

—Buscad en el acto a Enriquillo, y decidle que deseo hablarle.

El criado hizo una profunda reverencia, y salió presuroso de la estancia.

III

PRESENTACIÓN

La convalescencia de Enrique fue rápida, mucho más rápida de lo que podía preverse a juzgar por el informe del doctor Gil Pérez, que así llamaban al médico que por orden del almirante fue al convento de los franciscanos, y tuvo aquella acalorada disputa con don Bartolomé de las Casas. Éste, que vigiló asiduamente la asistencia del enfermo, según todas las probabilidades llevó adelante su rebelión contra la autoridad del docto facultativo, y el resultado fue que antes de tres semanas Enrique, completamente libre de fiebre, aunque pálido y débil, salía de su aposento y discurría por los patios del convento a su entera satisfacción. El pronóstico del doctor había señalado

un mes, según se recordará, como *maximum* de tiempo para que el enfermo, siguiendo fielmente sus prescripciones científicas, recobrara la salud. Sea, pues, como fuere, salió cierto y victorioso el fallo de la ciencia.

Lleno de pesadumbre el mancebo, que no podía conformarse con haber visto desaparecer en un breve minuto a su tía Higuemota, a quien consideraba como al ser a quien debía mayor tributo de cariño y gratitud, solamente se consoló cuando Las Casas, siempre compasivo y eficaz, le hizo recordar el legado que encerraban las últimas palabras de la joven e infeliz viuda al morir. Según el filántropo, aquel voto debía tener más fuerza que un testamento escrito, para los tres únicos testigos de la triste escena, a saber: Enrique, la niña Mencía, y el mismo Las Casas. Enrique, concluía el próvido licenciado, tenía doble obligación de resignarse y ser fuerte, para velar sobre el porvenir de su tierna prima, y cumplir las sagradas recomendaciones de la moribunda madre.

Es indecible el efecto de las oportunas representaciones de Las Casas en el ánimo de Enrique. Desde aquel punto, juzgando vergonzoso e indigno el abatimiento que lo dominaba, compuso el semblante, se mostró dispuesto a arrostrar todas las pruebas y los combates de la vida, y solamente un vago tinte de tristeza que caracterizaba la expresión habitual de su rostro permitía traslucir la profunda melancolía arraigada en su espíritu, a despecho de su esfuerzo por disimularla.

El licenciado Las Casas, en vista de tales progresos, concertó con Velázquez para de allí a pocos días la presentación de su protegido a los virreyes. Hicieron proveerse al efecto de vestidos de luto a Enrique, cuya fisonomía, naturalmente grave, realzada por la palidez que su pasada enfermedad y la emoción del momento le imprimían, ostentaba un sello de distinción sobre manera favorable al joven cacique. Diego Velázquez, con aire de triunfo, lo hizo notar a Las Casas. Su vanidad estaba empeñada en que el muchacho pareciera bien a todos.

Cuando llegó Enrique a la presencia de los virreyes, éstos lo acogieron con singular afabilidad y agasajo. Alentado por la bondad de los ilustres personajes y por la destreza con que Las Casas estimulaba su confianza, Enrique no tardó en manifestar el deseo de ver a su prima. Inmediatamente fue conducido por la misma virreina a sus aposentos, y de allí a un bello jardín situado en el patio interior de la fortaleza, donde la niña, triste y silenciosa, escuchaba con indiferencia la conversación de las camareras de doña María.

Al reconocer a Enrique, se levantó con vivacidad, y corriendo hacia él, lo abrazó candorosamente y lo besó en el rostro. El joven, contenido por la delicadeza de su instinto, no correspondió al saludo tan expansivamente, y se limitó a tomar una mano a la encantadora niña, mirándola con blanda sonrisa y no sin lágrimas que a pesar suyo rodaban por sus mejillas. La virreina, conmovida, quiso distraerle diciendo:

—Vamos, Enrique, besa a tu prima.

El joven dirigió una mirada indefinible a la bondadosa gran señora, y repitió, meditabundo y como hablando consigo mismo:

—¡Besa a tu prima! Así me dijo *ella* a punto de expirar, y ni siquiera me dio tiempo para cumplir su recomendación...

—¿De quién hablas, Enrique? —preguntó con interés doña María.

—De la que no existe ya: de mi querida tía Higuemota, que al morir me dijo como vos: "besa a tu prima", en presencia del señor Bartolomé de las Casas, y añadió, como última despedida: *a la que un día,*

si Dios oye mis ruegos, ha de ser tu esposa.

Y Enrique tomó con ambas manos la linda cabeza de Mencía, besó con ternura su frente, y prorrumpió en sollozos.

La compasiva señora no pudo ver con ojos enjutos aquel acerbo pesar, y haciendo un esfuerzo para vencer su emoción, trató de distraer al joven diciéndole:

—¿Luego, Mencía será tu esposa, cuando ambos estéis en edad de casaros?

—Si yo no tuviera el propósito —respondió con acento profundo Enrique—, de cumplir esa última voluntad de mi tía, ¿qué interés tendría en vivir? Debo servir de apoyo en el mundo a mi pobre prima, y sólo por eso quiero conservar la vida.

—¡Sólo por eso, niño! —dijo la virreina en tono de afectuoso reproche—. ¿No amas a nadie más que a tu prima en el mundo?

—¡Oh sí, señora! —replicó Enrique vivamente—. Amo a mis bienhechores, a don Bartolomé de las Casas, a mi padrino don Diego, a mi buen preceptor el padre Remigio...

—Y espero —interrumpió doña María—, que nos has de amar también a mi esposo y a mí, como nos ama ya Mencía. ¿Es cierto, hija mía?

—Sí, señora —contestó la niña—. ¡Os amo con todo mi corazón!

Doña María la acercó a sí, besóla cariñosamente, y la retuvo estrechando aquella rubia cabecita contra su mórbido seno, como pudiera hacerlo una madre con el fruto de sus propias entrañas.

Mientras que estas tiernas escenas pasaban en el patio interior de la fortaleza, en medio de los floridos arbustos del jardín, don Diego Velázquez, preocupado con la idea de su matrimonio, que en aquella mañana misma había concertado con don Cristóbal de Cuéllar, y procediendo siempre bajo la inspiración de los consejos de Mojica, aprovechaba el tiempo para notificar al almirante y a Las Casas que había pedido formalmente y obtenido del contador real la mano de la hermosa María de Cuéllar.

—¡Que me place, don Diego! —exclamó el almirante con franca alegría—: justo es que el mejor caballero se lleve la mejor dama... No hay en esto, don Bartolomé, vejamen para vos, que me habéis dicho que no pensáis casaros...

—¡Oh señor! Yo estoy fuera de combate —dijo el licenciado con afable sonrisa—. Y pues que estamos de confidencias, os diré que ya se acerca el día en que yo tome estado. Antes de tres meses, con la ayuda del Señor, seré, aunque indigno, ministro de sus altares, y vos, ilustre almirante, en memoria de mi venerado amigo, vuestro insigne padre, seréis el padrino que me asista en mi primera misa, si no lo habéis a enojo.

—¡Por la Virgen santísima!, licenciado —respondió Diego Colón—, que nada pudiera serme más grato y honroso... Cierto es —repuso riéndose—, que según mi parecer, mejor os hubiera estado imitar al teniente Velázquez eligiendo esposa entre tantas pobrecitas, cuanto hermosas damas, que a eso han venido al Nuevo Mundo, pero ninguna de ellas, supongo, se atreverá a tener celos de nuestra Santa Madre Iglesia.

—¡Ah!, señor almirante —dijo entre grave y risueño Las Casas—: sólo esta esposa me conviene, creedlo: sólo con ella, ayudado del divino espíritu que la alienta, podré dedicarme a consolar a *los que lloran,* como es mi vocación y mi deseo.

—Pues digo *Amén* de todo corazón, querido licenciado —repuso alegremente el almirante.

Prosiguió por el estilo y con tan buen humor la plática de los tres personajes amigos, hasta que regresó al salón doña María, enteramente sola.

—¿Qué has hecho de Enriquillo? —le preguntó su esposo riendo—. ¿Sin que te lo haya yo dado en encomienda, tratas de quedarte con él?

—Por hoy, seguramente, con permiso de estos señores —contestó en igual tono la virreina—. Él y Mencía han manifestado tanto placer al encontrarse, que sería inhumano privarlos de estar juntos siquiera medio día.

—¿Y por qué no más tiempo? —insistió don Diego Colón—. Si eso consuela a las dos pobres criaturas ¿por qué separarlos? Bien puede Enriquillo quedarse como paje en nuestra casa.

—Algo así le propuse, pero tanto cuanto fue su regocijo al decirle que iba a permanecer hoy con Mencía, así fue el disgusto que expresó ante la idea de vivir en la fortaleza. Prefiere el convento, porque dice que no quiere dejar al señor Las Casas, a quien tiene mucho amor, como al señor Diego Velázquez y a no recuerdo quien más. Revela esa criatura un corazón bellísimo.

—De mí puedo asegurar, señora —dijo con aire sentimental Velázquez—, que lo amo como si fuera hijo mío.

—Nada hay que extrañar en que Enrique —agregó a su vez Las Casas, deseoso de recomendar más y más su protegido a los virreyes—, prefiera la monotonía del convento a esta suntuosa morada. De muy niño le he visto melancólico por natural carácter, y luego, el hábito de sus estudios ha desarrollado en él tal aplicación, que sólo se halla bien escuchando las disputas filosóficas y teológicas que a la sombra de los árboles son nuestro único entretenimiento en las horas francas del monasterio.

—Convengamos, pues —dijo doña María—, en un arreglo que a todos dejará satisfechos. Siga Enrique al cuidado inmediato del señor licenciado en San Francisco, y véngase a pasar los días de fiesta en esta casa al lado de su novia.

—¡De su novia! ¿Quién es su novia? —preguntó el almirante.

—¿Quién ha de ser? Su prima Mencía, nuestra hija de adopción. Éste es asunto consagrado y sellado por la muerte. Y la virreina refirió lo que Enrique le había comunicado en el jardín.

Las Casas, como testigo principal de lo ocurrido al morir doña Ana de Guevara, confirmó en todas sus partes el relato del joven cacique, y formuló su indeclinable propósito de tomar a su cargo el estricto cumplimiento de las últimas voluntades de la difunta.

Todos hicieron coro al buen licenciado en su generosa resolución, y desde aquel día pareció que la dicha y el porvenir de los dos nobles huérfanos estaban asegurados. No se justificaron después, en el curso fatal de los acontecimientos, esas halagüeñas cuanto caritativas ilusiones, que los empeños de la voluntad humana encuentran siempre llano y fácil el camino de la maldad, mas, cuando se dirigen al bien y los inspira la virtud, es seguro que han de obstruirles el paso obstáculos numerosos, sin que para vencerlos valga muchas veces ni la fe en la santidad del objeto, ni la más enérgica perseverancia en la lucha.

IV

EL BILLETE

Eran las tres de la tarde cuando Las Casas y Velázquez se retiraron de la fortaleza. Doña María de Toledo regresó a sus aposentos despidiéndose de su esposo hasta la hora de comer, y poco después ocurrió la escena que hemos narrado con la joven María de Cuéllar, de-jándola en el punto en que la virreina hizo llamar a su presencia a Enriquillo.

No tardó el joven cacique en presentarse a las dos damas. Miró con curiosidad a la doncella, saludó, y esperó en actitud tranquila a que se le dijera el objeto de su llamamiento.

—Deseo saber de ti, Enrique —le dijo la virreina— si has de ver a tu padrino el señor don Diego Velázquez esta misma tarde.

—Mi intención es llegar a su posada antes de regresar al convento, señora —contestó Enrique.

—En ese caso, aguarda.

Y la joven señora se dirigió con paso rápido a su escritorio, trazó algunas líneas en una hoja de papel, y doblándola minuciosamente la entregó a Enrique.

—Vas a probar hoy mismo —le dijo— esa discreción que todos los que te conocen elogian en ti. Entrega este papel a don Diego, y dile solamente que es de parte de doña María de Cuéllar.

Al oírse nombrar, la doncella hizo un movimiento de sorpresa.

—¿Qué hacéis, señora? —dijo a la virreina—: don Diego va a pensar mal de mí.

—No tal, querida —replicó doña María de Toledo—. Don Diego es caballero, lo que ese papel lleva escrito no puede comprometer a ninguna dama, y Velázquez vendrá a la conferencia a que se le convida, en la cual se convencerá de que debe desistir de su pretensión.

—¿Creéis? —... objetó dudosa María de Cuéllar.

—Te repito que Diego Velázquez es caballero, y que lo más acertado es contar con su hidalguía en este caso —concluyó la virreina.

—Permitidme ver la misiva —dijo la doncella. Y tomándola de manos de Enrique leyó estas palabras:

"Conviene que oigáis de mi boca explicaciones que interesan a vuestra dicha, antes de proseguir en vuestro comenzado empeño. Esta noche a las nueve os aguardaré en el jardín de la fortaleza. La puerta que da a la marina estará abierta."

—¡Una cita, señora! —exclamó la doncella cuando hubo terminado la lectura—. ¿Estáis en vos? ¡A fe mía que no os reconozco! Vos, tan tímida, tan corta de genio antes de casaros... Y os parece ahora tan sencillo que yo reciba un hombre a solas, en la noche, en el jardín...

—Nada hay que temer —insistió la virreina—. Mi marido lo sabrá todo, y estoy segura de que aprobará lo que yo disponga, pues que se trata de conjurar lo que consideras como tu mayor desdicha.

—Y ¿qué habré de decir a don Diego? ¡El susto no me va a permitir hablar! —dijo la pobre niña con acento de terror.

—Es preciso ser valerosa, criatura, y así evitarás mayores males. Di a a don Diego pura y simplemente la verdad, que no puedes amarle, que tu corazón pertenece a otro... Su orgullo no le permitirá continuar en el empeño de casarse contigo.

—Puede ser... —murmuró la joven, como vencida por las vehementes conclusiones de su amiga.

La virreina se volvió a Enrique, que lo escuchaba todo con aire asombrado.

—Toma —le dijo—, lleva esto a tu padrino don Diego, dile que se lo envía doña María de Cuéllar, ¿entiendes bien, hijo?, doña María de Cuéllar. No me mientes a mí para nada.

—¿Y si me interroga mi padrino? Yo no sé mentir, señora, —dijo muy formal Enriquillo.

—¡Esta es otra! Y ¿quién te dice que mientas, muchacho? Entrega el papel, di quién lo envía, y te vas sin esperar a que te pregunte nada.

Inclinóse Enrique, e hizo ademán de salir de la estancia.

—¡Oye, Enriquillo!, ¿te vas de ese modo, sin despedirte de mí? Ven, besa mi mano. Y la virreina

agitó al mismo tiempo la campanilla.

Enrique se aproximó y besó la mano que la gentil y bondadosa dama le ofrecía. En el mismo instante apareció el escudero que ya se ha mencionado, y la virreina le dijo:

—Mira, Santa Cruz, acompaña a Enrique, llévalo a despedirse de su prima Mencía, después te vas con él, le dejas llegar *solo* a donde se hospeda su padrino don Diego Velázquez. ¿Sabes dónde es?...

—Sí, señora virreina —respondió el escudero.

—Aguarda a que salga de ver a su padrino —prosiguió la dama— y lo conduces al convento de franciscanos. Haz que le lleven ahora mismo una caja de frutas y dulces de España al convento. Adiós, hijo mío —añadió volviéndose a Enriquillo— cuida de mi encargo, y el domingo volverás a pasar el día con nosotros.

Enriquillo salió con aire apesadumbrado, el lacayo fue acompañándole, y ambos cumplieron punto por punto las instrucciones de la virreina.

V

EL CONSEJERO

No poco sorprendido quedó don Diego Velázquez al recibir el papel y el recado que le dio Enrique. "Tomad esto de parte de doña María de Cuéllar", le dijo el mancebo, "y permitidme besaros las manos, que tengo prisa de llegar al convento". El nombre de su amada, de la que reinaba en sus pensamientos y desde aquel mismo día le estaba prometida, resonó en los oídos del enamorado Velázquez como la detonación inesperada de un disparo de cañón. Quedó por un momento aturdido, con el papel en la mano, y cuando quiso procurar a Enrique para cerciorarse de que no había entendido mal sus palabras, ya el ágil mensajero había desaparecido.

—¡Qué prisa lleva ese muchacho! —exclamó el teniente—; pero veamos lo que dice este papel. Y desdoblándolo aprisa, leyó dos o tres veces su contenido.

—¡Demonios! —exclamó—. ¿Qué significará esto? Había convenido con don Cristóbal en que mañana tuviera yo las *vistas* de ceremonia con mi novia, y ahora me vienen con una cita para esta noche..., y en el jardín de la fortaleza. ¿Qué misterio habrá en esto...?

Y don Diego llamó en alta voz al criado que le servía.

—Ferrando —le dijo cuando se presentó—: corre, vuela, búscame a don Pedro Mojica donde quiera que esté: dile que venga a verme en el instante.

El criado salió a escape, y don Diego volvió a engolfarse en un mar de conjeturas sobre el billete que tenía en las manos.

—Es letra de mujer: en esto no cabe duda —se decía—. Y sólo una persona de rango elevado escribe así. Pero, ¿será efectivamente María de Cuéllar la que me llama, o será alguna que tome su nombre para enredar mis cosas? Esta gente de corte es capaz de todo, y me da más miedo que todos los indios bravos que he combatido.

Y siguió así, poco a poco, dejando correr la imaginación a su antojo, y yendo tan lejos que llegó a convencerse de que algún envidioso le tendía una celada con ánimo de asesinarlo.

Compareció al fin Mojica, a tiempo que ya Diego Velázquez había decidido resueltamente no acudir a la cita.

Dio a leer el papel a su confidente, y le refirió cómo se lo había entregado Enriquillo.

El señor Mojica, tan pronto como se hubo enterado de todo, movió la cabeza con malicia y dijo:

—Sin duda, señor don Diego, que aquí hay gato encerrado, pero no es lo que vuesa merced se figura. Es positivamente su prometida novia la que le convida a esa cita, y su objeto se reduce a haceros desistir del matrimonio.

—¿Lo creéis así? —dijo Velázquez con un brusco estremecimiento de sorpresa.

—¡Pardiez! —respondió Mojica—. Estoy seguro de ello: es más, la intentona está autorizada, cuando no preparada por los virreyes: sin eso la jovencilla no se atrevería a daros cita para el jardín de la fortaleza.

—Mucho me pesaría que el almirante me hiciera tamaña deslealtad —observó Velázquez con acento de duda—, pero sea lo que fuere, decidme vos, buen Mojica, qué resolución debo tomar.

—Ir a la cita, señor —respondió el astuto consejero—. Este lance conviene jugarlo de frente. Si el almirante se anda con tretas, es bueno que vos exploréis su terreno, si es trampa que han armado mujeres solamente, veamos qué partido podéis sacar para vuestros proyectos, dejándoos coger como un inocente en esas redes, que al cabo no han de ser peligrosas para vos. Si os proponen algún partido, no concluyáis nada, y dad respuestas evasivas para ganar tiempo... No aceptéis nada sin deliberar conmigo antes... Ved que soy perro viejo y tengo los colmillos gastados a fuerza de experiencia.

—No tengáis cuidado, amigo mío, a nada me comprometeré sin tratarlo previamente con vos. Pero decidme, y si el almirante no entra por nada en esto, ¿no se ofenderá cuando sepa, si llega a saberlo, mi atrevimiento en celebrar citas dentro del recinto de su casa con una dama de tan alta jerarquía y tan querida de su esposa?

—Abandonad ese escrúpulo, señor don Diego. El almirante sabe ya, por vos mismo, que María de Cuéllar va a ser vuestra esposa. ¿Por qué habría de llevar a mal el que vos acudiérais a una cita, si es que llega el hecho a su conocimiento? Id, pues, y aprovechemos la ocasión para ver si nos desembarazamos del barbilindo de Grijalva.

—No os comprendo —dijo don Diego con extrañeza.

—Pues yo me entiendo, y Dios me entiende, señor —replicó Mojica—. Grijalva sabrá oportunamente que vais a conversar con doña María de Cuéllar esta noche. Por precaución llevad vuestra buena espada de Toledo, y además quedaré yo con un escudero guardandoos las espaldas.

—Me parece que adivino vuestro pensamiento —dijo Velázquez— pero ¿y si se me tiende un lazo ya de acuerdo con Grijalva?

—No puede ser, no ha habido tiempo para tanto —respondió Mojica con seguridad—. No he perdido de vista a ese mozo desde que fuisteis a hablar con el contador real esta mañana. Por fortuna, Hernán Cortés lo ha tomado por su cuenta hoy, lo ha hecho almorzar con él, esta tarde han salido juntos a caballo a ver una huerta que yo les ponderé mucho, y la cual, acá *inter nos,* aunque fue del comendador Ovando, no vale dos cominos. Ya veis que que estoy en todo: cuando regresen de su paseo, tendré buen cuidado de entretener al bobalicón de Grijalva, hasta que llegue la hora de hacerle tragar su purga, y curarlo radicalmente de su importuno amor.

—¡No tengo con qué pagaros, mi buen Mojica! —exclamó con transporte Velázquez—. Veo claro vuestro proyecto: esa cita nos va a ser muy útil. Procuraré desempeñar

bien la parte que me toca, y si fuere anzuelo...

—Pescaremos con él al pescador —concluyó el corrompido confidente, prorrumpiendo en una estrepitosa carcajada, que a Velázquez le pareció el graznido de un ave de mal agüero.

—Quisiera dar aviso a mi prometida de que acudiré a su llamamiento: ¿qué os parece Mojica?

—De todo punto innecesario, señor: si tratarais de negaros a la amable invitación de vuestra dama, estaría en su lugar ese aviso, mas no así cuando ella debe aguardaros en el lugar señalado, y en ello no hay incomodidad de su parte: ¡oh!, estad seguro de que no faltará la tortolilla a ese deber. En estas materias la mujer más tonta sabe más que Séneca.

El dócil don Diego se dio por satisfecho con las lúcidas explicaciones de su confidente, que ya había conseguido apoderarse de su ánimo y conducirlo como a un corderillo.

—Ahora —agregó Mojica—, me voy a tomar un bocado, y a aguardar a Grijalva para entretenerlo hasta la noche, no sea que Satanás, que no duerme, vaya a hacer una trastada. Es preciso evitar que el doncel y vuestra prometida se entiendan antes que se verifique vuestra conferencia con ella. Estad listo a las ocho y media que os pondréis en marcha: os repito que vayáis bien armado, por lo que pueda acontecer. Grijalva ha de tener noticia de vuestra buena fortuna, esto entra en el plan, y no sabemos si sus extremos de celoso pueden conducirle hasta algún desafuero... Para tal caso todo lo tendré apercibido. Adiós... ¡Ah!, me olvidaba de algo importante para mí. Ese demonio del licenciado Las Casas está siempre enredando con la sucesión de doña Ana de Guevara. Pretende que me quiten la administración de los bienes, y esto no lo debéis consentir, porque sería un vejamen injusto a este vuestro leal amigo y servidor. Confío en que sabréis defender mi buen nombre llegado el caso.

—Descuidad, Mojica, vuestra causa es la mía —respondió Velázquez—. Yo hablaré al licenciado para que no os moleste, y haré cuanto pueda porque no se os cause pesadumbre por ese lado.

—Guardeos mil años el cielo, señor —dijo el codicioso intrigante con no disimulada alegría—, y disponed de mí como de un fiel esclavo. ¡Hasta la vista!

VI

ALARMA

Como lo había dicho Mojica a Velázquez, andaban de paseo por el campo Cortés y Grijalva, ya íntimos amigos. Su excursión a la granja o huerta del exgobernador Ovando fue más penosa que entretenida: después de recorrer dos leguas de un camino lleno de lodazales, nada llegaron a ver de provecho. La tal huerta estaba punto menos que abandonada hacia algún tiempo: un esclavo africano y tres indios apenas se cuidaban de desyerbarla a trozos. Cuatro jumentos flacos, dos yeguas éticas y algunas gallinas fue cuanto vieron en aquel sitio los futuros adalides de la conquista de México. Grijalva se echó a reír, sobrellevando el chasco sin impaciencia: su carácter modesto y sufrido no podía alterarse por causas fútiles. Cortés no lo tomó con tanta frescura, y al ver la hilaridad de su compañero, exclamó:

—Admiro vuestra flema, señor Juan de Grijalva. ¡Por la Virgen! Ese tuno de Mojica, ese contrahecho mentiroso se ha querido burlar de nosotros.

—Necia burla sería ésta, señor Cortés. Prefiero creer que Mojica no habrá visto esta heredad sino hace algunos años, cuando el comendador la miraba con algún cuidado: como en los últimos tiempos no le agradaba sino residir en el Bonao, o en Santiago...

—¿Y por qué asegurar ese galápago lo que no le constaba con seguridad? Como si ayer mismo hubiera estado en este breñal, arqueó aquellas cejas tenebrosas, y me dijo: "Sabed, señor Cortés, ya que deseáis dejar a Azua y venir a fijaros aquí cerca, que nada puede conveniros tanto como la hermosa granja del comendador... Id a verla, y estoy cierto de que quedaréis encantado." ¡Vaya un encanto! Ganas me dan de cortar al embustero aquellas descomunales orejas...

Grijalva seguía riendo de la mejor gana al oír los chistosos desahogos de su irritado compañero. Pronto recobró éste su serenidad y buen humor, y emprendieron el regreso a la ciudad sin hablar más de Mojica, ni de la famosa huerta del comendador.

—Cuando determiné acompañar desde Azua al teniente Velázquez —dijo Hernán Cortés reanudando la conversación— no pensaba permanecer lejos de mi casa y oficio sino una semana a lo sumo: ya va corrido un mes largo, y héteme vuestra merced tratando de echar raíces por acá. Yo mismo me asombro de esta facilidad en cambiar de propósitos.

—Eso es propio y natural de hombres de imaginación viva, señor Cortés —respondió Grijalva—. Por mi parte os certifico que sólo una idea tiene fijeza en mí, las demás retozan como unas loquillas en mi cabeza: nacen, corren... y pasan.

—¿Y puede saberse cuál es esa vuestra idea fija, señor Grijalva?

—Mi amor —replicó lacónicamente el interpelado.

—Me lo figuraba, amigo mío, porque estoy en el mismo caso. To-

das esas damas recién llegadas de
Castilla con los virreyes, no parece sino que fueron adrede escogidas
para trastornar el seso a los que
por aquí estábamos, medio olvidados ya de que hay ojos que valen
más que todas las minas de oro, y
que todas las encomiendas de indios. ¿Qué os parece la Catalina
Juárez? [1]

—Graciosa y honesta granadina
en verdad, señor Cortés. Aunque
pobre y modesta, merece un esposo
de altas y nobles cualidades.

—Preso estoy en sus cadenas
—repuso Cortés—, pero con risueñas esperanzas. ¿Y nada tendréis
vos que comunicar al amigo, sobre
el capítulo de vuestro amor, don
Juan?

—Mi amor —dijo el doncel a
media voz, como recatándose aun
de la soledad del bosque—; mi
amor es un sentimiento tan grande
y tan santo, de tal modo embarga
todo mi ser, y absorbe todas las
aspiraciones de mi alma, que solamente de él quisiera hablar, a todas
horas y en todas partes. De él vivo,
él llena y embellece todos los instantes de mi existencia, y a fuerza
de dedicar mis pensamientos a la
beldad que adoro, he llegado a identificar mis afectos con los suyos
hasta el extremo de que si ella me
aborreciera, yo me aborrecería.

—Mucho amor es ese, Grijalva
—dijo Cortés gravemente, mirando
a su compañero con profunda
atención.

—Tanto, don Hernando, que el
día que llegara a faltarme, me faltaría el calor, la luz y la vida —repuso con ardorosa animación el joven—, y nada en el mundo tendría
valor para mí.

—¿Ni las riquezas? ¿Ni la gloria? —preguntó Cortés.

—Ni la gloria, ni las riquezas
—contestó Grijalva—. Sólo ese

amor puede estimularme a desearlas, y a hacer grandes cosas para
adquirirlas.

—Pero ¿sois correspondido?

—Sí por cierto, y ése es mi orgullo.

—¿Os pesará completar vuestra
confidencia, y decirme el nombre de
vuestra amada?

—Quisiera decirlo a voces, pero
no me es permitido, que soy pobre
y no sé cuando podré unirme a ella
ante los altares. A vos, pues, don
Hernando, en toda confianza, os
diré que mi cielo, mi luz, mi ídolo
tiene por nombre... María de
Cuéllar.

—¡Hermosísima es, a fe mía!
—dijo Cortés con entusiasmo—, y
os felicito por vuestra dicha en poseer el corazón de tan peregrina
criatura.

En esta conversación siguieron los
dos jinetes entretenidos hasta hallarse en las calles de la ciudad, seguidos a corta distancia del escudero que les había servido de guía en
su poco afortunada excursión.

Se acercaba la noche cuando pasaron por la plaza principal, en
dirección a la posada de Cortés: en
su camino casi tropezaron con tres
sujetos bien vestidos, que saludaron
a los dos caballeros. Reconocieron
éstos a Pedro de Mojica, acompañado de García de Aguilar y Gonzalo de Guzmán, hidalgos los dos
de la primera nobleza de España,
ambos jóvenes de gallarda figura y
distinguidas prendas morales. Cortés se encaró con Mojica y le dijo
entre adusto y chancero:

—¡Ea!, contemplad vuestra obra,
reíos de nosotros, pero os aconsejo
que no repitáis la gracia, si en algo
estimáis vuestras hermosas orejas.

—No os entiendo, don Hernando
—respondió Mojica con alguna inquietud—. No creo que mis pobres
orejas os hayan hecho ningún desaguisado.

—No, ¿eh? Cuidadlas, Mojica, os
lo repito.

---

[1] La que fue después en Cuba esposa de Cortés.

Don García de Aguilar intervino en esta sazón, diciendo a Grijalva:

—Te aguardaba impaciente: anda a desmontarte, y sin tardanza te espero en mi alojamiento: tengo que comunicarte cosas de mucho interés para ti.

El tono misterioso en que pronunció Aguilar estas palabras hizo estremecer instintivamente a Grijalva. Espoleó su caballo, seguido de Cortés, a quien se volvió a poco andar para decirle:

—Presiento alguna mala noticia. No he nacido con buen sino, don Hernando.

VII

LA SOSPECHA

Salió el buen Tamayo muy gozoso a recibir a Enrique al portal del monasterio. Aún no había entrado don Bartolomé de las Casas, por quien se apresuró a preguntar el joven cacique.

—Temí que no volveríais más al convento, Enriquillo. ¿Cómo os ha ido de visita y paseo? —exclamó Tamayo.

—Bien y mal —contestó con algún desabrimiento Enrique.

—¿Cómo puede ser eso?

—Te haces pesado, amigo Tamayo. Déjame llegar a cumplir mis deberes con los padres, que tiempo quedará para que hablemos de todo lo que quieras. Toma esa caja y entra conmigo: la llevaremos al padre prior, ya que él es tan bueno para nosotros: ¡Don Bartolomé ha de alabarme la acción; estoy de ello seguro! Amigo —dijo volviéndose al mozo indio que de orden del criado de la virreina le había precedido llevando la caja de golosinas—, siento no tener que daros... ¡Ah, sí! Mira, Tamayo, de aquellos dineros que te di a guardar el otro día, regalo de mi padrino don Diego, tráeme para este buen amigo la mitad.

—¡Oh!, no, señor Enrique, no tomaré de vos nada: yo nací en el Bahoruco, y vos sois mi señor. ¡Adiós!

—Y el mozo se fue a todo andar. Enrique hizo un movimiento de sorpresa, y luego, tras una breve pausa dijo en voz baja:

—¡Su señor! No, no quiero ser señor de nadie, pero tampoco siervo: ¿qué viene a ser un paje...? —agregó con gesto desdeñoso.

Y se entró en el convento seguido de Tamayo, dando muestras de estar más tranquilo y sereno, desde que la vista de su alojamiento habitual borró las impresiones desagradables de su primera excursión a la fortaleza.

Vio al padre Prior que tomaba el fresco en la espaciosa huerta del monasterio: fuese a él, le besó la mano con respetuoso comedimiento, y el buen religioso le recibió muy complacido, pero no quiso aceptar el obsequio que le presentaba Enrique.

—Guarda eso para ti y para mi amigo el señor licenciado, pero no dejes de compartir tus golosinas con los otros muchachos del convento, y sobre todo, cómelas con moderación, pues pudieran hacerte daño, y te volverían las calenturas.

—Estoy de desgracia con vuestra merced, padre —replicó visiblemente picado Enrique—: desairáis mi regalo, y luego me amonestáis para que no sea egoísta ni coma mucho. Siento que vuestra merced tenga tan mala opinión de mí.

—No, hijo mío, no pienso mal de ti: ahora es cuando echo de ver que eres un poquillo soberbio: ten cuidado con la soberbia, muchacho, que empaña el brillo de todas las virtudes.

—Vuestra bendición, padre.

—El Señor te conduzca, hijo mío. Y el cacique se retiró al departamento donde estaba su dormitorio y el de Tamayo, contiguo a la celda que ocupaba el licenciado Las Casas.

—Este fray Antonio —iba diciendo entre dientes el joven—, es muy santo y muy bueno, pero sale con un sermón cuando menos viene a cuento, y se desvive por hallar qué reprender en los demás. ¡Paciencia, Enrique, paciencia! ¡Acuérdate de los conséjos del señor Las Casas! ¡Éste sí que es hombre justo, y que sabe tratar a cada cual como merece! ¿Qué sería de mí si me faltara su sombra? ¡Dios no lo permita!

Llegó a su cuarto, y entabló con su fiel Tamayo una larga y animada conversación, cuyo tema principal fue Mencía. Enrique estaba muy entusiasmado con la idea de ir todos los días de fiesta a visitar a su prima, y ofreció a su interlocutor que procuraría con empeño el permiso de ser acompañado por él, a fin de que tuviera también la satisfacción de ver a la niña, a quien Tamayo tenía grande amor, como a todo lo que le recordaba a Anacaona, Guaroa e Higuemota, de quienes, como de Enrique, tenía mucho empeño en ser considerado como pariente, y acaso lo fuera en realidad, llegando a acreditarlo en todo el convento a fuerza de repetirlo.

—¿Y qué otra cosa os agradó en la fortaleza, Enrique? —preguntó Tamayo en el curso de la conversación.

—Me agradó mucho la virreina al principio, pero después...

—¿Qué sucedió? —volvió a preguntar Tamayo.

—¡Nada, hombre, nada! —respondió Enrique con impaciencia—. Lo que me disgustó fue ver en el camino, cerca de la fortaleza, muchos pobres indios que cargaban materiales y batían mezcla para las grandes casas que se están construyendo, y los mayorales que para hacerlos andar aprisa solían golpearlos con las varas.

—¡De poco os alteráis, Enrique!

—dijo Tamayo con voz y gesto sombríos—. Acostumbrad, si podéis, los ojos a esas cosas, o no viviréis tranquilo.

—Eso no podrá ser, Tamayo —contestó Enrique—. Mientras los de mi nación sean maltratados, la tristeza habitará aquí —concluyó tocándose el pecho.

En este punto del coloquio la noche cerrada, y sus sombras cubrían gradualmente el espacio, disipando los últimos arreboles de la tarde: la campana mayor de la iglesia del monasterio resonaba con grave y pausado son, dando el solemne toque de oraciones: Enrique y Tamayo se dirigieron al corredor o dilatado cláustro a que correspondía su dormitorio, y allí encontraron congregada una parte de la comunidad. El licenciado Las Casas acababa de llegar, y repetía con los religiosos devotamente la salutación angélica. .

Terminado el rezo, Las Casas tomó a Enrique de la mano y comenzó a pasearse a lo largo de la extensa galería.

—¿Estás contento, Enrique? —fueron las primeras palabras que salieron de los labios del licenciado: ésta era su pregunta habitual siempre que llegaba a platicar con Enriquillo.

El joven respondió, como lo había hecho a Tamayo —sí y no, señor Las Casas.

—¿No te trataron bien?

—Mejor de lo que podía yo esperar, señor.

—Pues, ¿por qué me dices que no estás del todo contento, muchacho?

—No os debo ocultar el motivo, y mi mayor deseo era decíroslo: yo estaba contentísimo con ver a mi prima, con la acogida que los señores virreyes me dispensaron; y sobre todo, con la bondad de la virreina, que llegó a parecerme, más que una persona de este mundo, una santa virgen, un ángel de los cielos, cuando la vi tan buena y tan cariñosa, tratando a la pobrecita

Mencía como si fuera hija suya, pero a tiempo que más embelesado me hallaba y más olvidado de mis penas, aquella gran señora me dirigió estas palabras, que me dejaron frío, y me llenaron de pesadumbre: "¿Quieres quedarte a vivir aquí, y ser paje de nuestra casa?" No recuerdo en qué términos le respondí, pero le dije que no, y desde aquel momento, no sé por qué todo. me pareció triste y odioso en aquel rico alcázar.

—Y, ¿por qué te hizo tanta impresión la pregunta bien intencionada de la virreina? —preguntó Las Casas, que examinaba con ahincada atención el semblante de Enrique.

—¡Proponerme ser paje! —contestó el joven—. ¡Servir como un criado, llevar con reverencia la cola de un vestido, aproximar y retirar sitiales y taburetes! Éstos son los oficios que yo he visto hacer en aquella casa a los que se llaman pajes, y los que no creo propios de ninguno que sepa traer una espada.

Las Casas movió la cabeza con aire pesaroso, al oír el discurso de su protegido.

—Volveremos a tratar de eso —le dijo—; y ahora cuéntame: ¿cómo recibió la virreina tu negativa, muchacho?

—Con la mayor bondad del mundo: se rió de mi respuesta, y no volvió a hablar más del asunto.

—¿Pues de qué estás quejoso?

—Ya me había olvidado de la proposición de ser paje, y conversaba distraído en el jardín con Mencía, cuando un criado, un tal Santa Cruz, me fue a llamar en nombre de la señora virreina: fui corriendo, deseoso de complacerla, y me quedé sin saber de mí, oyendo que tan noble señora me ordenaba mentir.

—¡Mentir! ¿Qué estás diciendo, Enrique? ¡Ten cuenta contigo, que me parece imposible eso que cuentas!

—A mí me parecía también estar soñando, pero por mi desdicha

nada era más cierto: la virreina me ordenó que entregara un papel, escrito por ella, a mi padrino don Diego Velázquez, recomendándome le dijera que ese papel se lo enviaba doña María de Cuéllar.

—¡Poco, a poco, muchacho! —exclamó Las Casas sorprendido de lo que acababa de oír—. Baja la voz, y sigue diciéndome todo lo que te aconteció en la visita.

El joven narró todos los sucesos y accidentes de la tarde, concernientes a su persona, con naturalidad y franqueza. Acabado de enterar Las Casas, discurrió por el cláustro con planta inquieta, yendo y viniendo por espacio de tres o o cuatro minutos, presa de visible agitación, y al cabo exclamó como hablando consigo mismo:

—¡Esto no debe ser lo que parece, no puedo crer nada malo de esa noble señora! Mañana aclararé este misterio.

Y se retiró a la espaciosa celda que le servía de aposento.

VIII

EL AVISO

Juan de Grijalva, después de haberse despedido de Cortés, se dirigió a su casa a todo el correr de su brioso y veloz caballo, y desmontándose a la puerta, dejó las riendas del bruto en manos del criado indio que salió a recibirlo, pareciéndole al mancebo siglos los minutos que empleaba en mudarse la ropa, con objeto de ir a conferenciar con su amigo don García.

Los dos jóvenes caballeros tenían gran conformidad en su carácter y sus inclinaciones; y así, se amaban como hermanos, haciendo comunes sus inclinaciones; y así, se amaban de Guzmán, que aunque de alguna más edad que ambos, tenía su misma índole noble y generosa, se acompañaba de ellos con frecuencia, y Mojica había procurado trabar amistad con aquellos tres brillantes y cumplidos caballeros, obedeciendo tal vez a esa ley tan misteriosa como artística, de los contrastes, establecida por la sabia naturaleza en sus múltiples combinaciones de luz y sombra, de armonías y discordancias, en todos los aspectos del ser, corporeo o de razón, cuando no fuera guiado por el instinto positivista y especulador que inspiraba todas sus acciones, y que en las circunstancias del momento le imponía la necesidad de asestar sus mortales tiros a la pasión de Grijalva, de un modo indirecto al par que certero.

Y éste era, como se verá muy pronto, su objeto real y efectivo, el fin que se proponía al entablar relaciones de amistad con los tres jóvenes caballeros, entre los cuales hacía el deforme hidalgo la misma figura que un dromedario en medio de tres ágiles y gallardos corceles de batalla.

En aquella sociedad estaba seguro de tocar, cuándo y cómo quisiera, las fibras del corazón de Grijalva, haciéndolas vibrar a su antojo, como si fueran las dóciles cuerdas de su vihuela morisca. Y así fue que, interesado en hacer llegar a los oídos del enamorado joven la noticia de su desgracia, acudió a la plaza principal, que era el punto en que habitualmente daban su paseo de la tarde los dos amigos íntimos de Grijalva, y a vuelta de las generalidades de costumbre, les dijo:

—Voy a participaros una interesante nueva: os recomiendo el secreto, porque se me ha comunicado por parte interesada, en toda confianza.

—Descorred los velos del misterio, Mojica, y contad con nuestra discreción —contestó Guzmán.

—Pues sabed que el teniente gobernador Diego Velázquez se casa con doña María, la hija de don Cristóbal de Cuéllar.

—¡Qué decís! —exclamó con sorpresa García de Aguilar.

—Lo cierto —continuó Mojica—, hoy por la mañana ha obtenido solemne promesa, hecha por el contador, de que la bella María será suya.

—¿Y ella? —dijo vivamente don García—. ¿Consiente María de Cuéllar en ese enlace?

—¡Vaya si consiente! —respondió con su sonrisa, feroz, a fuerza de ser sarcástica, el confidente de Velázquez—. ¿Creéis posible que un hombre tan rico y galán, con las demás buenas partes que adornan al teniente gobernador, sea partido despreciable para ninguna dama?

—Con todo eso —repuso don García— no creo que María acepte ese brillante partido.

—¿No lo creéis, eh? —replicó Mojica en tono irónico y socarrón—. Pues yo sé más todavía, y es que esta misma noche, a las nueve, los prometidos novios tendrán una entrevista íntima en el jardín de la fortaleza.

—¡Mentís, infame Mojica! —dijo fuera de sí don García—. ¡Eso no puede ser!

Gonzalo de Guzmán contuvo el impetuoso movimiento con que su amigo acompañó estas palabras, y dirigiéndose a Mojica le dijo con voz alterada, aunque reprimida por un evidente esfuerzo de moderación.

—Lo que decís es muy grave, señor hidalgo, y si no lo probáis plenamente, seréis tratado por mí como un vil impostor.

—Id a las nueve a observar con cautela quiénes llegan a ocupar los escaños del jardín —contestó tranquila y pausadamente Mojica—, y creeréis al testimonio de vuestra propia vista.

En este instante fue cuando Cortés y Grijalva aparecieron a caballo, apostrofando el primero a Mojica, y anunciando García de Aguilar al segundo su comunicación interesante, en los términos que hemos relatado a pocas páginas atrás.

Aguilar se despidió inmediatamente de su compañero, y se fue a su casa deseoso de hablar con Grijalva. Éste apenas se hizo esperar diez minutos, pues tenía casi la certeza de que iba a saber algo concerniente a su adorada María, por ser aquél el amigo predilecto con quien se complacía diariamente en desahogar su corazón, hablando sin embozo del objeto de su puro amor.

Don García le refirió en pocas palabras lo que Mojica había revelado a él y a Guzmán respecto de Velázquez y doña María de Cuéllar. Cuando acabó de enterar a su amigo de aquella gran novedad, observó en él que una palidez mortal cubría su rostro, y el cárdeno matiz que cercaba sus ojos daba a toda su fisonomía una expresión de espanto y de dolor. Por buen espacio guardó silencio.

—No puedo creer que mi desventura sea tanta —balbuceó al fin Grijalva haciendo un esfuerzo para desembargar sus labios—; pero veré por mí mismo la verdad.

Su amigo le preguntó con vivo interés:

—¿Qué piensas hacer?

Y Grijalva contestó:

—Iré al jardín, poco antes de la hora indicada: conozco perfectamente aquel recinto: sus ángulos están decorados con espesas enredaderas a propósito para que a través de sus verdes festones puedan uno o dos hombres observar, sin ser vistos, cuanto pase en el jardín. Voy, contra mi gusto y mi carácter, a rebajarme hasta el papel de espía, pero se trata de una prueba decisiva para mi suerte futura, de la dicha o la desgracia de toda mi vida, y debo saber la verdad, cualquiera que ella sea, para morir de pena o castigar de muerte al impostor, según lo exija el resultado.

—Te acompañaré, Grijalva —dijo don García tristemente—, pero mucho me temo que aquel Mojica nos haya dicho la verdad.

—¡Oh, Aguilar! No estoy yo, a fe mía, exento de temor, pero la duda me está haciendo ahora más daño que puede hacerme el adquirir la certidumbre de mi desdicha. En mi situación, morir vale mejor que dudar.

—Y ¿qué harás si nuestros recelos se justifican en mal hora?

—En ese caso —dijo el joven con profundo abatimiento—, no sé lo que haré, pero de ningún modo pienso entregarme a indignos arrebatos. Sólo que se trate de violentar la voluntad de María la defenderé contra el mundo entero.

—Bien, Grijalva, yo estaré a tu lado en todo caso —dijo aún más conmovido el generoso Aguilar—. Si tuvieres necesidad de un brazo y una espada, me tendrás dispuesto a todo por ti, pero creo, como tú, que lo más digno y heroico será vencerte a ti mismo, si María falta a la lealtad que te debe.

—No la culpes ni la acuses, Aguilar —replicó vivamente Grijalva— Si llego a ver mi desgracia, la falta será mía, que no merezco ser dichoso, y debo resignarme a los decretos del destino: si ella no me ama ya, debo atribuirlo a que el cielo no me hizo amable, ni digno del tesoro de su amor. ¡No, amigo mío! Yo no quiero ver culpa en esa criatura, que es luz y norte de toda mi existencia, y antes cesará de latir mi corazón que condenarla porque deje de amarme a mí, y ame a otro.

—¡Eso es delirar, amigo don Juan! —dijo Aguilar mirando severamente a su amigo—: Lo que dices no tiene sentido común. No creo que debas enfurecerte ni hacer extremos de celoso por la versatilidad de tu dama, pero vería con mucho pesar que le celebraras la gracia, porque eso también sería indigno de ti.

—No me comprendes, Aguilar, y lo siento —respondió con amargura Grijalva—. Sería preciso que amaras como yo amo para comprenderme. Pero, ¡si no fuera cierto el aviso de ese Mojica! ¡Si fuera una infame calumnia!... ¡Ah!, creo que nos hemos dejado llevar demasiado lejos por la facilidad de creer el mal: siendo así, ¡qué mayor prueba de que no merezco el amor de aquel ángel!

—Bueno es que lleguemos a verlo, amigo mío —insistió don García—. No abandones tu propósito de templanza a todo evento, y vamos a las nueve al jardín.

—¡Sí por cierto! ¡Pero entre tanto, no atreviéndome a ver el rostro peregrino de la que ya vacilo en llamar mi amor, no iré al salón de los virreyes esta noche, y hasta las nueve, las tres horas que faltan me van a parecer una eternidad!

—Quédate a cenar conmigo, Grijalva. En verdad, que he debido pensar antes en que no habrás comido desde esta mañana, a menos que lo hicieras con Cortés en el campo.

—No, a fe mía, pero no me hace falta. Ni podría tomar un bocado, según la inquietud que me acongoja. ¡Oh, mi buen Aguilar, soy un cobarde, y voy a sucumbir en esta prueba!

Y el pobre joven, perdiendo toda la serenidad que a costa de grande esfuerzo venía aparentando, dio expansión a su dolor, y se arrojó convulso en los brazos de su afectuoso amigo.

IX

NUBE DE VERANO

Otro diálogo interesante, casi al mismo tiempo que los referidos de Enrique con el padre prior de los franciscanos, y de Grijalva con García de Aguilar, sostenía la candorosa y benévola María de Toledo con el almirante su esposo.

Dominada por el anhelo de salvar a su angustiada amiga y de enjugar el llanto, cuyo tibio rocío había impregnado su compasivo seno, la noble virreina no pudo advertir que había entrado desde sus primeros pasos encaminados a aquel fin, en un derrotero falso, en el que iba comprometiendo imprudentemente el propio decoro y olvidando los miramientos de su rango, ligereza muy disculpable en ella, si se atiende a su inexperiencia, y a la generosidad del móvil a que obedecía.

Diego Colón prestó atento oído a la narración que le hizo su esposa, enterándole del conflicto en que estaba María de Cuéllar, y de la diligencia que ella, la virreina, había juzgado oportuna para evitar la desgracia de su amiga.

Contaba la virreina con la plena aprobación de su marido, a quien había hallado siempre complaciente y propicio a todas sus voluntades, pronto a acatar como imperiosas leyes sus más insignificantes deseos, por lo que fue extraordinaria su sorpresa al ver que el almirante, una vez enterado de todo, la miraba con sañudo semblante, y le dirigía, trémulo de ira, estas duras palabras:

—No os reconozco, señora, en esa acción inconsiderada, y loca creo que debéis estar, cuando habéis llegado a comprometer vuestra dignidad y vuestra fama en una intriga de semejante naturaleza, haciéndoos protectora de ajenos amoríos. ¡Cómo! ¡Una cita en nuestra casa! ¡Y vos habéis escrito de vuestra mano el papel en que se convida a un hombre, que nos debe obediencia y respeto, a que venga en son de inferir una ofensa a nuestra honra! ¿Y me habéis creído bastante débil e inepto, para autorizar cosas tales...?

La pobre señora, abrumada bajo el peso de tan severos reproches, aturdida por la inesperada acogida que hallaban sus inocentes propósitos, no acertaba a justificarse, ni sabía lo que le pasaba. Era la primera vez que veía nublarse el cielo de su conyugal amor. Las lágrimas acudieron en tropel a sus hermosos ojos, y cubriéndose el rostro con las manos, exclamó:

—¡Diego!, ¡jamás pude creerte tan cruel e injusto conmigo! Mi yerro ha sido grande, sin duda, pero no merezco tan terrible pena...

Toda la ira de Diego Colón se desvaneció tan pronto como hirió su oído el timbre melodioso de aquella voz trémula y casi apagada por el llanto. Acudió vivamente a tomar ambas manos a su esposa, y por una transición rápida del enojo a la ternura, la atrajo hacia su pecho diciéndole con solícito afán:

—¡Ah, perdona, bien mío! No he tenido tiempo de reflexionar lo que te he dicho. He debido comprender que de tu parte no podía haber sino santas y puras intenciones, que han equivocado el camino por falta de experiencia. ¿Culpa en ti? ¡Imposible, luz de mis ojos! Has sido un tanto imprudente, y nada más: tratemos de remediar el yerro.

Tranquilizada con este blando lenguaje, María de Toledo convirtió sus pensamientos al interés principal de complacer a su amado esposo, procurando borrar, con su docilidad y asentimiento absoluto a todas las observaciones y reflexiones del almirante, hasta el recuerdo de la momentánea borrasca que acababa de pasar.

Ella no sabía sentir a medias, ni fríamente, y como sucede a todos los caracteres apasionados e impresionables, los puntos de vista del asunto que la preocupaba habían cambiado para ella radicalmente, desde que el severo razonamiento del almirante había sofrenado los ímpetus de su generosidad. Entregada a la abnegación de la amistad, incapaz de cálculo como de egoísmo, la virreina se había olvidado de sí, por pensar demasiado en la aflicción de su amiga. Don Diego

Colón, procediendo fundadamente como hombre celoso de su honra y del buen orden de su casa, evocó rudamente los respetos personales de que no había hecho cuenta su inexperta esposa, y convencida ésta de la razón y justicia con que era censurada su inadvertencia, su principal deseo fue ya expiarla a costa de cualquier sacrificio.

—¿Qué debo hacer, querido esposo, para enmendar mi disparate? —decía con cariñosa insistencia a don Diego.

—Déjame reflexionar un poco —respondió el almirante—. Yo, como tú, desearía encaminar las cosas de esa pobre María de Cuéllar por el sendero de su más cumplida satisfacción y felicidad, pero poner en juego para conseguirlo la dignidad de tu nombre y tu persona, eso no. En semejante alternativa, primero tú que nadie, y que Dios ayude a la prometida de Velázquez, si nosotros no podemos ayudarla.

—Pero, ¿crées tú que no podamos hacer nada por la pobrecita? ¡Ay, Diego! Si a mí me hubieran querido casar con otro que no fuera tú...

—Acaso habrías accedido a ello sin pena, María. Siempre le queda a uno esa mortificación en el pensamiento, cuando las relaciones amorosas se entablan previo el paterno permiso.

—¡Ingrato! ¿A qué viene eso ahora? Bien sabes que mi corazón no ha conocido otro amor que el tuyo.

El almirante besó riendo la frente casta y serena de su esposa, por toda contestación.

—¿Qué será de la pobre María de Cuéllar, Diego, si la abandonamos a su suerte? No olvidemos este punto —volvió a decir la virreina.

—Haremos por ella lo que se pueda —contestó el almirante—. En primer lugar, es indispensable que Diego Velázquez nos devuelva el papel escrito de tu mano que tiene en su poder, y de eso me encargo yo. Después, es necesario ganar tiempo, para ver de conseguir que el matrimonio no llegue a realizarse, sin que Velázquez pueda quejarse de desaire o negativa. Es un hombre cuya amistad necesito conservar a todo trance: el poder tiene esta clase de exigencias; y no es la menos punzante de sus espinas esta obligación de fingir afectos y encubrir sentimientos, a que se ve constreñido un hombre franco y leal, constituido en autoridad pública. Conformémonos por ahora con que el matrimonio se fije a un año de plazo, lo que no creo que Velázquez repugne, si su misma prometida novia le escribe en ese sentido, dejándole creer que no hallará otros obstáculos a sus aspiraciones. Ésta es la parte que a ti te corresponde, es decir: hacer que tu joven amiga escriba de su mano esas cuatro líneas que me traerás sin tardanza. El tiempo urge, la noche está cercana, y tengo que adoptar otras disposiciones. Hasta luego.

Y el almirante volvió a imprimir otro beso en la tersa frente de María de Toledo, que se retiró pensando en la mejor forma de cumplir el encargo de su esposo a quien quería dejar completamente satisfecho.

X

GOLPE MORTAL

Los caballeros acreditaron su puntualidad, y apenas se extinguió en los aires la última vibración de la campana que tañía las nueve desde la almenada torre de la fortaleza, cuando entraron en el jardín, por la puerta que daba al Ozama, Diego Velázquez y su inseparable Pedro de Mojica, envueltos ambos en sendas capas conforme a la usanza de aquel tiempo. Dirigiéronse sin precaución ni rodeos al punto céntrico del recinto, una especie de

templete o cenador, circundado de arbustos odoríferos y de vasos de arcilla primorosamente labrados, que también contenían plantas aromáticas y flores de Europa, conservadas a fuerza de esmerado cultivo. Dos escaños de piedra uno frente al otro, se destacaban en mitad del circuito, alumbrado por seis u ocho fanales cuya luz se difundía débilmente por los espacios del jardín, dejándolos sumidos en esa semioscuridad que expone el sentido de la vista a todos los extravíos de las apariencias fantásticas.

Mojica había dicho a Diego Velázquez, a punto de salir con éste acompañándole desde su alojamiento: "Grijalva no faltará a la cita." Y al entrar en el jardín de la fortaleza, abarcando con su mirada perspicaz todos los ámbitos de aquel espacio, volvió a decir en voz baja a su patrono: "Grijalva está en su puesto."

—¿Y cuál es su puesto? —le preguntó Velázquez en el mismo tono.

—Aquel rincón oscuro que está en dirección de nuestra izquierda. Mirad con disimulo, ¡vive Dios!, que si no, lo echáis todo a perder.

—Está bien —dijo Velázquez sentándose con tranquilidad.

Mojica, que siguió escudriñando, volvió a decir:

—Grijalva no está solo: le acompaña sin duda algún amigo. Voy a tratar de acercármeles para observarlos mejor.

Y se retiró.

Apenas quedó solo Velázquez en el centro del jardín, cuando una puerta de la fortaleza que le quedaba casi al frente se abrió con violencia, y apareció en su dintel, alumbrado por dos pajes con antorchas, el almirante don Diego: al mismo tiempo entraron por la puerta que daba a la marina hasta ocho guardas armados de relucientes partesanas, que se colocaron en correcta formación delante de dicha puerta, como cubriéndola para impedir el paso a los que intentaran salir de aquel recinto.

Diego Colón se adelantó con desembarazo, sin precipitación ni recelo, hacia el lugar que ocupaba Velázquez. Éste se puso en pie, y trató de encubrir con su actitud respetuosa y el ademán cortés con que se quitó el sombrero, la turbación que repentinamente había embargado su ánimo al percibir al dueño de la casa.

—Buenas noches, señor don Diego Velázquez —dijo el almirante con la mayor naturalidad—. A estas horas no es lo más sano el aire que corre en este vergel.

—Señor, contestó afectando tranquilidad Velázquez —no he venido meramente por tomar el fresco, sino a cumplir con un llamamiento que no podía desatender.

—¿Y no tenéis inconveniente en decirme quién os llamó a este sitio y en tal hora? —preguntó Diego Colón, dejando traslucir alguna ironía en su acento.

—Ningún inconveniente —respondió Velázquez—, puede haber para mí tratándose de satisfacer la justa curiosidad de vuestra señoría. Mi prometida, doña María de Cuéllar, me escribió que tenía que comunicarme algo importante, y yo he venido sin reserva ni misterio de ninguna especie, porque, habiendo recibido los plácemes de vuestra señoría por mi concertado enlace, no he creído faltar al respeto que os tributo, con obedecer la indicación de mi prometida esposa. De otra suerte jamás hubiera puesto los pies en este recinto, que por ser vuestro es un santuario para mí.

—Don Diego —dijo gravemente el almirante—, sincero sois, y esto me place. Sabía todo lo que me habéis dicho, y es exacto. He aquí mi mano, ahora tengo interés en trocar ese papel, que recibisteis esta tarde conteniendo el llamamiento a este sitio, por el billete que aquí os presento, que contiene la expresión de los deseos de vuestra prometida, y la excusa de no poder venir personalmente a recibiros.

Diego Velázquez vaciló un tanto: le sorprendía ver a todo un potentado como el almirante y gobernador de la colonia tan avenido a desempeñar un papel nada airoso por cierto, ni digno de su persona.

—¿Dudáis, don Diego? —añadió el almirante con alguna severidad.

—No dudo nada de vos, señor —respondió Velázquez—. Estoy solamente confundido por vuestra bondad.

—Ella es efecto de la alta estimación en que os tengo, Velázquez. Otro cualquiera no hubiera entrado impunemente aquí como vos lo habéis hecho, con sana intención, sin duda, pero incurriendo, como vuestra prometida, en un grave yerro al efectuar esta cita. Por este mismo incidente y por la amistad con que os distingo a vos, y mi esposa distingue a María de Cuéllar, tengo mayor interés en que la boda quede concertada, si bien diferida por algún tiempo, y esto es precisamente lo que os dice la novia en este billete que yo, el almirante gobernador, pongo en vuestras manos.

Velázquez tomó el papel sin saber si debía objetar algo o dar las gracias, y Diego Colón dijo sonriendo:

—Advertid que es cambio y no dádiva: devolvedme el otro de esta tarde.

—Señor, yo... yo quisiera que lo dejarais en mi poder hasta mañana —replicó Velázquez.

—De ningún modo, amigo mío: seamos buenos amigos, como yo lo deseo y os conviene —dijo el almirante en tono enérgico y resuelto—. Dadme ese papel, pues que ganáis en el cambio: si persistís en negármelo, yo lo habré de tomar sobre vuestro cadáver.

—Señor —dijo Velázquez con altivez—, la amenaza es el único medio que podríais emplear para ser desobedecido, por quien, como yo, se honra con ser vuestro.

—Oíd, Velázquez, ofrecí a María de Cuéllar llevarle ese papel, en señal de haberos entregado el de ahora. No se trata de sorprender ningún secreto, pues que yo sé que el tal billete sólo contiene sobre poco más o menos estas palabras: ¡ea! memoria, ayúdame...

"Conviene que oigáis explicaciones mías sobre asunto que toca a vuestra dicha..." ¿Es eso, don Diego? —preguntó el almirante interrumpiéndose.

—Sí, señor, adelante —contestó Velázquez.

—Pues prosigo: "por tratarse de vuestra comenzada empresa. Esta noche os aguardo en el jardín, por la puerta que da al río..." ¿Es esto? —volvió a preguntar Diego Colón.

—Sí, señor —dijo sonriendo Velázquez—, con muy poca diferencia. Tiene vueseñoría felicísima memoria, y en premio, aquí está el papel que deseáis. ¿Qué puedo yo negaros?

Diego Colón se acercó a la luz del más próximo farol, desdobló el papel, y a un somero examen de la letra reconoció que era la prenda que deseaba rescatar. Tendió, pues, complacido la diestra a Velázquez diciéndole:

—Podéis retiraros seguro de que no tenéis mejor amigo que yo: os lo probaré muy pronto. ¡Adiós!

Y el almirante se volvió con sus dos pajes por donde mismo había hecho su entrada en el jardín. Los soldados de la puerta del río desfilaron silenciosamente, dejando el paso franco, y Mojica abandonó la penumbra dondè estaba medio oculto, y acudió a reunirse con Velázquez, diciendo:

—Vámonos, señor, cuanto antes: ¡buen susto he tenido! pero es una fortuna que el almirante sea tan bonachón.

—¡Nos hemos lucido! —le contestó Velázquez apesarado—. ¿Creéis que Grijalva habrá oído...?

—Supongo que sí —replicó Mojica, porque hablabais sin precaución, y yo por mi parte lo oí todo: no sé si será privilegio de mis grandes orejas.

—Podrá ser —dijo maquinalmente Velázquez, dirigiéndose a la puerta.

Pero antes de salir del redondel en que se hallaban, se les presentó bruscamente Grijalva, a quien juzgaban interesado en no dejarse ver de ellos. Velázquez llevó la mano a la empuñadura de su espada, sorprendido con la repentina aparición de su rival.

—Escuchad, don Diego —le dijo Grijalva conteniéndole con el ademán—, no se trata de eso. ¿Sabíais que yo amaba a doña María de Cuéllar?

—No por cierto, joven —respondió Velázquez—. Me puse en actitud de defenderme porque no os reconocí al presentaros de repente...

—Pues bien —replicó Grijalva—: sabed que yo amaba a esa dama, y os lo digo con esta sinceridad para tener derecho a ser creído en lo que voy a añadir: si ese papel que os ha entregado el almirante, y cuya sustancia os ha referido según lo escuché desde aquel rincón, dice efectivamente lo que el almirante os ha dicho, yo os ofrezco solemnemente, no sólo dejar de ser vuestro rival, sino serviros con mi persona, con mi espada y con mi aliento, como vuestro más obligado deudo. ¿Consentís en mostrármelo?

Irresoluto Velázquez volvió la vista a Mojica, que, comprendiendo que le pedía consejo, fue en su auxilio con estas palabras:

—Creo que vale la pena y está muy puesto en razón lo que pide el caballero Grijalva, señor don Diego.

—Pues bien, leamos juntos, don Juan —dijo Velázquez.

Y los dos se aproximaron a un fanal, seguidos de Mojica, que todo lo quería palpar y oler por sí mismo.

Velázquez leyó en alta voz, mientras Grijalva devoraba los caracteres del papel con la vista:

"Sabed, señor don Diego —decía el billete—, que no puedo ir en persona al jardín, como os había ofrecido. El objeto del llamamiento que os hice fue para pediros encarecidamente que en las vistas que celebraremos mañana, en presencia de mi padre, aplacéis para de aquí a un año nuestra concertada boda. Es un voto que tengo que cumplir en ese tiempo. Os agradeceré que así lo hagáis por amor mío. Soy muy respetuosamente vuestra prometida —*María de Cuéllar.*"

—¡Bendita sea! —exclamó entusiasmado Mojica, que había leído el billete por entre los hombros de Grijalva y Velázquez.

—¿Estáis satisfecho, señor don Juan? —preguntó el último.

—Sí —dijo con voz ahogada el infeliz Grijalva—, y os cumpliré lo que os tengo ofrecido. Vuestro soy.

Velázquez le tendió afectuosamente la mano, y salió del jardín seguido de Mojica.

Juan de Grijalva se dejó caer con profundo abandono sobre uno de los asientos, y se cubrió el rostro con ambas manos.

Viéndole en aquella actitud, su amigo don García de Aguilar, que efectivamente lo acompañaba, y se mantenía en observación al amparo del tupido cortinaje de verdura, acudió a él, y le dijo con afectuosa solicitud:

—¡Vamos, Grijalva, ánimo! Cruel ha sido el desengaño, pero fácil te será consolarte con otro amor... Perdona, caro amigo, ni sé lo que estoy diciendo; pero mis labios, exentos de artificio, traducen, quizá torpemente, las inspiraciones de mi fiel amistad.

Grijalva no contestó, se puso en pie, y a su vez salieron ambos jóvenes, triste y silenciosamente, del jardín de la fortaleza.

XI

ACLARACIÓN

Rayaba el sol en el horizonte, llenando de vida y de luz los espacios al anunciar el nuevo día, cuando Las Casas, que había pasado una noche de insomnio, se dirigió con la vivacidad que le era característica a casa del teniente gobernador Diego Velázquez. La amistad de ambos se había hecho más estrecha desde que Velázquez, carácter débil y siempre fluctuando entre el bien y el mal, reconoció la superioridad moral de Las Casas, y escuchaba con verdadera deferencia y respeto los consejos que el buen licenciado no le escaseaba.

En aquella mañana, Velázquez debía hacer la primera visita de ceremonia a María de Cuéllar, y ser autorizado por el contador a considerarla y tratarla oficial y públicamente como su prometida novia.

Las Casas había sido invitado por Velázquez a honrarle con su compañía en aquel acto, y estaba dispuesto a prestar ese servicio al amigo, pero no era éste el objeto que le conducía tan temprano a la presencia del afortunado pretendiente, sino el interés de poner en claro los puntos que le parecieron oscuros o embrollados en el relato que le había hecho Enriquillo al anochecer del día anterior. Era en su concepto muy grave lo que se refería a la intervención de la virreina en los asuntos matrimoniales de su dama de honor, y entreviendo un misterio cuya naturaleza parecía sospechosa, el licenciado, que era de suyo dado a la investigación de la verdad, quiso saber a fondo lo que significaba aquel papel escrito por la esposa del almirante, y enviado a Velázquez en nombre de su prometida.

Velázquez lo recibió con la deferencia acostumbrada, y satisfizo a las francas preguntas de su amigo con sencillez y sinceridad narrándole los sucesos de la noche anterior.

—Ese empeño del almirante por recobrar el papel que contenía la cita —pensó Las Casas—, me prueba más aún que fue escrito por la virreina. Necesito ir a la fortaleza, a ver si saco algo en limpio. Quiero ver si mi pobre Enrique tiene fundamento efectivo para mirar con repugnancia aquella mansión, y que se le den encargos propios de caracteres serviles. *Oh tempora!, oh mores!* —añadió, siempre mentalmente, repitiendo el consabido desahogo ciceroniano.

Y se despidió de Velázquez ofreciéndole volver a hora de acompañarle a la mencionada visita.

Llegó a la presencia de Diego Colón en la fortaleza, encontrándole de excelente humor. Sin rodeos de ninguna especie, después de los cumplimientos de uso, entró en materia el fogoso licenciado, refiriendo la invitación pendiente para acompañar a Velázquez aquel día en la visita de presentación formal a su novia, pero añadió que deseaba saber si los incidentes del jardín en la pasada noche podrían afectar en algo la seriedad de aquel paso, para no exponer su propia dignidad a inmerecido sonrojo. Diego Colón le contestó haciéndole fiel relación de todo lo ocurrido, sin ocultarle lo del papel escrito por la virreina y rescatado por él, aunque al mismo tiempo recomendó mucho a Las Casas que guardara reserva sobre este punto. Es de presumir que esta excesiva franqueza de Diego Colón fuera dictada por el recelo de que Enriquillo dijera toda la verdad al licenciado, que era la persona a quien más afecto profesaba y bajo cuya inmediata protección vivía, y de hecho así había sucedido, obrando por lo mismo cuerdamente el almirante al aclarar todo el enigma, en la parte que pudiera perjudicar al concepto de su joven esposa.

Oyó Las Casas todos esos pormenores con profunda atención, y prometió guardar el secreto que se le imponía.

—Sin embargo —añadió—, me atreveré a decir a vueseñoría que me exije en ello el mayor de los sacrificios: yo, que no tengo los altos respetos políticos de que vos no podéis prescindir, parece como que me hago cómplice voluntario de una gran crueldad, cual es sacrificar a la razón de estado el sosiego y la dicha de dos jóvenes que parecen formados por el cielo para pertenecerse mutuamente.

—Ayudadme pues —contestó Diego Colón— a buscar el modo de estorbar ese enlace. En un año que tenemos por delante, ¿vos y yo seremos tan pobres de expedientes que no podamos realizar lo que mi compasiva María emprendió, la pobrecilla, con más fe que experiencia?

—¡Ah, señor! ¡No sabéis lo que me pedís! —contestó en tono de reconvención Las Casas—: lo que en vos se cohonesta al menos, ya que no se justifique, con las exigencias de la alta posición en que os halláis, en mí tendría toda la odiosa fealdad de la mentira y la perfidia, ni más ni menos. Yo, amigo de Velázquez y amigo de Grijalva, mal podría terciar en ese delicado asunto como no fuera para decir al primero toda la verdad, y hacerle desistir de su proyecto, devolviendo al desgraciado Grijalva el bien que se le quiere arrebatar.

—¡Guardaos bien de ello, don Bartolomé! —dijo vivamente el almirante—: retiro mi invitación, y sólo os pido que me cumpláis vuestro ofrecimiento de no volver a hablar de este asunto con alma viviente.

—Os lo cumpliré, señor, a toda costa —respondió el licenciado, despidiéndose del almirante.

De regreso a su convento el buen Las Casas hacía el resumen de sus impresiones de la mañana en el siguiente monólogo:

—Se me ha quitado un gran peso de encima con saber que la virreina, ángel de bondad y de virtud, no ha obedecido a móviles ruines o indignos, y sí a los nobilísimos resortes de la compasión y la amistad. A esto lo califica el almirante con el epíteto de *abnegación indiscreta*, que así se denomina por estos mundos todo arranque espontáneo y candoroso de cristiana caridad... Mas, por fortuna, Diego Colón es digno hijo de su padre, posee un alma bellísima, y sabe que con indiscreciones como esa se aquilata el tesoro de los sentimientos humanos. ¡Así le rebosa hoy el contento de verse dueño de tal mujer...! Y sin embargo, ella y él, él más que ella, ella por ser su esposa, se ven constreñidos a mentir, a forjar intriguillas, a ahogar los movimientos compasivos de su corazón, por atemperarse a lo que llaman la voz de los deberes de Estado. ¡Vaya unos deberes!... ¡Y cómo padecen la virtud y la verdad en los palacios de los poderosos! Pero, ¿de eso me asombro? ¿No hacen gala los soberanos del siglo de engañarse recíprocamente? Nuestro católico rey don Fernando ¿no es el primero en ese funesto arte? Así está Europa, ardiendo en guerras y en discordias: los que de allá vienen a conquistar y poblar estas Indias ¿qué otra cosa han de ser con esos altos ejemplos a la vista, sino lobos carniceros y rapaces? ¡Pobres indios! ¡Pobres indios...! Mas, ya es tiempo de ver a Enriquillo.

Y el licenciado hizo llamar a Enrique, encerrándose con él a solas en su aposento.

XII

AMONESTACIÓN

—Oye, hijo mío —prosiguió el filántropo, después de dar a besar su diestra a Enriquillo, según lo tenía por costumbre—. Desde anoche has clavado en mi corazón una espina de pesar y de inquietud. He visto en ti, en primer lugar, una tibieza y una displicencia tales, al hablarme de los señores virreyes, que he llegado a recelar que tu alma fuera capaz de dar albergue a la ingratitud, pues que tanto el almirante como su esposa te colmaron de agasajos y de bondades, y no puede estarte bien corresponderles con desvío.

"En segundo lugar, he creído ver también síntomas de orgullo excesivo, de diabólica soberbia, en el desagrado que manifestaste porque la señora virreina, deseosa de tu bien, te propusiera hacerte paje de su casa. ¿No fue paje el mismo don Diego Colón, hoy gobernador y almirante, en el palacio de los reyes católicos?

"Debo corregir ¡oh Enriquillo!, en tu propio interés, esas veleidades de altanería que no sientan bien ni a tu natural dócil, sencillo y benévolo, ni a tu especial condición y estado. Porque es preciso que sepas, hijo mío, que hasta el día ha sido para ti la Providencia sumamente benigna, deparándote desde la infancia desinteresados bienhechores, que velan sobre ti en el presente, y se esfuerzan en prepararte un dichoso porvenir, pero ninguno de tus protectores, ni el capitán Diego Velázquez, ni los señores virreyes, ni yo que te hablo, el más humilde de todos, tenemos en nuestras manos ese porvenir, ni conocemos los arcanos que encierra, o las pruebas a que en sus impenetrables designios quiera someterte esa misma Providencia que todo lo rige. Por eso tenemos el deber de prepararte a todo evento, armándote con el fuerte escudo de la virtud, de la paciencia y la resignación, contra las penas y los trabajos que son el cortejo habitual de la vida humana, y de los que, por más que hiciéremos, es seguro

que no podrás libertarte en absoluto, tú, que aunque príncipe o
cacique, eres vástago de una raza
desdichada, y te conviene por tanto
estar dispuesto a todas las pruebas
del dolor y de la humillación.

"Y por eso, hijo mío, he tembla-
do, mi corazón se ha desgarrado al
entrever esos signos de debilidad en
tu carácter, que debilidad, y no
otra cosa, son el orgullo vidrioso y
la necia soberbia, así como es de
fortísimo temple la virtud, que sabe
sacar su dignidad y su fuerza del
mismo exceso de las humillaciones
y de los dolores. Éste es el secreto
sublime de la Cruz, esto lo que
debemos aprender del Cristo que
adoramos.

Y Las Casas echó los brazos al
cuello a Enriquillo, mirándole con
intensa ternura. El cacique quiso
responder, pero no pudo, porque la
emoción embargaba su voz, al terminar el piadoso filántropo su discurso.

Aquella emoción lo decía todo:
Enrique llegó a creerse efectivamente culpable, considerando como defectos los impulsos naturales de su
alma franca y de su índole generosa y leal. Bien comprendía esto
último Las Casas, pero su previsora solicitud por el bien de aquel
huérfano, a quien amaba como a
un hijo, recibió la voz de alerta
con la confidencia que el joven le
había hecho de los diversos afectos
de su ánimo, sometido a dura prueba moral en casa de los virreyes.
Comprendió el sagaz protector de
Enrique el peligro que para éste había en aquella susceptibilidad característica que le había de proporcio-
nar, en su condición anómala, in-
calculables tropiezos y perdurable
martirio, por lo que resolvió diri-
girle la transcrita amonestación, que
debía dar por fruto una saludable
templanza en el carácter viril de su
protegido, aparejándolo contra todas las eventualidades de su incierto destino.

XIII

COMPROMISO

Después de almorzar juntos Las
Casas y Enrique, el primero se vistió con algún esmero, y volvió a
salir dirigiéndose a casa de Velázquez. Encontró a éste de gran gala,
vistiendo su más rico traje hecho
con arreglo a la airosa moda mila-
nesa de aquel tiempo: le acompañaba su fiel confidente, el servil
Mojica, reverso de la medalla con
respecto a Velázquez en la parte
física, como lo era respecto del licenciado en la parte moral. Las
Casas lo miró con disgusto, y lo
saludó fríamente, emprendiendo los
tres la marcha seguidos de dos escuderos.

Eran las doce del día, cuando las
puertas de la casa de don Cristóbal
de Cuéllar se abrían de par en par
dando entrada al arrogante capitán
y sus compañeros. Dos largas y
nutridas filas de esclavos negros,
naborias indios y criados europeos,
se extendían desde el vasto portal
o zaguán de la casa hasta el pie
de la escalera, todos limpia y de-
centemente vestidos, ostentando en
la librea los colores de la casa del
opulento contador. El lujo de las
habitaciones decoradas con muebles
y paramentos de gran precio, como
la numerosa servidumbre, daban
elevada opinión de las riquezas del
dueño, y así lo iba haciendo notar
a Velázquez el codicioso Pedro de
Mojica.

Recibió el contador a sus huéspedes en el salón principal, de pie
al lado de su bella hija, cuyo rostro cubierto de mortal palidez com-
petía con la mate blancura de su
vestido de encaje francés y rico
terciopelo de Flandes. Acompañaban al señor de Cuéllar sus amigos
Francisco de Garay, alguacil mayor
de la isla, y Rodrigo de Bastidas,

vecino principal de Santo Domingo, respetable personaje, el mismo que años antes había hecho una feliz expedición a Castilla de oro (Nueva Granada), y obtuvo bastante tiempo después el título de Adelantado por sus servicios a la corona en aquella ocasión.

Velázquez, después de haber cumplido con todos los circunstantes los deberes de cortesía, formuló en un breve discurso su pretensión matrimonial, a la que el padre de María expresó acto continuo su asentimiento. Entonces Velázquez, apartándose en este solo punto de las minuciosas instrucciones que previsivamente le había inculcado el astuto Mojica, antes de dirigirse a la infeliz joven, que permanecía inmóvil, con la mirada fija en el suelo y sin dar la menor señal de haber comprendido la demanda de que era objeto, dijo al contador real:

—Si vos lo tuviereis a bien, señor, asignaremos a un año, a contar de hoy, el día en que se lleve a cabo el matrimonio.

María salió de su enajenación al oír estas palabras, que aguardaba con ansiedad, y clavó la mirada inquieta en el rostro de su padre, pendiente de su contestación.

Don Cristóbal vaciló: fue para él una verdadera sorpresa la indicación de un plazo tan largo, cuando Mojica le había hablado de la impaciencia de Velázquez por llegar a ser yerno suyo. Hizo, no obstante, un esfuerzo, aguijoneado por la dignidad personal y el decoro paterno, y contestó:

—Como gustéis, capitán, nada urge...

Entonces Velázquez se volvió con exquisita urbanidad y risueño semblante a su prometida, diciéndole:

—Dignaos poner el colmo a mi dicha, señora, expresando vuestra plena y voluntaria conformidad con lo que acabo de pedir y obtener de vuestro padre.

—Os doy gracias señor —contestó la joven, reanimada por lo que le parecía un principio de éxito en el plan de los virreyes—; os doy gracias por lo que acabáis de solicitar.

—¿Os place el aplazamiento? —insistió Velázquez, con el evidente propósito de jugar del vocablo.

—Me place, señor —respondió María, volviendo a fijar sus hermosos ojos en el pavimento.

—Tomo por testigos a todos los caballeros presentes, de que la señora María de Cuéllar, hija del señor contador real, me ha empeñado su fe y palabra, para ser mi esposa dentro de un año.

Con esta fórmula terminó Velázquez la parte ceremoniosa de *las vistas*, que así se llamaba antiguamente a esa especie de careo oficial de dos novios. María de Cuéllar pidió permiso para retirarse a su cámara, por sentirse indispuesta: recibió los homenajes que era práctica tributar a las ricas hembras [1] entre la gente de pro de aquellos tiempos, y se fue, más muerta que viva, a dejar correr sus comprimidas lágrimas. Velázquez y sus dos compañeros no tardaron en despedirse, y regresaron a casa del capitán, Mojica locuaz y contento, el afortunado novio con aire triunfal, y el licenciado Las Casas cabizbajo y silencioso.

XIV

VAGA ESPERANZA

María de Cuéllar, tan pronto como se vio en su aposento, rodeada únicamente de sus criadas, dio libre salida al llanto que la ahogaba. Era su deseo volver a la fortaleza, para enterar a la virreina de que había seguido con dócil resig-

---

[1] Así se denominaba a las señoras de rango elevado.

nación la pauta que trazara el almirante, con el inmediato fin de desvirtuar y enmendar el yerro de la víspera. Lo deseaba también, contando hallar consuelo en los brazos de aquella tierna amiga, y recoger de sus labios noticias sobre las ulteriores disposiciones de Diego Colón, cuyos recursos y poder exageraba en su exaltada fantasía, dando pábulo a la esperanza de que había de hallar medio seguro para librarla del aborrecido matrimonio a que se acaba de comprometer, y entregándose a una ciega confianza en los consejos de tan poderoso protector.

No tardó el contador real en presentarse ante su hija, así que se vio libre de huéspedes. Había observado con viva inquietud la palidez, la preocupación y la tristeza de la joven en el acto de acceder al compromiso matrimonial. Estaba por otra parte satisfecho de la mansedumbre y docilidad de que María había dado tan espléndida muestra, pues no dejaba de aquejarle el grave cuidado de que la joven dejara entrever al pretendiente, en cualquier forma, la repugnancia que al mismo Cuéllar había manifestado respecto de ese enlace.

—¿Ha pasado tu indisposición, hija mía? —le preguntó con no fingida ternura.

—Sí, padre mío —respondió la esforzada niña— estoy completamente repuesta.

—¡Pero tú has llorado, María! Vamos, eso me disgusta y me aflige, ¿No has visto qué apuesto y magnífico es el galán a que te he destinado?

—Me parece, padre mío —dijo la joven eludiendo el responder a la pregunta—, que no haríamos mal en ir a la fortaleza a dar cuenta a los señores virreyes de este suceso...

—Esta vez sí, hija mía: ya he llenado las funciones de mi autoridad doméstica, como tu padre y principal gobernante y señor, llenemos ahora los deberes de respeto y deferencia hacia los potentados públicos, y sobre todo, los que nos cumplen por la amistad que nos dispensan los señores virreyes y por tu empleo al lado de la virreina.

—¿Y antes ¿por qué no? —preguntó María.

—Porque nada estaba concluido, y no se sabía lo que pudiera suceder.

—¡Sabe Dios lo que sucederá! —dijo con acento profundamente melancólico la doncella.

Y el padre y la hija se encaminaron sin más demora hacia la fortaleza.

Hecha por don Cristóbal la notificación de los esponsales a los virreyes, se manifestaron éstos sumamente complacidos, y felicitaron al viejo y a la doncella por el fausto sucesos, "bien que —añadió galantemente Diego Colón— por mucho que valga el capitán Velázquez, que sin duda el vale mucho, vuestra hija merecería por su belleza y sus altas prendas compartir el trono de un emperador".

La virreina abrazó a su amiga, y le dijo al oído:

—Tengo que contarte algo bueno.

Estas palabras llevaron un rayo de alegría al abatido corazón de la doncella. Aquel *algo bueno* en los labios de María de Toledo no podía ser sino el ansiado expediente para desbaratar el odioso proyecto de boda. Las esperanzas que había concebido comenzaban a justificarse.

—Señor de Cuéllar, quedaos a comer con nosotros —dijo la virreina.

—No me es posible, señora, y mucho me pesa —contestó don Cristóbal—, pero antes de una hora tengo que recibir al señor Ponce de León, que me está recomendado por el tesorero Pasamonte, y a quien he ofrecido empeñar mi crédito con el señor almirante...

—¿Para qué fin? —interrumpió don Diego, plegando un tanto el entrecejo.

—Para llevar adelante la pretensión de ser investido con el gobierno de San Juan de Puerto Rico, que dice corresponderle por sus anteriores trabajos de exploración, y según las cláusulas de sus últimas capitulaciones con la Corona.

—No sé por qué insiste el capitán Ponce, valiéndose de intermediarios —repuso con enojo Diego Colón—, en un empeño cuya inutilidad le consta, porque se lo he manifestado directamente y sin rodeos. Ese Pasamonte no cesa de suscitarme disgustos y dificultades: instrumento eficaz del maldito obispo Fonseca, se desvive por todo lo que tienda a menoscabar mis prerrogativas, y a reducir la jurisdicción de mi almirantazgo a una vana sombra. No solamente se ha negado a ayudarme contra la expedición de Ojeda y Nicuesa, emprendida con violación escandalosa de todos mis derechos, sino que pretende convencerme, por una parte, de que debo ceder como un mandria la gobernación de Jamaica al dicho Ojeda, mientras que por otra parte sus intrigas han hecho que el Consejo real, sorprendido o engañado, adjudique a Ponce de León la bella isla de San Juan... ¿A qué quedaría reducida mi autoridad, si yo consintiera en esos despojos? No, el rey tendrá que hacerme justicia, reformando todas esas capitulaciones ilegales, que le han sido arrancadas engañosamente por el pérfido Fonseca. Y mientras tanto, Pasamonte no se burlará de mí: podéis decir a Juan Ponce que busque otros andadores y otro camino. En cuanto a Nicuesa y Ojeda, ya les daré en qué entender, y, si logran salir a su expedición, que se olviden de que hay isla Española ni almirante adonde volver los ojos en caso de apuro.

—Está bien, señor —replicó el contador—, hallo muy puestas en razón vuestras quejas, y desahuciaré a Juan Ponce. Con vuestro permiso me retiro.

—Dejad con nosotros a mi querida María —dijo la virreina al contador—, ya que vos no podéis favorecernos con vuestra persona.

—Con mucho gusto, señora, y creed que me voy pesaroso por no poder participar de la honra con que vueseñoría me brinda.

Y don Cristóbal se retiró.

La virreina y María, una vez retraídas a las habitaciones de la primera, entraron a hacerse sus confidencias recíprocas. La mayor pesadumbre de la doncella consistía en no haber podido explicar su situación excepcional a Grijalva, ni saber lo que éste pensaría de ella. La virreina le encargó mucha prudencia en esta parte: la dura lección de la víspera la había hecho muy circunspecta, y hasta exageradamente tímida. "Si Juan de Grijalva es digno de ti —dijo a su amiga—, sus sentimientos no cambiarán porque toda correspondencia cese entre vosotros, mientras dure el compromiso establecido con Velázquez. Otra cosa no sería propia de tu decoro... Cuando consigamos romper ese compromiso, entonces será tiempo de que tu amante lo sepa todo, y reciba el galardón de su constancia. Y ese día llegará ciertamente, María.

"Ya mi esposo ha discurrido el medio más eficaz de preparar el advenimiento de tu dicha: Velázquez será encargado de una importantísima empresa, fuera de esta isla, y el tiempo y la ausencia proporcionarán sobradas coyunturas para lo demás, pues he oído decir siempre que el amor se ahoga fácilmente cuando hay mar por medio. Esto es lo que ya deseaba comunicarte.

María de Cuéllar se mostró satisfecha de las nuevas que le daba su amiga, pero su tristeza persistente, y los suspiros que involuntariamente se escapaban de su agitado seno, indicaban muy a las claras cuán costoso le era resignarse a los prudentes consejos de la virreina en lo que a Grijalva concernía.

XV

CONTRASTES

—¿Sabéis, licenciado Casas, que tenéis hoy tétrico aspecto para acompañar a un novio? —Así dijo Mojica a Las Casas con su voz bronca y chillona, al entrar en el salón del capitán Velázquez, de regreso de la visita de cumplido a la casa de Cuéllar.

—¿Y sabéis, hidalgo Mojica —respondió el licenciado—, que vos tenéis hoy, como todos los días, cara de intrigante, y de meteros en lo que no os importa?

—Pero convenid conmigo, licenciado —repuso Mojica tratando de conservar su serenidad ante la ruda salida de su interlocutor—; convenid en que veis con desagrado el enlace de nuestro amigo el capitán Velázquez con María de Cuéllar.

—Lo que veo con disgusto y repugnancia es a vos, hidalgo Mojica —volvió a decir Las Casas, cediendo a la invencible antipatía que le inspiraba aquel hombre—. Lo que no se explica es que un personaje de mérito como el señor Diego Velázquez admita en su intimidad a entes de vuestra especie, y se decore con tan siniestra compañía al ir a hacer visita a su novia.

—¡Paz, señores! —exclamó Velázquez sin poder contener la risa, ante el sesgo singular de aquel altercado, y ante la facha más singular aún de Mojica, aturdido al oírse tratar tan crudamente.

—A la verdad, señor —prosiguió Las Casas—, que si este hidalgo sigue pegado a vos como la sombra al cuerpo, no deberéis extrañar que yo me aleje de vuestro trato. ¿No veis que su intento es autorizarse con vuestra protección, para que el almirante gobernador no le obligue a dar cuenta de la administra-

ción, que tiene a su cargo, de los bienes pertenecientes a la huérfana de Guevara?

—Pronto he estado siempre a dar esa cuenta —dijo con descaro Mojica—, pero no a vos, que sólo tratáis de quitarme la administración para quedaros con ella, e inventaréis mil calumnias para lograr vuestros propios sentimientos, pero

—¡Habrá imprudente! —exclamó Las Casas indignado—: me atribuís vuestros propios sentimientos; pero todos me conocen y os conocen. Lo que importa es que rindáis esas cuentas. Capitán don Diego, lo habéis oído: el honrado hidalgo está pronto a rendir cuentas, como no sea a mí: mañana lo haremos saber al señor almirante, para que me releve del encargo, y nombre a otra persona más acepta al administrador.

—Está bien, señores —dijo Velázquez—, y dejemos ya de tratar ese desagradable asunto por ahora.

—Lo dicho —repuso Las Casas—; y con vuestra licencia, me retiro a San Francisco.

—Id con Dios, licenciado —dijo Velázquez.

No bien se hubo ausentado Las Casas, cuando Mojica se desató en una violenta diatriba contra él: era un insoportable soberbio, decía, espíritu rebelde, altanero y dominante: afectaba austeridad de costumbres para encubrir sus faltas, era envidioso y vertía el descrédito contra todo el que parecía más favorecido de la fortuna, et caetera. En suma, el rencoroso hidalgo se desahogaba a su gusto atribuyendo sus propios vicios al noble, al puro, al generoso Las Casas, con la esperanza de hallar accesible la credulidad de Diego Velázquez para acabar con la buena opinión del licenciado. Pero en esta parte las convicciones del capitán eran inquebrantables: sabía por experiencia cuanta era la grandeza de alma de su consejero en la guerra del Bahoruco, sentía profunda veneración hacia aquel eminente carácter, cuyo contraste moral con los Mojica —tipo de todos los tiempos—, apreciaba con exactitud y justicia. Respondió, pues, cesando de reír y con acento imponente, al procaz difamador, estas palabras, que cayeron en su corazón a manera de plomo derretido.

—Por esta sola vez, don Pedro, os tolero la broma, pero no volváis a usarla. El licenciado tiene el genio un poco vivo, pero es el hombre más franco, más leal y más digno de respeto que ha venido de España a estas Indias.

Mojica bajó la cabeza, con el mismo aire con que agacha las orejas un perro, al recibir el puntapié de su amo. Guardó por un rato silencio, hasta que Velázquez volvió a mirarle con lástima, y le dijo:

—Mojica, os reitero mi promesa de procurar que no se os quite esa administración: haré cuanto de mí dependa, estad tranquilo.

—¡Ah señor...! —exclamó el hidalgo con alegría.

—Hablemos ahora de otra cosa —prosiguió Velázquez—: ¿creéis que no nos queda por hoy más nada que hacer en el asunto de mi matrimonio?

—Creo que no —replicó Mojica—, lo esencial ya está hecho... Sin embargo, me ocurre que una serenata esta noche ante el balcón de vuestra prometida, sería cosa de lucimiento y gusto.

—Pues al avío, buen Mojica —dijo don Diego—: disponed lo concerniente al efecto, y no reparéis en gastos.

—Nos vendría bien —repuso el maligno confidente, por cuyo cerebro acababa de cruzar una de sus diabólicas ideas—, nos vendría muy bien que Enriquillo me acompañara tocando la vihuela. Los dos sabemos concertar en ese instrumento de un modo que no hay zambra morisca que cause más placer.

—¡Pues vendrá Enriquillo, hombre de Dios! —dijo el impetuoso Velázquez—. Y al punto mandó un servidor al convento a buscar a su ahijado.

En aquel mismo instante le entregaron una carta sellada con las armas del almirante: la abrió y se la hizo leer por Mojica, para quien no tenía secretos desde que lo veía tan adicto a sus intereses.

La carta sólo contenía estas líneas:

"Amigo y señor Diego Velázquez, esta noche a las ocho os aguardaré en esta fortaleza, para tratar asuntos de grande interés.

"Vuestro muy fiel amigo, *El Almirante.*"

—Ya lo veis, Mojica —observó Velázquez—, no se a qué hora saldré de la fortaleza, y por tanto, esa serenata...

—A la hora que fuere, señor —contestó Mojica—, todo estará dispuesto.

Momentos después llegó Enriquillo, besó respetuosamente la mano a su padrino, y saludó con franca sonrisa a Mojica. Éste le dijo con el tono de voz más meloso que pudo lo que de él se quería, y que se trataba de complacer a su padrino y protector.

El asombro y la más viva pesadumbre se dibujaron en el rostro del joven, que respondió con entereza al que le hablaba:

—Que mi padrino me pida toda mi sangre, que me mande a arrojar en el mar de cabeza, que me exponga a cualquier peligro, todo lo haré gustoso, por su servicio, o por su simple deseo; pero ir a puntear una vihuela en medio de la calle, asistir a fiestas y músicas, cuando no hace dos meses que murió mi...

—Pues lo haréis ¡voto a tal! —gritó con voz de trueno Velázquez—. ¡Con esas salimos ahora! Me he desvelado, me he esmerado en darte educación, en hacerte un muchacho de provecho, y la primera vez que te pido algo te resistes y te niegas a complacerme. ¿Qué otra ocasión podrías hallar para demostrarme afecto y gratitud? ¿De qué provecho me ha de servir

mandar que te arrojes al mar como
dices?

El joven quedó confundido y ano-
nadado ante aquella inesperada explosión de la cólera de Velázquez.
Mojica no podía ocultar su contento, al ver que le había salido tan
bien su estratagema. De un solo
golpe hacía perder a Enriquillo la
protección y el cariño de Velázquez, y enfrentaba con éste al licenciado, que no dejaría de salir a
defender a su hijo adoptivo, como
solía llamar al cacique.

—¡Haced bien —prosiguió Velázquez siempre irritado—, para recoger ingratitudes...!

—¡Ah, señor, eso no! —exclamó
Enrique, prorrumpiendo en sollozos.

—La ingratitud es el peor de los
defectos —dijo sentenciosamente
Mojica.

—Haré cuanto queráis, señor
—pudo al fin responder el angustiado Enrique—, pero no me tengáis por ingrato.

—¡Quitad allá, mozuelo! —replicó Velázquez con impetuosa acritud—. No vuelvas a mi presencia:
he perdido contigo tiempo, cuidado
y dinero.

Estas palabras llegaron a Enrique
a lo más vivo del alma. Se irguió
con dignidad, miró serenamente a
Velázquez, y dijo:

—Señor, procuraré satisfaceros algún día, mientras tanto, siempre
seré vuestro, y disponed de mí como
mejor os cuadre.

Dicho esto hizo una profunda reverencia y salió del salón.

Velázquez se quedó pensativo,
su cólera se había disipado, y parecía pesaroso de haberse mostrado
tan duro con su protegido. Mojica
entre tanto repetía dos y tres veces
con feroz insistencia:

—Criad cuervos, y sacaros han
los ojos...

Hasta que el capitán, incomodado de oírle el estribillo, le dijo
agriamente:

—¡Eh!, dejadme en paz, que no
estoy para refranes necios.

Mojica se fue al trote.

XVI

RESOLUCIÓN

La sombría calma, el silencio absoluto en que permanecía Grijalva
al retirarse del jardín de los virreyes, en la noche funesta que había
cerrado la era de sus días felices,
desvaneciendo al frío soplo de una
realidad, tan dura como inesperada,
todo un mundo de doradas ilusiones
y de ensueños deliciosos; esa aparente impasibilidad infundía en el
buen don García de Aguilar mayor
inquietud y alarma respecto del estado en que suponía el ánimo de
su amigo, que las que habría experimentado viéndolo entregarse a
los extremos de desesperación y
prorrumpir en las más destempla-
das imprecaciones. Hay algo de
augusto y solemne en el mutismo
de los grandes dolores, que conmue-
ve hondamente, por lo mismo que,
careciendo de manifestaciones os-
tensibles, la impenetrabilidad en
que se ocultan ofrece a la imaginación de los demás la idea de su
desmedida magnitud, como las tinieblas de un abismo hacen estremecer al que las mira, con el sensible horror de su profundidad.

Don García, buen amigo hasta
la indiscreción, tomaba a empeño
hacer hablar al desdichado amante, y lo abrumaba a fuerza de preguntas, observaciones y reflexiones
que todas quedaban sin respuesta.

—Debes olvidar a esa infiel, no
merece tu amor: las más bellas damas de la colonia te miran extasia-
das, y desearían ser tuyas: ¿no
conoces más de una tan hermosa
como esa ingrata? El mundo es
tuyo, y puedes elegir a tu antojo
—y otras frases por el estilo.

Inútiles esfuerzos de elocuencia.
Aquél en cuyo obsequio se hacían
estaba como privado de inteligencia y de sentido. Caminaba, cami-

naba de un modo maquinal, y a grandes pasos. Una sola vez rompió el silencio, y fue ya en la puerta de su casa, al entrar, despidiéndose de su amigo.

—¡Adiós, tengo frío: gracias!

Y su voz temblorosa y balbuciente comprobaba el glacial entorpecimiento de sus facultades físicas.

Aguilar se quedó solo en la calle, y a pesar suyo se retiró lleno de ansiedad, porque suponía todo lo peor: veía el alma de su amigo como una frágil barquilla destrozada por iracunda borrasca.

Al día siguiente fue muy temprano a requerir la compañía de don Gonzalo de Guzmán, a quien refirió las peripecias de la noche anterior.

Don Gonzalo era hombre de juicio más sólido y maduro que Aguilar: reprendió a éste por su ligereza en juzgar mal de la joven dama de doña María de Toledo, y le hizo observar que la intervención del almirante en el asunto era muy significativa y daba margen a infinitas conjeturas, antes de concluir decisivamente contra una doncella de tan alto mérito como era María de Cuéllar.

Fueron juntos a visitar a Grijalva, y le hallaron presa de una violenta calentura. El desgraciado joven no tenía consigo sino un hermano, mayor que él, pero adusto y de corto entendimiento, y tres o cuatro indios de servicio: don García se constituyó desde luego a cuidar de su asistencia, y don Gonzalo salió inmediatamente, enviando poco después médico, criados inteligentes y todo lo necesario para el caso.

La fiebre calmó sin embargo, antes de las veinte y cuatro horas, sin asumir carácter pernicioso. El médico declaró que sólo había una grande excitación de los nervios, y prescribió un régimen sencillo que dio prontos y excelentes resultados. El siguiente día, ya Grijalva, incorporado en su lecho, pálido y triste, pero libre de todo acceso febril, conversaba tranquilamente con los circunstantes, y expresaba su gratitud a Guzmán y Aguilar.

De estos dos nobles y generosos amigos, el primero, don Gonzalo de Guzmán, era un hombre dotado de distinguidas prendas de inteligencia y de carácter. Su lenguaje, flexible, insinuante, rebosando de bondad e inspirado por un conocimiento profundo del corazón humano, tenía especial virtud para calmar las tempestades del alma. Habló de todo, menos de los amores de Grijalva, pasó en revista los principales personajes de la colonia, sus empresas, sus proyectos, sus probabilidades de buen o mal éxito, y desenvolvió ante los ojos del doliente mancebo, que parecía escucharle con gustosa atención, un extenso panorama de aventuras gloriosas. Grijalva se reanimó visiblemente y llegó a expresar su intención de embarcarse con Ojeda y Nicuesa, que, según se ha dicho, estaban a la sazón en Santo Domingo activando los últimos preparativos de su expedición al continente.

Don Gonzalo le objetó que tratándole el almirante con la alta estimación que todos sabían, no sería justo corresponderle yéndose a compartir la fortuna de los que aparecían como émulos de sus intereses, y que mejor le estaría a Grijalva aguardar a que el mismo almirante organizara alguna expedición por su propia cuenta, lo que no podría tardar mucho. Conformóse Grijalva con este parecer, y así quedó determinado en su propósito.

XVII

DELIBERACIONES

La noche precedente tuvo efecto la entrevista para que había sido llamado Velázquez por Diego Colón a la fortaleza.

—Ya os dije que era vuestro amigo, y que pronto os lo probaría —fueron las primeras palabras que empleó el almirante por vía de exordio para entrar en materia—. Desde ahora quiero que vuestros intereses corran identificados con los míos. Ya sabéis que se me quiere despojar de mis derechos y prerrogativas como almirante de estas Indias. Ojeda y Nicuesa, con el acreditado piloto Juan de la Cosa, están acabando de aprestarse para ir a conquistar y poblar en las partes más ricas e importantes de las tierras descubiertas por mi ilustre padre: él pasó sus grandes trabajos para que estos extraños los aprovecharan, validos de la perdurable injusticia del rey para con nuestra casa, y del apoyo que les prestan allá el malvado obispo Fonseca que tanto atormentó a mi padre, y acá el intrigante tesorero Miguel de Pasamonte. Aun la isla de Jamaica me la quieren arrebatar, incluyéndola en el asiento con Ojeda o con Nicuesa, que este particular aun entre ellos está oscuro y dudoso, por lo que es ocasión de disputas y desafíos, que yo dejo correr como simple espectador, siendo como soy el legítimo dueño de la cosa disputada.

"Pero entre tanto el tiempo urge, y me conviene aprovecharlo: con vos cuento para el efecto. ¿Queréis ir a poblar la isla de Jamaica? ¿Queréis más bien anticiparos a los dos usurpadores, y salir para el Darien con toda la gente y los recursos que aquí podamos allegar? Esto dificultaría mucho más la expedición de aquéllos, porque les quitaríamos la mayor parte de la gente que han traído enganchada desde España, sobre no permitirles enganchar ninguna aquí. Para consultaros sobre estos importantes puntos os he llamado.

Velázquez no carecía de prudencia: comprendía, en medio de las deslumbradoras proposiciones del joven almirante, que se trataba de hacer frente a las resoluciones soberanas, de contrarrestarlas y contrariarlas, oponiéndoles los justos y legítimos derechos del hijo del descubridor. No podía preverse hasta donde pudiera llevar a la una parte y a la otra su respectivo empeño en la lucha. ¿Cedería la corona? Era dudoso, y en ese caso, sería temeridad obstinarse en sustentar derechos que podían ser desvirtuados por cualquier acusación de rebeldía, cuyas consecuencias acaso se complicaran hasta producir un patíbulo. ¿Cedería don Diego? Esto era lo más probable, y entonces, sólo se recogería por fruto de la porfiada empresa desengaños y tiempo perdido.

Estuvo, pues, Diego Velázquez casi a punto de decir que no rotundamente a lo que el almirante le proponía, pero tampoco entraba en su conveniencia malquistarse con el primer personaje del Nuevo Mundo, que tan buenas pruebas de amistosa confianza le estaba dando. En consecuencia, después de hacer rápidamente las apuntadas reflexiones, Velázquez pidió al almirante tiempo para responderle, indicando el plazo de tres días. De este modo podría deliberar con sus amigos, principalmente con el licenciado Las Casas, que era en quien tenía más ciega fe, la resolución que le conviniera adoptar. Diego Colón le exigió que acortara el plazo, en atención a la premura de las circunstancias, y quedaron convenidos en que a la siguiente noche notificaría Velázquez la decisión que mejor le pareciera.

Muy de mañana, al día siguiente, mandó aviso Velázquez a Las Casas de que necesitaba conferenciar con él, y apenas tardó el licenciado diez minutos en acudir al llamamiento.

El capitán le dio las gracias, complacido de ver tan buena voluntad en su amigo, pero éste con su habitual franqueza le dijo:

—Os equivocáis, yo iba a venir sin vuestra orden, por dos motivos: uno es para poner en claro lo ocurrido ayer con Enriquillo, que vi llegar medio muerto de pesadumbre, y estoy temiendo si volverá a enfermar. El otro es la concertada visita al almirante para pedirle que nombre otro en mi lugar, que tome residencia al administrador Mojica, sobre los bienes que fueron de doña Ana de Guevara.

—Sois tenaz, don Bartolomé: ¿qué os ha hecho ese pobre hombre?

—¡Pobre hombre decís! Algún día lo conoceréis. ¿Me acompañáis, o no, adonde el almirante?

—No puedo, por lo que os voy a decir —contestó Velázquez.

Y refirió punto por punto lo que había pasado entre él y el almirante, en su última entrevista, agregando:

—Ya veis que sin llevarle la contestación definitiva, que ha de ser en la misma noche de hoy, no debo ir a la fortaleza. Dadme vuestra opinión, licenciado.

Las Casas se puso a meditar en silencio, y así pasaron algunos instantes.

—Habéis obrado prudentemente —dijo al cabo Las Casas—, no precipitando vuestra determinación. El mero hecho de ir contra los mandatos de la corona pudiera aparejaros grandes disgustos en vuestra carrera: seguramente habríais de tener conflictos ocasionados por la violencia de carácter de Alonso de Ojeda, si fuerais a contender con él en sus empresas, mientras que Diego de Nicuesa por su parte goza de gran crédito en la corte. Por todos lados veo peligros para vos en ir al Darién o a Jamaica, y yo creo que prestaríamos mejor servicio al almirante inclinándole a que dirija sus representaciones al rey, en vez de irse por vías de hecho para volver por sus legítimos intereses, que en realidad lo son. De esto he tratado antes de ahora con don Bartolomé Colón, que es del mismo parecer, pero el mando da de sí el engreimiento, y los buenos consejos son vago rumor para los oídos del poderoso. De aquí vienen

luego las grandes caídas, y los tardíos arrepentimientos.

—Pero pensará el almirante —arguyó Velázquez—, que yo, por ser ya bastante rico en esta isla, rehúyo el cuerpo a los trabajos y a los peligros, lo que me hará perder mucho en su concepto.

—Seguramente —respondió Las Casas—, pero esa reflexión no debe deteneros para decir la verdad, cuando se os pone en el caso de resolver tan grave asunto.

—Si de momento —añadió el capitán—, se ofreciera otra empresa en que ejercitar mi valor y mi adhesión al almirante, sin ir contra la voluntad de su alteza...

—Voy a sugeriros un gran proyecto —contestó vivamente el licenciado—, y acaso esté envuelto en él todo un porvenir de gloria y de fortuna. Proponed al Almirante que os encargue la conquista y colonización de la isla Juana, la Cuba de los indios.[1] Como no ha sonado que sea rica en minas de oro, nadie la ha hecho hasta el día objeto de su codicia, y sin embargo, no sé qué presentimiento me dice que en riqueza, grandeza y bondad de la tierra no cede a ninguna otra comarca del mundo. Así lo conjeturaba el mismo almirante viejo, que tenía grandes designios sobre esa isla. No ha entrado allí el hierro destructor de la conquista, y será una bendición de Dios para ella que vos, tan experimentado ya en el ejercicio de fundar poblaciones y que no excluís de vuestro pecho la piedad para los pobres indios, seáis que lleve allá el signo de la redención, y dejéis vuestra memoria perpetuada en los nombres de florecientes ciudades que habrían de surgir de la nada, merced a vuestro cuidado y vuestro esfuerzo.

—Ya tengo bastantes fundacio-

---

[1] Fue Juana el primer nombre que tuvo la isla de Cuba, impuesto por Colón en honor del príncipe don Juan, después se mandó llamar *Fernandina* por el rey Fernando.

nes a que atender, licenciado —replicó Velázquez—, y si mi nombre ha de pasar a la posteridad por esa clase de servicios, ahí están la villa de Azua, Salvatierra de la Sabana, San Juan de la Maguana y Villanueva de Jáquimo, todas fundadas por mí, y que serán mis títulos a la inmortalidad —agregó con burlona ironía Velázquez.

—Mucho más tenéis que hacer en Cuba, capitán, creedme. Su proximidad a sotavento de esta isla Española, y más todavía la vecindad de vuestros medios y recursos, en Yaguana y Bainoa,[1] hacen más fácil, menos costosa y de seguros resultados esta empresa.

—¿Me acompañaréis en ella, licenciado? Con vos me atreveré a todo.

—Gracias, capitán, iré gustoso a acompañaros, después que haya conseguido mi ordenación sacerdotal.

—No antes, y quizá mucho después habría yo de acometer la realización de ese gran proyecto, pues ya sabéis que, como vos, también tengo un sacramento en perspectiva —dijo Velázquez, aludiendo a su concertado matrimonio.

—Lo que más importa es deciros, capitán —insistió Las Casas—. Veamos ahora mismo al almirante, declaradle vuestra determinación, y ya veréis cómo todo se endereza al mejor término. Urge antes que nada, que al escribir don Diego al rey, le hable del proyecto como asunto ya convenido y resuelto, pues así quedará la empresa de Cuba, aunque se aplace un tanto, al abrigo de tanto codicioso aventurero y tanto pillastre como da guerra a la hijo del gran descubridor, por despojarlo de todo lo que ante Dios y los hombres le pertenece de pleno derecho. Asegurado vos en esta parte, ya podréis acometer confiado la nueva conquista, cuyas dificultades y riesgos no han de ser

superiores a vuestro valor y experiencia.

—¡No, pardiez! licenciado. Ni un momento he temido los tales trabajos y peligros; antes bien, mi corazón, cansado de blanda ociosidad, suspira impaciente por verse en ellos: lo que me trae moroso es esa divina María de Cuéllar, que aquí me tiene como encadenado, y no quisiera salir de la isla sin que de hecho fuera mío tan imponderable tesoro.

—De esas cosas no entiendo, capitán: yo tampoco pienso salir, sino después de consagrado al Señor. Entonces, me tendréis a vuestra disposición... Y ahora, decidme, que ya es tiempo: ¿por qué os enojásteis ayer con Enriquillo?

—A fe mía, don Bartolomé —dijo Velázquez recapacitando—, que apenas lo recuerdo, mas sí que me pesó al punto el haber sido con él demasiado severo; y si ahora lo tuviera aquí presente, daría gustoso un abrazo a mi pobre ahijado.

—¿No recordáis el motivo? Pues voy a decíroslo —replicó Las Casas con amarga expresión—. Ese Mojica, deliberadamente, proporcionó el disgusto, ese Mojica ejerce una mala influencia a vuestro lado, abusa de vuestro carácter franco y sencillo, os induce a actos injustos, ajenos de vuestra noble y generosa índole...

—Tal vez tengáis razón, licenciado —dijo Velázquez, deseando ver terminado el sermón—. Voy a desconfiar de él en adelante...

—¿Pediréis conmigo al almirante —añadió Las Casas—, que se nombre un sustituto para residenciar las cuentas de ese pícaro...?

—Convenido, licenciado —volvió a decir el voluble Velázquez, sometido ahora en cuerpo y alma a su ángel bueno, que era Las Casas.

—Y si estáis cansado de proteger a Enriquillo, no curéis más de él, que yo me basto para el efecto...

—¡Por Dios, licenciado, no digáis tal cosa! ¿Qué se pensaría de mí? Ese cuidado no lo cedo a nadie.

[1] Las dos provincias más occidentales de la Española, según la antigua división de la Isla.

—Así os quiero, capitán: ahora os reconozco... Pues vamos compaginando las cosas. El sustituto mío no ha de ser un tunante a quien Mojica pueda comprar, ni un simple a quien pueda engañar. Ya he discurrido sobre este punto en mis adentros, y hallo que el sujeto más adecuado a tal encargo es el íntegro y venerable don Francisco de Valenzuela.

—Indudablemente —repuso Velázquez—, no es posible más digna y acertada elección.

—Pues bien —prosiguió Las Casas—, como que se trata del patrimonio de la niña Mencía de Guevara, y esta criatura está destinada a ser la esposa de nuestro Enriquillo, parece lo más conveniente que propongamos al almirante el nombramiento de Valenzuela, que éste conserve la administración de los bienes, lo que le es fácil por estar radicados cerca de San Juan de la Maguana, donde el dicho Valenzuela tiene también sus vastas propiedades, y que tome a su cargo a Enrique, para que desde ahora lo vaya instruyendo en el conocimiento de los deberes que le han de corresponder más tarde, como curador y administrador de los bienes de su esposa, cuando llegue a serlo Mencía...

—¡Admirable!, don Bartolomé —exclamó Velázquez—: proponed todo eso al almirante, y yo diré *Amén* a cuanto salga de vuestra sabia cabeza.

XVIII

ACUERDOS

A la una del día eran recibidos por Diego Colón en la fortaleza el licenciado Las Casas y el capitán Velázquez: el almirante se holgó mucho de que este último estuviera tan diligente en llevarle con un cuarto de día de adelanto la contestación que había quedado aplazada para aquella próxima noche. Todo pasó como la *sabia cabeza* de Las Casas, según la expresión de su dócil compañero, lo había concebido; y aunque el almirante mostró algún pesar de que Velázquez no se quisiera encargar de ninguna de las expediciones de inmediata ejecución con que le brindaba, acogió con entusiasmo el pensamiento de la colonización de Cuba, dispuesto a seguir desde aquel mismo día todas las indicaciones del entendido licenciado, para mantenerse en la gracia del rey Fernando, estableciendo el contrapeso de tan brillante proyecto en el ánimo real, que sin duda recibiría con desagrado los actos de jurisdicción personal que se proponía ejercer del modo más enérgico el heredero del gran Colón, frente a frente de las invasiones que sus derechos sufrían de parte del mismo rey y de su Consejo de Indias.

Sea porque efectivamente lo reclamara su interés político, o bien porque perseverara el almirante como estaba comprometido a hacerlo, en su propósito de alejar a Velázquez so pretexto de público servicio, lo cierto es que al mismo tiempo que abrazaba a éste en señal de estrecha alianza, y se entregaba de lleno a las más lisonjeras ilusiones respecto de la proyectada conquista de Cuba, Diego Colón declaraba que era de todo punto indispensable que el comandante Diego Velázquez, o sea el teniente gobernador de Jaragua [1] fuera a ocupar sin tardanza su puesto oficial, y la razón era que estando Nicuesa y Ojeda a punto de emprender su viaje a Costa-Firme, y siendo este último tan atrevido, y conocedor práctico de las costas

[1] En los antiguos historiadores de Indias hallamos que los tratamientos de *Teniente, Capitán y Comandante,* se dan indistintamente a Velázquez. hasta que logró el *Adelantamiento.*

occidentales de la Española, era preciso evitar que fueran de recalada, al partir de Santo Domingo, a tomar en Jáquimo, Jaragua o cualquier otro lugar de la Tenencia, gente, bastimentos y otros recursos, que más adelante habrían de hacer falta para los proyectos propios del almirante. Pareció bien a Casas y Velázquez el pensamiento de Diego Colón, tal vez por corresponder con alguna concesión a la deferencia con que había éste dado su pleno asentimiento a todas las indicaciones y proposiciones de los dos amigos. Quedó por consiguiente acordado que Velázquez haría los preparativos necesarios para marchar al occidente, tan pronto como las naves de los expedicionarios zarparan del puerto de Santo Domingo.

Después se trató de la residencia de Mojica y de lo concerniente al señor Valenzuela y a Enriquillo. Es penoso haber de observar que los intereses de Mojica quedaron sacrificados despiadadamente, y abandonados por Velázquez con la mayor indiferencia, como si jamás hubiera salido de sus labios la solemne promesa de protegerlos. Pero, ¿quién se fía de palabras de enamorados y de políticos? Todo lo ofrecen cuando lo exige el interés del momento, tan pronto como éste pasa, el olvido lo sigue de cerca. Es regla general, lo que quiere decir que no deben faltar sus raras excepciones de hombres de bien, que repugnen las fullerías en todos los casos.

Saliendo de la fortaleza, Las Casas fue a enterar a don Francisco de Valenzuela de la parte que le concernía en los acuerdos de la conferencia. Halló muy propicio al buen anciano respecto del pensamiento de encargarlo de la administración de los bienes de Mencía y de la dirección del joven Enriquillo. Valenzuela, como Las Casas y todos los hombres de principios íntegros que conocían al intrigante hidalgo y sus mañas, detestaba a éste de todo corazón.

Después de esta diligencia, el licenciado se retiró a descansar a su alojamiento en San Francisco. Enriquillo salió a su encuentro según solía, pero estaba sumamente abatido y triste: Las Casas le gritó con aire de alegría:

—¡Ea, muchacho, dame albricias! Tu padrino Velázquez te aprecia como siempre, está descontento de sí mismo por haberte reñido sin razón, y desea darte un abrazo.

Enrique, por toda contestación, movió la cabeza melancólicamente.

—Vamos a ver si esta otra noticia te causa mejor impresión —prosiguió Las Casas—. Antes de un mes, te irás a vivir a San Juan de la Maguana con mi querido amigo don Francisco de Valenzuela. Él cuidará de ti y te amará poco menos que como yo te amo. Correrás a caballo en libertad por aquellos valles, aprenderás a conocer y manejar todo lo que es de Mencía por herencia de su madre, y nadie te mandará a mentir, ni querrá obligarte a que toques instrumento alguno, cuando no te de la gana.

Enrique dejó ver una sonrisa de satisfacción, luego miró enternecido a Las Casas, y le besó las manos diciéndole:

—¡Cuánto os debo, señor y padre mío! Por nada de este mundo quisiera dejaros, y sin embargo, me hace tanto daño vivir en esta ciudad...

—Lo creo —contestó Las Casas—. Pero es menester que hagas por cumplir de buen talante tus deberes con los señores virreyes, con tu padrino, con todos, mientras estés por aquí. Irás a menudo a ver a Mencía, no le pongas a nadie mala cara, sé prudente y sufrido como te he recomendado.

Entre tanto, Diego Velázquez, desnudándose el traje de gala que se había puesto para ir a la fortaleza, decía a su ex-confidente Mojica, que lo escuchaba con avidez:

—No tenéis buena suerte, amigo don Pedro: todos mis esfuerzos por manteneros en esa administración fueron inútiles, y el almirante ha nombrado al señor de Valenzuela para que os releve y tome cuenta. —¡Misericordia! —exclamó aturdido Mojica—. ¡Soy hombre perdido! ¡En buenas manos he ido a caer! Otro Las Casas, y tal vez con no tan buen corazón como éste, que al cabo es incapaz de hacer daño ni a una mosca. ¿Por qué iría yo a promover este asunto? ¡Salvadme, capitán Velázquez! ¡Mal haya el almirante, y Las Casas y Valenzuela, y yo mismo, que me he fiado de quien pasaría de largo si me viese caer dentro de un pozo!

Y el atribulado Mojica se fue mesándose las pocas barbas que rastreaban por su sórdido semblante, mientras que su falso protector contenía trabajosamente la risa, ante aquella caricatura de la desesperación.

XIX

HÉROES O LOCOS

Los preparativos de la expedición de Ojeda y Nicuesa al continente no acababan nunca: vencida una dificultad, surgía otra, y después otra y cien más.

El almirante gobernador tenía amigos y aduladores que con sólo estar en cuenta del desagrado con que él miraba aquel menoscabo de sus prerrogativas, se afanaban en suscitar obstáculos sin cuento a los expedicionarios.

Diego de Nicuesa tenía muchos acreedores en la colonia, y todos a una, como trahílla de rabiosos canes, se echaron sobre él a promoverle demandas y pedir embargos. Ojeda por su parte no hallaba quien le prestara las sumas de dinero que necesitaba para completar su equipo, y pagar las primas de enganche de su gente. Bramaban de ira uno y otro contra Diego Colón, a quien

atribuían, no muy ajenos de fundamento, el cúmulo de contrariedades y percances que los abrumaba. La cólera de ambos subió de punto cuando supieron que se hacían a la mar dos naves, con rumbo a Jamaica, para tomar posesión de aquella isla, y poblarla y gobernarla por cuenta y en nombre del almirante.

El impetuoso Ojeda exhaló su rabia en terribles amenazas, y juró cortar la cabeza a Juan de Esquivel, que iba como teniente de Diego Colón a la empresa de Jamaica.

No habiendo aceptado el encargo Diego Velázquez, el almirante se volvió naturalmente a Esquivel, que era quien seguía a aquél en consideración y prestigio, como pacificador de Higüey y de Icayagua, y como fundador de las villas de Salvaleón y de Santa Cruz del Seybo, que aún subsisten como importantes centros de población en las dos antedichas provincias [1] respectivamente.

Los historiadores de la conquista refieren cómo Ojeda, lejos de poder cumplir su imprudente juramento, llegó un día desvalido, rendido de trabajos y de miseria a Jamaica, donde Esquivel le dispensó la más generosa hospitalidad. Como es probable que no vuelva este episodio a figurar en nuestra narración, le damos cabida ahora, aunque no sea de este lugar.

Hicieron los adversarios del almirante un supremo esfuerzo. Pasamonte facilitó fondos, y se logró arrollar los obstáculos que se oponían a la expedición de Ojeda y Nicuesa, pero cuando éste iba a embarcarse, hubo de pasar por una prueba más triste y humillante que

[1] Se habla en el concepto de la división territorial primitiva, o sea, la indígena adoptada por los conquistadores. Ambas comarcas forman hoy la importante provincia del Seybo, una de las nueve circunscripciones que componen la República Dominicana en el día. Año 1892.

todas las anteriores. Los alguaciles le prendieron al poner los pies en el bote, a causa de una deuda de quinientos ducados que no había satisfecho.

El infeliz, ya vencido por tantas contrariedades, miraba consternado a todas partes, cuando un escribano de la ciudad, cuyo nombre no registraron las crónicas, volvió caritativamente por el desesperado caballero, suscribiendo fianza para pagar por él. Nicuesa no podía creer en tan inesperado auxilio. Abrazó a su libertador, y lo tuvo por un ángel venido expresamente del cielo a salvarlo. Mil promesas lisonjeras hizo al buen escribano, de que le atestiguaría su gratitud con brillantes recompensas si su empresa obtenía buen éxito. Pero no la obtuvo, y después de infinitos trabajos, vejámenes y disgustos, el infeliz Nicuesa, obligado a regresar a la Española en un barco podrido, pereció en el mar con varios de sus compañeros, sin que más se volviera a saber de él. Lamentable, aunque justo fin, de una expedición emprendida bajo los desfavorables auspicios de la ingratitud y el más arbitrario atropello de parte del rey Fernando, contra los derechos patrimoniales de su fiel súbdito, el hijo del gran Colón.

Vasco Núñez de Balboa, el mismo que más tarde supo inscribir su nombre en el libro de oro de la inmortalidad, salió en aquella ocasión de Santo Domingo, "oculto en una pipa" [1] y de este modo logró sustraerse a la persecución de sus muchos acreedores, y embarcarse en una de las naves de Nicuesa, permaneciendo en su escondite hasta que el barco estuvo en alta mar. Se presentó entonces al caudillo, y éste se enojó mucho, pero consintió en seguir el viaje con aquel no previsto compañero, cuyo espíritu audaz y fecunda inventiva se acreditaban con el mismo rasgo de su fuga. Nadie,

sin embargo, pudo adivinar en aquel aventurero, oscuro vecino de Salvatierra de la Sabana, al intrépido conquistador y colonizador del Darién, y al célebre descubridor del mar del sur.

Sus brillantes hazañas, sus heroicos trabajos, como su trágico fin a manos del envidioso Pedrarias Dávila, han hecho de Vasco Núñez de Balboa el tipo más acabado y simpático de aquellos hombres de voluntad férrea y corazón de diamante, que dieron a la conquista el carácter de una grandiosa epopeya. [2] Lástima que otros conquistadores, si capaces de igual esfuerzo, desprovistos de su magnanimidad, deshonraran con crueldades sanguinarias las proezas que inmortalizaron sus nombres. Así Francisco Pizarro, futuro conquistador del Perú, que también salió entonces de Santo Domingo con Alonso de Ojeda, como soldado de fortuna, y que por aquellos días, limitando modestamente sus aspiraciones al cumplimiento de sus deberes subalternos, parecía ignorar su propio valor, y la indómita energía de su corazón. Así Hernán Cortés, que más tarde conquistó gloriosamente a México, y que muy a su pesar no emprendió viaje en la flota de Nicuesa por impedírselo a la sazón una incómoda dolencia que le tenía en cama. [3]

Todo lo que, en resumen, da la medida del poder y de la previsión

---

[1] Histórico: "dentro de una vela del barco" dicen otros.

[2] Así han juzgado el inmortal Quintana y Washington Irving al descubridor del mar Pacífico. El distinguido literato puertorriqueño don Alejandro Tapia y Rivera ha escrito una de sus más bellas obras dramáticas sobre el brillante y trágico destino de *Vasco Núñez de Balboa.* Como José Julián Acosta, Manuel Corchado, Manuel Fernández Juncos y otros eminentes hombres de letras que brillan en Puerto Rico, Tapia rinde fervoroso culto a toda grandeza moral *verdadera,* con noble desinterés y laudable independencia.

[3] Histórico: "Una postema que le salió en una pierna." Herrera.

humana sin el auxilio de las circunstancias fortuitas, y enseña que la gloria y la alta fortuna de los varones más renombrados en la historia, han dependido casi siempre de sucesos insignificantes, y de los caprichos de la ciega casualidad.

XX

RESIGNACIÓN

Al saber Juan de Grijalva que Esquivel pasaba a poblar a Jamaica por orden y cuenta del almirante, volvió a consultar a sus amigos la conveniencia de partir en aquella expedición, que sobre ser la primera que se presentaba, era la única de las previstas en aquellos días, que ofrecía las condiciones requeridas en la opinión de don Gonzalo de Guzmán. Éste aprobó la resolución del mancebo, y el viaje quedó decidido.

Velázquez lo supo con júbilo extraordinario, y lo supo de boca de Las Casas, que compadeciendo vivamente al infeliz Grijalva había estado a visitarle en cuanto tuvo noticia de su enfermedad. La resolución de ausentarse Grijalva de Santo Domingo era para Velázquez la más segura prenda de la sinceridad con que el joven le había manifestado sus más recónditos sentimientos, en la memorable noche en que su amor había sufrido el rudo desengaño del jardín de los virreyes. Determinó, pues, obedeciendo al primer impulso de su reconocimiento, ir a estrechar la mano a su temible rival, que con inusitada generosidad le abandonaba el campo, pues no dejaba de preocupar a Velázquez el recelo de dejar cerca de su prometida, al ausentarse para cumplir en occidente la comisión que le impusiera el almirante, aquel bello e interesante joven, que por primera vez se ofreció a su mirada observadora como adorador no desdeñado de María de Cuéllar.

Las Casas alentó aquellas disposiciones amistosas de Velázquez, previendo que habían de ser muy provechosas a la carrera de Grijalva en el porvenir.

Éste recibió sin extrañeza la visita del capitán, pero al darle la mano dejó traslucir cierto embarazo y cortedad en su actitud, y en las palabras incoherentes con que correspondió al saludo expansivo y afectuoso de don Diego, que le dirigió las siguientes frases:

—Me han dicho que vais a partir con Esquivel, y he venido a saber si es cierta esa noticia, don Juan.

—Sí, capitán Velázquez —contestó lacónicamente Grijalva.

—No pretendo oponerme a vuestra voluntad —repuso Diego Velázquez—, pero sí me reservo la facultad de reclamaros el cumplimiento de la oferta que espontáneamente me hicisteis, de vuestro brazo y vuestra espada: ¿la recordáis?

—No acostumbro olvidar un empeño, y menos de la naturaleza del que vos referís —replicó Grijalva—: siempre que en cualquier trabajosa empresa que acometáis, os viniere bien emplear mi persona, ya os lo dije, don Diego, podéis poner a prueba mi leal adhesión.

—Permitidme, Grijalva, expresaros mi admiración por vuestra manera de proceder conmigo —dijo Velázquez conmovido—. Me habéis dicho con franqueza que amabais a la que va a ser mi esposa, y lejos de mirarme con preocupación y enojo, hallo en vos para conmigo una buena voluntad y disposición favorable que igualarían a las de mis mejores amigos.

—¿Y por qué habría de ser de otro modo? —dijo sosegadamente Grijalva—. ¿Porque améis a una persona... que yo... amaba? Pero eso no tiene nada de ofensivo para mí, don Diego... Yo hallo muy natural que todos amen a un ser dotado de tantas perfecciones como doña María de Cuéllar, y respeto la voluntad de ella cuando veo sin celos que os da una preferencia que yo no he tenido la dicha de merecer. Esto me convence, al contrario, de que en vos deben concurrir prendas superiores que os hacen acreedor a esa preferencia, y mi corazón, incapaz de mezquinos afectos, halla cierta complacencia en honrar, amar y venerar todo lo que una persona de tan alto mérito ama, venera y honra, al extremo de entregarle su fe y su mano de esposa.

—¡Cada vez os hallo más singular, don Juan! —exclamó Velázquez, sin acertar a comprender aquella extraña manera de sentir y de pensar—. No obstante, veo claro que tenéis un alma noble y grande, y me obligo a corresponderos con la franca adhesión del verdadero amigo. Disponed de mí a vuestra guisa, don Juan.

Y aquellos dos hombres que respectivamente uno de otro se hallaban en situación tan anómala, se estrecharon silenciosamente las diestras, y se separaron después, tratando de ocultar la emoción que los dominaba. Diego Velázquez se sentía enternecido y apesarado, como si algo semejante al remordimiento nublara su ánimo, al encontrarse frente a la resignada melancolía de su infortunado rival.

Dos días después, Grijalva, acompañado de sus numerosos amigos, se embarcaba en una de las naves de Esquivel.

En manos de García de Aguilar dejó recomendada la siguiente carta, dirigida a María de Cuéllar: "María: mi desengaño me aleja de estas comarcas. Voy a buscar la muerte, que es lo único que puede ser grato a mi triste corazón, en medio de la pena inmensa que lo abruma. No me quejo, ni os acuso de nada, olvidadme, y sed feliz: es el deseo que llevaré al sepulcro, y he sentido la necesidad de decíroslo por última vez.—¡Adiós!"

Aguilar tomó a empeño cumplir el encargo de su amigo, y consiguió que el billete de Grijalva fuera el mismo día a su destino, por ministerio de una anciana que servía en la casa de Cuéllar.

XXI

LA VÍCTIMA

La pobre María estuvo a punto de perder la razón, cuando leyó la despedida de su amante.

No bien se repuso de la primera impresión, corrió a echarse a los pies de su padre, y le refirió toda la verdad, haciendo patentes las heridas de su corazón.

—Yo moriré, padre mío —dijo la desdichada joven al terminar su confesión—: moriré, y muy pronto si me obligáis a dar la mano de esposa a otro que a Juan de Grijalva.

El viejo, abriendo un balcón que daba vista al lejano horizonte marítimo, contestó a su hija señalándole dos bajeles que a toda vela se alejaban en dirección al sudoeste:

—¿Ya qué remedio tiene? Ese barbilindo se fue..., ¡Dios le dé buen viaje! Procura olvidarlo, que es cuanto está bien a tu decoro, para no pensar sino en dejar bien puesto el honor de nuestra casa, y en cumplir el compromiso contraído solemnemente con el capitán Diego Velázquez.

La joven parecía no prestar atención al frío lenguaje de su padre. Inmóvil, con los ojos desmesuradamente abiertos, fija la mirada en las dos blancas velas que la distancia hacía aparecer como dos gaviotas surcando en rasante vuelo la superficie de las ondas, hubiera podido servir de modelo para una estatua de la ansiedad y el dolor. Por último, el llanto bañó sus pálidas mejillas, y sólo entonces comprendió el endurecido anciano el sufrimiento desgarrador que experimentaba la doncella. Trató de consolarla como lo entienden los seres de naturaleza ordinaria y vulgar, esto es, aumentando la aflicción del doliente que tiene la desgracia de escucharlos, con sus sandios discursos y exhortaciones indiscretas.

Tal vez por librarse del tormento de oír unas y otras, María se esforzó en dominar su angustia, logrando componer el semblante, y pidió a don Cristóbal permiso para retirarse a su aposento, donde era su deseo permanecer absolutamente sola.

Después de algunas reflexiones del importuno viejo, que objetaba la conveniencia de distraerse con el paseo y la conversación para combatir la hipocondría, insistiendo la doncella, obtuvo al fin que su voluntad fuera respetada, y fue a encerrarse con su dolor donde nadie cohibiera sus naturales expansiones.

Púsose a borronear una carta a su amante, contestando a la que él le dejara escrita en son de despedida. En los dedos de la joven, la pluma volaba con febril agilidad, más rápida que cuando adherida al ala en que se formó, hendía los espacios etéreos. Deteníase a veces la gentil escribiente, no para meditar conceptos, sino para enjugar el llanto que nublaba su vista y humedecía el papel. Al cabo de algunos minutos, sin volver a leer los renglones que había trazado, dio varios dobleces al escrito, y cerrándolo cuidadosamente, selló su nema sirviéndose al efecto de la cincelada cifra de un precioso relicario de oro que pendía de su cuello. Abrió después el expresado relicario, y sacando de él un delgado rizo de cabellos negros como el ébano, llevólo a sus labios y lo besó apasionadamente.

—¡Es todo lo que me queda de su amor! —dijo con acento de indefinible tristeza, y luego añadió:

—¿A quién confiaré esta carta?

—No sé, pero estoy segura de que él la ha de leer algún día. Es cuanto deseo.

XXII

DESPEDIDA

Tan pronto como las naves de Nicuesa y Ojeda, cuyos numerosos tripulantes agitaban los sombreros y atronaban los aires con alegres aclamaciones de despedida, hubieron traspuesto la barra que forma la embocadura del Ozama, y comenzaron a bogar a toda vela con rumbo al sur, Diego Velázquez fue a recibir las últimas órdenes verbales del almirante, y montando en seguida a caballo, se puso en marcha con buen séquito hacia los lugares que caían bajo su tenencia de gobierno. Comprendía ésta todo el vasto territorio demarcado entre Azua de Compostela en dirección al sur y al oeste, rodeando toda la costa, y dando la vuelta al norte de la isla hasta la desembocadura del río Yaque, cerca de Monte Cristo; y quedaba dentro de su dilatada jurisdicción la citada villa de Azua, Salvatierra de la Sabana, Villanueva de Jáquimo y San Juan de la Maguana, fundadas y pobladas por el mismo capitán Diego Velázquez, la villa de Yaguana, por otro nombre Santa María del Puerto, Lares de Guahava, Santa María de la Vera Paz, villas también fundadas por el comendador Ovando. Además, un sin número de lugarejos, aldeas y caseríos de castellanos y de indios, que de los primeros llegó a haber hasta catorce mil colonos en la Española, guarismo que mermó rápidamente cuando las riquezas de México y el Perú atrajeron a los pobladores europeos, por enjambres, en pos de las huellas de Cortés y de Pizarro.

En el séquito del capitán Velázquez se fue también para su casa, con la hiel del despecho en el corazón, el malaventurado Mojica, que desamparaba la capital de la colonia muy a su pesar, pues se hallaba perfectamente en aquella atmósfera de chismes e intrigas, que fermentaban al calor de las discordias y los antagonismos de los dos bandos en que se dividían los principales colonos, unos por el almirante y otros por Miguel de Pasamonte, cuyo oficio de tesorero real le daba grande importancia. Mojica sentía vivamente alejarse de un teatro tan apropiado a sus aptitudes morales, decidido a afiliarse en el bando de Pasamonte, que el malo a lo malo tira; pero iba a la Maguana a poner *en orden* los bienes de que era administrador, para poder dar cuenta cuando don Francisco Valenzuela, que aún quedaba por unos días más en la capital, fuera a tomárselas, diligencia necesaria de parte de todo el que administra *sin orden* la hacienda ajena.

Enriquillo vio partir a su patrono Diego Velázquez después de haber recibido sus demostraciones de cariño, sin dar señales de gran pesadumbre. Tal vez le quedaba algo del pasado sentimiento, quizá un secreto instinto le advertía que la protección de Velázquez tenía más de artificial y aparatosa que de verdaderamente caritativa. El joven no se detendría sin duda a hacer este análisis, que al que recibe un beneficio sólo le compete agradecerlo, en tanto que no tienda a su humillación o envilecimiento, límite donde toda honrada gratitud debe detenerse altivamente, más, lo cierto es que, cuando interrogaba su puro corazón, Enriquillo encontraba radicalísima diferencia entre el afecto tibio y casi forzado que le inspiraba Velázquez, y la espontánea, sincera y tierna adhesión que sentía hacia el desinteresado y generoso Las Casas.

Aprovechando la libertad que se le permitía en el convento, desde que el padre prior supo su próxima partida con el señor de Valenzuela, el joven cacique iba todos los días a la fortaleza a ver a Mencía: acogido constantemente con cariñosa bondad por el almirante y su esposa, pronto se borraron totalmente las primeras desagradables impresiones que los usos palaciegos causaron en su alma virgen y candorosa. Seguía al pie de la letra las prudentes advertencias de Las Casas, y comenzaba a aprender y practicar aquella antigua máxima filosófica, que aconsejando *no admirarse de nada*,[1] encierra toda la ciencia de la vida. Su natural ternura para Mencía se hizo más intensa, y estimulada por la espectativa de una separación inmediata, ocupó desde entonces el espíritu soñador de Enrique como un sentimiento vago y melancólico, preludio de una de esas pasiones contemplativas que se nutren de ilusiones, que ven algo del objeto amado lo mismo en el azul purísimo de los cielos, que en el blando susurro de las fuentes, y bastando a su delicada aspiración el inmenso campo de una idealidad inefable, apenas conciben, y casi desdeñan, el auxilio real de los sentidos en las manifestaciones activas o concretas del amor.

Llegó tras de pocos más el día en que don Francisco de Valenzuela emprendió su viaje de regreso a la Maguana, de donde estaba ausente hacía unos cinco meses. Tomó consigo a Enrique, cuya despedida tanto de Mencía como de los virreyes fue sentida y afectuosa, aunque templada con la esperanza de visitar de vez en cuando a Santo Domingo, según se lo prometiera su nuevo tutor el señor de Valenzuela; hizo de igual modo sus cumplidos, con faz enjuta y continente tranquilo, al prior y los frailes en el convento de San Francisco, pero al besar la mano a Las Casas y recibir de éste un cordial abrazo, ya las cosas no pasaron con tanta sereni-

[1] *Nihil mirari.*

dad, y algunas lágrimas de pesar asomaron a los ojos del sensible joven: mayor disgusto experimentó aun cuando hubo de despedirse de su fiel Tamayo, que los benditos frailes quisieron conservar a todo trance en el convento, fundados en la peregrina razón de que les era muy útil. En vano reclamó Enrique, gruñó Tamayo, y tomó partido Las Casas contra la injusta pretensión de los santos religiosos. Éstos, por de pronto, se salieron con la suya, y haciendo llevar el hato de Enriquillo por otro criado a la casa de Valenzuela, retuvieron en su poder al *cacique,* como llamaban a Tamayo por apodo familiar, porque pretendía ser de estirpe noble entre los indios, que la vanidad cabe en todos los estados y condiciones. Las Casas se indignó contra el egoísmo de aquellos piadosos varones, y con su genial impetuosidad les dijo que no obraban con caridad ni justicia. Ellos contestaron destempladamente que la caridad como la justicia debían comenzar por casa: el fogoso licenciado les juró que no descansaría hasta quitarles el indio y restituirlo a la compañía de Enriquillo, y el venerable prior fray Antonio de Espinal, volviendo entonces por el prestigio y las elásticas prerrogativas de su convento, se encaró de mala manera con su poco sufrido huésped, diciéndole, *Allá lo veremos.* Enrique se fue a reunir con Valenzuela, que ya lo aguardaba con el pie en el estribo, y se pusieron en marcha. Desde entonces se entibió la amistad del licenciado con fray Antonio y sus regulares, que en él tenían un precioso consultor de teología y sagradas letras: el mismo día se mudó a la casa de un deudo suyo, hombre muy de bien y de sólida virtud, llamado Pedro de Rentería, a quien acostumbraba Las Casas dar donosamente el nombre de *Pedro el Bueno,* así como no mentaba a Mojica en sus conversaciones familiares sino apellidándole *Pedro el Malo.*

XXIII

PARCIALIDADES

La reacción de los antiguos enemigos del gran descubridor contra la autoridad de su hijo don Diego, comenzaba a acentuarse en las cosas de la española, y sus primeros tiros hicieron en el ánimo del joven almirante el mismo efecto que el acicate del domador en el soberbio potro aún no acostumbrado al duro freno. Ya le hemos visto quejarse amargamente, en su conferencia con el contador Cuéllar, de las intrigas de Miguel de Pasamonte, criatura [1] del obispo Fonseca, ya le hemos visto contrariar cuanto pudo la expedición de Ojeda y Nicuesa, producto de la activa hostilidad de sus émulos, y mandar a Esquivel a Jamaica, al mismo tiempo que concertaba con Velázquez la conquista de Cuba. Pasamonte y su bando no desperdiciaban ningún recurso que pudiera minar el crédito del almirante en la Corte. Primeramente sirvió de tema a sus denuncias la negativa de Diego Colón a entregar la fortaleza al alcaide Francisco de Tapia, nombrado con título del rey para ese cargo, y el cual había sido antes desconocido por Ovando y reducido arbitrariamente a prisión. Después hicieron mucho hincapié en la injusticia con que el almirante don Diego, prescindiendo de los señalados servicios de Juan Ponce de León, que había explorado con gran trabajo y habilidad suma la isla de San Juan de Puerto Rico, proveyó su gobernación en un caballero de

[1] Entonces se decía *criado.* Así califican Las Casas, Herrera y otros historiadores a Diego Velázquez, *criado* de don Bartolomé Colón, en el sentido de hechura suya, el primero que le dio posición, cargos de confianza, etc., etc.

Écija, llamado Juan Cerón, en calidad de teniente del mismo almirante, "mandando como alguacil mayor a Miguel Díaz, que había sido *criado* [1] del adelantado don Bartolomé Colón".

El rey dio nueva orden al almirante para que entregara la fortaleza a Tapia, pero Diego Colón, confiado en la cédula de sus instrucciones, en la cual había obtenido, como Ovando, autorización para usar la fórmula de *acato y no cumplo*, siempre que lo juzgara conveniente al buen orden de la colonia, hizo sus representaciones a la Corte, y persistió en negar a Tapia la posesión de su empleo.

Se puede suponer fácilmente el partido que sacarían los reaccionarios de este rasgo que ellos calificaban como desobediencia: escribieron nuevamente al obispo de Palencia [2] y "llegó luego por los aires otra provisión, mandando al almirante, so graves penas, que saliese luego de la fortaleza y la entregase a Miguel de Pasamonte, para que la tuviese interinamente". [3]

Diego Colón, humillado en lo más vivo de su amor propio, herido en el prestigio de su autoridad, tuvo que obedecer, y se fue a hospedar con toda su familia a casa de Francisco de Garay, que fue deudo de su padre. E inmediatamente dio principio con febril eficacia a la construcción del majestuoso edificio de estilo gótico, que aún subsiste hoy, reflejando sus imponentes y pardas ruinas en las aguas del Ozama, y conocido con el clásico nombre de *casa del almirante*.

Acusáronle también de que en el repartimiento de indios que hizo en

virtud de soberana autorización, había despojado a muchos antiguos y buenos servidores del rey, favoreciendo a sus familiares y allegados. Como que se trataba de los desdichados indios, este cargo fue acogido con más reserva y menos calor que los demás, y sólo surtió efecto cuatro años más tarde, no por cierto para rendir homenaje a los fueros de la humanidad y la justicia.

En lo que respecta a Ponce de León y al gobierno de Puerto Rico, donde éste había vuelto a residir con su mujer y servidumbre, la presencia de Ovando en la corte fue un poderoso auxiliar para el dicho Juan Ponce y los enemigos del almirante. El rey insistió resueltamente en quitar la gobernación a Juan Cerón, y la dio a Ponce, retirando toda cualidad a Diego Colón para intervenir en el asunto. Y aunque su alteza encargó mucho en sus sabias instrucciones al nuevo gobernador, que se reconciliara y *hubiera bien* con el teniente del almirante y el alguacil mayor, el engreído vasallo, ¡cuán antigua es la costumbre!, leyó la real instrucción al revés, y obedeciendo sólo a la voz de sus resentimientos, "buscó achaques para prender a Juan Cerón y a Miguel Díaz, y los envió presos a Castilla, que fue una de las sofrenadas que se dieron al almirante". [52]

La expedición de Juan de Esquivel fue muy mal vista del rey, justificándose así la oportunidad y previsión del consejo que hizo a Velázquez declinar la elección para la empresa de Jamaica.

Otro tema con que movieron gran ruido los del *partido del rey*, que así se denominaban hipócritamente los codiciosos secuaces de Pasamonte, fue la invención de que el almirante pensaba alzarse con el mando de la isla emancipándola de toda dependencia de la corona de Castilla.

---

[1] Como en la precedente nota: equivale a *criatura* o *hechura*. Hemos copiado en esta parte a Herrera. Década. I. L. VII.

[2] El tristemente célebre Fonseca, cuyo odio a Cristóbal Colón entró en la herencia del hijo de éste.

[3] Lo que está entre comillas es copiado del texto de Herrera. *Loc. cit.*

[4] Herrera. *Loc. cit.*, Cap. XIII.

Apoyaban mucho su infame impostura en la fábrica de la casa que don Diego hacía edificar para su residencia, y cuya obra se les antojaba fortaleza inexpugnable. Escribieron sobre este asunto a España, y habiendo llegado por aquel tiempo a la isla Amador de Lares, caballero experimentado en la milicia y que había acompañado al gran capitán y al célebre ingeniero Pedro Navarro en la guerra de Italia, le comunicaron los enemigos del almirante sus sospechas sobre la construcción dicha, y le tomaron su parecer como facultativo. Amador de Lares era hombre de carácter leal y abierto: examinó la fábrica, y viendo las numerosas puertas y ventanas que por requerirlo así el calor del clima, denotaban el uso pacífico a que se destinaba el edificio, no solamente se burló de la maliciosa sospecha, sino que afeó a los calumniadores su malignidad, y dio testimonio a Castilla en favor del almirante. Sin embargo, la pérfida y artera hostilidad de Pasamonte y sus parciales crecía más y más, autorizándose con los actos más insignificantes de Diego Colón, que sentía llegar su exasperación al colmo, viéndose blanco de tantas asechanzas y continuas molestias, sin culpa alguna, como dice un historiador, "porque tenía condición noble y sin doblez".[1]

Prometíase mucho, no obstante, de sus deudos y amigos en Castilla, y especialmente de la inteligencia y actividad de su hermano Fernando Colón, quien, comprendiendo a primera vista desde su llegada a la Española, que la conspiración se comenzaba a fraguar contra ellos, pronosticó al almirante la nube de contrariedades que le venía encima, y deliberó con él regresar cuanto antes a la metrópoli como capitán general de la misma escuadra que los había conducido a la isla, y que de retorno llevaba también al comendador de Lares, de quien estaban ciertos que reforzaría el bando enemigo en la Española con toda su influencia.[2]

Desde entonces seguía Fernando Colón a la corte en sus continuas mutaciones de asiento, y tratado con favor y distinción por el ya anciano rey Fernando, consiguió más de una vez frustrar los siniestros propósitos de Fonseca y Lope de Conchillos, quienes validos del cansancio del monarca, gobernaban las cosas de Indias con arreglo a sus torcidos intereses, como a las miras y malas pasiones de Pasamonte y demás antiguos y modernos enemigos de la casa de Colón.

Mas, por esto mismo, nada pudo impedir que, para dar un golpe decisivo a la autoridad del almirante, determinaran al rey a crear en la isla Española un alto Juzgado de apelaciones, contra los actos del gobernador y sus alcaldes mayores; que este fue el esbozo de la primera Audiencia Real del Nuevo Mundo, institución venerada sin duda, pero que emanada de tan mezquinos orígenes, servida por jueces corrompidos, y que antes de ser nombrados para sus cargos ya habían consentido en el compromiso de prevaricar, sirviendo las pasiones y los intereses de sus favorecedores contra los del bando del almirante, daban harto motivo al justo resentimiento con que éste vio semejante barrera puesta en el camino de sus más legítimas aspiraciones.

Tantos y tan duros reveses acabaron por hacer a don Diego más recatado y circunspecto en todos sus actos. Aunque sostenía tenazmente sus representaciones al rey, y por medio de sus poderosas in-

---

[1] Herrera.

[2] Fue muy censurado en la colonia que se diera el cargo de capitán general de la escuadra a Fernando Colón, que era muy mozo, con vejamen del Comendador Ovando, que de este modo le fue subordinado. Las Casas. *Historia de Indias.* Cap. I.

fluencias en la corte, la totalidad
de sus prerrogativas, no se atrevía
ya a dar ningún paso de trascendencia sin gran cautela.

Estas adversas circunstancias fa-
vorecieron, por contraposición, sus
miras de mantener a Diego Velázquez alejado de la capital de la
colonia, en obsequio al reposo de
ánimo, como a la quebrantada salud de María de Cuéllar, y en vano
el teniente gobernador de las provincias del oeste, impaciente como
enamorado, insistió tres, cuatro y
más veces porque el almirante lo
autorizara a regresar a Santo Domingo. Diego Colón le respondía
invariablemente que su situación política personal era muy delicada, y
exigía mucho tiento y formalidad
en todo, que por lo mismo conti-
nuara Velázquez atendiendo al buen
orden y gobierno de aquellas comarcas, mientras él, Diego Colón,
trabajaba por conjurar aquella crisis, y recuperaba el mermado crédito, para poder entonces llevar a
debida ejecución la empresa de
Cuba. Así entretuvo a su teniente
por largo tiempo, durante el cual
ocurrieron otros sucesos de interés,
que reclaman su lugar en estas páginas.

XXIV

EL ORDENANDO

Muchos años hacía que el licenciado don Bartolomé de las Casas
estaba en perfecta aptitud para recibir las órdenes sacerdotales. Sus
anteriores estudios en Salamanca,
la vivacidad de su talento, su espíritu observador y sagaz, todo con-
tribuía a hacerlo uno de los hombres más instruidos de su tiempo,
y más versados no solamente en las
ciencias sagradas, sino también en
las bellas letras, y práctico además

en todos los ejercicios filosóficos
del humano entendimiento. Por modestia tal vez, tal vez por un vago
presentimiento de lo incompatible
que había de ser su carácter enérgico e independiente con la disciplina eclesiástica, dando ocasión
probablemente esa incompatibilidad
a incesantes luchas y terribles disgustos, es lo cierto que había ido
difiriendo su ordenación bajo razones más espaciosas que sólidas.

Pero al cabo llegó un día —me-
diaba la primavera del año mil
quinientos diez— en que Las Casas, sintiendo su generoso espíritu
estremecido y exaltado al calor de
la fe y de la caridad que lo alenta-
ban, y sus afectos blandamente
acordados con el himno universal
que la naturaleza eleva a los cielos
en esa época feliz del año, en que
la atmósfera es más diáfana, y el
azul etéreo más puro, y las flores
tienen más vivos colores y exhalan
más fragantes aromas, puso término a sus vacilaciones, y resolvió fijar para aquel acto decisivo de su
existencia —su consagración a los
altares—, un plazo de pocas semanas, el tiempo necesario para
hacer sus preparativos y trasladarse
a la ciudad de Concepción de la
Vega, previo el aviso correspondiente a Diego Colón, que había de
servirle de padrino en su primera
misa.

Quedó concertado entre ambos,
Las Casas y el almirante, que el
primero se pusiera en marcha dentro de cuatro o seis días, para la
dicha Concepción de la Vega, donde tenía su sede episcopal el doctor don Pedro Juárez Deza, uno
de los tres primeros prelados que
fueron proveídos para las tres dió-
cesis de la isla Española, y el único
que llegó a tomar posesión de su
obispado, y pasó en él algunos años.
Allí debía recibir su consagración
el licenciado Las Casas, y mientras
tanto el almirante y su esposa ha-
rían todos los arreglos necesarios
para emprender también viaje ha-

cia la Vega a fin. de asistir a la celebración de la primera misa, que sobre ser de tan digno y estimado sujeto como era el ordenando, tendría de notable el ser también *la primera misa nueva* que se iba a cantar en la Española, o por mejor decir, en el Nuevo Mundo.[1] Ninguna ocasión, por consiguiente, podía haber más adecuada para que los virreyes arrostraran las molestias del viaje, en cumplimiento de un deber piadoso, y realizando al mismo tiempo su deseo de conocer y visitar las fundiciones de oro y demás objetos interesantes del interior de la isla, y con especialidad aquella célebre población, que el gran descubridor primer almirante de ªlas Indias Occidentales fundó por sí mismo, al pie del Santo Cerro, en honor de la Inmaculada Virgen María.[2]

El día señalado, muy de mañana, partió de Santo Domingo el licenciado con un buen acompañamiento de amigos y servidores de a pie y a caballo. El tiempo era hermosísimo, y los campos desplegaban sus naturales galas con maravilloso esplendor. Las Casas, dotado de sensibilidad exquisita, ferviente admirador de lo bello, sentía transportada su mente en alas del más puro y religioso entusiasmo, contemplando la rica variedad de esmaltes y matices con que la próvida naturaleza ha decorado el fértil y accidentado suelo de la Española.

Deteníase como un niño haciendo demostraciones de pasmo y alegría, ora al aspecto majestuoso de la lejana cordillera, ora a vista de la dilatada llanura, o al pie del erguido monte que llevaba hasta las nubes su tupido penacho de pinos y baitoas.[3] El torrente, quebrando impetuosamente sus aguas de piedra en piedra, y salpicando de menudo aljófar las verdes orillas; el caudaloso río deslizándose murmurador en ancho cauce de blancas arenas y negruzcas guijas; el añoso *mamey*, cuyo tronco robusto bifurcado en regular proporción ofrecía la apariencia de gótico sagrario; el inmenso panorama que la vista señorea en todos sentidos desde la enhiesta cumbre de la montaña, todo era motivo de éxtasis para el impresionable viajero, que expresaba elocuentemente su admiración, deseoso de compartirla con sus compañeros, los cuales, no tan ricos de sentimiento artístico, o más pobres de imaginación y de lirismo, permanecían con estoica frialdad ante los soberbios espectáculos que electrizaban al licenciado, o se miraban unos a otros con burlona sonrisa, y a veces se reían sin embozo en las mismas barbas del entusiasta orador, que acababa sus discursos compadeciéndose altamente de tanta estupidez, y aplicándoles el famoso epigrama de la Sagrada Escritura: "tienen ojos y no ven, oídos y no oyen".

Una vez se vengó cruelmente de aquella desdeñosa indiferencia con que veía tratado su piadoso culto a los esplendores de la creación.

La pequeña caravana se detuvo a sestear a orillas de un deleitoso riachuelo, y cada cual se puso a disponer el matalotaje,[4] como entonces se decía. Las Casas se acercó a beber en el hueco de su mano, y a poco, tomando un guijarro del fondo de las aguas, exclamó en alta voz:

—¡Oro! ¡Amigos míos, un hallazgo!

A estas voces, fue cosa digna de verse la emoción, el ansia y la premura con que todos acudieron a examinar el precioso guijarro, que fue reconocido al punto como pedernal común, y Las Casas, arro-

---

[1] Fue la primera misa nueva que se cantó en las Indias. Herrera, Dec. I. Lib. VII.

[2] Un terremoto redujo a ruinas esa primitiva ciudad.

[3] Árbol indígena.

[4] Lo mismo que vitualla o bastimento.

jándolo al arroyo con desprecio, les dijo sarcásticamente:

—Tenéis razón, amigos; de las cosas que el Señor ha creado, para satisfacer las necesidades del hombre o para su deleite, ninguna es tan bella, tan útil y tan digna de admiración como el oro.

Los compañeros se miraron unos a otros sin saber qué decir, ni qué pensar de aquella inesperada lección.

Al cabo de tres días llegaron a la ciudad de Concepción de la Vega. Era la época del año en que de todos los puntos de la isla donde laboraban minas, concurrían los colonos a aquel centro de población a fundir sus minerales y someterlos a la marca de ley; por cuya causa la Vega ofrecía tanta o mayor animación que la capital: celebrábase al mismo tiempo feria, a la que acudían presurosos desde los últimos rincones del territorio todos los que tenían algún objeto, animales y fruslerías de que hacer almoneda. Por las calles principales bullía la gente con festiva algazara, a una parte resonaba castañuelas y atabales, más adelante se oía el golpear de martillos y azuelas, rugían las fraguas y voceaban los buhoneros, todo alternado con alegres cantares, con ladridos de perros y otros cien rumores indefinibles. El viajero que acabando de atravesar las vastas y silenciosas sabanas o llanuras, y de cruzar las altas y despobladas sierras, llegaba por primera vez a la Concepción, quedaba por de pronto sorprendido a la vista de tanto bullicio y movimiento, y como confundido en aquel mare mágnum de gente y de animales. Esto fue lo que sucedió a Las Casas y su comitiva, que permanecieron un buen rato distraídos con la diversidad de objetos, y dándose muy poca prisa por llegar a su posada: los demás transeúntes discurrían en todos sentidos, los unos con afán en demanda de sus negocios, y los otros con aire de fiesta y buen humor en busca de sus diversiones. Nadie hacía alto en el grupo de viajeros; porque en aquellos días era tan continuo el llegar de colonos y mineros, que se miraba con la indiferencia del más vulgar incidente.

El licenciado, volviendo luego en su acuerdo, se encaminó con sus guías y séquito por la calle principal, a la plaza de la iglesia mayor, y se desmontó a la puerta de una casa grande y de buena apariencia, en cuya fachada blanca y limpia campeaba vistosamente un escudo de piedra con las armas solariegas del obispo don Pedro de Deza, condecoradas por las llaves simbólicas y la tiara de los pontífices.

No bien anunciaron al prelado la presencia de Las Casas, cuando acudió solícito a recibirle, diole la bienvenida afablemente con el ósculo de paz, y le dejó aposentado en su propia casa. Sobre la buena amistad que profesaba al licenciado, ya se había hecho cargo de las fervorosas recomendaciones del almirante, en favor del que iba a recibir en su cabeza el óleo santo que debía consagrarle a los altares del Señor.

Los demás amigos que acompañaban a Las Casas fueron hospedados, los unos, en el convento de franciscanos, los otros en alojamientos particulares; y desde el mismo día se dedicaron los regidores del consejo de la ciudad a preparar decoroso aposentamiento para el almirante, su esposa, y la comitiva de damas y caballeros que debían llegar a poco en su compañía, según las cartas y anuncios que había llevado Las Casas.

XXV

EL MENSAJERO

Media hora no había transcurrido desde la llegada del licenciado, cuando le dieron aviso de que un caballero deseaba verlo, con recados de un íntimo amigo suyo. Salió Las Casas a la vasta antesala del obispo, y allí encontró la anunciada visita.

Era un joven de gentil presencia, parecía tener veinte años de edad, de más que mediana estatura, esbelto, rubio y de ojos azules. La expresión de éstos tenía no obstante algo de duro y siniestro, sobre todo, cuando atento a darse razón de algo nuevo, descuidaba dulcificar su mirada, que con gran arte sabía hacer blanda y afectuosa cuando le convenía. Está dicho que la cualidad dominante en el carácter del joven era la perfidia.

Vestía con atildada bizarría un traje de montar, con botas altas de ante amarillo, calzas acuchilladas, justillo de paño ceniciento ceñido a la cintura con ancha faja de cuero negro, de la que pendía una lujosa espada de Toledo, con su puño y guarnición de luciente plata, y la vaina con abrazadera y contera del mismo metal: habíase quitado y llevaba en la mano izquierda el airoso chambergo, o sombrero de anchas alas con nevado y onduloso plumaje. En suma, el joven denotaba en su traje y apostura la más cumplida distinción: se adivinaba en él un rico de buena alcurnia; tenía todos los elementos para agradar, y sin embargo, a su aspecto se experimentaba una sensación desagradable, un movimiento de invencible malestar, como el que instintivamente suele advertirnos la aproximación de un peligro desconocido o no manifiesto.

Las Casas demostró, empero, mucha satisfacción al percibir el joven caballero, y le tendió con ademán cordial la diestra, diciéndole festivamente:

—¿Vos por acá, Andresillo? ¿A qué bueno? Nada me había dicho mi amigo don Francisco de este viaje vuestro, y eso, que con tiempo le escribí anunciándole mi venida a la Vega.

—Pues por lo mismo, señor Bartolomé —respondió el Andresillo con acento un tanto desabrido—, improvisó mi señor padre este viaje mío, para daros en su nombre la enhorabuena por vuestra ordenación, y expresaros su sentimiento de no poder venir él personalmente a causa de sus pendientes arreglos con el señor Mojica.

—Ya presumía yo sus impedimentos, joven, y por eso no se me ocurrió siquiera manifestarle el gusto con que había de verle en la fiesta de mi primera misa, pero aquí estáis vos, Andrés, que lo hacéis presente a mi corazón como si fuerais la misma persona de aquel respetable y querido amigo mío. Dadme ahora noticia de Enrique, el caciquillo que yo he recomendado a vuestro padre.

—¡Oh, señor! —contestó Andrés de Valenzuela (pues el lector habrá comprendido que el apuesto joven era el hijo del buen don Francisco, el más rico habitante de la Maguana)—. Enriquillo es una alhaja de mucho precio. Desde que llegó a San Juan ha desplegado tanta actividad, tanto interés por complacer a mi padre y tanto empeño en ponerse al corriente de la manera de gobernar los hatos y sus dependencias, que muy a poco ya yo pude desentenderme de todos esos cuidados, que pesaban sobre mí hacía muchos meses, por la ausencia de mi padre. Éste ama a Enriquillo casi tanto como a mí no cesa de encargarme que lo mire y lo quiera como a hermano mío, ya que no lo tengo por naturaleza, y a la verdad, el caciquillo merece que todos le amen.

Al oír este lenguaje a Andrés de Valenzuela, Las Casas dejó brillar una jubilosa sonrisa, y echó los brazos al cuello con explosión de afecto al joven.

—Veo que sois digno hijo de mi

excelente don Francisco, —díjole—.
Continuad afirmándoos en tan bue-
nes sentimientos, y seréis feliz.
¿Dónde estáis hospedado?

—Cerca de aquí, en casa de un
pariente que tiene trabajos en las
minas.

—Tendré gusto en que nos veamos a menudo, y ved en qué puedo
serviros, Andrés.

—Gracias, licenciado: nada necesito. Ved lo que me mandáis.

Y el joven se retiró.

—Es mejor de lo que su padre
y yo nos figurábamos —dijo Las
Casas cuando se quedó solo—. Ya
me maravillaba de que saliera ruin
fruto de tan buen árbol como es
don Francisco, y cuando él me co-
municaba, en el seno de la intimidad, sus secretos pesares por los
vicios y defectos que creía notar
en el carácter de su hijo, me esforzaba por tranquilizarlo diciéndole que esos no eran sino accidentes
de la edad, aunque por mis propias
observaciones siempre me quedaba
el recelo de que fuera fundada su
alarma, y justo su desconsuelo. Hoy
he visto que realmente uno y otra
eran exageraciones del cuidado paterno, y que el mozo es de buen
natural: procuraré estudiarlo despacio, e inculcarle sana doctrina, que
acaso con esa intención en el fondo
me lo haya enviado su buen padre.

XXVI

MISA MEMORABLE

Por espacio de diez o doce días
más, continuaron llegando incesantemente a la Concepción viajeros de
todas partes de la isla. Atraídos los
unos por amistad o adhesión a Las
Casas, los otros por la novedad del
sagrado espectáculo de una *misa
nueva*, que ofrecía la particularidad de ser la primera que iba a

celebrarse en el Nuevo Mundo, y
otros muchos por la necesidad de
aprovechar la época de la fundición y marca del oro extraído de sus
minas, jamás se había visto en ningún punto de la isla Española, desde su descubrimiento, tanta gente
reunida como la que entonces con-
currió a la Vega.

Diego Velázquez no fue de los
últimos: pidió en nombre de su antigua e íntima amistad con Las Casas licencia, que el almirante le
concedió, para pasar desde las comarcas de su mando a la Vega, y
voló allá solícito, con la esperanza
de encontrar a su prometida en el
séquito de la virreina; pero tan grata ilusión se disipó, convirtiéndose
en tristeza, el día que, entre arcos
de triunfo, colgaduras de seda y
guirnaldas de flores, al ruido alegre
de todas las campanas acentuado
por estentórea artillería, coreado por
bulliciosos y repetidos vítores, hicieron los virreyes su entrada solemne y casi regia en la ciudad predilecta de Colón.

Buscó ansiosamente Velázquez a
su novia, y, no viéndola, inquirió
noticias suyas con el primer amigo
o conocido que halló a su paso, y
obtuvo el informe de que María de
Cuéllar, presa de enfermedad desconocida, sin ánimo ni fuerzas, tor-
nadas en azucenas las rosas del
semblante, no había estado en disposición de emprender el penoso
viaje de los virreyes. Estas tristes
nuevas se las confirmó el almirante, tan pronto como llegó a su alojamiento y entró en sosegada conversación con Velázquez.

—¿Y Grijalva? —preguntó éste,
que llegó a temer el regreso de su
rival a Santo Domingo.

—Tuve noticias suyas —contestó
Diego Colón—. Me dicen que sólo
piensa en hacer la guerra a los indios en las montañas de Jamaica, y
en ganarse la voluntad de aquellos
salvajes cuando los tiene sometidos.
Se ha aficionado a este oficio, y en

nada menos piensa que en volver por acá.

—¿Me permitiréis acompañaros a vuestro regreso a Santo Domingo? —añadió Velázquez en tono suplicante.

—Pensad que no es aún transcurrido el término señalado para vuestra boda —replicó el almirante—; y que la indisposición de vuestra prometida exije, en concepto de los médicos, muchas precauciones para evitar que cualquier emoción violenta agrave su mal, tened pues, paciencia, don Diego.

Y con estas palabras dio fin el almirante al espinoso incidente. Velázquez calló resignado, y sus ideas no tardaron en tomar distinto rumbo, engolfándose en la conversación que diestramente reanudó aquél sobre la proyectada empresa de Cuba.

Según el comandante de Jaragua, todos los preparativos necesarios estaban hechos, y con quince días de aviso anticipado, las naves podrían ir a San Nicolás a embarcar la gente, los caballos, útiles y provisiones que habían de constituir la expedición conquistadora y colonizadora de Cuba. Diego Colón multiplicó las preguntas y propuso infinitas cuestiones relativas a los pormenores de la empresa, logrando la satisfacción de que Velázquez resolviera todos los reparos de tal modo, que acreditó más y más su previsora capacidad. Con todo, no quiso que el asunto saliera del estado de deliberación, y nada determinó, aplazando los acuerdos hasta que la consagración de Las Casas estuviera consumada, y pudiera este sabio consejero dedicar sus meditaciones a los negocios mundanos.

Tres días después de la llegada de los virreyes a la Concepción, recibió el licenciado las sagradas órdenes mayores en la capilla del obispo, sin ostentación ni aparato de ninguna especie. No así la misa nueva, que fue cantada el domingo inmediato con gran solemnidad en el templo principal de la Concepción, con asistencia del mismo prelado y de los virreyes; siendo padrino del nuevo sacerdote don Diego Colón. El concurso fue inmenso, las ceremonias pomposas y las fiestas espléndidas, pues, como a porfía, celebraron el fausto suceso de la *primera misa nueva de Indias* todos los moradores de la ciudad y los que de lejos habían asistido a las anunciadas solemnidades. Multitud de valiosos regalos recibió el nuevo sacerdote aquel día, consistentes los más de ellos en ricas piezas de oro de diferentes formas y hechuras, del que se había llevado a la fundición real: todo lo dio generosamente Las Casas a su padrino, guardando solamente algunos objetos de esmerada ejecución, por vía de recuerdo o curiosidad.[1] Notan los historiadores la rara circunstancia de que en esta misa faltó el vino para consagrar, pues no se halló en toda la isla, a causa de haberse demorado los arribos de Castilla. Así quiso la Providencia singularizar aquel acto augusto, con que selló su vocación hacia la virtud y el sacrificio uno de los hombres más dignos de la admiración y de las bendiciones de todos los siglos.

¿Quién sabe? No iría tan fuera de camino la piedad sencilla atribuyendo misteriosa significación a aquella imprevista carencia del vino, símbolo de la sangre del Cordero sin mancilla, al elevarse hacia el trono del Eterno los votos de aquella alma compasiva y pura, que se estremecía de horror ante las cruentas iniquidades de la conquista. En la primera misa nueva oficiada en el Nuevo Mundo, no se hizo oblación de aquella especie que es como una reminiscencia de la crueldad de los hombres; únicamente se alzó sobre la cabeza consagrada del filántropo ilustre la cándida hostia,

[1] Histórco. Herrera. Década II. Véase la nota núm. 2 del apéndice.

testimonio perdurable del amor de
Dios a la mísera humanidad. Este
interesante episodio, y el honor de
haber sido fundada por el gran Cristóbal Colón en persona, son dos
timbres de gloria que las más opu-
lentas ciudades de América pueden
envidiar a las olvidadas ruinas de
la un tiempo célebre Concepción
de la Vega.

XXVII

COLABORACIÓN

Más de tres meses permanecieron
los virreyes en la Vega después de
la misa nueva de Las Casas.

Este tiempo lo dedicaron, tanto
a las funciones de gobierno y a
inspeccionar la fundición, las minas de Río Verde y otras comarca-
nas; tanto a los cuidados enojosos
que acompañan al ejercicio de una
autoridad casi absoluta, como a la
admiración contemplativa de las in-
númeras bellezas de aquel país encantador, de aquella región peregrina que el entusiasta Bartolomé
de las Casas, como el gran Colón,
tenía por digno asiento de los Campos Elíseos, llamándola con los
nombres más poéticos que le sugería su ardiente y rica imaginación,[1]
"la grande y bienaventurada y Real
Vega, para encarecer cuyas condiciones y calidades no parece que
puede haber vocablos, ni vehemencia para con encarecimiento los dar
a entender... Hacen esta vega, o
cércanla, desde que comienza hasta
que se acaba, dos cordilleras de
altísimas y fertilísimas y graciosí-
mas sierras, que la toman en medio;
lo más alto de ellas y todas ellas
fértil, fresco, gracioso, lleno de toda

alegría... Por cualquiera parte des-
tas dos sierras que se asomen los
hombres, se parecen y descubren
veinte, treinta y cuarenta leguas a
los que tienen la vista larga, como
quien estuviese en medio del océano, sobre una altura muy alta. Creo
cierto que otra vista tan graciosa
y deleitable, y que tanto refrigere y
bañe de gozo y alegría las entrañas,
en todo el orbe no parece que pueda ser oída ni imaginada, por que
toda esta vega tan grande, tan luenga y larga, es más llana que la palma de la mano, está toda pintada
de yerba, la más hermosa que puede decirse, y odorífera, muy diferente de la de España, píntanla de
legua a legua, o de dos a dos leguas, arroyos graciosísimos que la
atraviesan, cada uno de los cuales
lleva por las rengleras de sus ambas a dos riberas su lista o ceja o
raya de árboles, siempre verdes, tan
bien puestos y ordenados, como si
fueran puestos a mano, y que no
ocupan poco más de 15 o 20 pasos
en cada parte. Y como siempre esté
esta vega y toda esta isla como
están los campos y árboles en España por el mes de abril y mayo,
y la frescura de los continuos aires,
el sonido de los ríos y arroyos tan
rápidos y corrientes, la claridad de
las dulcísimas aguas, con la verdura de las yerbas y árboles, y llaneza o llanura tan grande, visto
todo junto y especulado de tan alto,
¿quién no concederá ser la alegría,
el gozo, y consuelo y regocijo del
que lo viere, inestimable y no comparable? Digo verdad, que han sido
muchas, y más que muchas que no
las podría contar, las veces que he
mirado esta vega desde las sierras
y otras alturas, de donde gran parte
de ella se señoreaba, y considerán-
dola con morosidad, cada vez me
hallaba tan nuevo y de verla me ad-
miraba y regocijaba, como si fuera
la primera vez que la vide y la
comencé a considerar. Tengo por
averiguado, que ningún hombre y
sabio que hubiese bien visto y con-

---

[1] Desde aquí va copiada al pie de
la letra la interesante descripción que
hace las Casas en su *Historia de Indias* de la Vega Real dominicana.

siderado la hermosura y alegría y amenidad y postura desta vega, no ternía por vano el viaje desde Castilla hasta acá, del que siendo filósofo curioso o cristiano devoto, solamente para verla; el filósofo para ver y deleitarse en una hazaña y obra tan señalada en hermosura de la naturaleza, y el cristiano para contemplar el poder y la bondad de Dios, que en este mundo visible cosa tan digna y hermosa y deleitable crió, para en que viviesen tan poco tiempo de la vida los hombres, y por ella subir en contemplación que tales serán los aposentos invisibles del cielo, que tiene aparejados a los que tuvieren su fe y cumplieren su voluntad, y coger dello motivo para resolverlo todo en loores y alabanzas del que lo ha todo criado. Pienso algunas veces, que si la ignorancia gentílica ponía los Campos Elíseos comúnmente en las islas de Canaria, y allí las moradas de los bienaventurados que en esta vida se habían ejercitado en la vida virtuosa, en especial secutado justicia, por lo cual eran llamadas Fortunadas, y teniendo nueva dellas acaso aquel gran capitán romano, Sertorio, aunque contra Roma, le tomó deseo de irse a vivir y descansar en ellas por una poquilla de templanza que tienen, ¿qué sintieran los antiguos y qué escribieran de esta felicísima isla, en la cual hay diez mil rincones, cada uno de los cuales difiere tanto, en bondad, amenidad, fertilidad y templanza y felicidad, de la mejor de las islas de Canaria, como hay diferencia del oro al hierro y podría afirmarse que mucho más? ¿Cuánto con mayor razón se pusieran en esta vega los Campos Elíseos, y Sertorio la vivienda della codiciara, la cual excede a estas Indias todas, y siento que a toda la tierra del mundo sin alguna proporción cuanta pueda ser imaginada?" [1]
....

[1] Véase la nota número 3 del apéndice.

Llegaron por aquellos días a la ciudad de la Vega, en demanda de Diego Colón, los primeros frailes de la orden dominica que salieron de España para el Nuevo Mundo.

Los gobernaba y dirigía el virtuoso y pío fray Pedro de Córdova, en quien resplandecían todas las perfecciones físicas y morales que rara vez se presentan reunidas en un mismo sujeto, para honrar y enaltecer la especie humana. Varón de ilustre alcurnia, desde la más temprana juventud se había consagrado a los estudios y a la profesión monástica, acreditando en todos sus actos el espíritu fervoroso y caritativo que lo animaba. Abandonó todos los esplendores de la tierra para abrazar voluntariamente la pobreza y las privaciones del claustro, y sólo contaba veinte y ocho años de edad cuando atravesó los mares con sus compañeros para fundar la primera casa de su orden en la Española.

No encontrando a Diego Colón en la capital resolvieron ir a verle a la Concepción, y entre tanto fueron alojados pobrísimamente en Santo Domingo, por un honrado vecino llamado Pedro de Lumbreras, rehusando todo regalo con que las autoridades les brindaran, en cumplimiento de las órdenes y recomendaciones del Soberano. Vivían de las limosnas que los particulares les ofrecían, y se trasladaron a la Vega a pie, sufriendo mil trabajos y privaciones en el camino, para concertar con el almirante los medios de llenar su cometido y llevar a efecto la fundación de su convento.

Acogidos por los virreyes con veneración, no tardaron en ganarse el amor de todos con su celo piadoso y sus exquisitas virtudes. Las Casas concibió hacia fray Pedro la más profunda simpatía, la amistad más fervorosa desde el día que lo oyó convocar desde el púlpito de la iglesia mayor de la Concepción a todos los vecinos que tuviesen a su cargo indios encomendados, para que los condujeran al templo después de la comida. Fue aquel un día de triunfo para el espíritu civilizador del cristianismo.

Llegada la hora prefijada para la conferencia, vióse al humilde misionero con su tosco sayal de jerga, que nada quitaba a su noble y bella figura, su aspecto bondadoso y austero a la vez, y llevando un crucifijo en la diestra, tomar asiento en un banco y dirigir a la multitud de indios, casi atónitos por la novedad de aquel acto, un elocuente sermón, instruyéndoles en la historia y en las excelencias de la religión cristiana, e inculcándoles la consoladora doctrina sellada con el sublime sacrificio del Gólgota.

La plática del fervoroso dominico fue de trascendencia suma: vibraron fuertemente las cuerdas, por mucho tiempo flojas y enmohecidas, de los sentimientos cristianos en toda la colonia, allí representada por el mayor número de los pobladores que, procedentes de los diversos ámbitos de la isla, se hallaban en la Vega y concurrieron por curiosidad al templo: el lenguaje lleno de caridad y unción que hería sus oídos les llamaba poderosamente a la compasión respecto de aquellos pobres seres a quienes por primera vez oían apellidar solemnemente "hermanos en Jesucristo" por labios europeos.

Era evidente que el espíritu de Dios hablaba por la boca de aquel hombre, y todos vieron en él un emisario del cielo.

Fray Pedro correspondió con efusión a la naciente amistad de Las Casas, amistad que después se consolidó por las pruebas de una carrera gloriosa y llena de azares, a que estuvieron siempre expuestos aquellos dos varones, tan dignos de marchar unidos por la senda de la abnegación en pro de la justicia y del bien.

Así inició su vida en el Nuevo Mundo la religión de los dominicos, que prestó eminentes servicios a la humanidad y a la civilización, conteniendo enérgicamente en muchas ocasiones los crueles excesos de la codicia y la brutal explotación de los indios, y consiguió más de una vez enfrenar la ambición y los vicios de los conquistadores, oponiéndoles la autoridad de la ciencia y de las virtudes de una falange de hombres animosos, alentados por el desprendimiento de los intereses terrenos y por el celo ardiente y puro de corazones verdaderamente cristianos.

La posteridad, justa siempre, aunque a veces tardía en sus fallos, si tiene una voz enérgica para condenar el fanatismo religioso que encendió en Europa las hogueras de la Inquisición, tiene también un perdurable aplauso para el celo evangelizador que los frailes de la orden dominica desplegaron en el Nuevo Mundo, predicando el amor y la blandura a los fuertes, consolando y protegiendo a los oprimidos, combatiendo abiertamente los devastadores abusos y las inhumanidades que afearon la conquista.

Concluyó la fundición y marca de oro en aquella sazón, y los mineros y colonos fueron poco a poco despidiéndose de la Vega y regresando a sus casas y haciendas. Diego Velázquez, harto mohíno por la negativa del almirante a que siguiera en su compañía hasta Santo Domingo, se dirigió hacia los territorios de su mando, al oeste de la isla, y el joven Valenzuela lo acompañó hasta la Maguana. Fray Pedro de Córdova y los demás religiosos que a éste obedecían, obtenidos los favorables despachos de Diego Colón, emprendieron su viaje de retorno a la capital de la colonia, donde dieron comienzo con fervor y actividad a la fundación de su casa o monasterio. Las Casas, que volvió a Santo Domingo con los frailes dominicos, prestaba a la empresa el auxilio de sus conocimientos locales, y por su genial eficacia hacía tanto o más que el mejor dispuesto de la comunidad, aunque aplazando su deseo de ingresar en ella.

El almirante y su esposa hubieran prolongado gustosos su permanencia en la Vega. Allí sentían su autoridad más entera y menos contrariada que en la capital, donde las arterías de Pasamonte y sus secuaces les multiplicaban día por día las incomodidades y los disgustos. Forzoso les fue al cabo de tres meses despedirse también de aquellos sitios encantadores, y dirigirse a la ciudad ribereña del Ozama, donde les llamaba imperiosamente el desempeño de sus altos deberes.

XXVIII

LA CONFIDENCIA

Poco antes de regresar de la Vega los virreyes, en una hermosa y apacible mañana de septiembre, el padre Las Casas entró en la iglesia mayor de Santo Domingo, y mientras llegaba la hora de oficiar la misa tomó asiento en un confesonario, siguiendo la costumbre que había adoptado desde su consagración. No bien acababa de instalarse, cuando una mujer esbelta, de porte distinguido y airoso, aunque vestida de negro y con escaso aliño, se acercó lentamente al confesor, y se postró a sus pies. Llevaba pendiente de negra toquilla un largo y denso velo que le cubría la faz y todo el busto. En vez de comenzar con las fórmulas y oraciones usuales en el tribunal de la penitencia, la desconocida increpó al sacerdote en estos términos:

—Padre Casas, ¿queréis consolar a una triste?

—¿Podéis dudarlo, hija? —respondió el ministro del Señor—: consolar al afligido es para mí el más grato de mis deberes sacerdotales.

—Pues hacedme la merced de escuchar, no mi confesión, sino una

5

confidencia que necesito haceros, y dadme consejo sobre el partido que debo tomar en el caso que voy a consultaros.

La desconocida hizo una pausa, como recogiendo y concertando sus ideas. A breve rato prosiguió con voz entrecortada y breve acento:

—Yo amaba a un hombre, con el inocente amor de los espíritus bienaventurados, que entonan sus cánticos al pie del trono del Altísimo... Obligada por mi padre a casarme con otro, iré al sacrificio como hija obediente, pero sé que voy a morir..., digo mal: ya siento el frío de la muerte invadir todo mi ser.

"Esta certidumbre me sirve de consuelo, me da valor para arrostrar mi triste destino, pero no sé si ofenderé a Dios en ello. Decidme vos, padre Casas, si hago mal en aborrecer la existencia, y si debo o no dejarme conducir a un tálamo nupcial que muy pronto se convertirá para mí en túmulo funerario...

—Hacéis bien, hija mía replicó Las Casas—, en obedecer a vuestro padre, pero haréis muy mal en no resignaros a vuestra suerte, y en ir al término de vuestra existencia por el camino de la desesperación.

—No es eso, padre mío: yo estoy resignada a todo, pero mis fuerzas son insuficientes para soportar la vida siendo la esposa de Diego Velázquez, y sabiendo que he desgarrado el corazón de Grijalva, ese corazón que era todo mío.

—¡Según eso, vos sois doña María de Cuéllar! —exclamó Las Casas sorprendido.

—¡Yo soy esa infeliz, padre mío! Si a lo menos me asistiera la esperanza de que un día, no muy lejano sin duda, cuando yo sucumba al peso de mis dolores, y mis ojos se cierren a la luz del mundo, Grijalva llegara a convencerse de que él ha sido, es y será mi único amor, yo estaría más tranquila, porque sé que esa certidumbre confortaría su ánimo, y le serviría de consuelo en todos sus infortunios... Pero yo sería muy culpable si en vida mía y prometida a otro, le anticipara ese consuelo...

—¡Sin duda alguna, María! —interrumpió vivamente Las Casas—. No debéis pensar en ello siquiera.

—¡Cielos! —exclamó la joven consternada—, pero yo sé que él es muy desgraciado: cada vez que leo el billete en que se despidió de mí (y lo he leído más de cien veces), me devora el remordimiento de haber matado su felicidad y su esperanza en la tierra, y me asalta el temor de que llegue a dudar de la bondad de Dios, y caiga en la desesperación. No lo dudéis, padre mío: si yo muero, y no le ordeno que viva resignado, su alma se perderá, y yo quiero que su alma se salve, y que en la presencia del Señor se una con la mía.

—¿Y qué discurrís hacer? —preguntó Las Casas profundamente conmovido.

—Tomad, padre —respondió sin vacilar la joven—: guardad ese papel, romped su sello si os place, leedle, y vos veréis si la religión se opone o no, a que llegue a poder de Grijalva, cuando esta infeliz haya cesado de existir.

Diciendo estas palabras, María de Cuéllar puso en manos del sacerdote un bolsillo de marroquín negro bordado de oro, que contenía la mencionada misiva. Era la que escribió en aquel triste día de la partida de Grijalva.

—Bien está —dijo Las Casas—: yo leeré con atención este papel, y si su contenido corresponde a la angélica pureza de todo vuestro lenguaje, María, yo os ofrezco solemnemente, aquí en la presencia del Señor, que Juan de Grijalva lo recibirá cuando sea conveniente; y de todos modos, si vuestro triste presentimiento llegara a realizarse, si el Señor se digna llamar a su seno vuestra alma candorosa, id tranquila, hija mía, que a mi cargo queda hacer saber a Grijalva vuestros votos por que persevere en la virtud, y se haga digno de subir un día a la celeste altura, donde está reservado eterno galardón a los que acá abajo padecen los rigores y la injusticia de los hombres.

María de Cuéllar besó con gratitud la diestra del sacerdote, y se alejó del confesionario lentamente.

XXIX

NUBLADOS

Cuando los virreyes llegaron a la ciudad de Santo Domingo, encontraron más encrespadas que nunca las intrigas del tesorero Pasamonte y los demás émulos de su gobierno. Apenas repuesto de la fatiga del camino, tuvo Diego Colón que entregarse en cuerpo y alma a contrarrestar los artificios con que se trataba de arruinar su crédito en España.

Las cartas del gran comendador su suegro, y de Fernando su hermano, eran apremiantes, y advertían al gobernador que solamente su grande eficacia e influjo podían balancear en el ánimo del rey, y en el consejo real, las malas impresiones de los continuos informes torcidos y chismes calumniosos que de la Española llovían contra su gobierno y su casa en distintas formas. Diego Colón resolvió enviar a la corte a su tío don Bartolomé, cargado de justificaciones y de regalos, para conjurar la nube siniestra que contra él se estaba condensando.[1]

Escribió a todos sus amigos de la isla cartas urgentes, pidiéndoles el auxilio de su respectivo valimiento en España. "Ved —les decía —que mis enemigos son numerosos, activos, y ponen grandes resortes en

[1] Herrera dice que el adelantado don Bartolomé Colón fue llamado a la corte por el rey.

juego para dañarme en la opinión del rey; pues todos aquellos que, como Fonseca y Conchillos, han visto mermado el lucro que de acá les iba, por haberles reducido yo los repartimientos que con harta injusticia disfrutaban, no desaprovechan aviso, chisme o embuste con que perjudicarme y perderme."

A esta declaración unía el almirante hábiles exhortaciones para que sus amigos no lo dejaran solo en la brecha, diciéndoles que si el bando opuesto conseguía la victoria, vendrían tiempos muy duros para cuantos habían merecido el favor y la amistad de los Colones, y concluía participando la próxima partida de su tío el adelantado para España, y recomendando que remitieran a tiempo sus cartas y aquellos objetos de curiosidad y valor que cada uno tuviera y juzgase dignos de ser enviados a la corte en calidad de regalos.

Diego Velázquez y don Francisco Valenzuela fueron de los más eficaces y prontos en responder al llamamiento de su jefe y amigo. Ambos enviaron cuanto tuvieron a mano digno de aprecio por su valor o su novedad, como pepitas de oro nativo, ídolos de piedra de los indígenas, y otros objetos raros de Bainoa y la Maguana. Valenzuela mandó además un regalo que causó mucho regocijo a Diego Colón, porque supuso con fundamento que sería recibido con singular estimación por el soberano, a quien lo destinó desde luego. Consistía en doce halcones o neblís cazados y adiestrados por Enriquillo. El joven Valenzuela fue delegado para llevar el presente al almirante, y nuestro cacique, con gran contento suyo, recibió encargo de acompañar al mensajero, para cuidar por sí mismo los preciosos pájaros y hacer muestra de su destreza en altanería [1] ante Diego Colón. Pusiéron-

se, pues, en marcha para Santo Domingo con los criados y todo el equipo necesario.

Enrique, recibido con afectuosa distinción por los virreyes, como su compañero Valenzuela, tuvo el placer de ver y abrazar a su prima Mencía, que sea dicho de paso, durante la ausencia de su protectora en la Vega estuvo confiada al cuidado afectuoso de la familia de Cuéllar. Tomó cuenta Diego Colón al joven cacique del género de vida que llevaba en la Maguana, y de la traza con que conseguía cazar y domesticar las adustas aves de rapiña enviadas por don Francisco de Valenzuela. Enriquillo, con modesta, al par que despejada actitud, satisfizo al almirante en estos términos:

—Señor: yo procuro arreglar mi manera de vivir a lo que aprendí de los buenos padres en el convento de la Vera Paz, y a los consejos de mi amado bienhechor el señor Las Casas. Ellos me decían siempre que la ociosidad engendra el vicio, y me acostumbraron a estar ejercitado a todas horas en algo útil. Además, los ejercicios a que me ha dedicado el señor Valenzuela en la Maguana están conformes con mis inclinaciones y mi voluntad, por lo que me sirven más bien de recreo que de trabajo. Me levanto al rayar el día, monto a caballo y atravieso a escape la vasta llanura, toda fresca y brillante con las gotas del rocío de la noche. Inspecciono el ganado, los corrales y apriscos, advirtiendo a los zagales todo lo que observo descuidado o mal hecho. De vuelta a casa, alto ya el sol, almuerzo con los señores, que tienen la bondad de aguardarme siempre. A la hora de siesta, en que ellos duermen, yo me voy a bañar y a nadar un poco en las aguas del inmediato río, vuelvo a casa, y escribo cuentas o lo que me dicta y ordena el señor don Francisco. Por la tarde vuelvo a recorrer la campiña, visito las labranzas, apunto las faltas y las sobras de los encomen-

[1] Altanería o cetrería; arte de educar y adiestrar los halcones y otras aves de rapiña.

dados, y cuido de que se provean sus necesidades y sus dolencias se remedien, lo que da mucho contento a mi buen patrono, que a todos los indios nos mira como a hijos. Cuando me sobra el tiempo leo por la tarde algún libro de religión o de historia, y todas las noches rezo con los demás de casa el santísimo rosario. Ésta es mi vida, señor, con muy raras alteraciones de vez en cuando, y a fe que no pido a Dios mejor estado, conforme con todo, y agradecido a sus beneficios.

—Y los neblíes —insistió Diego Colón— ¿cómo los cazas?

—Ése es mi ejercicio de los domingos y días de fiesta, señor almirante. Ortiz, el escudero de mi padrino don Diego, me enseñó todo lo concerniente a cetrería en la Maguana. De él aprendí a armar lazos sutiles, a sorprender en sus escarpados nidos a los polluelos, o a aturdirlos cuando ya vuelan, disparándoles flechas embotadas. Después los domestico fácilmente, dándoles de comer por mi mano mariposas y otros insectos: los baño en las horas de calor, los acaricio, y pronto consigo que no se asombren, cuando llego a cogerlos. Al salir de la muda, los macero reduciéndoles el alimento, con lo que los obligo a procurar por sí mismos la presa, hasta que se adiestran completamente; sólo entonces los lanzo contra las otras aves, y ya sea la tórtola que se embosca en los árboles, o el pitirre que pasa rozando el suelo, o el vencejo que se remonta a las nubes, mi halcón vuela rápido, y trae la presa a mis pies.

Y el cacique decía esto con la vivacidad del entusiasmo.

—¿Podrías hacer alguna prueba de eso en mi presencia? —volvió a decir Diego Colón.

—Cuantas veces queráis, señor —contestó con sencillez Enriquillo.

—Pues al avío —repuso el almirante—. Y llamando a su esposa, salieron todos, seguidos de Mencía y algunas damas, al terrado inmediato.

Al punto llevaron allí los criados las jaulas en que estaban los neblíes.

Numerosas gaviotas blancas y cenicientas revoloteaban a corta distancia rozando las murmuradoras aguas del Ozama, mientras que a considerable altura, sobre los tejados de los edificios las juguetonas golondrinas se cernían en el espacio diáfano, describiendo caprichosos y variados giros.

Era una tarde bellísima: el cielo azul resplandecía con los fulgores de un sol radiante, que declinaba ya hacia el ocaso.

Enriquillo escogió uno de sus halcones: era un hermoso pájaro de hosco aspecto, ojos de fuego, cabeza abultada y corvo pico: recias plumas veteadas de negro y rojo claro decoraban sus alas, y tenía salpicado de manchas blancas el parduzco plumaje de la espalda. El pecho ceniciento y saliente, las aceradas garras que se adherían a las carnosas patas cubiertas de blanca pluma, completaban el fiero y altivo aspecto de aquella pequeña ave, que semejaba un águila de reducidas proporciones.

Tomóla el joven cacique y la plantó sobre el puño izquierdo cerrado; enseguida preguntó al almirante:

—¿Queréis una gaviota, o una golondrina?

—Lanza el pájaro contra la gaviota primero: las sardinas nos lo agradecerán —dijo don Diego.

Enrique hizo un rápido movimiento de inclinación con la diestra hacia el punto que ocupaba una banda de gaviotas, y el inteligente neblí se disparó en línea recta sobre ellas, apoderándose de una y volviéndose al joven cacique en menos tiempo del que se emplea en referirlo. La gaviota piaba lastimosamente, y el cazador la libró de las garras de su enemigo, entregándola al almirante.

Éste prorrumpió en un regocijado aplauso, y puso la cautiva en manos de su esposa.

—Vamos ahora con las golondrinas —dijo al joven cazador, que acariciaba con la diestra su halcón, posado otra vez tranquilamente en el índice de la mano izquierda.

Enrique alertó el pájaro con un leve movimiento, y luego lo lanzó en dirección de las golondrinas, a una de las cuales cupo la misma desgraciada suerte de la gaviota prisionera.

—¡Víctor, Enriquillo! —exclamó Diego Colón—. Eres un gran cazador, y si no te guardo desde ahora conmigo, es porque necesito que sigas en tu tarea de coger el mayor número posible de estos excelentes neblíes, y enseñándolos tan bien como el que acabas de probar ahora. Los quiero para mi recreo, y para enviar a España, pues sé que su alteza el rey va a estimar por ellos en mayor precio esta bella porción de sus dominios.[1]

XXX

CONSEJA

Mientras hablaba el almirante, Enrique libertaba la cautiva golon-

---

[1] Es histórico el hecho de haber enviado Diego Colón al soberano doce neblíes o *halcones de la Española,* que fueron tenidos en grande aprecio por el rey Don Fernando. Otras remesas se hicieron a España de esa especie de aves en lo sucesivo, y Herrera dice que el emperador Carlos V recibió mucho contento con doce *halcones muy buenos* que se le enviaron de Santo Domingo en 1526. Actualmente abundan dos clases de aves de rapiña en la isla: el cernícalo que no alcanza al tamaño de una paloma torcaz, y el *guaraguao,* gavilán mucho mayor y de gran fuerza, que se lleva con facilidad una gallina. Éste es el que tenemos por neblí o halcón, tan estimado en aquellos tiempos.

drina de las garras del halcón, y la ofrecía como maquinalmente a su prima, que presenciaba toda la escena fijando sus grandes y sorprendidos ojos pardos en el joven cacique. Alargó la mano y recibió la acongojada avecilla.

Al punto, una de las más lindas doncellas de la virreina se adelantó vivamente, y arrancando de manos de la niña el ave prisionera, la dejó escapar lanzándola a los aires.

Doña María miró a la joven con sorpresa.

—¿Por qué habéis hecho eso, Elvira? —le preguntó en tono de reproche.

—Por evitar una gran desgracia, señora —contestó la doncella—. ¿No véis que Mencía está prometida a Enriquillo, y sería de muy mal agüero ese presente de una golondrina quitada de las garras de un gavilán?

—¡Siempre supersticiosa, Elvira! —replicó la virreina—. Bien dejáis ver la crianza de vuestra nodriza la morisca.

—¡Ah, señora! —repuso la Elvira con aire de profunda convicción—, ¡cuántas cosas he visto por mi propia experiencia, en los veinte años que tengo, que se parecían exactamente a las historias de mi buena nodriza!

—¿Historias de aparecidos y de brujas? —insistió la virreina.

—Sí, señora —dijo con entereza la joven—. Y no sé cómo tomáis a risa lo de aparecidos, sin tener en cuenta el suceso de la Isabela-vieja.

—¿Qué suceso es ése? Como te conocen, te van a ti con todas las consejas ridículas que a mí no se atreven, porque saben que sólo creo lo que debo creer, y no patrañas e invenciones de desocupados.

—¡Patrañas! No llaméis así a lo sucedido en Isabela: cuando lo sepáis, se os va a erizar el cabello.

—Me lo contarás tú mañana a la hora de siesta, Elvira, o esta noche.

—¿Quién cuenta esas cosas de noche, señora? Me moriría de espanto. Prefiero contároslo en seguida.

Y las mujeres formaron coro alrededor de Elvira, con gran curiosidad, mientras que Diego Colón oía el coloquio con aire pensativo, y Enrique colocaba el pájaro cazador en su jaula, sentándose después al lado de Mencía en un poyo del pretil de la azotea.

—Ya sabéis —dijo Elvira comenzando su narración— que de la Isabela, aquella ciudad que fundó primero el señor almirante don Cristóbal, que Dios haya, no quedan sino ruinas solitarias, paredones cubiertos de yedra, y sobre los que ya aferran sus flexibles raíces como un gavilán agarra su presa, los verdes y corpulentos copeyes.

"Aquella escena de desolación y abandono dicen que contrista el ánimo y le infunde ideas de muerte y desventura. El recuerdo de los infelices hidalgos que, creyendo hallar la gloria y la fortuna acompañaron al almirante cuando por segunda vez cruzó la inmensidad del océano y fundó la Isabela, los cuales no encontraron sino trabajos durísimos, hambre, enfermedades y un fin desastroso y miserable, hace que el viajero evite con pavor aquellos lugares, donde el tiempo se apresura a borrar la huella de las construcciones de los hombres, devolviendo a una naturaleza selvática y agreste lo que hoy es el descarnado esqueleto de una ciudad, la cual parecía destinada a eterna duración, y en breve ha sido barrida de la faz de la tierra, como lo fueron Sodoma y Gomorra.

"Las nuevas que de aquellas tétricas soledades llevaban de vez en cuando los monteros extraviados a los colonos circunvecinos, aumentaban y fortalecían el sentimiento de terror y aversión que en torno suyo esparcen las ruinas de la Isabela. Escúchanse allí de continuo, y más particularmente a la hora del medio día hasta las tres de la tarde y desde el anochecer hasta asomar la aurora, mil ruidos espantosos, rumores infernales, crujir de goznes y cadenas, todo confusamente mezclado con voces lamentables, ayes e imprecaciones que hielan de horror la sangre en las venas. Los más valientes huyen de aquel contorno despavoridos: los pusilánimes desfallecen y quedan allí paralizados, privados de razón y sentimiento. Algunos han quedado trastornados e idiotas: cuando en Puerto Plata se ve a un hombre alelado y como fuera de sentido, acostumbran decir: 'éste ha andado por la Isabela'.

"Pero lo sucedido últimamente ha puesto el sello a la reputación siniestra y lúgubre de aquellas ruinas. Me lo contaron anoche, en casa de don Rodrigo de Bastidas, el señor Lucas Vásquez de Ayllón, y otros caballeros que juran por la cruz de su espada la verdad del hecho.[1] Dicen que se platica y afirma públicamente entre la gente común de aquella vecindad que yendo hace pocos días un hombre o dos por aquellos edificios de la Isabela, en una calle aparecieron dos hileras de caballeros, alineados a una mano y otra, que parecían todos gente noble y de palacio, bien vestidos, ceñidas sus espadas y rebozados con mantas de camino, de las que se usan en España; y sorprendidos los que tal visión contemplaban, sin acertar a explicarse cómo había aportado allí gente tan nueva y tan bien ataviada, sin noticia alguna de ellos en la isla, los saludaron y les preguntaron cuándo y de dónde venían, pero los desconocidos, guardando solemne silencio, hicieron como que devolvían el saludo a los dos viandantes, y al descubrirse con mesurada cortesía, todos a la vez, quitaron también las cabezas de los hombros, quedando descabezados, y al punto desapare-

---

[1] Desde este lugar hasta el fin del párrafo, copiamos al pie de la letra a las Casas. *Historia de Indias,* cap. XCII.

cieron; de la cual terrífica visión y turbación aún están los que los vieron cuasi muertos, sin poderse ocupar en nada de puro penados y asombrados.

El auditorio femenil prorrumpió en exclamaciones de admiración al oír el cuento de Elvira: en el semblante de todas las jóvenes dejábase ver la credulidad tímida, profundamente impresionada por el estupendo caso, pero la virreina, mujer de gran temple de alma y de un juicio superior a la flaqueza o la ignorancia de sus doncellas, las tranquilizó diciendo con burlona sonrisa:

—¡Cómo se divertirían Ayllón y sus compañeros cuando te contaban esos desatinos, pobre Elvira!

—Mis enemigos, María —dijo de repente el almirante, que había permanecido hasta entonces taciturno—, echan mano de todo para despertar odios contra mi casa. Esa conseja, esa patraña la acreditan y ponen hoy en boga Pasamonte y sus amigos, para resucitar la memoria de uno de los cargos con que la calumnia y la injusticia llenaron de amargura la vida de mi ilustre padre. Se trata hoy de hacer gente contra el hijo.

—¿Lo oyes, Elvira? —exclamó la virreina—. A mí me enseñó mi tía la duquesa a no creer en duendes ni en brujas. Solía decir que en el fondo de todas las apariciones y hechicerías se hallaba siempre alguna trapisonda de pícaros o de enamorados.

XXXI

CRUZADA

Enrique, después de cumplir sus deberes y holgarse con Las Casas y sus demás protectores, se volvió para la Maguana muy en breve, llevando señaladas muestras de cariño de parte de los virreyes, y causando al buen don Francisco Valenzuela mucho placer con la animada y exacta relación de su viaje, y con las expresivas cartas del almirante. El joven Valenzuela permaneció algunos días más en Santo Domingo, retenido por su amor a los placeres, y alegando fútiles pretextos en la carta que dirigió a su padre, para no regresar con Enriquillo. Por aquel mismo tiempo emprendió su viaje a España el adelantado don Bartolomé Colón, atravesó con felicidad el Atlántico, llegó a la corte, y el refuerzo de sus luces y experiencia, con la autoridad que le daban sus respetables antecedentes, sirvió de mucho para enderezar los asuntos de su sobrino don Diego. El rey distinguía y consideraba muy mucho al hermano del descubridor, que por sí mismo había llevado a cabo hazañas de alta ilustración en el Nuevo Mundo, y se mostraba en todo merecedor de cuantas honras se reflejaban en su persona, por razón de su apellido como por sus no comunes prendas de carácter.

Con su partida amainaron un tanto las hostilidades de los dos bandos, que comprendieron cuánto les interesaba respectivamente moderar los ímpetus de sus pasiones, y aguardar en actitud tranquila los resultados que en definitiva dieran las diligencias de sus parciales y emisarios en la corte. De esta especie de tregua tácita sacaron la peor parte los pobres indios encomendados, pues cualesquiera que fuesen los abusos que con ellos se ejercían, uno a otro se los disimulaban los dos bandos opuestos, cuidadosos de no encender nuevamente las rencillas por una materia comúnmente tenida por vil y despreciable, como era la esclavitud de aquella desdichada raza.

Solamente en el monasterio de los padres dominicos, donde se aposentaba Las Casas, ardía el fuego de la caridad, despertando vivo interés por la suerte de los indios.

Cierto colono de la Vega, de nombre Juan Garcés, que años atrás había matado a puñaladas a su mujer, principal señora india de cuya fidelidad llegó a sospechar, después de andar vagando por diversas partes de la isla con nombre supuesto, huyendo de la persecución de la justicia, se allegó un día al convento de los dominicos, les pidió asilo, y manifestó su propósito de profesar tomando el hábito de la orden. Oído en confesión por el padre fray Pedro de Córdova, fue absuelto, y después de obtenerle indulto del virrey almirante se accedió a su deseo, y fue admitido en la comunidad como fraile; estado cuyos deberes llenó cumplidamente, mereciendo por su vida ejemplar ser enviado años adelante a la misión evangélica de Cumaná, donde pereció como un mártir a manos de los indios bravos.

Este Juan Garcés encendió el celo piadoso de los frailes y del padre Las Casas, con sus relaciones conmovedoras sobre los malos tratamientos a que estaban sometidos los indios en toda la colonia, y las crueldades increíbles con que eran explotados por sus encomenderos. Resolvieron los buenos religiosos clamar enérgicamente contra aquellas iniquidades, y designaron al padre fray Antonio Montesino para que sobre el asunto predicara un sermón, en la misa mayor del domingo inmediato.

Para que el fruto fuera más copioso y la edificación de más provecho moral, invitaron expresamente a todas las personas constituidas en autoridad y a los principales vecinos de Santo Domingo. Llegó el día señalado, y el templo apenas podía contener el granado concurso. Los oficiales reales y los jueces de apelación estaban en sus puestos: el almirante presidía la función, y miraba a Pasamonte y sus otros émulos con cierta sonrisa extraña y maliciosa: se dejaba comprender que algún golpe de efecto estaba preparado: los enemigos del almirante estaban recelosos e inquietos sin saber por qué.

Subió con planta firme el padre Montesino al púlpito, y después de tomar por tema y fundamento de su sermón, que ya llevaba escrito y firmado de los demás frailes: *Ego vox clamantis in deserto*; hecha su introducción y habiendo disertado un poco sobre el evangelio del día, prorrumpió en los siguientes apóstrofes que transcribimos aquí al pie de la letra:

"Decid, ¿con qué derecho, y con qué justicia tenéis en tan cruel y horrible servidumbre aquestos indios? ¿Con qué autoridad habéis hecho tan detestables guerras a estas gentes que estaban en sus tierras mansas y pacíficas, donde tan infinitas de ellas, con muertes y estragos nunca oídos, habéis consumido? ¿Cómo los tenéis tan opresos y fatigados, sin darles de comer ni curarlos en sus enfermedades, que de los excesivos trabajos que les dáis incurren y se os mueren, y por mejor decir los matáis, por sacar y adquirir oro cada día? ¿Y qué cuidado tenéis de quien los doctrine, y conozcan a su Dios y criador, sean bautizados, oigan misa, guarden las fiestas y domingos? ¿Éstos no son hombres? ¿No tienen ánimas racionales? ¿No sois obligados a amarlos como a vosotros mismos? ¿Esto no entendéis, esto no sentís? ¿Cómo estáis en tanta profundidad, de sueño tan letárgico, dormidos? Tened por cierto, que en el estado que estáis, no os podéis más salvar, que los moros o turcos que carecen y no quieren la fe de Jesucristo." [1]

Es indecible el efecto producido por la inesperada peroración en el ánimo de los pecadores a quienes tales y tan enérgicos apóstrofes se dirigían. Confusión, estupor, ira, fueron los movimientos en que fluctuó la voluntad de los más sober-

[1] Las Casas, *Historia de Indias*. Libro III. Cap. IV.

bios, mientras duró el sermón del padre Montesino, y cuando le vieron bajar del púlpito *con la cabeza no muy baja,* como dice Las Casas. Salieron del templo todos rebosando el pecho de indignación, y protestándose recíprocamente los que se sentían aludidos por el orador sagrado, que las cosas no habían de quedar así. En cuanto al almirante, a quien acompañaban los dignatarios y oficiales hasta su casa, permanecía impasible y sin participar de los extremos de furor en que estallaba el desagrado de los demás. Al cabo Pasamonte le increpó directamente.

—¿No pensáis volver por nuestro respeto y el vuestro, señor almirante? —le dijo—. ¿No creéis comprometida vuestra dignidad y la dignidad de su alteza, que no nos ha constituido en autoridad, para que nos dejemos vejar y ultrajar por un fraile atrevido?

—Obremos con calma, señor Pasamonte —contestó imperturbable Diego Colón—. La cólera es mala consejera, y los estómagos ayunos deliberan mal las resoluciones de casos graves como éste. Andad a comer a vuestras casas, y en seguida venid a la mía para que nos pongamos de acuerdo sobre lo que conviene hacer.

Estas razones fueron acatadas por todos.

XXXII

HOMBRES DE ORDEN

A la hora del medio día, los oficiales reales, los jueces de apelación y muchos de los principales vecinos estaban reunidos en la casa de Diego Colón: tratóse el asunto de la plática del padre Montesino con la acritud y el calor que se puede suponer en una asamblea de agraviados. Los temperamentos correctivos que cada cual sugería para corregir y castigar la audacia del fraile eran todos violentos, y hasta feroces algunos. El almirante, siempre dueño de sí, fue templando hábilmente aquella tempestad de cóleras, y modificando por grados los sentimientos y las opiniones de aquellos energúmenos. Después de apurar todos los medios de conciliación se llegó a convenir en que los más ofendidos, y en especial los oficiales del rey, irían aquella misma tarde al convento de los dominicos a reprender a los religiosos y a exigir de la comunidad que obligara al fogoso predicador a retractarse públicamente.

Pusiéronlo por obra; se dirigieron al monasterio, se hicieron anunciar, y salió a recibirlos al locutorio, con tranquilo continente, el superior fray Pedro de Córdova.

—Padre vicario —le dijo bruscamente Pasamonte—, tened a bien hacer llamar a aquel fraile que ha predicado hoy tan grandes desvaríos.

—No hay necesidad —contestó tranquilamente fray Pedro—: si vuestras mercedes mandan algo, yo soy el prelado de este convento, y responderé a todo.

—Hacedle venir —insistió con ímpetu el tesorero—, venga aquí ese hombre escandaloso, sembrador de doctrina nueva, nunca oída, que a todos condena, y que habla contra el rey atentando a su señorío sobre estas Indias, y atacando los repartimientos de indios... Y guardaos vos mismo, padre vicario, si no le castigáis como se merece...

—¿Osáis amenazarme? —exclamó fray Pedro.

—A vos y a todos vuestros frailes atrevidos y sediciosos —replicó Pasamonte.

—¡Sí, sediciosos y desvergonzados! —clamaron con destemplada voz varios de los circunstantes.

Fray Pedro fijó en aquellos hombres una mirada indefinible, había en su expresión una mezcla de altivez, mansedumbre y lástima. Su fisonomía hermosa y ascética a la vez, imponía el respeto.

—Acertáis sin duda —dijo a los furiosos con dignidad—, en darnos todos esos odiosos nombres, a los que queremos curaros de vuestra ceguera, y despertar vuestras almas de su profundo letargo. Sí, atreveos a llamarnos sediciosos, a todos los que aquí estamos sublevados contra vuestras iniquidades; porque habéis de saber que el padre Antonio ha dicho en el púlpito lo que toda la comunidad acordó que dijera, y por esa razón vuestra ira no debe ser para él solo, sino para todos nosotros.

—Pues no hay más remedio —dijo Pasamonte—, que obligar a ese fray Antonio a que se desdiga el domingo próximo venidero de lo que hoy ha predicado.

—Eso no podrá ser —contestó fray Pedro.

—Pues si así no lo hacéis, aparejad vuestras pajuelas para iros a embarcar, pues seréis enviados a España.[1]

—Por cierto, señores —replicó sonriendo impasible el padre superior—, en eso podemos tener harto de poco trabajo.[2]

Esta respuesta sencilla, por el tono casi desdeñoso en que fue dada, acabó de exasperar a aquellos hombres coléricos, que parecían dispuestos a dejarse ir hasta los últimos extremos de la violencia; pero se hizo oír a tiempo la voz vibrante del portero del convento que pronunció estas solas palabras: *el señor almirante.*

A este anuncio, se contuvieron los más exaltados, y el silencio reinó por algunos instantes.

Fray Pedro se adelantó hacia la puerta del salón para recibir al almirante, que se presentó al concurso con semblante plácido y risueño, pronunciando estas palabras:

—¿Qué ocurre aquí, señores? He percibido al llegar como voces alteradas y descompuestas...

—Señor almirante —dijo el impetuoso Pasamonte—, el padre vicario se niega a darnos la justa satisfacción que le pedimos, y redobla nuestro agravio diciendo que del abominable sermón de este día responde la comunidad entera, pues fue predicado por acuerdo de todos estos frailes.

—Es la verdad, señor almirante —dijo sencillamente el prior.

—¿Lo oís, señor? —repuso el tesorero real—. La comunidad de los dominicos viene a trastornar el orden de la colonia, negando al rey su señorío sobre los indios, y a los súbditos que de él los hemos recibido en encomienda el derecho de utilizar el trabajo de esos infieles, dándoles en cambio la salud espiritual con el conocimiento de las verdades eternas.

—Negamos el derecho de oprimir con crueldades a esa raza desdichada —exclamó con energía fray Pedro—, os negamos el derecho de llamaros cristianos abrumando y exterminando a tantos infelices con vuestra cruel y desalmada codicia...

A esta fulminante invectiva, el tumulto volvió a encenderse más destemplado que antes, y a duras penas consiguió Diego Colón hacerse oír y hacer valer su autoridad.

—Escuchadme todos, señores. Soy aquí el que representa la majestad de su alteza el rey, y mando que todos se conformen con lo que yo disponga en este caso.

Pasamonte y su bando gruñeron[3] sordamente, ganosos de sublevarse contra aquel exordio del almirante; pero éste frunció el entrecejo de un modo tan expresivo, había tal dignidad y arrogancia en su acti-

---

[1] Histórico. Las Casas.
[2] *Idem. Idem.*

[3] Las Casas usa este expresivo verbo, al referir el episodio del sermón del Padre Montesino. Lo creemos oportunísimo, por más que lastime algún tímpano delicado. La sinrazón poderosa gruñe siempre.

tud, que todos temblaron y tuvieron por bien callarse y someterse.

Por su parte fray Pedro de Córdova, sereno e impasible, dijo a Diego Colón:

—Señor, permitidme recordaros que nosotros, enderezando nuestras palabras y nuestras acciones al servicio del rey de los reyes, no podemos conformarnos sino a lo que sea justo de toda justicia, y acorde con las leyes divinas, contra las cuales, nadie ha de ser poderoso a doblegar nuestra energía, ni a torcer nuestra voluntad.

—Lo sé, padre Pedro —contestó Diego Colón en tono respetuoso—; y os pido que fiéis a mi decisión el caso, seguro de que nada he de disponer que no ceda a la mayor gloria del Señor.

—Siendo así, contad con mi conformidad —concluyó fray Pedro.

—Pues lo que la paz y el buen orden de la colonia exigen, padre —dijo el almirante— es que el predicador fray Antonio vuelva a subir al púlpito en la misa del próximo venidero domingo, y tranquilice las conciencias explicando de una manera satisfactoria todo lo que ha dicho hoy que parece contrario al servicio de su alteza y a los fueros y prerrogativas de los oficiales reales y demás vecinos ofendidos y lesionados en su honra y sus intereses, por la dureza con que los increpó el padre en su sermón.

Fray Pedro recapacitó un instante, y luego dijo con acento firme:

—El predicador volverá a subir al púlpito el domingo que viene, y cumpliremos nuestro deber como humildes siervos de Dios y fieles súbditos de su alteza.

Oída esta declaración, el almirante, y a su ejemplo Pasamonte y todos los concurrentes, hicieron a fray Pedro de Córdova un reverente saludo, y se retiraron del convento, sumamente complacidos los quejosos, porque contaban con saborear el más completo triunfo.

XXXIII

HIEL SOBRE ACÍBAR

Llegó el día señalado para la solemne retractación que todos tenían por convenida y ofrecida de parte de los austeros frailes dominicos. La iglesia mayor no podía contener en sus extensas naves el concurso de gente que, estimulada por los soberbios oficiales reales y sus amigos, acudían a solazarse en la humillación de aquellos humildes religiosos: rebosaba el templo en sedas, bordados de oro, plumas y relucientes armas, porque se quería que aquel acto, que tenía por pretexto y apariencia el desagravio de la autoridad real y pública, se consumara con todo el auge y aparato de una solemnidad oficial.

Apareció, después de cantado el evangelio, el ya célebre padre Montesino, y se dirigió al púlpito con paso mesurado y modesto semblante. Ya en la sagrada cátedra, examinó con su mirada penetrante el numeroso concurso, y comenzó con voz apacible su oración, exponiendo a grandes rasgos y como en resumen lo que había dicho en la plática del anterior domingo, y entrando en seguida a perorar sobre aquella exposición, cuando los oficiales reales y los más exaltados encomenderos se figuraban que iba a explicar sus punzantes censuras dándoles un sentido diametralmente opuesto a su literal significación, esperando que con auxilio de tropos y recursos de retórica intentaría la demostración de que todos los vituperios del precedente sermón encerraban por virtud mística, hipotética, hiperbólica y metafísica, un elogio completo, una apología brillante de la bondad, caridad, generosidad y abnegación de los colonos para con los indios sus siervos, el intrépido orador, parafraseando un versículo del libro de Job,[1] vertió al castellano la sentencia que encierra, en los términos siguientes: "Tornaré a referir desde su principio mi ciencia y verdad, y aquellas mis palabras, que así os amargaron, mostraré verdaderas." Repitió y corroboró con más fuerza y terrible elocuencia todos los anatemas que había fulminado antes contra los tiranos opresores de indios, y acabó por declarar que la comunidad de los dominicos había resuelto negarles los sacramentos lo mismo que si fuesen salteadores públicos y asesinos, y que podían escribirlo así a Castilla, a quien quisiesen, pues en obrar de tal manera tenían por cierto los padres dominicos que servían a Dios, y no pequeño servicio hacían al rey.[2]

Concluyó el sermón en medio de los gruñidos[3] y el alboroto de los oyentes, cuyo despecho llegó al último extremo, cuando se vieron de tal manera burlados y defraudada su esperanza de escuchar una retractación.

El padre Montesino bajó tranquilo y sereno de la cátedra, y se fue a su convento sin hacer más caso de aquellos furiosos que si fueran una bandada de loros, sin conciencia de sus discursos; y los encomenderos, persuadidos de que nada podían recabar de los pertinaces religiosos, ni siquiera intentaron abocarse otra vez con ellos, sino que después de juntarse a deliberar, acordaron dirigir al rey un sañudo informe contra los frailes de la orden de los dominicos, acusándolos de sediciosos, perturbadores y rebeldes a la autoridad del rey y sus ministros en la colonia.[4]

[1] Cap. 36. Todo esto es histórico. V. Las Casas, *Historia de Indias*. Lib. III. Cap. V.

[2] Histórico. *Ibid.*

[3] Nos parece el término propio, y lo ha autorizado Las Casas.

[4] "El fraile Montesino era hombre de carácter, y reputó indigno de su ministerio y de la cátedra de la ver-

XXXIV

CELO PIADOSO

Esta acusación, y en particular las cartas de Pasamonte que gozaba gran crédito y favor con los validos del monarca, de quien el claro juicio ya estaba debilitado por la edad, causaron grande impresión en la corte; pero los dominicos hallaron medio de desvanecer las exageraciones e imposturas de sus antagonistas, y éstos apelaron entonces a otro expediente más eficaz en su concepto. Prevaliéndose de la sencillez y poca doctrina del venerable fray Antonio Espinal, prior de San Francisco, lo persuadieron a que fuera a Castilla con objeto de representar al rey y a su consejo los graves daños que para el servicio real y buen orden de la colonia resultaban de la actitud agresiva y desconsiderada de los rebeldes frailes dominicos.

No descuidaron éstos parar el golpe, enviando a Castilla al mismo padre Montesino, quien además de ser predicador eximio era hombre de letras, eficaz y de grande ánimo, experimentado por ende en tratar materias arduas y guiar negocios difíciles. Ninguno más interesado que él en defender su propia predicación y el concepto de su comunidad. Fue preciso que los buenos religiosos salieran puerta por puerta a recolectar limosnas de los vecinos para los principales avíos del viaje, que muy escasos y al través de algunos vejámenes pudieron allegarlos, pues aunque en lo general eran amados y reverenciados del pueblo, por la santidad de su vida y sus ejemplares costumbres, el dis-

dad contemporizar por ningún respeto humano con la iniquidad y el error." Manuel José Quintana: *Vida de fray Bartolomé de las Casas* favor oficial que pesaba sobre ellos retraía a muchos de favorecerlos como tal vez desearan. El egoísmo siempre fue servil y apocado.

A fray Antonio de Espinal, muy al revés, sobraba todo, y ni un príncipe pudiera viajar con más regalo del que le proporcionaron sus comitentes. Fue asunto de comentarios no muy favorables la conducta de aquel religioso, de quien todos tenían alta opinión, viéndole aceptar encargo tan incompatible con su humildad y modestia. Atribuyéronlo algunos al interés de conservar los repartimientos de indios que disfrutaban los conventos franciscanos de Concepción de la Vega y de Santo Domingo; [1] en lo que tal vez creyó de buena fe cumplir un deber de su cargo, viendo por el auge de la orden a que pertenecía.

Partieron uno y otro emisario para España, cada cual en distinta nave, el uno sobrado de favor, y el otro privado de todo, contando únicamente con la ayuda de Dios y la fe en su buena causa.

Llegaron sin novedad a su destino, y el rey dispensó a fray Antonio de Espinal la acogida más afable y afectuosa; [2] mientras que al afligido y desamparado padre fray Antonio de Montesino se le negaba la puerta de la real cámara, a pesar de todos sus esfuerzos por llegar a la presencia del monarca. Al cabo, un día su audacia arrolló todos los obstáculos, y cansado de instar al portero para que le franquease el paso, a tiempo que éste fámulo se descuidó abriendo a otro la puerta del regio estrado, el padre Montesino, seguido de su lego, se coló de rondón, dejando al endurecido portero estupefacto, de tan grande atrevimiento. El rey acogió benignamente al religioso, que se arrojó a sus pies para hablarle, y las terribles revelaciones que por primera

vez resonaron en la regia cámara hicieron en el ánimo del anciano monarca impresión profunda. Desde entonces tuvo el celoso dominico entradas francas en palacio, y en el Consejo de Indias; pero como sus trabajos se estrellasen en la autoridad y las alegaciones del padre Espinal, resolvió dar un paso decisivo.

Ocurría esto en Burgos, donde se hallaba la corte a la sazón, y el padre Espinal estaba alojado en el convento de su orden, en dicha ciudad. Situóse un día fray Antonio Montesino en la portería del monasterio, en espera de su antagonista, y cuando éste salió muy descuidado para ir al consejo real (adonde concurrían otros célebres doctores y teólogos, para discutir y acordar lo concerniente al régimen político y espiritual de los indios, por disposición del rey); llegóse a él nuestro buen fraile, y le manifestó resueltamente que quería hablarle. Detúvose el padre Espinal accediendo a la demanda, y entonces su interlocutor le dijo con todo el fuego y la vehemencia que acostumbraba en sus discursos: "Vos, padre, ¿habéis de llevar de esta vida más de este hábito andrajoso, lleno de piojos que a cuestas traéis? ¿Vos, buscáis otros bienes más de servir a Dios? ¿Por qué os ofuscáis con esos tiranos? ¿Vos no veis que os han tomado por cabeza de lobo para en sus tiranías se sustentar? ¿Por qué sois contra aquellos tristes indios desamparados?" Y por el estilo prosiguió una serie de apóstrofes que acabaron por conmover el corazón del sencillo prior franciscano, haciéndole estremecer de espanto, y sacudiendo el letargo de su conciencia. [3] Entregóse, pues, a discreción a su irresistible despertador, diciéndole: "Padre, sea por amor de Dios la caridad que me habéis hecho en alumbrarme: yo he andado engañado con estos seglares,

---

[1] Las Casas. *Historia de Indias.* Lib. III. Cap. V.
[2] "Como si fuera el ángel Sant Miguel." Las Casas, lugar citado.

[3] Histórico: el discurso del padre Montesino es copiado fielmente de la obra de Las Casas.

ved vos lo que os parece que yo haga, y así lo cumpliré." [1]

Desde aquel punto y hora, animados uno y otro religioso del mismo espíritu de caridad evangélica, trabajaron de consuno: la fábrica artificiosa de Pasamonte, Fonseca, Conchillos y todos sus secuaces, estuvo a punto de caer derribada por la fuerza de la verdad; los parientes y amigos del almirante don Diego Colón cobraron nuevo crédito y nuevos bríos, y las célebres *ordenanzas de Burgos* en favor de la raza india, fueron una página de oro en la historia de aquellos tiempos de iniquidad y oscurantismo.

XXXV

MORATORIA

Por esta época fue cuando el almirante gobernador de la Española obtuvo la tan esperada autorización real para mandar conquistar y poblar la isla de Cuba. Sin pérdida de tiempo lo participó a su teniente Diego Velázquez, llamándolo a Santo Domingo con el fin de dar la última mano a los planes e instrucciones para tan importante empresa. Voló Velázquez a la capital de la colonia, en alas de su amor y de sus ambiciosas esperanzas.

Había transcurrido con exceso el plazo pedido por su prometida para la realización del matrimonio; pero tanto Diego Colón, como el mismo padre de la novia, habían contestado acordes a las reclamaciones del impaciente capitán, que el estado de salud de María era sumamente delicado, y hacía forzoso un nuevo aplazamiento. Mal de su grado se conformó Velázquez con la indefinida demora que se le imponía, y hasta comenzaba a pensar mal de

[1] Histórico. *Loc. cit.*

las intenciones del almirante y la formalidad de su futuro suegro, cuando recibió la orden de pasar a la capital de la colonia.

—Por fin —se dijo— veré por mí mismo lo que pasa, y procederé según las circunstancias y el resultado de mis observaciones.

La sola vista de su prometida desvaneció todos sus recelos, y lo convenció de que le habían dicho y escrito la verdad. Sin exageración de ninguna especie, María de Cuéllar estaba muy enferma: causaba pena y espanto comparar aquella faz abatida y pálida, aquellos ojos circuidos de sombras violáceas, con el recuerdo de la espléndida y lozana belleza que había fascinado a Velázquez cuando por primera vez la contempló un día en el alcázar de los virreyes. Su aspecto y la expresión de su semblante denotaban una tristeza resignada, una especie de indiferencia muy parecida a la insensibilidad. Dejóse tomar y besar la mano por su futuro esposo, sin dar muestras ni de alegría cortés, ni de disgusto, ante aquel acto que debía despertar en ella el sentimiento de su situación, y la conciencia de que se acercaba el día en que se había de consumar su sacrificio.

Velázquez le dijo, mirándola conmovido:

—¿Podré contar con que ya han desaparecido todos los obstáculos que se vienen oponiendo a mi dicha, y que al fin os dejaréis conducir al altar?

La joven, por toda contestación, fijó en el que así la interpelaba una mirada atónita, indefinible; y su padre, viéndola guardar silencio, habló por ella en estos términos:

—Vos me pedisteis un año de espera, señor don Diego, para efectuar el matrimonio: ni por culpa vuestra, ni por la mía, ha dejado de tener este acuerdo su estricto cumplimiento. Hoy, ya lo veis, sería grave imprudencia no aguardar algún tiempo más a que mi hija se restablezca de la extraña dolencia que la tiene tan abatida y débil.

—¡Cómo, señor de Cuéllar! —exclamó Velázquez con calor. —¡Y habré de partir yo solo para la conquista de Cuba, cuando mi más lisonjera esperanza era llevar conmigo a la elegida de mi corazón!...

—No podréis desconocer, amigo don Diego, que los cuidados que vuestra compañera en su estado actual de salud os impondría, os habrían de ser carga muy enojosa, en un país inexplorado, donde se carece de todo lo necesario, y vos mismo aun no sabéis cómo quedaréis instalado. Más cuerdo es que vayáis sin ese embarazo, y una vez que hayáis vencido las primeras dificultades, y hecho los preparativos convenientes para alojar y asistir a vuestra esposa, me aviséis para llevárosla yo mismo, y que las nupcias se celebren en el asiento de vuestro gobierno, donde vos seáis cabeza de todos, y todos sean subordinados vuestros.

Pareció satisfecho Velázquez con este razonamiento, y volvió a continuar sus largas e interesantes conferencias con el almirante en la residencia de éste, donde se hallaba hospedado. El tiempo urgía: era preciso renovar las provisiones y algunos objetos indispensables para la colonización proyectada, pues la dilación a que se había sometido la empresa antes de expedir el monarca su real venia, había sido causa de que muchos preparativos hechos de antemano se malograran o distrajeran del fin a que estaban destinados.

El activo capitán, dándose en cuerpo y alma a su ardua empresa, apenas tuvo espacio para conversar con su prometida, ni para observar que ésta no contestaba a sus apasionados conceptos sino con monosílabos y frases incoherentes. Celebró una nueva convención con el señor de Cuéllar, ajustada en un todo a la proposición que éste le hiciera de que se marchara célibe a la empresa de Cuba, y que una vez alcanzado el lauro de conquistador, allá iría la novia a llevarle su mano, y su corona de azahares, como galardón de los trabajos y proezas a que diera lugar la conquista. Medió un considerable préstamo de dinero del contador real a su futuro yerno, y no faltaron los acostumbrados chistes y equívocos con que en tales ocasiones sazona los proyectos matrimoniales la gente de ánimo vulgar, que trata esta clase de asuntos como un negocio, y para nada toma en cuenta el sentimiento.

Las Casas se dispuso a partir con dirección al oeste en seguimiento de Velázquez: su cualidad de sacerdote le dio facilidad para tener una entrevista de despedida con la triste María de Cuéllar. Procuró infundirle valor, y hasta le aconsejó que recordara a la virreina su antiguo empeño de estorbar el matrimonio concertado.

—¿Ya para qué? —respondió María con una sonrisa que nada tenía de humano— La virreina parece que no se acuerda de eso, y el compromiso, cúmplase o no, pronto lo romperá la muerte. Yo estoy resignada, como vos quisisteis. Acordaos de vuestra promesa, y que el Señor os premie vuestra bondad.

El sacerdote se alejó llevándose vivamente la mano al corazón, movimiento que tanto pudo ser efecto de un vehemente impulso compasivo, como del recuerdo de que hacia aquel sitio reposaba oculto, cuidadosamente guardado, el misterioso papel que la interesante moribunda le confiara un día para el infeliz ausente, objeto de su amor.

XXXVI

INÚTIL PORFÍA

No tenía razón María de Cuéllar cuando dejaba escapar de sus labios, aunque sin el acento de la queja, aquel concepto desfavorable a la fina, afectuosa y consecuente amistad de doña María de Toledo.

La noble señora no había olvidado un solo instante la cuita de su amada amiga, veía con dolor la pesadumbre de ésta, los aterradores progresos de la enfermedad que minaba su existencia, y la aproximación del inevitable suceso que había de hundir en el sepulcro aquella inocente víctima de la ambición ajena. Más de cien veces volvió a la carga con el difícil tema a su esposo el almirante; pero fuerza es confesar que en éste no obraba tan activamente la compasión, y desarrollado su egoísmo por las diarias luchas y contrariedades del mando, no se preocupaba ya poco ni mucho de buscar el medio de desbaratar la proyectada boda de su teniente y aliado. También es verdad que jamás se comprometió formalmente a hacerlo, y así, se evadía de los apremios de su esposa con buenas o malas razones, acabando siempre por encarecerle la conveniencia de velar por la propia dicha antes que entrar en cuidados por la de los demás.

Esta conclusión envolvía un recuerdo harto desagradable para la joven señora, que se guardaba muy bien de exponerse, por causa de su generosidad, a otra borrasca conyugal, como la que sin duda recordará el lector.

Pero sus compasivos sentimientos no se acallaban a pesar de todo, ni cesaban de sugerirle ingeniosos medios de ganar tiempo, que era el único servicio que podía prestar a su desolada amiga. Aprovechaba y solicitaba las ocasiones de hablar con don Cristóbal de Cuéllar, haciendo recaer diestramente la conversación sobre las dolencias que aquejaban a la prometida de Velázquez, y representando con elocuencia los riesgos de un cambio de estado mientras la joven enferma no se repusiera de su visible postración. El señor de Cuéllar era padre

al fin, y no tenía entrañas de tigre, llegando a causar en él viva impresión las hábiles insinuaciones de la virreina, y sin duda a ésta se debía la inesperada objeción que halló Velázquez de parte del contador, al reclamar el cumplimiento de lo pactado. Por acaso, las consideraciones paternales se avenían con las circunstancias en que de momento se hallaba el capitán que iba a sojuzgar a Cuba, para quien realmente hubiera sido un embarazo casarse antes de acometer su grave empresa, y mucho más llevar consigo el cuidado de una esposa enferma.

Todo se arregló, pues, por de pronto, a satisfacción relativa de las partes interesadas, y María de Cuéllar vio prolongarse por unos días más aquella angustiosa situación en que la conciencia del mal inminente iba minando y destruyendo más y más su existencia.

—¿No sería mejor acabar de una vez? —se preguntaba, cansada al fin de la ansiedad y las dudosas perspectivas que hacía tanto tiempo atormentaban su espíritu.

XXXVII

EL VENCEDOR

Velázquez concluyó rápidamente sus preparativos en el oeste. Reunió la gente expedicionaria, como trescientos hombres, con los bastimentos necesarios, en el puerto de Salvatierra [1] y se embarcó para Cuba, en noviembre de 1511, llevando a Hernán Cortés y Andrés de Duero como secretarios. Aportaron cerca del cabo Maisí, en un puerto que llamaron de las Palmas o Puerto

---

[1] San Nicolás, en el cabo occidental de la isla. Velázquez llamó a la villa fundada allí por él *Salvatierra de la Zabana* (Sabana).

Santo. Allí, apenas pusieron el pie en tierra, fueron enérgicamente hostilizados por el esforzado Hatuey, cacique haitiano de los que más porfiadamente resistieron a Velázquez en la Guahaba, y que una vez vencido pasó a Cuba, donde todos los comarcanos de Maisí lo aceptaron como jefe y señor, reconociendo su valor y superioridad en todos sentidos.

Hatuey había conseguido infundir en los indios cubanos su propia intrepidez y el odio inmenso en que ardía su corazón al recuerdo de sus pasados infortunios, y de la implacable fiereza con que lo habían acosado los conquistadores de su patria. Precavido y alerta, supo anticipadamente la expedición de los castellanos a Cuba, por los espías que a él llegaban de la Española; [1] y así, Velázquez lo encontró bien apercibido a la defensa.

Dos meses día por día combatieron valerosamente los indios contra sus invasores, y al cabo, no pudiendo resistir las armas de éstos, se refugiaron en las montañas, donde continuó la persecución por bastante tiempo aún. En el intervalo, Velázquez escribió a Esquivel dándole noticias de la empresa que traía entre manos, y solicitó de él alguna gente. Volaron allá, ganosos de riquezas y aventuras, muchos hombres de armas de los que habían acabado con Esquivel la pacificación de Jamaica: mandábalos el acreditado capitán Pánfilo de Narváez, y con él fue también nuestro bien conocido y un tanto olvidado Juan de Grijalva, que se creyó en la obligación de asistir con los primeros a su antiguo rival, según se comprometiera a hacerlo en aquella noche funesta, que imprimió decisiva huella en su vida y su destino.

Llegaron algo tarde a Cuba para combatir al valiente y desgraciado Hatuey, que acosado de breña en breña fue capturado al fin, y por

no encontrarse en la otra vida con sus verdugos, según lo dijo al fraile que le prometía la celeste ventura, se negó a recibir el bautismo, y lo condenaron como impenitente a ser quemado vivo. Se ve que comenzaba temprano a declinar la bondad de Diego Velázquez, y que la corrupción minaba ya los sentimientos que le habían captado la amistad de Las Casas, como éste mismo hubo de notarlo con justa acritud en sus inmortales narraciones históricas.

Libre ya completamente Velázquez del escaso cuidado que le daban los indígenas de Cuba, espantados por la muerte del caudillo haitiano, convirtió su atención al objeto que le era favorito de fundar ciudades, y planteó con grande eficacia y regularidad sus primeros establecimientos en *Baracoa,* nombre indígena del sitio a que abordara con su gente cuando llegó de la Española, y que denominó, como dejamos dicho, *Puerto Santo* o *de las Palmas.* Dirigióse después a reconocer otros puntos de la isla, con el fin de elegir el más adecuado para fundar la ciudad capital de la colonia, y este honor cupo al que, favorecido por la naturaleza con una prolongada y hermosa bahía, lleva el nombre de Santiago de Cuba, en honor del apóstol patrón de España, que lo era también del fundador.

En medio de sus trabajos y ocupaciones como tal, juzgó Velázquez llegado el tiempo de efectuar su tan deseado como demorado matrimonio, y a este fin escribió al contador Cuéllar una apremiante y sentida carta, invocando todos sus títulos y derechos a que no se dilatara por más tiempo el cumplimiento del solemne compromiso.

"Han transcurrido ya (decía en su carta) todos los aplazamientos a que, con más o menos causa, se ha querido someterme, y tendré a injuria que se trate de imponerme una nueva espera. Reclamo que se cumpla lo pactado, señor don Cristóbal,

[1] Histórico. Las Casas, Herrera, etc.

y que vuestra honrada palabra quede en su lugar, dándome la compañera que tanta falta hace a mi dicha. Si aún sigue enferma, aquí la aguardan, con el rango de señora y esposa mía, a quien todos estarán obligados a tributar homenaje, la salud y el contento."

Increpado el de Cuéllar de un modo tan enérgico y concluyente, seducido por la perspectiva brillante de la nueva posición que ocupaba su futuro yerno, declaró a su hija la resolución de conducirla a Cuba sin más tardanza, y abrevió los preparativos del viaje. En vano hizo la virreina una postrera tentativa para conmover al anciano, cuando supo la proximidad de la partida. El contador mayor mostró la carta de Velázquez, e hizo juez al almirante don Diego del caso en que se hallaba, sometiendo a su arbitramento la decisión.

—Si vuestro señor esposo —dijo a María de Toledo—, con esta carta del capitán don Diego Velázquez a la vista, cree que puedo negarme decorosamente a lo que él reclama, y demorar todavía el concertado matrimonio, yo haré lo que el señor almirante crea más conveniente.

Ésta era la vía más segura que podía escoger Cristóbal de Cuéllar para deshauciar por completo los deseos de la virreina en pro de la joven prometida. Ya sabemos que Diego Colón había llegado a ese periodo de los hombres de gobierno en que la razón política es la soberana razón. Había eludido con el más exquisito cuidado dejar ver a Velázquez su interés por demorar indefinidamente, cuando no por impedir sus bodas, y ahora se le ponía en el compromiso de pronunciar por sí mismo el fallo de este delicado pleito. Dar parecer contrario a las reclamaciones de Velázquez era lo mismo que autorizar al contador a escudar su negativa con la autoridad del almirante, y la alianza de éste con el conquistador de Cuba se quebrantaría en seguida, a la sazón que la conquista, marchando bajo los mejores auspicios, halagaba la ambición del joven gobernador con las más brillantes perspectivas. No vaciló, pues, y puso fin al angustioso incidente diciendo al contador real:

—Velázquez tiene razón de sobra, señor de Cuéllar, en quejarse de su larga espera. Camino lleva de costarle la posesión de su amada novia tanto tiempo y paciencia como hubo de emplear el patriarca Jacob en alcanzar a Raquel; por fortuna no hay una Lía de por medio...

—Vuestra esposa y mi señora la virreina —respondió con cierta entonación de mal humor el de Cuéllar —ha sido siempre de parecer opuesto al vuestro en este asunto, señor almirante, y sus reflexiones han contribuido no poco a que este matrimonio de mis pecados no esté hace tiempo concluido, y yo libre de la confusión en que me hallo.

Diego Colón miró a su esposa de un modo que la hizo palidecer, y repuso:

—Lo dicho, señor contador: yo no puedo aprobar que demoréis por más tiempo el cumplimiento de vuestra palabra, y así, pues que la empeñasteis, a toda costa y prisa os conviene redimirla.

Júzguese con qué tósigo en el corazón se retiraría el buen don Cristóbal de la presencia de los virreyes. Febrilmente aceleró los preparativos del viaje, y antes de ocho días volvió con su hija a despedirse de don Diego Colón y su esposa. María de Cuéllar ostentó en esa última visita a sus ineficaces protectores una tranquilidad sorprendente. Parecía perfectamente conforme con su destino. La virreina lloró abrazándola, y la joven enferma, sin verter una lágrima, con voz firme y segura trató de consolar y serenar el ánimo de su acongojada amiga. Ésta, sorprendida al ver tanta entereza, llegó un instante a persuadirse de que tenía a la vista un milagro de la resignación; aunque la intensa palidez y el melancólico semblante de la pobre víctima desmentían toda su aparente fuerza de alma.

Tres días después las dos amigas, en medio de lucido séquito, se dirigían con las diestras enlazadas, en compañía de Diego Colón y el contador Cuéllar, a bordo de la hermosa galera que por disposición del almirante debía conducir a la novia y su padre a Cuba.

Todo había sido preparado para este viaje con la solicitud más obsequiosa de parte de Diego Colón, que quería significar a Velázquez de un modo inequívoco y suntuoso la alta estimación en que tenía su amistad, honrando a su prometida en aquella ocasión. María de Cuéllar recibió silenciosamente, como una estatua, los besos de sus amigas y compañeras, que con la mayor ternura le protestaban que jamás la olvidarían, y la colmaban de bendiciones. La virreina la estrechó en sus brazos y le dijo al oído:

—No me engañas, querida María, veo tu corazón, y tiemblo. ¡Me ahoga la pena! Que Dios me confunda y me haga la más miserable de todas las mujeres, si no he hecho por tu dicha cuanto he podido.

María de Cuéllar miró entonces a su amiga, y apoderándose de ella una viva emoción prorrumpió en llanto. Hizo no obstante un poderoso esfuerzo para hablar, y respondió a la virreina:

—Bendita seáis mil veces, señora, por el bien que me hace vuestra declaración. ¡Y llegué a dudar de vos! Perdonadme, y cualquiera que sea mi suerte, estad segura de que mi mayor consuelo será el recuerdo de vuestra cariñosa amistad.

Por última vez las dos tiernas amigas se abrazaron: después los virreyes y su séquito salieron de a bordo y fueron a situarse en el rebellín más avanzado de la ribera, hacia la embocadura del río; mientras que la nave, izadas las velas, se deslizaba suavemente por la superficie de las aguas, teñidos los topes de sus mástiles con los reflejos del ocaso; y los blancos pañuelos, agitados desde su puente, contestaban a las señales de adiós que hacían los de tierra en tanto que estuvieron a la vista.

XXXVIII

DECLINACIONES

Ya estaba también en Cuba el padre Las Casas, después de haber pasado de propósito por la Maguana, donde permaneció una semana en compañía de sus amigos, al dirigirse a Salvatierra, que era el punto de embarque para todos los rezagados de la expedición de Velázquez, y en el que se acopiaban los repuestos de animales, vitualla y otros elementos necesarios para la colonización de la grande antilla occidental.

En este tránsito y visita del sacerdote, Enriquillo tuvo doble causa de satisfacción: una fue la presencia de su amado protector, y otra ver a Tamayo en su séquito, y saber que el padre Las Casas llevaba la intención de dejárselo viviendo en la Maguana, confiado al señor de Valenzuela.

Cordialmente reconciliado con el padre Espinal, que se había vuelto a su convento desde España, a poco de haberle convertido fray Antón de Montesino a la buena causa, Las Casas pidió y obtuvo del contrito superior de los franciscanos que le entregara a Tamayo como prenda de paz, ya que había sido el motivo de la pasada desavenencia.

Quiso el filántropo templar con este consuelo a Enriquillo el pesar de la despedida, que muy grande lo manifestó el sensible joven.

—Os vais —dijo a Las Casas tristemente—, y quizá no volveré a veros nunca, padre y señor mío. Voy a quedar sin saber cómo... Cuando mi prima acabe de crecer, ¿quién va a hacer por ella y por mí lo que vos haríais? ¿Quién cuidará de que se cumpla la voluntad de mi tía Higuemota?

—No veo causa para esa aflicción, hijo mío —contestó el sacerdote—. ¿Qué dudas, quedando aquí mi amigo don Francisco y allá en Santo Domingo los señores virreyes? Cuba tampoco está lejos, y presiento que más de una vez has de volver a verme por acá, antes de que llegue la época de tu matrimonio.

—Bien quisiera yo ir con vos mientras tanto —dijo Enrique.

—¿Piensas lo que dices? —replicó Las Casas—. ¿No me ha dicho en tu presencia don Francisco que ya tu entiendes más que él mismo de sus notas y sus cuentas como de los indios que le están encomendados, y que sin ti no sabría cómo valerse, porque su hijo no lo ayuda?

—He aquí, señor —repuso Enriquillo—, que me sucede una cosa extraña con el señor Andrés. Él no me da motivo de queja, me muestra amor, y siento que su padre le vitupere su negligencia, y siempre le ponga por ejemplo mi conducta, dándole en ojos conmigo.

—¿Temes acaso que Andrés se resienta y tenga celos de ti? —preguntó Las Casas.

—Os diré, señor. Hace pocos días que elogiando mi actividad, como acostumbra, acabó por mirarme riéndose de un modo singular, y me dijo: "Creo que mi padre te quiere más que a mí, y que si puede, te dejará al morir todo lo suyo, y aun a mí de criado para servirte." Esta chanza me apesadumbró, y desde entonces tengo la idea de que don Andrés no me mira bien.

—Tal vez —respondió pensativo Las Casas—, pero tú sigue siendo bueno, cumple tus deberes, sé humilde y manso de corazón, y deja lo demás a Dios.

El mismo día siguió viaje Las Casas, y embarcándose poco después en Salvatierra pasó sin novedad a Santiago de Cuba, donde a la sazón se hallaba Diego Velázquez. Pronto echó de ver con dolor profundo el engaño que había padecido contando hallar en el conquistador de Cuba al antiguo pacificador del Bahoruco, dócil a sus buenos consejos y accesible a los impulsos humanitarios. En vano trató de templar la crueldad con que procedían los conquistadores en Cuba, representándose a cada instante en aquel nuevo teatro de horrores las escenas más reprobables y odiosas. Aquellos hombres endurecidos y engreídos no le hacían caso, y se complacían en burlar su intervención caritativa, siempre que se trataba de arrollar y reducir a los que llamaban perros infieles. Velázquez se inclinaba todavía alguna vez a obedecer las piadosas inspiraciones de su buen consejero, y las transmitía en las órdenes e instrucciones que daba a sus subalternos, pero obrando éstos a distancia de su jefe, se extralimitaban constantemente, bajo fútiles pretextos, en el cumplimiento de lo que les era mandado; y aunque Las Casas acudía exasperado a reclamar contra los desafueros, sus quejas se estrellaban en la escasa rectitud del gobernante, que por debilidad verdadera y so color de razón política disimulaba cuidadosamente su disgusto a los infractores, y se abstenía de castigarlos: con esto crecían las crueldades y los desórdenes, referidos por el severo cuanto verídico Las Casas en páginas que pueden ser consideradas como el mayor castigo de aquellos malvados, y el mejor escarmiento para los tiranos de todas las edades.

XXXIX

ALBRICIAS

Cuando la nave que conducía a Cristóbal de Cuéllar y su hija aportó a Las Palmas [1] encontrábase Diego. Velázquez todavía en Santiago de Cuba. Llevóle allá un correo los pliegos que le anunciaban tan fausta nueva, y enterado de ella el afortunado caudillo, reunió a los capitanes y principales caballeros que de ordinario le acompañaban, diciéndoles jovialmente:

—¡Ea, amigos míos! Llegó mi día. Enjaezad inmediatamente vuestros caballos, y preparaos a acompañarme esta misma tarde a Puerto Santo [2] donde es llegada mi prometida novia. Todos estáis invitados a mis bodas.

Estas razones fueron recibidas con alborozo y vítores de todos los circunstantes, excepto un joven caballero, que a tiempo que Velázquez recibía los plácemes de los demás, se inmutó visiblemente, y fue a sentarse en un sitio apartado.

Velázquez observó aquella turbación, y supo desde luego a qué atribuirla. Adelantóse hacia el joven, y tendiéndole con franco ademán la diestra le dijo:

—Vos, señor Juan de Grijalva, ¿no me felicitáis? Ved que os tengo por buen amigo mío.

—Perdonad, señor —contestó Grijalva reponiéndose—: os deseo todo género de felicidades, y pido ocasiones de probaros mi amistad.

—Ya se os ofrece una —replicó vivamente Velázquez—. Mientras que todos estos caballeros van a holgar conmigo en mis bodas, vos, Grijalva, quedaréis aquí con todos los afanes y cuidados del mando, que os confiero y delego en mi ausencia. Ved que no es corto el sacrificio que os impongo.

—Yo lo acepto con reconocimiento, don Diego: dejadme vuestras instrucciones.

—Se reducen a esta consigna, amigo don Juan: orden y actividad. Orden, en que toda la gente que quedáis gobernando cumpla cada cual con su deber. Actividad en que

las obras públicas continúen sin interrupción, especialmente la casa de gobierno, el almacén para víveres, la fortaleza del puerto y la construcción de las pequeñas embarcaciones para explorar los ríos.

—Espero que quedaréis complacido, señor don Diego —dijo Grijalva con acento humilde y melancólico.

Velázquez lo miró fijamente, y le estrechó otra vez la mano. Después, como herido de una idea repentina, se dirigió a Las Casas:

—Mucho gusto tendría, padre Casas, en que vos fuerais quien me diera la bendición nupcial, pero nadie como vos sabe atraer y sacar partido de estos indios. Renuncio, pues, a mi deseo, y os ruego que permanezcáis aquí ayudando con vuestros consejos al señor Juan de Grijalva.[3]

—Con toda el alma, señor —contestó Las Casas—: me place infinito el arreglo, y no quedaréis por ello menos bien casado. Rogaré al cielo por vuestra dicha.

Y dos horas más tarde Velázquez corría a caballo, seguido de Cortés, Narváez, y casi todos los hidalgos de la colonia, en dirección a Baracoa.

XL

DESENLACE

No más de cinco días necesitó Diego Velázquez para hacer todos los aprestos de su boda. De antemano se había provisto de sedas, joyas y paramentos preciosos de toda clase; y el ingenio de sus amigos suplió con exquisito buen gusto la falta de elementos para que las

---

[1] Baracoa.
[2] Así llamaban también a Baracoa.

[3] Es histórico que Velázquez dejó como teniente suyo a Grijalva, con Las Casas, cuando partió de Santiago de Cuba a celebrar sus bodas en Baracoa.

fiestas fueran celebradas con el decoro y lucimiento que la ocasión requería. Baracoa, población incipiente, cuyas pocas y modestas casas parecían como intimidadas con la vecindad de los gigantescos palmares, no podía aspirar todavía a la pompa de las decoraciones urbanas, y por lo mismo se prefirió que el teatro de las fiestas semejara un campamento que por el lujo pudiera competir con el de los príncipes cruzados frente a Jerusalén, o, según los recuerdos coetáneos, con el de los reyes católicos en los primeros tiempos del célebre sitio de Granada.

Aquellas pocas casas de Baracoa, como su única iglesia, desaparecieron bajo las brillantes colgaduras de damasco y terciopelo, y en torno suyo, más de un centenar de ricas tiendas de campaña desplegaban al sol sus variados colores y daban al viento infinidad de lujosos estandartes, gallardetes y banderolas.

María de Cuéllar, fatigada de la navegación, sintió grande alivio al desembarcar en Baracoa, y de aquí dedujeron su padre y el novio que los aires de Cuba le eran muy favorables, y que la virtud del matrimonio haría lo demás, restituyéndole totalmente la salud. La sonrisa con que la joven acogía estos lisonjeros pronósticos, tanto podía significar un rayo amortiguado de esperanza, como la incredulidad más desdeñosa. Nadie hubiera podido definirla.

Llegó el día tan deseado de Velázquez. Era un domingo. La naturaleza resplandecía con todas sus galas, el cielo estaba puro, el sol brillante, los campos cubiertos de flores, todo convidaba a la alegría, y todo respiraba animación y contento. Hasta la novia, dirigiéndose al templo asida del brazo de su padre, se mostraba tan serena y complacida, ¡reacción extraña!, que cuantos la veían juzgaban que era completamente dichosa. De sus mejillas había desaparecido la mate palidez, que como ahuyentada por los arreboles de la aurora parecía haberse refugiado en la ebúrnea y contorneada frente; sus ojos despedían vivo fulgor, y toda ella estaba radiante de hermosura. Su padre creyó buenamente en un milagro; Velázquez llegó a suponer que era amado, y bendijo su feliz estrella.

Las fórmulas matrimoniales se llenaron todas sin incidente notable. El *sí* fue pronunciado por la doncella con voz clara y segura, y los dos novios, ya unidos en indisoluble lazo, asistieron sentados en magníficos sitiales y bajo un dosel de púrpura, a la solemne misa que siguió inmediatamente a la ceremonia matrimonial. Terminada la función religiosa se dirigieron con gran acompañamiento a la casa de gobierno, donde a las doce principió el suntuoso festín, que duró hasta las tres de la tarde.

Para las cinco estaba dispuesta una justa de caballeros, en la cual, deseoso de lucir su valor y gallardía honrando dignamente a su esposa, Velázquez se había comprometido a romper ocho lanzas con otros tantos jinetes.

A la hora prefijada, lleno de espectadores el extenso circuito que, rodeado de las principales y más vistosas tiendas de campaña, servía de palestra, llevando el mantenedor y los demás contendientes, todos en soberbios corceles, por armas defensivas únicamente la bruñida coraza, para ostentar en toda su riqueza las cortesanas ropillas de brocado y las airosas sobrevestas; en el mismo punto en que Velázquez y el primer caballero que debía justar con él tomaban sus respectivos puestos, y sólo aguardaban la señal de las trompetas para lanzarse al encuentro, en aquel momento en que la suspensión de los ánimos era general, y el silencio absoluto y solemne, se oyó resonar un grito agudo y angustioso, que partió de la tribuna principal, desde donde asistían a la fiesta la familia y los deudos del gobernador. Siguióse una revuelta confusión en la tribuna, y cuando Velázquez, no repuesto aún de la primera sorpresa, inquiría con inquieta mirada el motivo de aquella alteración, vio a don Cristóbal de Cuéllar que adelantándose a la balaustrada, con voz y gesto despavoridos, le dirigió estas fatídicas palabras:

—¡Vuestra esposa se muere!

Velázquez voló allá, y así terminó la fiesta. Encontró a su novia en los brazos de la joven Catalina Juárez, la que después llegó a casarse con Hernán Cortés, y que había ido a Cuba como camarera de María de Cuéllar.

Privada ésta de sentido, la transportaron a su lecho, y allí se le prodigaron todos los socorros de la medicina. Permaneció dos horas sin conocimiento, y le volvieron los sentidos por breves instantes, solamente para delirar en frases incoherentes, oyéndosela mencionar a su padre, la virreina, y el nombre de Las Casas. Recayó muy pronto en la inercia, y volvió a delirar al cabo de otras tres horas; alternando así el delirio y el letargo nervioso, bien que éste fue haciéndose cada vez más largo e intenso. En tal estado duró la infeliz joven cinco días, y al sexto, volviendo un momento en su acuerdo, fijó en su padre una mirada profunda, diciéndole con voz triste al par que tierna:

—Padre mío, os obedecí, y no me pesa. Bendecidme, y tened a bien recordar mi encargo al padre Las Casas. ¡Adiós!

Un destello de júbilo brilló en el rostro de Velázquez, al oír hablar a su esposa. Acudió solícito al lecho desde el sillón en que espiaba ansioso las peripecias de aquella misteriosa crisis, y no llegó sino a tiempo de ver la pálida frente de María inclinarse como un lirio tronchado, y sus bellos ojos cerrarse para siempre a la luz de la vida.[1]

¹ Es histórico que Velázquez quedó

XLI

UNA CARTA

La noticia del trágico desenlace de las bodas del gobernador se esparció por toda la colonia, cubriendo de luto el corazón de cuantos habían conocido a la hermosa y virtuosísima señora. Al ser comunicada a Santiago de Cuba oficialmente, por pliegos que los secretarios Andrés Duero y Hernán Cortés dirigieron el mismo día a Grijalva y al padre Las Casas, éste observó atentamente el efecto que tan inesperada nueva hiciera en su joven amigo y compañero. Contra lo que suponía el buen sacerdote, Grijalva leyó la fatal comunicación hasta el fin, sin hacer ningún extremo de dolor o de sorpresa. Únicamente la palidez que cubrió su semblante denunciaba la emoción que aún en el más indiferente debía causar suceso tan lastimero e imprevisto. Terminada la lectura, Grijalva, con gran serenidad y compostura dijo en alta voz a los que le acompañaban:

—Ha pasado a mejor vida la esposa del gobernador. ¡Hágase la voluntad de Dios, y veneremos sus designios aunque no alcancemos a comprenderlos! Padre Las Casas, a vos toca hacer preparar todo lo que a la santa iglesia concierne para las honras fúnebres de la señora... En cuanto a lo que es de nuestra incumbencia como autoridades y como caballeros, oídme —dijo volviéndose a los demás circunstantes—: Que ninguna bandera flote a

viudo a los seis días de casado con María, la hija del contador Cuéllar, que fue de la Española a Cuba como se ha referido, y cuyas bodas se celebraron con gran magnificencia. Las Casas, Herrera, etc. Apénd. nota número 4.

los vientos sino anudada y a media asta; que de hora en hora resuene el cañón en señal de duelo hasta que terminen los funerales; que nadie ose hacer ruido ni demostración alguna que no sea de luto y de tristeza. Acópiense todas las flores de los campos vecinos para cubrir el túmulo y las paredes del templo... Vos, padre Casas, no vacilaréis en despojar para tan piadoso homenaje vuestros hermosos rosales de la Española, de esas lindas flores que ayer admirábamos juntos. Tal vez, cuando crecían esos arbustos, recogieron *su* mirada y oyeron su voz, allá en las márgenes deleitosas del Ozama, donde un día la vimos todos risueña y feliz... Id, señores, necesito estar solo para llenar otras atenciones.

Todos, excepto Las Casas, se retiraron a cumplir lo que se les ordenaba.

El sacerdote permaneció inmóvil, contemplando fijamente al joven capitán.

—Deseo quedarme solo, padre Casas —repitió éste—, y os ruego que vayáis a ordenar las exequias.

—¿No necesitáis vos mi asistencia para lo que pensáis hacer solo, señor Juan de Grijalva? —respondió Las Casas con acento profundamente conmovido—. Si se trata de llorar, yo también lo necesito: ved, mis ojos están preñados de lágrimas.

Grijalva miró sorprendido al sacerdote.

—¿Sabéis...? —comenzó a decir dudoso.

—¡Todo! —le interrumpió Las Casas—. Arde en mi pecho la indignación, cuando considero que ese cruel padre ha conducido a la pobre niña al sepulcro, a sabiendas, y sólo por empeños de mal entendida honra.

—¿Lo creéis así? —replicó Grijalva con aire de incredulidad.

—Lo sé —repuso Las Casas con firme acento.

—¿Sabéis que yo la amaba?

—Sí, y que erais correspondido.

—Que ella me pospuso a otro —insistió el joven articulando con amargura las palabras—, y, antes de informarme de la pretensión del capitán Velázquez, le escribió comprometiéndose a ser su esposa, y dándole cita...

—Ella ha muerto, y ha llegado la hora de descorrer los velos —dijo con solemnidad el sacerdote—. Señor Juan de Grijalva, vos erais el único objeto del casto amor de María de Cuéllar. Cumplo una antigua recomendación suya poniendo en vuestras manos esta carta, que os enseñará a sufrir cristianamente, y a bendecir la memoria de la que ya no existe.

Y diciendo estas palabras, el padre Las Casas entregaba al sorprendido mancebo el depósito que le confiara en Santo Domingo, María de Cuéllar.

Grijalva leyó ávidamente y con trémula voz, que la emoción interrumpió muchas veces, la carta de su amada, concebida en estos términos:

"Muy presto y de súbito se ha desmoronado el quimérico edificio de mi ventura. Vos me culpáis, y huís de mí sin oírme... ¡Dios os perdone como yo os perdono vuestra dura injusticia! Vuestro es mi amor, y sólo vuestro. Quise deshacer el compromiso de mi padre, sin faltar a la obediencia de buena hija, y lo único que he conseguido es que mi fe padezca en vuestra opinión, habiéndome visto obligada a prestar el refuerzo de engañosas apariencias a mi propio sacrificio, por salvar a una amiga generosa del mal paso en que su mucho amor a mí la había puesto. No de otro modo hubiera yo consentido en escribir bajo dictado ajeno, comprometiéndome a lo que jamás quisiera, llevada de la promesa que se me hizo de que el empeño no tendría efecto, demorándolo cuanto fuera posible. Esto es lo cierto, y os lo juro por nuestro divino Redentor, el que todo lo ve, y a quien no se puede engañar.

"Estoy resignada a morir, Grijalva, y mi alma os amará aún más allá de esta vida. Moriré sin duda, muy pronto: ¡ojalá el cielo, propicio a mis votos, me dispense esa gracia, antes que el aborrecido vínculo llegue a ligar mi fe a otro hombre! Pero nada quiero hacer, decir, ni pensar, que no sea conforme a lo que demanda mi deber, como verdadera cristiana que espera alcanzar en un mundo mejor el bien que en éste se le niega. Haced, don Juan, otro tanto, si es cierto que me amasteis, si es que aún no habéis dejado de amarme. Entonces nada podrá impedir que nuestras almas obtengan en el cielo por la bondad infinita del Creador, la dicha de contemplarse y de vivir la una en la otra eternamente. Con esta aspiración os envía paz y os dedica todos sus pensamientos la infeliz, *María de Cuéllar*."

Acabando la triste lectura, Grijalva estrechó convulsivamente el papel contra su pecho, y por buen espacio guardó silencio, con la mirada fija y en una especie de arrobamiento doloroso. Por último, como respondiendo a la voz secreta de su propia conciencia, exclamó en un vehemente arrebato de ternura:

—¡Sí, María, alma sublime, ángel de luz! Yo no era digno de ti; yo no alcancé nunca a comprender tu generoso corazón... Yo te acusé groseramente, como a un ser voltario y desleal... ¡Ciego y miserable Grijalva! ¿Dónde están tus fuerzas para soportar la carga de la existencia? ¿Qué harás en el mundo, qué expiación será suficiente para merecer el alto bien con que al morir soñaba aquella alma candorosa? ¿Podrá resucitar mi muerta fe?... ¡Imposible!

—Grijalva —dijo Las Casas con severidad—, no cedáis cobardemente al desaliento. Nada tenéis que expiar: oíd la voz de esa noble y santa criatura que os indica desde el cielo el camino que debéis seguir. Cumplid como bueno vuestro destino en este mundo; haced bien, y vivid esta vida mortal sin ambición, sin odio, rectamente, como quien sabe que ella es sólo un tránsito para llegar a la eterna felicidad reservada a los justos.

XLII

AZARES

Años después, Diego Velázquez, noticioso de que al occidente de Cuba yacía una tierra poblada de mucha gente y rica de oro, haciendo agravio a Francisco Hernández, que fue el primer explorador de la costa de Yucatán, posponiendo a muchos varones de guerrera fama y experimentados en la conquista, quiso absolutamente que el capitán Juan de Grijalva fuera como general y jefe supremo de la armada que mandó a proseguir aquel descubrimiento.

Hernán Cortés, entonces secretario de Velázquez, ajeno, como todo hombre de corazón bien puesto, a los impulsos de la vil envidia, fue a felicitar al joven caudillo por su elección para tan alta empresa, y le dirigió este cumplido, abrazándolo cordialmente:

—La fortuna y la gloria os tienden los brazos, señor don Juan. Bien lo merecéis.

—Buscan a quien no las quiere, don Hernando —respondió Grijalva—: recordad lo que os dije una tarde, cabalgando juntos en Santo Domingo.

—Bien lo recuerdo —repuso Cortés—, y me congratulaba con la creencia de que el tiempo hubiera cambiado vuestras ideas.

Grijalva fue mandando la expedición, en la que iban a sus órdenes Pedro de Alvarado, Francisco de Montejo, y otros capitanes que después se hicieron célebres e ilustres. Exploró las costas de Yucatán y de Campeche: en este último punto expuso generosamente su persona por salvar a unos soldados imprudentes de manos de los naturales, y salió herido: no permitió a pesar de esto que los suyos castigaran a aquellos salvajes, por juzgar que la razón estuvo de parte de ellos, y dejándolos en paz, llegó al río de Tabasco, donde ya tenían noticia de sus humanitarios procedimientos. El generoso cacique del lugar fue a su nave y obsequió al joven general, vistiéndole por sus propias manos una armadura completa, labrada con sorprendente primo,[1] y compuesta de ricas piezas de oro bruñido. Con este magnífico atavío la natural hermosura de Grijalva se realzó extraordinariamente, causando admiración a todos sus compañeros,[2] a quienes pareció en aquel momento ver la imagen del fabuloso Aquiles, o del célebre Alejandro Magno.

Pero por suerte no padecía el bizarro caudillo castellano la epilepsia belicosa del hijo de Peleo, ni la fiebre de ambición y de conquistas, la insania dominadora del héroe macedón. En vano, para despertar en el ánimo enfermo de su general el apagado amor de la gloria, y estimularlo a tomar posesión de aquella tierra tan maravillosamente rica, los españoles bautizan con el nombre de *Grijalva*, que hoy lleva, al río de Tabasco; en vano el piloto Alaminos se niega a señalar los rumbos para que la escuadra se aleje de la encantada ribera. El virtuoso capitán resiste inflexible a todas las tentaciones, cíñese estrictamente a las instrucciones de Velázquez, que le vedan poblar de asiento en parte alguna, y arrojando

una mirada fría sobre la riquísima presa que sus subordinados contemplan con envidioso pesar, hace prevalecer su autoridad, y vuelve desdeñosamente la espalda a la risueña fortuna.

Este rasgo de inconcebible desprendimiento, de fidelidad y abnegación delicada, es correspondido por Velázquez, a quien deslumbran y embriagan las narraciones entusiastas de los compañeros de Grijalva, con la más torpe ingratitud, y el noble y desinteresado joven escucha amargos reproches, y recoge grosero desvío, por un procedimiento que debió poner el colmo a la estimación y la gratitud del obcecado Velázquez, respecto de su antiguo y generoso rival.

Hernán Cortés, el mismo que, alzándose más tarde con los recursos de Velázquez y con la conquista de México, debía vengar aquella ingratitud, y vengar al mismo tiempo a Diego Colón de la ulterior deslealtad de su teniente, volvió a visitar al desfavorecido Grijalva, y le preguntó admirado:

—¿Conque era cierto aquel voto vuestro...? ¿Despreciáis la gloria y la fortuna, según lo escuché de vos en Santo Domingo?

—¡No he nacido con buen sino, don Hernando! —contestó sombríamente Grijalva, como en aquella misma tarde cuyo recuerdo evocaba Cortés, y en la cual palideció para siempre la ventura del triste mancebo.

Poco tiempo después, resentido del mal tratamiento que recibiera de Velázquez, soportando impaciente la carga de su vida, salió de Cuba, fue a Santo Domingo a dar un postrer abrazo a su fiel amigo Las Casas, y a ver por última vez los sitios que habían sido teatro de su efímera dicha.[3] De aquí pasó a Nicaragua, donde al cabo concluyó

[1] "Como si lo armara de un arnés cumplido de acero hecho en Milán", dice Las Casas.
[2] "Cosa digna de ver la hermosura que entonces Grijalva tenía, y mucho más digna y encarecible considerar la liberalidad y humanidad de aquel infiel cacique." Las Casas, *Historia de Indias,* Cap. CXI.

[3] "Todo esto me refirió a mí el mismo Grijalva en la ciudad de Santo Domingo el año de 1523. Las Casas, *Historia de Indias,* Cap. CXIV.

trágicamente su cansada existencia, a manos de los fieros indios del valle de Ulanche.

Fue bueno y magnánimo: su desinterés y humanidad hacen singular contraste con la codicia y la dureza que caracterizaron a los hombres de su tiempo, y su nombre ha merecido la estimación de la posteridad.[1]

---

[1] "Siempre le cognoscí para con los indios piadoso y moderado." *Ibidem.* V. Apéndice n° 5.

TERCERA PARTE

I

LOS LEALES

Ya en el año de gracia mil quinientos catorce, los oficiales reales en la isla Española, con el poderoso auxilio del obispo de Burgos Juan Rodríguez de Fonseca,[1] el secretario real Lope de Conchillos y otros personajes de omnímoda influencia en la corte de Castilla, habían conseguido acabar de una vez con el crédito del joven almirante don Diego Colón, y causar mortal quebranto a los intereses de su casa. Arrogándose hipócritamente el título de *servidores* del rey, los del bando que en Santo Domingo acaudillaba el tesorero Miguel de Pasamonte, a fuerza de llamar *deservidores* al almirante y sus amigos,[2] lograron que en la madre patria fueran tenidos por malvados y enemigos públicos, a quienes se debía imputar la rápida despoblación de la isla, que en realidad sólo era

[1] El mismo que antes fue obispo de Palencia.

[2] *Servidores* y *deservidores*. Histórico, así consta en los documentos y narraciones de la época. La humanidad es la misma en todos tiempos, viéndose que los antagonismos, las envidias y las ruines pasiones de todo género se coloran con apariencias y vislumbres de móviles respetables, y decoran sus inicuas manifestaciones con los santos nombres de *justicia, libertad, patriotismo, servicio público, integridad, pulcritud,* etc. Todo falacia y cinismo para llegar a un mal fin.

efecto de la despiadada política de Ovando.[3]

Apoyaban este grave cargo en el hecho de que el almirante, poco después de su llegada a la Española, quitó los indios a los que por el comendador los tenían, para encomendarlos a los parciales de su casa. Los desposeídos, con esa impudencia que acompaña siempre a los paroxismos de la codicia, alzaban ahora el grito contra el último repartimiento; acusaban a su vez la tiranía de los beneficiados, y desentendiéndose de que ellos habían sido los más eficaces agentes de la espantosa destrucción de la raza indígena, como único remedio posible instaban con ahínco para que los miserables restos de ella volvieran a ser puestos bajo su dura potestad.

Rodrigo de Alburquerque, vecino principal de la Vega, era el hombre más adecuado para servir aquellos desordenados apetitos. Ayudado por Pasamonte y con el favor de su tío el licenciado Luis Zapata, del consejo real, compró el codiciado oficio de repartidor de indios (que era una de las prerrogativas del almirante), y de tal manera lo ejerció, tanto cinismo y avilantez ostentó en los actos de su repartimiento, que la Historia, dejando oportunamente a un lado la majestad y

[3] Las Casas asegura que en el año de 1509 cuando llegó Diego Colón, apenas quedaban 60,000 indios en la Española, de tres *cuentos* (millones) que eran al tiempo del descubrimiento, *Historia de las Indias,* Lib. III, Cap. II y XXXVI.

elevación que le son propias, ha dado con justicia al célebre repartidor el dictado de *sin vergüenza*.[1]

Bajo semejantes auspicios, el repartimiento que hizo Rodrigo de Alburquerque no podía ser ni fue otra cosa que una subasta de siervos. "El que más dio más tuvo"[2] y por consiguiente, "fueron terribles los clamores que los que sin indios quedaron daban contra él, como contra capital enemigo, diciendo que había destruido la isla".[3]

Así, pues, en la porfiada contienda de los dos bandos de la isla Española, siempre tocaba a los pobres indios el peor lote de las desventuras del vencido. Inútilmente habían desplegado los poderosos recursos de una actividad infatigable y de una piedad digna de eterno elogio el elocuente y fogoso fray Antón de Montesino, el venerable fray Pedro de Córdova, que hizo un viaje a España para sostener personalmente las reclamaciones de su comunidad, y otros filántropos que querían salvar los restos de aquella raza infortunada.

Las ordenanzas de Burgos, las de Valladolid y otras providencias soberanas justas y benévolas, arrancadas a la Corona por el ardiente celo de aquellos varones insignes, de nada sirvieron, pues nunca faltaron pretextos para disfrazar de necesidad pública y servicio real la crudelísima servidumbre de los indios.

En Cuba todo pasaba de igual modo: la raza indígena decrecía incesantemente, bajo el yugo de los ímprobos trabajos y de los malos tratamientos. El virtuoso Las Casas, viendo que su activa predicación y el ejemplo de su propio desinterés de poco servían para el alivio de los desventurados siervos, notificó solemnemente a su amigo el gobernador Diego Velázquez la renuncia que hacía de todas las mercedes que disfrutaba en la isla, que no eran escasas, y concertó con su digno asociado, el caritativo Pedro de Rentería, consagrar todas sus facultades y sus recursos a la santa causa de la libertad y el buen tratamiento de los indios. Al efecto se decidió que Las Casas emprendiera viaje a España pasando por Santo Domingo, donde había de ponerse de acuerdo con fray Pedro de Córdova, que habiendo regresado de su viaje a la metrópoli, acababa de enviar a Cuba algunos de sus religiosos, los cuales, animados del generoso espíritu de su orden, habían alentado más y más a Las Casas en sus trascendentales propósitos.

Comenzaba, pues, el solemne apostolado del padre Bartolomé de Las Casas en favor de los indios. Se dirigió a la Española, y su nave tomó puerto en la Yaguana. Allí supo que el almirante había partido para España, y que fray Pedro estaba a punto de embarcarse con rumbo a Tierra-firme, con objeto de instalar en las costas de Cumaná otra misión de su orden.

Don Diego Colón había reclamado, con su acostumbrada entereza y energía, contra el cargo conferido a Alburquerque en detrimento de sus legítimos fueros hereditarios; pero sus émulos consiguieron que el ya viejo y cansado rey, cediendo a las sugestiones de Fonseca y Conchillos, desoyera las quejas del agraviado súbdito, que, bajo un pretexto u otro, fue llamado a la presencia del monarca. El almirante se apresuró a obedecer, dejando en Santo Domingo "a su mujer doña María de Toledo, matrona de gran merecimiento, y las dos hijas que ya tenía"[4] al cuidado de su tío el adelantado don Bartolomé. Fue, no obstante, recibido con mucho agasajo por el rey.

"Entre tanto quedaron a su pla-

---

[1] Manuel José Quintana. *Vida de fray Bartolomé de las Casas*.
[2] Quintana. Lugar citado.
[3] Las Casas, *Historia de Indias*. Lib. III. Cap. XXXVII.

[4] Las Casas, textual. *Loc. cit.* Cap. LXXVIII.

cer los jueces y oficiales, mandando y gozando de la isla, y no dejaron de hacer algunas molestias y desvergüenzas a la casa del almirante, no teniendo miramiento en muchas cosas a la dignidad, persona y linaje de la dicha señora doña María de Toledo.[1]

II

EL HATO

Por todas partes, en el feraz y accidentado suelo de la isla de Haití o Santo Domingo, se encuentran vestigios de la importancia que tuvo para los conquistadores europeos, y del grado de riqueza y opulencia que alcanzaron sus primitivos colonizadores. Ruinas grandiosas y solemnes sorprenden con frecuencia al viajero, en mitad de los bosques nuevamente seculares, denunciando en sus vastas y sólidas arcadas el antiguo y olvidado acueducto, o en sus destrozados perístilos y altas paredes la suntuosa residencia del noble caballero que quería hacer reflejar en las soledades del Nuevo Mundo el esplendor de su linaje; o bien el regalado albergue del famoso capitán conquistador que, ya cansado de correr peligrosas aventuras y de pasar trabajos hercúleos en Tierra-firme, se retiraba a la clásica isla Española en busca de reposo, y a gozar pacíficamente de las riquezas a tan dura costa, y a veces a costa de grandes crímenes, acumuladas.

El gusto de los edificios y moradas suntuosas estuvo, pues, muy generalizado en la Española; y el historiador Oviedo pudo decir con

verdad a Carlos V "que su majestad imperial solía alojarse muchas veces en palacios no tan holgados y decentes como algunas casas de Santo Domingo". Los grandes propietarios de los campos no se conformaban con vivir menos decorosamente que sus iguales de las poblaciones más calificadas, y se hacían construir mansiones hermosas y sólidas a la vez, de lo cual da testimonio elocuente, a despecho de los ultrajes del tiempo, y como muestra de otras muchas ruinas, lo que aún está en pie de las que fueron ricas *haciendas* de Engombe, San Miguel de Puerto Rico y la Isabela, esta última fundada por la virreina doña María de Toledo.

La casa que habitaba don Francisco de Valenzuela era de las mejores en comodidad y buen gusto, entre las de la indicada categoría, que los acaudalados colonos de la Maguana se habían hecho edificar en las cercanías de San Juan. Erguíase majestuosamente sobre una pequeña colina, dominando todo el hermoso y risueño paisaje que la rodeaba. Su aspecto exterior ofrecía la apariencia de casa fuerte y mansión pacífica, a la vez, con su ancho pórtico y fachada compuesta de dos hileras de a cuatro arcos superpuestas, y sus dos alas de torreones cuadrados, éstos con pequeñas ventanas ojivales y chapitel de estilo gótico, y aquélla ornada de un sencillo friso de orden dórico. El conjunto era agradable, y a pesar de la notoria falta de unidad, el edificio, construido de piedra calcárea de color amarillo claro, se destacaba armónicamente sobre el verde césped de la colina, cuya suave pendiente expiraba en la vasta planicie, sembrada a trechos de matas o grupos de árboles a manera de gigantescos ramilletes, que daban abrigo y sombra a las numerosas manadas de reses, y a los rebaños menores por el valle esparcidos, ya cuando las nubes se deshacían en abundante lluvia, o cuando los rayos del sol estival en el meridiano

---

[1] Las Casas, *id., ibid.* Herrera dice (Década II. Lib. I). "Y con todos estos favores (del rey al almirante) no se dejaron de hacer muchas befas a Doña María de Toledo su mujer."

caldeaban rigorosamente la atmósfera.

De pie en el arco central que formaba el peristilo de la casa, estaban por una hermosa tarde, ya entrado el otoño, don Francisco Valenzuela y el joven cacique Enriquillo, mirando atentamente las evoluciones que un hábil jinete hacía recorriendo la llanura en varios sentidos, montado en una ágil yegua, blanca como la espuma del mar, y cuyas crines ondulaban sobre el gracioso y móvil cuello como las flexibles y altas yerbas de la sabana a impulsos de la brisa.

El gallardo caballero acabó sus atrevidos ejercicios arrancando a escape tendido hasta hallarse ante el pórtico donde estaban los dos espectadores, y echando pie a tierra oyó con aire satisfecho los cumplidos de Enriquillo y del anciano, a quien dijo:

—Esta yegua es efectivamente una gran pieza y yo daría por ella gustoso mi caballo tordo y dos pares de bueyes a Enriquillo.

—Siendo mía, podéis desde luego llamarla vuestra, don Andrés —respondió el cacique con afable cordialidad—. No habléis de cambio, ni otro género de interés.

El joven Andrés de Valenzuela, al escuchar el franco lenguaje de Enrique, pasó cariñosamente la mano por el enarcado cuello de la bestia, como quien toma posesión de ella, pero el buen anciano, observando su ademán, dijo con alguna acritud:

—Uno y otro estáis muy olvidados de vuestros deberes, muchachos. ¿Puedes tú disponer de esa yegua, Enriquillo, siendo regalo que te ha hecho mi noble amigo el padre Las Casas...? ¿Puedes tú, Andrés de mis pecados, despojar de su alhaja a Enrique, abusando de su liberalidad...?

—Padre mío —repuso el joven Valenzuela en tono brusco—; yo le propuse que me la vendiera, nunca entendí quitársela.

—Todo es uno, muchacho, y no debes pensar más en eso —concluyó don Francisco—. Quiero que Enrique conserve esa yegua para sí y su esposa, cuando se case, exclusivamente, como debe ser.

—Yo pensaba, señor —dijo modestamente Enriquillo—, que no hacía mal en ofrecer esa bestia a don Andrés. ¿No me habéis dicho que lo trate como a un hermano?

—Sí, muchacho —dijo el viejo suavizando la voz—; pero este caso pide excepción. Esta yegua es el regalo de boda que te hace tu protector, ¿cómo vas a ponerla a disposición de nadie? Toma, lee por ti mismo la carta del padre Bartolomé.

Y sacando del bolsillo de su tabardo un pliego, lo puso en manos de Enrique, el cual leyó en alta voz lo siguiente:

"Muy querido amigo y mi señor don Francisco: el portador Camacho os entregará con esta carta una yegua que he comprado ayer, después de haberla visto probar por el regidor Reynoso, que vino conmigo desde Azua, y la cual destino a mi hijo en Cristo, Enrique, cacique del Bahoruco, en calidad de regalo de boda. No he querido confiar su conducción a otro que a mi viejo Camacho, quien podrá de este modo ver su pueblo y sus parientes, como lo desea. Si él quiere y vos queréis, podéis quedaros también con él, mientras yo hago mi viaje a España, adonde me lleva el servicio de Dios, de la humanidad y del rey."

En este punto Enrique suspendió la lectura, besó respetuosamente la carta, y la alargó a Valenzuela, pero éste rehusándola, le dijo:

—Continúa, hijo, continúa. Todavía hay cosas que te atañen más de lo que piensas.

El cacique prosiguió leyendo la carta que decía así:

"Como supe en la Yaguana que el pío fray Pedro de Córdova debía irse de aquí a predicar y convertir la gente de Tierra-firme, hube por fuerza de dejar allá a los compañe-

ros, por haber adolecido uno de
ellos y faltar las cabalgaduras, y
me puse en marcha con toda celeridad por el camino de Careybana,
como más directo, acompañado
únicamente de mi fiel Camacho, y
en cuatro días y medio, sin dete-
nernos en Azua ni en ninguna parte, llegamos a esta ciudad de Santo
Domingo, donde todo lo he hallado
en trastorno y confusión a causa
del último repartimiento de Alburquerque.

"Con toda esta diligencia que
puse, ya fray Pedro se había em-
barcado, y sólo he debido la dicha
de verle a que un fuerte huracán
hizo volver su nave al puerto, donde logró entrar de milagro, cuando
ya lo juzgábamos perdido con todos
sus compañeros, y su comunidad
expuso el Santísimo sacramento con
rogativas públicas porque se salva-
sen.[1] Gracias sean dadas al Señor.

"El egregio fray Pedro, aunque
por durarle todavía las impresiones
de su reciente viaje a España, des-
confía que yo obtenga en la corte
nada de provecho para los tristes
indios, elogia mucho mi celo y ardimiento, por los fuertes sermones
que aquí he predicado, y su mucho
amor a mí ha crecido tanto que no
se cree haber amado más a ninguno
de sus frailes.[2] Ha designado para
que me acompañe en mi viaje a
España al buen fray Antón de Montesino, el que primero predicó aquí
contra estas diabólicas tiranías,
como bien sabéis.

"No os puedo encarecer cuánta
ha sido mi pena por no haber podido pasar por la Maguana, dejando de veros y estrecharos en mis
brazos como era mi deseo. Espero
en el Señor que otro día será. Mientras tanto creo que ya urge llevar
a cabo el matrimonio de nuestro
Enriquillo. Si vierais a la prometida cuán linda está, y cuán modesta y bien educada, os pasmaríais.
Yo bien quisiera con toda mi alma

asistir a sus bodas, pero me he consagrado a una causa que, como
todo lo grande y santo, pide larga
copia de sacrificios, y no me pesa
de este pesar.

"Ya supe desde la Vera Paz y
luego aquí, que os habíais dado
buena maña para que Alburquerque, influido por las sugestiones
del perverso Mojica, no os arreba-
tara a Enriquillo en su repartimiento, ni la suerte de este nuestro querido cacique sufriera alteración.
¿Creeréis que se atrevieron a pretender que el nombre de Mencía
figurara en la relación del repartimiento, como encomendada a la
virreina? Pero esta dignísima señora
puso al infame Alburquerque en el
lugar que le correspondía; él quiso
disculparse, y echó al agua a su vil
instigador Mojica, a quien faltó
poco para que el adelantado lo hiciera rodar por las escaleras de la
casa, cuando aquel bribón tuvo la
desvergüenza de ir a despedirse
de él.

"La señora virreina me contó
esto: piensa como yo que es cosa
urgente concluir el matrimonio, no
sea que surjan nuevos inconvenientes. Vos veréis lo que mejor os parezca, y obraréis por mí en el asunto, durante mi ausencia, que en último caso, a mi regreso de España
lo arreglaremos todo, si antes no
puede ser. En cinco o seis días me
embarcaré.

"Con esto me despido, y os deseo
salud. De Santo Domingo a 15 de
setiembre de 1515.

"Vuestro fiel amigo y capellán,
Bartolomé de las Casas, clérigo."

Enrique acabó de leer, y se quedó
profundamente pensativo.

—¿Y qué dices ahora, hijo? —le
interpeló don Francisco—. ¿Pensarás otra vez en deshacerte de tu
hermosa yegua?

—Dejaré de ser quien soy, señor,
antes que ese animal salga de mi
poder —contestó Enrique.

Andrés de Valenzuela dejó vagar
una sonrisa equívoca al escuchar el
voto de Enriquillo.

[1] Histórico. Las Casas.
[2] Histórico. Las Casas.

III

CARACTERES

Pocas horas más tarde, el señor de Valenzuela se encerró en su aposento a solas con el cacique Enrique, y lo sometió al siguiente interrogatorio:

—¿Has comprendido toda la gravedad que encierra la carta del señor licenciado? Deseo conocer tu dictamen, sobre lo que te concierne.

—Señor —contestó con voz reposada Enriquillo—, lo más grave en mi concepto es la urgencia que se encarece para mi matrimonio. He reflexionado mucho, también, sobre la maldad de esos que querían hacer figurar a Mencía como encomendada, pero desde que en esa tentativa suena el nombre del malvado señor Mojica, ya no me causa extrañeza.

—A bien que se le ha tratado a él y a su digno aliado Alburquerque como merecían, por eso no debes preocuparte —replicó Valenzuela—, ni mostrar rencor a Mojica cuando lo veas por acá. Lo que quiero que me digas es si juzgas, como mi buen amigo Las Casas y la virreina, que conviene acelerar el matrimonio.

Enrique trató de responder a la pregunta, balbuceó algunas palabras, se cortó visiblemente, y permaneció en silencio.

—Vamos —dijo sonriendo con bondad Valenzuela—: veo que te cuesta algún trabajo decirme que para ti, tratándose de tus bodas, mientras más pronto, mejor. ¿No es así?

—Seguramente, señor —dijo Enrique con naturalidad, ya repuesto de su timidez.

—¿Crees, pues, hallarte listo por tu parte? ¿Tienes corrientes tus cuentas y anotaciones en lo que respecta a la hacienda de tu novia,

6

que desde hace dos años he dejado exclusivamente confiada a tu administración?

—Por lo que a eso respecta, señor —contestó Enrique—, podéis juzgar por vos mismo. Todo lo tengo en el mejor orden.

—Pues bien, hijo, yo soy de la misma opinión que el padre Casas, que la virreina, que tú mismo: creo que debes casarte cuanto antes, y si, como aseguras, todas tus cuentas están en buen orden, esto facilitará mucho el arreglo de mis asuntos, y antes de un mes nos pondremos en camino para Santo Domingo. Seré el padrino de tus bodas, lo que sin duda agradará mucho a mi amigo el padre Casas; y de regreso irás a instalarte con tu esposa en la mejor de mis casas de la villa, la que está junto a la iglesia. ¿Es de tu agrado?

Enrique besó sin contestar la mano de su generoso patrono, pero no dio muestra alguna de regocijo. Su fisonomía, naturalmente grave y reflexiva, denotaba una preocupación profunda que bien podía ser efecto —y así la tradujo el señor Valenzuela—, del sentimiento íntimo de los arduos deberes que iba a contraer.

Sin embargo, por la noche, paseándose Enrique por la explanada a la luz de la luna con su fiel Tamayo y el viejo Camacho, y dándoles noticias del acontecimiento próximo que tanto conmovía su ánimo, les manifestaba la verdadera naturaleza y la causa de aquella preocupación.

—Jamás he aborrecido a nadie —decía—. Cuando me notificaron que yo quedaba *encomendado* con cuarenta y seis personas [1] de servicio al buen don Francisco, aunque para mí era nueva esa condición común a nuestra raza, no sentí sino una ligera mortificación de mi amor

---

[1] Así consta textualmente en el acto de repartimiento. *Documentos inéditos del Arch. de Indias.*

propio, un poco de tristeza viéndome clasificado como todos los demás caciques, cuyo triste destino les obliga a ser el instrumento de la dura servidumbre de nuestros hermanos; pero así lo ordenaba el rey: alcé los ojos al cielo, y lejos de maldecir a nadie, bendije y alabé la bondad divina, que me había concedido protectores celosos de mi dignidad y bienestar. Mas, esta tarde, al saber que ha habido malvados capaces de pretender que mi Mencía, el fuego de mi alma y la luz de mi entendimiento, descendiera a la categoría de una encomendada, ¡ah!, entonces he sentido hervir mi sangre, y sublevarse todo el orgullo de mi raza: he recordado que yo he nacido y soy cacique, esto es, de casta de señores y caudillos, y hubiera querido tener a mi alcance a Mojica y a Alburquerque, para haberles arrancado el corazón con mis manos... ¡Dios me perdone!

—Al fin, Enrique —dijo Tamayo con alegría—, te oigo hablar como un hombre.

—Como un mal cristiano —repuso con solemnidad el viejo Camacho—. ¡Qué diría mi amo el padre si oyera a su hijo en Cristo, como siempre te llama, hablar con tanta soberbia! ¡Qué dirían los buenos frailes de Vera Paz, que tanto se afanaron por hacerte bueno...!

—Razón tienes, buen Camacho —dijo con mansedumbre Enriquillo—. No hablemos más de esto.

Camacho era un viejo indio, natural también de la Española. Su inteligencia, como la gran bondad de su corazón, que se reflejaba en toda su persona y en sus razonamientos y acciones, le habían captado el mayor cariño de Las Casas, que entre la multitud de indios que le eran adictos y querían vivir a su lado, acordaba su preferencia a Camacho, lo hizo su camarero o criado de confianza, y lo llevó a Cuba, donde los servicios y la buena voluntad del fiel quisqueyano le fueron de grande ayuda para atraer y catequizar infinidad de aquellos naturales.[1]

Al regresar a la Española con él, era el propósito del sacerdote llevarlo a España, como una muestra convincente de la sagacidad, discreción y excelencia de la raza india, pero el viejo servidor se puso tan enfermo con el mareo en la travesía de Cuba a Yaguana, que su señor mudó de intento, y resolvió, aunque con gran pena, dejarlo en la isla, según se ha visto en su carta a don Francisco de Valenzuela.

Camacho, además, era generalmente conocido en la Española como en Cuba, guardándosele mucho respeto y estimación, así por ser criado del padre Las Casas, como por sus cualidades personales y sobresaliente criterio, al que en casos difíciles no se desdeñaban de acudir en consulta, siempre con buen éxito, los más ricos y encopetados señores de ambas islas.

Tamayo ofrecía un contraste absoluto con el individuo que acabamos de describir. Su corazón era leal, y capaz de tiernos afectos, como lo acreditaba su adhesión a Enriquillo y su gratitud a Las Casas; pero tenía el genio violento, sus modales eran bruscos, y padecía accesos de mal humor. Se había agriado mucho su carácter desde que se quedó sin Enriquillo en el convento de franciscanos de Santo Domingo, contrariedad que lo afligió sobremanera. Desde entonces hizo el propósito de llenar sus obligaciones a medias, de mala gana, y procurar que los frailes, que lo habían retenido en el convento contra su voluntad por lo útil que les era, le perdieran la afición, en fuerza de su desidia y abandono, que cuanto pasaba por sus manos o era confiado a su vigilancia lo reducía a fragmentos o ruines despojos. No le salió mal su cálculo, y cuando vio que ya había conseguido agotar

[1] Histórico. Las Casas. *Historia de Indias.*

la paciencia de los frailes, se fue adonde Las Casas, no bien supo que éste iba a partir para Cuba, y le dijo sencillamente:

—Pídame vuestra merced a los benditos padres, para irme al lado de Enrique, a la Maguana, estoy seguro de que ahora me sueltan sin dificultad.

Y efectivamente, Las Casas renovó entonces su demanda, y como antes hemos dicho, obtuvo fácilmente de fray Antonio Espinal lo que deseaba. Desde esa época vivía Tamayo en la Maguana, primero como encargado por Las Casas a Valenzuela, y después, por tener éste un número de indios que no podía excederse nunca según las ordenanzas,[1] su influencia hizo que fuera registrado en cabeza de un pariente suyo de nombre Aldaña, quien jamás opuso el menor inconveniente a que su encomendado viviera de hecho en la casa de Valenzuela, al lado de Enrique. Mas no por este arreglo satisfactorio para Tamayo se templaba la hiel de su misantropía, ni dejaba de manifestar un odio implacable a los dominadores, cada vez que se le presentaba la ocasión. Enriquillo y sus protectores eran los únicos que podían domeñar y moderar sus accesos iracundos. El buen Camacho se esforzaba inútilmente en infudir la humildad cristiana en aquel ánimo indomable: cuando le hablaba de Dios, de Cristo, de las verdades religiosas según las había aprendido de la boca y de los ejemplos de Las Casas, el rudo jaragüeño contestaba invariablemente:

—Si todos los cristianos fueran como tu amo, yo creyera como tú crees; pero fuera de los frailes, pocos enseñan esas cosas tan buenas, y he visto que hasta los frailes que las enseñan, hacen luego cosas muy malas.

—Ésa no es cuenta tuya, Tamayo, sino de ellos —replicaba el viejo indio—: tengamos bien nuestra conciencia con Dios, y que cada cual dé cuenta de la suya.

IV

RETRATOS

Por más prisa que quiso darse Valenzuela para dejar completamente liquidados los asuntos que requerían formal arreglo al mudar de estado Enriquillo, siendo indispensable en muchos actos la intervención de escribanos y otros oficiales públicos, no pudo estar expedito hasta principios de diciembre. Entonces, despidiéndose de su hijo y de su casa por breves días, el buen anciano emprendió viaje para Santo Domingo, acompañado del que debía ser su ahijado de bodas, y con un séquito compuesto de Tamayo, dos escuderos a caballo y seis indios de servicio.

Llegaron sin novedad a su destino, y se alojaron en casa del bondadoso amigo de Valenzuela, don Álvaro Caballero; mas la virreina doña María de Toledo, al recibir aviso de que se hallaban en la ciudad, quiso aposentarlos por su cuenta, en una casa que al efecto les hizo inmediatamente preparar y abastecer de todo lo necesario: forzoso les fue por tanto abandonar la generosa hospitalidad de don Álvaro, con harto sentimiento de éste.

En la noche del mismo día hicieron su visita a la noble dama y a la novia: ésta y Enrique tuvieron espacio para conversar libremente y a solas. Había más de cuatro años que no se veían, y el joven quedó sorprendido de la transformación que durante ese tiempo se había operado en la persona de su prometida. Allá en las soledades de la Maguana, al blando rumor de los

[1] Hay documentos de aquella época que se contradicen; unos señalan 80, otros 150 y otros 300.

vientos murmuradores de la llanura,
o al susurro misterioso de las aguas
quebrándose entre las guijas del
manso arroyo, la imaginación del
cacique se complacía de continuo
en fingirse a la joven Mencía con
el mismo aspecto y las mismas formas en que la había contemplado
la última vez, cuando apenas tenía
doce años, y sus facciones, aunque
lindas y agraciadas, llevando todavía el sello indefinido de la infancia, no habían alcanzado aún la
pureza de lineamientos, ni su talle
la morbidez de contornos, que parecían copiar los modelos de la es-
tatuaria griega; ni sus cabellos habían pasado de un rubio claro al
castaño oscuro, ni su frente había
adquirido la tersura y la serenidad
augusta del mármol, ni sus grandes
ojos pardos y su pequeña boca de
carmín la expresión inteligente, mag-
nética, irresistible, que es como una
irradiación de la hermosura, ufana
de sí misma, cuando en pugna con
la no fingida modestia, se ostenta y
brilla más entre los arreboles del
candor y la timidez propia de los
quince años. Tal era Mencía de
Guevara; tal cambio notaba en ella
Enriquillo, poseído de admiración,
y sin acabar de persuadirse de que
aquella criatura, tan maravillosamente bella, le estaba destinada por
esposa.

Ella, a su vez, miraba a Enrique
con curiosidad, pero sin extrañeza
ni encogimiento: mostraba esa familiaridad risueña y afable con que
se recibe a un pariente, o a un
amigo. Efecto sin duda de que el
espíritu de la mujer, si más delicado, más flexible también que el del
hombre, se acaba de formar más
temprano, dándose cuenta instintivamente de sus verdaderas relaciones con el mundo exterior; favore-
cida acaso en Mencía esta disposición natural con el hábito de las
costumbres cortesanas, en medio de
las que la suerte caprichosa la había hecho crecer y formarse, es lo
cierto que la hermosa joven permanecía tan despejada y tan dueña de

sí misma al entrar en conversación
con su primo y designado novio,
cuanto éste se mostraba desconcer-
tado y encogido en presencia de su
prometida.

Enrique rayaba en los veinte
años: de estatura alta y bien pro-
porcionada, su actitud y sus movimientos habituales, nunca exentos
de compostura, denotaban a un
tiempo modestia y dignidad: su
faz presentaba esa armonía del conjunto que, más aún que la misma
hermosura, agrada y predispone favorablemente a primera vista. Alta
la frente, correcto el óvalo de su
rostro, la blanda y pacífica expresión de sus ojos negros sólo dejaba
traslucir la bondad y la franqueza
de su carácter, como una luz al
través de transparente cristal. Vién-
dosele en su estado ordinario de
serena mansedumbre, la inspección
superficial o somera acaso le juzgara incapaz de valor y de energía;
error de concepto que acaso entró
por mucho en las peripecias de su
vida. Vestía con gracia y sencillez
el traje castellano de la época, en el
que ya comenzaba a introducir algunas novedades la moda italiana,
sin quitarle su severidad original,
que a expensas del gusto artístico
volvió a dominar exclusivamente
algunos años más tarde. En suma,
la manera de vestir, el despejo de
su porte y sus modales, como la
regularidad de las facciones del joven cacique, le daban el aspecto de
uno de tantos hijos de colonos españoles ricos y poderosos en la
isla; aunque la ausencia de vello
en el rostro, la tez ligeramente
bronceada, y lo sedoso y lacio de
sus cortos caballos, acusaban los
más señalados atributos de la raza
antillana. De aquí nacía cierto contraste que tenía el privilegio de
atraer la atención general, y que
hacía distinguir a Enriquillo entre
todos los caciques cristianos de la
Española.

El atento examen que Mencía
hizo de su prometido la impresionó,
al parecer, favorablemente, pues

con plácida sonrisa, que dejó ver las perlas de su agraciada boca, dijo al cacique:

—¿No me dices nada, Enrique, ni me das la mano siquiera? Pareces un extraño.

—Señora... Mencía... yo... En verdad, me ha costado algún trabajo reconoceros —respondió balbuciente Enriquillo.

—¿Tan mudada estoy? —repuso riendo abiertamente Mencía —como pariente mío debes decirme si es que me hallas más fea que antes.

—¡Oh, no, Mencía! —dijo con viveza el joven, ya repuesto de su primera turbación—. Os hallo, al contrario, muy hermosa, extraordinariamente hermosa...; no parecéis una mortal.

—Pues ya verás que como y bebo lo mismo que cuando era una chiquilla, que me gustan como entonces las flores y los pájaros... ¿Hay muchas flores en la Maguana?

—Las sabanas, los montes y las riberas de los ríos —contestó con satisfacción Enrique—, están siempre cubiertos de flores, y como preparados para una gran fiesta.

—¡Cuánto me alegro! —exclamó la candorosa joven—. Ya deseo conocer todo eso.

La virreina oyó esta última parte de la conversación, y dijo con voz cariñosa a Mencía:

—¿Tan pronto te olvidas de que anoche nada menos me hablabas de tu pena por haber de separarte de mí? ¡Ingrata!

—¡Ah señora! —replicó vivamente la joven—, vos misma me habéis convencido de que debía resignarme a esa separación, y que mi deber era seguir contenta a...

En este punto vaciló Mencía, visiblemente cortada, y calló dejando sin terminar su frase.

—A tu esposo —concluyó la virreina—. Yo dejé mi patria y mi familia por seguir al mío, y hoy me hallo separada de él, no por mi gusto ciertamente, sino porque Dios así lo quiere.

Y la noble señora suspiró apesadumbrada al decir estas palabras.

—¡Maldito sea el que es causa de que se desuna lo que Dios unió! —dijo el buen don Francisco Valenzuela con acento iracundo.

—¡Ese Alburquerque! ¡Ese Pasamonte! ¡Ese...! —exclamó con despecho doña María—; pero dejemos de recordar cosas desagradables, y tratemos de lo que concierne al enlace de nuestros ahijados.

—Creo —replicó Valenzuela—, que mientras más pronto, mejor, siguiendo el parecer del padre Casas, y a esto sólo hemos venido, según tuve el honor de anunciároslo por escrito.

—¡Por escrito! —repitió como un eco, y con aire de sorpresa, la virreina.

—Sí, señora, ¡qué! ¿No llegaría mi carta a vuestras manos?

—Absolutamente, don Francisco: sin embargo, yo opiné desde luego como el señor Las Casas, y veo que ni él ni yo nos equivocamos al contar con que vos seríais de nuestro mismo parecer, y vendríais sin tardanza con Enriquillo a realizar el matrimonio... Pero esa carta vuestra ¿dónde iría a parar?

—Creí la ocasión completamente segura —dijo Valenzuela—. Era un correo del alcalde mayor Badillo, que enviaba unos procesos a los señores jueces de apelaciones, hará como veinte días.

—Se perdería en el camino, o se confundiría con todos aquellos papelotes. En fin —añadió la virreina—, sea como fuere, ya veis que os esperábamos, poco importa aquel anuncio extraviado.

—Yo os beso los pies, señora, por vuestra indulgencia —repuso Valenzuela—; pero no dejo de sentir la pérdida de esa carta, con la que llenaba yo un deber sagrado de respeto y cortesía para con vos.

—Será bien que mañana, al medio día —volvió a decir la virreina—, vengáis a esta casa con objeto de que nos pongamos de acuerdo con el adelantado, sobre el señalamiento de día, y demás pormenores de esta boda. Él, con sus achaques, no se deja ver fácilmente de noche, y como para mí representa la autoridad de mi marido, nada quiero hacer sin su beneplácito.

—Haré cuanto vos dispusiereis, señora —respondió Valenzuela inclinándose.

Y a poco se despidieron él y Enriquillo, regresando a su alojamiento.

V

EN CAMPAÑA

Tamayo los aguardaba a la puerta, con aire de impaciencia. No bien los divisó, fue a recibirlos a unos veinte pasos en la calle, y les dijo sin preámbulos:

—¿Sabéis a quien he visto? A ese pájaro de mal agüero, como le llaman usarcés, a don Pedro de Mojica.

Don Francisco y Enriquillo hicieron un movimiento de sorpresa, y el primero contestó a Tamayo:

—Te equivocas sin duda, muchacho: el señor Mojica está en la Vera Paz... A lo menos, la última vez que lo vi, pasando por San Juan, hace veinte días, se despidió de mí diciéndome que se volvía para sus tierras de la Yaguana.

—Pues yo le juro a vuestra merced por esta santísima cruz, —insistió con calor Tamayo—, que ha pasado por esta calle hace dos horas en compañía de otro caballero. No me vio según creo, o si me vio no me reconoció, porque él nunca deja de ponerme algún apodo y decirme gracias que me saben a rejalgar... Y me alegré de que no me hubiera visto, porque quería que usarcés estuvieran avisados. No sé por qué me parece que ese hombre tiene malas intenciones, cuando se ha venido para acá sin que nadie lo supiera en la Maguana.

—Quizá no te falte razón, muchacho —dijo Valenzuela—. ¿Qué piensas de eso, Enriquillo?

—Ya sabéis, señor —contestó el joven—, que yo jamás espero nada bueno de ese hombre. Hace tiempo que me atormenta la idea de que por él me han de sobrevenir desgracias, y en mi ánimo ha echado tan hondas raíces ese pensamiento, que cada vez que lo veo me estremezco, y siento la impresión del que de súbito ve una culebra...

El señor Valenzuela se rió, y por un buen rato prosiguieron él y Enrique preocupados en un sinnúmero de conjeturas, y buscando una explicación a la presencia de Mojica en la capital de la colonia.

Acabaron, sin embargo, por convencerse recíprocamente de que el viaje del fatídico hidalgo en nada podía afectar los intereses que a ellos concernían, y se fueron a dormir cada cual a su aposento.

A dormir, en rigor de verdad, el buen anciano Valenzuela, como duermen aquellos que, llegados a la madurez de la vida con limpia conciencia, y complaciéndose en dedicar el resto de su actividad y de sus fuerzas a la práctica eficaz del bien, llevan en el corazón la serenidad y la alegría, y hallan en un sueño reparador y profundo el primer galardón de sus buenas obras, y en las imágenes gratas y risueñas que en tal estado les ofrece su jubilosa fantasía, como una anticipación de la beatitud celeste reservada a los justos. Mas, con respecto al joven cacique, el acto de acostarse no podía excluir la vigilia. El sueño huía de sus párpados: mil ideas se aglomeraban y bullían sin cesar en su ardoroso cerebro, y en su alma impresionable batallaban en desordenada lucha diversidad de afectos y de pensamientos incompatibles con el reposo. Comprendiendo que se hallaba en uno de esos momentos críticos que deciden de toda una existencia, Enriquillo examinaba a fondo una por una las fases de su situación: se veía a punto de llamar suya a aquella doncella de incomparable hermosura, ante la cual permaneció arrobado y estático, teniéndose por indigno de tocar a la orla de sus vestidos; él, que aunque estimado y protegido desde la infancia, no dejaba de ser un pobre cacique, perteneciente a la raza infortunada que entre los conquistadores era tratada de un modo peor que los más viles animales: se veía en vísperas de entrar en la posesión y la administración directa de los bienes de su novia, él, que aunque de nada carecía, era al fin y al cabo un miserable huérfano sin patrimonio; porque faltándole en su niñez un tutor codicioso como lo fue Mojica para Mencía, los ricos dominios de sus mayores en el Bahoruco sólo habían servido para darle el dictado imaginario de señor o cacique; mas, en cuanto a la efectividad de sus derechos, ni tenía terrenos asignados en propiedad, ni ejercía más jurisdicción sobre los indios de aquellas montañas que la derivada de las ordenanzas de repartimientos, estando él mismo en condición y categoría de cacique encomendado... Y Mencía, digna por su belleza y por sus gracias del amor y del tálamo conyugal de un rey, iba a descender hasta venir como esposa a sus brazos, y saldría del palacio de los virreyes, donde era mimada y tratada como hija de la casa, donde alternaba con las más distinguidas señoras, para caer en la Maguana, cónyuge y consorte del huérfano, del que nada tenía suyo y vivía bajo la dependencia de otro... Sí, pero ese otro era el digno amigo de Las Casas, el bondadoso y benéfico Valenzuela, que lo amaba también como a un hijo, que le había dicho cien veces que su fortuna y su posición quedarían aseguradas, que manifestaba altamente su afecto y gratitud hacia él, diciendo de continuo que sin los cuidados y la inteligencia de Enri-

que en la dirección y vigilancia de sus haciendas y ganados, sus riquezas estarían mermadas de una mitad. Y además, ¿era él, por ventura, Enriquillo, capaz de oponer la menor resistencia a lo que para su bien y felicidad habían dispuesto sus protectores? ¿Renunciaría a la dicha de tener por esposa a Mencía, cediendo a una exageración de la delicadeza, cuando estaba comprometido ante Dios y los hombres, por el encargo final de su moribunda tía, y por la voluntad de sus mejores amigos, a ser el esposo de su bella prima...?

Acosado por estas reflexiones contradictorias, de las que surgía una larga serie de ideas análogas, Enrique saltó de su lecho, y pasó gran parte de la noche midiendo la estancia a grandes pasos, hasta que rendido por las emociones se dejó caer en un sillón, y allí permaneció el resto de la noche, viendo llegar el nuevo día sin haber conseguido ni conciliar el sueño, ni resolver ninguna de las grandes cuestiones que su calenturienta imaginación le iba presentando una tras otra.

Cuando Tamayo entró a avisarle que el señor Valenzuela estaba despierto y le aguardaba, ya Enriquillo se hallaba completamente vestido, con uno de sus mejores trajes.

Presentóse al buen anciano, que festivamente hizo alusión a su priesa de novio, en haberse aderezado tan temprano. Enrique le dijo la verdad; le refirió los pormenores de su mala noche, y no pasó en silencio las cavilaciones que habían sido causa de su insomnio. Pero Valenzuela, riéndose de las aprensiones del cacique, calificó sus escrúpulos de delirios y fantasías de enamorado, con lo que, y como en sustancia el joven lo estaba efectivamente, se rindió sin gran trabajo a las breves reflexiones que su patrono le hizo.

Después de tomar un nutritivo desayuno salieron a visitar sus relacionados y conocidos. Valenzuela era íntimo amigo de Francisco Ga-

ray, de Rodrigo de Bastidas, de
Gonzalo de Guzmán y los más antiguos y connotados personajes de
la colonia. Todos lo recibieron cor-
dialísima y afectuosamente. Los frailes dominicos y franciscanos demos-
traron igual expansión cariñosa a
los dos bienvenidos Valenzuela y
Enrique. Eran casi las doce cuando
bajaron éstos de San Francisco en
dirección a la marina, a cuya inme-
diación estaba situado el palacio de
los virreyes. En el tránsito, al cruzar una esquina, casi tropezaron
de manos a boca con su eterna pesadilla, el hidalgo don Pedro de
Mojica, el cual se turbó por de
pronto a la inesperada vista de los
recién llegados: repúsose en seguida, mostró agradable sorpresa, y
los felicitó en los términos más me-
lifluos que pueden hallarse en el
vocabulario de la perfidia. Enriquillo apenas contestó con un saludo equívoco y hosco a los exagerados extremos del hidalgo, el cual
comenzó al punto a hacer indiscretas preguntas, pero don Francisco,
que pasaba de franco, dio un corte
brusco al incidente diciendo sin rodeos a Mojica:

—Señor don Pedro, yo ni me
sorprendo ni os felicito de veros
aquí. Os dije con tiempo que venía
para acá, vos guardasteis vuestra
reserva. Buen provecho, y cada cual
a sus negocios. ¡Adiós!

Este lenguaje dejó suspenso a Mojica, que no halló respuesta adecuada, y todavía se rascaba una
oreja en busca de cualquier salida,
cuando ya sus interlocutores habían
traspuesto sin volver el rostro la
verja de doradas puntas que de-
marcaba el recinto solariego del
palacio de Diego Colón. Viendo el
rumbo que llevaban, el maligno hidalgo movió la cabeza con feroz
sonrisa, y dijo entre dientes:

—Con que cada cual a sus negocios, ¿eh? ¡Allá lo veredes! En los
vuestros me hallaréis más metido
de lo que os conviniera, belitres.

Y se alejó a pasos precipitados
de aquel sitio.

VI

PRELIMINARES

No dejaron de asaltar al señor
Valenzuela nuevas aprensiones al
despedirse tan bruscamente de Mojica, a quien conocía de muy antiguo, como un malvado intrigante,
fecundo en ardides y expedientes
para enredar y hacer daño. Callóse,
no obstante, el buen anciano sus
cuidados y recelos, por ahorrar a
su pupilo la consiguiente inquietud,
y él mismo se tranquilizó al cabo,
persuadido de que le sobraban influencia y recursos para hacer frente al pérfido hidalgo en cualquier
terreno: bajo la impresión de estas
ideas entró con Enriquillo en el palacio de los Colones, y se hizo anunciar a la virreina.

La noble señora no tardó en recibir a sus huéspedes, a quienes en-
teró de que el adelantado don Bartolomé, retenido en su cámara por
un fuerte ataque de gota, les rogaba
que fuesen a verlo, pues en cualquier estado le era grato ocuparse
de los intereses de sus amigos, y
especialmente de lo que concernía
a la joven nieta de Anacaona, a la
que amaba como a una hija.

Pasaron inmediatamente a la presencia del ilustre enfermo, conducidos por la bondadosa virreina: Valenzuela abrazó con efusión a don
Bartolomé, de quien era grande
amigo, y Enrique le besó la diestra,
que entorpecida por la enfermedad
recorrió con cariñosa lentitud el
rostro y la cabeza del joven cacique. Cambiados los cumplimientos
de uso, entró doña María en materia, diciendo al adelantado con la
dulce sonrisa que le era habitual:

—Querido tío, tened a bien arreglar con nuestro buen amigo el
señor de Valenzuela los pormenores necesarios a la celebración del
matrimonio del cacique Enrique y

nuestra Mencía. Lo que vosotros dispusiereis se ejecutará punto por punto.

—Este arreglo —contestó don Bartolomé—, no puede ser largo ni presentar dificultades de ninguna especie, una vez que todo está en tan buenas manos como son las de mi amigo don Francisco. De intereses no hay que hablar: ¿quién se atrevería a tomar cuentas al hombre más honrado de la Maguana, por no decir de la Española entera?

—Lo que concierne a intereses —se apresuró a decir Valenzuela—, podéis verlo, debidamente anotado y expresado en este resumen, cuyos comprobantes, como los detalles y cuentas de la administración, los hallaréis en el legajo.

Y sacó de un bolsillo de su tabardo de paño oscuro un voluminoso cartapacio que presentó a don Bartolomé.

—¡Al diablo con vuestros papelotes! —exclamó el adelantado rechazando los documentos con aire festivo—. ¿Queréis matarme, señor Valenzuela? Ya os he dicho que nadie ha de ser osado a tomaros cuentas. ¿Qué decís a eso, mi querida sobrina?

—Digo lo que vos, señor —respondió la virreina—. Nos ofende don Francisco suponiendo que nosotros, ni nadie en nuestro nombre, hayamos de intervenir en ajustes de cuentas, por los intereses confiados a su proverbial honradez. Eso lo ha de arreglar él solo, como mejor lo entienda, cuando Enrique sea el esposo de Mencía.

—En ese caso, ya puedo darme por absuelto de responsabilidad —replicó Valenzuela—, porque Enriquillo sabe tan bien como yo lo que hay, y cómo se administra. ¿Es así, Enriquillo?

—Sí, señor —dijo con gravedad el cacique—. Cuanto se desee saber sobre los bienes de mi prima, yo puedo aclararlo, y explicarlo, hasta de memoria.

—No es necesario, Enriquillo —repuso riendo la virreina—. Vamos a lo más importante: ¿cuándo y dónde y cómo quiere mi señor y amado tío que se celebre el matrimonio?

—Con vuestro permiso, don Francisco —dijo el adelantado—, me parece bien que, si todo está listo, se realice el matrimonio el sábado, de hoy en cinco días, en el oratorio de esta casa, administrando el santo sacramento nuestro capellán, y con el menor número posible de asistentes al acto, que yo he de presenciar por poco que mis dolencias me lo permitan. Después de la ceremonia, vos, sobrina, haréis la fiesta que os plazca, y convidaréis cuanta gente os parezca; pero entonces mi compromiso habrá terminado, pues ni puedo ya bailar en un sarao, ni hacer buen papel en un banquete.

—Si se me permite, haré un ruego —dijo Enrique tímidamente.

—Di cuanto quieras, hijo —contestó don Bartolomé—; nadie tiene más derecho que tú de tratar este asunto.

—Yo suplico a vueseñorías —repuso el cacique sin levantar la vista del suelo—, que no haya más fiestas ni ceremonias en la boda, que las que acaba de enunciar mi señor el adelantado.

—Será como lo deseas, Enriquillo —respondió María de Toledo—. Yo no podría tampoco celebrar el suceso con todas las manifestaciones de alborozo que me hubiera complacido en hacer, si mi pobre don Diego estuviera al lado mío.

—Sin embargo —volvió a decir el adelantado—, es preciso que haya un contrato matrimonial en toda regla: no olvidemos que se trata de una rica heredera, castellana por su padre, india por su madre, de la jerarquía de los principales caciques de la isla; y que los numerosos enemigos de nuestra casa son muy capaces de tejer algún chisme sobre esa boda, y denunciarla a España como un nuevo atentado contra las reales prerrogativas. ¿No os parece bien, por lo mismo que convidemos como testigos del acto, y del contrato matrimonial, a los señores jueces de apelación y a los oficiales reales?

—Todo lo que vos disponéis, tío, está bien dispuesto —respondió la virreina.

—Yo alabo vuestra prudente previsión —dijo a su vez Valenzuela—. Y despidiéndose del adelantado salieron todos de la estancia. Pocos instantes después se reunían en el salón principal con las doncellas y damas de honor de la virreina: entre ellas estaba Mencía.

Todas, o casi todas aquellas jóvenes eran amigas y conocidas de Valenzuela, y muy pocas eran del todo extrañas para Enrique, el cual saludó al concurso con naturalidad y despejo, y soportó con bastante serenidad el atento examen de que fue objeto por espacio de dos o tres minutos. Doña María, siempre solícita y afable, dijo a las dos que le quedaban inmediatas:

—Id a saludar al cacique Enriquillo, que pronto será el esposo de Mencía, y tratadlo por lo mismo como de esta casa y familia.

Las damas, en general, se aproximaron a Enrique y lo rodearon con muestras de alborozo, queriendo todas a la vez entrar en conversación con él. Unas le dirigían felicitaciones, otras lo interrogaban sobre el día de la boda, ésta se le ofrecía como amiga de Mencía, la otra recordaba que lo había conocido hacía más de cuatro años, y que lo hallaba cambiado favorablemente.

—¿Os acordáis de la gaviota cautiva? —le dijo con amistosa familiaridad Elvira Pimentel, aquella Elvira, nacida y criada en Granada; la misma que una tarde, en el terrado de la casa de Garay, morada entonces de los virreyes, puso en libertad la gaviota que, cazada por el neblí de Enriquillo, había pasado de las manos de éste a las de Mencía.

—Siempre he recordado con gusto aquella acción vuestra, señora —contestó Enrique—. Cuantas veces he cazado después, he sentido impulsos de dar libertad a las pobres prisioneras, por verlas tan gozosas como aquella que vos soltasteis.

—Creedme, cacique. Si yo no hubiera hecho aquello, no llegaríais a ser el esposo de Mencía —dijo con aire de convicción Elvira.

—¡Basta, bachilleras! —exclamó en este punto la virreina, en su tono de siempre, afable y bondadoso—. No parece sino que os habéis propuesto no dejar que Enriquillo cambie dos palabras con su prometida. ¡Ea! Pidamos noticias de la Maguana al señor Valenzuela, y que entre tanto los dos primos se digan lo que quieran.

Esta orden fue cumplida presurosamente por todas, y Mencía quedó sola con Enriquillo en un ángulo del vasto salón: las demás, con la virreina, continuaron en animado coloquio, haciendo preguntas a Valenzuela.

—¿Está muy lejos la Maguana?

—No es muy cerca hija —respondía el buen anciano.

¿Hay que atravesar muchos ríos? ¿El camino es malo? ¿Es montañoso? ¿Hay allá bonitas casas? Y por el estilo cada cual se informaba de lo que mejor le parecía, respondiendo a todo el señor Valenzuela con una complacencia y un buen humor inagotables.

—¿No hay por allá hidalgos ricos y galanes? —preguntó Elvira, riéndose.

—No faltan algunos —contestó el viejo—; pero los más de ellos han estado por acá en demanda de esposa, y se han vuelto a sus casas mohínos y cariacontecidos, diciendo que todas vosotras, las damas venidas de España, sois muy esquivas y melindrosas.

—Pretextos que ponen para irse a casar con las cacicas, que parece les tiene más cuenta —dijo la virreina—. Así sé que lo han hecho casi todos los vecinos de la Vera

Paz. cuyas mujeres me dicen que son hermosas como soles.

—Es la verdad, señora —repuso Valenzuela—. Es una raza privilegiada, y que se distingue de la generalidad de los indígenas de esta isla. Jaragua todo lo produce hermoso; y la gente, hermosa, buena y discreta sobre toda ponderación.

—Es decir, ¿que Jaragua puede competir con nuestra Andalucía? —observó Elvira con irónico acento.

—No lo dude usted, hija —repuso el viejo—. Y como muestra, ved a Mencía, ved a Enriquillo...

—Mencía es medio española, y Enriquillo es del Bahoruco —insistió la disputadora Elvira—. ¿Está el Bahoruco en Jaragua?

—Cerca le anda, y fuera de eso, siendo de familia de caciques, y parientes de los soberanos de Jaragua, bien podemos presumir que fueran rama originaria de esa provincia los ascendientes de Enriquillo que reinaban en aquellas montañas.

—Además —replicó la joven—, la cara de Enriquillo no puede decirse que sea hermosa...

—Ni fea [1] —contestó la virreina terciando en la discusión—. Es un sujeto muy gentil y bien formado el cacique del Bahoruco, y su alma es positivamente muy hermosa.

Este elogio puso fin a la contestación, y fuera porque lo dictara la justicia, o porque lo pronunciaran los labios de la bella señora a quien todas amaban y respetaban sumisas, las jóvenes se volvieron a mirar con vivo interés a Enriquillo, que hablaba entonces animadamente con su prometida; y en el semblante de todas ellas se pudo leer la confir-

mación del benévolo juicio enunciado por la virreina.

VII

ASPIRACIÓN

—Decidme, prima mía —preguntaba entretanto el cacique con grave compostura, a su linda interlocutora—; ¿deseáis ser mi esposa, mi compañera inseparable? ¿Abandonaréis gustosa esta casa, sus grandezas, vuestras alegres amigas, para iros a vivir sola conmigo en un pueblo donde no hay músicas, ni lujo, ni fiestas, donde no hay más que casas tristes, árboles, yerbas y ganados?

—Ya he pensado bastante en eso —respondió tranquilamente Mencía—, y no te ocultaré que temo mucho hallar aquello muy triste, y que he de sentir mucho separarme de la señora virreina y de mis amigas. Pero, ¿no está dispuesto por Dios mismo que tú seas mi esposo? ¿No fue esa la última voluntad de mi madre, y su última recomendación? Pues debo cumplirla y no tengo para qué consultar mi gusto.

Esta franca respuesta causó penosa impresión en el cacique. Su rostro se contrajo con manifiesto pesar, miró tristemente a su prometida, y con voz mal segura repuso:

—Me atormentaba hace tiempo el presentimiento de vuestra declaración, Mencía. Seréis, pues, mi esposa, por resignación, porque el deber os obliga...

—Primo Enrique —interrumpió la joven—: no he querido afligirte, sino decirte la verdad. Te trato como al pariente que más quiero, que siempre me recuerda mi niñez, y tú me hablas como se habla a los extraños... No me gusta verte tan serio tratándome de *vos;* por eso no puedo ir contenta a la Maguana... ¡Yo no sé mentir!

---

[1] *La cara no tenía hermosa ni fea.* Las Casas, Herrera, &. El primero dice así: "Era Enrique alto y gentil hombre de cuerpo, bien proporcionado y dispuesto, la cara no tenía hermosa ni fea, pero teníala de hombre grave y severo." *Historia de Indias,* Libro III, Cap. CXXV.

Enriquillo vio un rayo de esperanza en estas palabras, y más sereno, volvió a decir:

—Parece que no me has comprendido bien, Mencía: yo deseo saber de ti si me aceptas con agrado como esposo tuyo, si no sentirás pesadumbre en que yo te llame mía...

La joven bajo entonces los ojos ruborizada, y después de breve pausa contestó:

—Yo no entiendo bien lo que quieres decirme, Enrique. Siempre te he querido como debo a quien compartió conmigo el cariño de mi madre: siempre tu recuerdo ha estado unido al suyo en mi corazón, y cuando he pensado en ti, he pensado en ella y en Dios. Me han enseñado a considerarte desde muy niña como mi prometido esposo, te amo como te amaba cuando era niña pequeñuela, y te respeto como al que para mí representa la voluntad de mi madre... ¿Es eso lo que deseas?

—Eso no me basta —dijo Enrique vacilante y apesadumbrado—. Pero, pues que tu corazón inocente no acierta a comprender el mío, tendré paciencia, y conservaré la esperanza de que, cuando nuestra suerte esté irrevocablemente ligada, acaso me comprendas, Mencía, y me ames como yo te amo a ti, con todo mi pensamiento, con toda mi alma, como no se puede amar más, en la tierra ni en el cielo.

Dijo Enrique estas últimas palabras con voz baja y conmovida: la joven lo miró fijamente y con extrañeza, e iba a replicar todavía, cuando Valenzuela se hizo oír increpando al cacique:

—Enriquillo, muchacho, advierte que ya es hora de salir de este encantamiento. Después tendrás espacio de sobra para embelesarte con tu linda novia. Motivo hay, por Cristo, y yo en tu lugar no estaría menos olvidado de todo el mundo.

Con esto patrono y pupilo besaron las manos a la virreina y se despidieron cortésmente de aquel círculo de beldades.

Elvira tomó entonces del brazo a Mencía, y se dirigió con ella a un balcón retirado, desde el cual dominaba la vista el curso del Ozama.

—Vas a contarme lo que hablasteis tú y tu novio —le dijo con misterio—. ¿Estuvo muy enamorado, muy discreto? ¿Te dijo cosas tiernas y agradables?

—Sí y no, Elvira —respondió Mencía—. Yo no sé qué motivo de disgusto tenía Enrique, pues me preguntó si yo lo amaba, le dije que sí, y no se dio por satisfecho. Dice que debo amarlo con toda mi alma, y todo mi pensamiento, por que él me ama así: ¿es preciso, para casarse dos, que se digan esas mentiras que sólo te he oído a ti, cuando nos cuentas historias inventadas,[1] o cantas los amores de Zaida? Nunca la señora virreina dice cosas parecidas cuando habla del señor almirante.

—Calla, tonta —repuso Elvira—. Enriquillo tiene razón, todavía no entiendes de estas cosas, y tu pecho está como leña verde, que resiste al fuego. Pero tu hora llegará, como llegó hace tiempo la mía... ¡Oh! No se quejaría de ti el cacique si tú sintieras como yo... Tengo un corazón ardiente, que necesita amar a todo trance, y me pasa lo que dice el cantar:

"En la guerra del deseo,
siendo mi ser contra sí,
pues yo misma me guerreo,
defiéndame Dios de mí."

—A la verdad, no comprendo lo que dices, Elvira —dijo Mencía—. Mi corazón ama tranquilamente a quien debe, y por eso amo a Enrique.

—Dios quiera que ese amor te baste siempre, criatura —replicó Elvira con aire patético—; y que nunca padezcas lo que yo padezco. Voy

---

[1] En boca de una niña poco instruida, y en aquella época, no estaba mal dicho *historia inventada* en vez de novela.

a conversar con las otras, que me entiende mejor que tú.

Y la joven se alejó cantando alegremente:

"Salen las siete cabrillas,
la media noche es pasada."

Porque Elvira era una de esas infinitas hijas de Eva, que alternativamente son graves o ligeras, capaces de grandes inspiraciones y de grandes caídas, y que con facilidad pasmosa, como giratoria veleta, pasan de la risa al llanto, y del pesar a la alegría.

VIII

UN REVÉS

Las visitas que en los días subsiguientes hicieron Valenzuela y Enriquillo al palacio de Colón, no modificaron en nada las respectivas situaciones de nuestros personajes. El cacique, cada vez más enamorado de su prima, había sentido calmarse gradualmente las inquietudes y los escrúpulos que le inspiraba su singular posición, y, si se quiere, la desigualdad efectiva que existía entre él, indio de pura raza, y la bella mestiza a que habían dado el ser Guevara e Higuemota; español de noble alcurnia el primero, hija ésta de la célebre cuanto malhadada reina de Jaragua. El candor y la franqueza con que siempre era recibido por su prometida novia, acabaron por convencer a Enrique de que ella no sabía amar de otro modo, afirmándose aún más en su esperanza de que al iniciarse en los misterios del matrimonio, el amor de la joven, entonces inocente y cándido, adquiriría el matiz de ternura y de pasión que había echado de menos el enamorado mancebo en su primera conferencia íntima con la que había de ser su esposa.

Mecido por las dulces ilusiones de aquella próxima perspectiva, Enriquillo se abandonaba a su dicha del momento con el deleite propio de una imaginación de veinte años; y como que tendían a cicatrizarse las heridas que su ingénita sensibilidad recibía diariamente con la observación de cuanto lo rodeaba, con las anomalías de su estado personal, sometido a la piedra de toque de encontradas condiciones; señor por nacimiento, primado por prerrogativas reglamentarias entre los indios, privilegiado por la protección especial y eficaz que lo asistía desde la infancia, y al mismo tiempo, inscrito en las listas de encomiendas, que suponían un grado de servidumbre siempre humillante, y punzándose a cada paso en las agudas espinas del desdén brutal que ostentaban respecto de toda la raza india los más de aquellos hidalgos y colonos, educados en los campamentos de Andalucía y de Italia, acostumbrados a aplicar el mote de *perros* a los soldados enemigos, y que, con mayor convicción que a los moros y a los franceses, consideraban y trataban como animales a los salvajes indios en general, y peor que a tales a los que les servían en calidad de encomendados.

Las circunstancias excepcionales que concurrían en la persona de Enrique, su apostura, su exterior simpático y el sello de rara inteligencia que realzaba su fisonomía, unido todo a la calidad e influencia de sus protectores, le habían preservado siempre de esas rozaduras del amor propio, peores mil veces que la muerte para los caracteres bien templados y pundonorosos; pero el espectáculo constante de otros indios de su clase, menos afortunados, que apuraban la copa de las humillaciones, laceraba su compasivo corazón, y sublevaba su conciencia ante la idea de hallarse expuesto él mismo a iguales tratamientos. Esta reflexión oscurecía de continuo el fondo de su alma, y proyectaba sobre sus más generosas impresiones un tinte sombrío y melancólico. La esperanza de poseer a Mencía, de llegar a infundirle todo el inmenso amor que él sentía por ella, disipaba ahora esas nieblas de su espíritu, y en aquellos breves días el sol de la felicidad lució con insólito esplendor para el noble huérfano del Bahoruco.

Días brevísimos fueron aquellos, ciertamente. Llegó el que estaba señalado para la boda, aquel sábado que, según lo determinado en la cámara de Bartolomé Colón, no debía transcurrir sin que Mencía y Enrique se unieran en indisoluble lazo. El novio, vestido con un traje de terciopelo color castaño y ferreruelo de raso negro forrado de seda carmesí, a la moda de Castilla, ceñida la cintura con un precioso tahalí de piel cordobesa con pasamanos y bordados de oro, del que pendía una daga con puño de marfil, regalo de su padrino en la ocasión, don Francisco Valenzuela, en compañía de éste había llegado a palacio y hecho su acatamiento a la virreina y sus damas, entre las que se notaba la ausencia de Mencía, que en su aposento aguardaba con natural timidez la hora precisa de la ceremonia que iba a fijar su destino. Ya algunos caballeros de los más allegados a la casa y familia de los Colones discurrían por todo el salón en divertido coloquio; las antorchas del oratorio contiguo despedían un fulgor que parecía pálido ante la reverberación de los rayos solares de la espléndida mañana; el capellán, revestido de sus principales ornamentos, sólo dejaba en reserva la morada estola para el último instante de la espera; el adelantado acababa de vestirse penosamente con el auxilio de su ayuda de cámara, y preguntaba por segunda vez si los oficiales reales no habían llegado todavía a la casa, cuando un criado puso en sus manos un gran pliego cerrado y sellado con las armas reales que acostumbraban usar los jueces de apelación: don Bartolomé, hombre experimentado en las lides políticas, no menos que en las militares, reconoció el pliego por un lado y otro, e hizo un expresivo gesto de disgusto antes de abrirlo —mal agüero— murmuró tres veces entre dientes, en tanto que rompía la nema y desdoblaba el documento. Leyó su contenido para sí, y al cabo de dos minutos, estrujando violentamente el papel entre sus manos, intentó herir el suelo con la entorpecida planta, revelándose en todo su aspecto la más vehemente cólera.

Por último, hizo un esfuerzo para dominarse, y dijo con sofocado acento a su ayuda de cámara:

—Id a llamar a la virreina y al señor Valenzuela. Decidles que vengan a verme al punto.

El servidor salió aceleradamente, y pocos minutos después se presentaron en el aposento doña María y don Francisco.

Encerróse el adelantado a solas con ellos, y rogó al último que leyera en alta voz la misiva que acababa de recibir.

Valenzuela, no sin inquietud, leyó el dicho pliego, cuyo tenor era el siguiente:

"Nos, los jueces de apelación de la isla Española, etc.

"A vos el adelantado don Bartolomé Colón, hacemos saber:

"Que por relación que nos han hecho los oficiales reales Miguel de Pasamonte, Juan de Ampiés y Alonso Dávila estamos informados de que se trata con presura el casamiento del cacique Enrique del Bahoruco y doña Mencía de Guevara; los que siendo próximos parientes carecen de las dispensaciones de la santa madre iglesia, y que a más, por la calidad de los contrayentes y muy en especial por ser la doña Mencía de familia castellana y no estar en uso el que las tales de su clase se casen con indios, necesitan las reales licencias de la cámara de su alteza. Y por lo tanto nos, los jueces de apelación, os prevenimos y notificamos a vos, don Bartolomé Colón, para que lo ha-

gáis notificar y prevenir a la señora virreina doña María de Toledo y demás encargados o causa
habientes de los dichos Mencía y
Enrique, que el matrimonio de susodicho no puede llevarse a efecto
sin las licencias y dispensaciones
referidas, so pena de nulidad y sin
perjuicio del oportuno proceso, dado
caso que no acatéis esta nuestra
orden. Tendréislo entendido.
"En Santo Domingo a 18 de diciembre de 1515.
"Licenciado *Villalobos*, licenciado *Matienzo*, licenciado *Ayllon*."
—¡A mí esta injuria! —exclamó
la virreina, pálida de ira, acabando
de oír la lectura—. ¡Estos miserables enemigos de nuestra casa no
pierden ocasión de cebar su malicia en todo lo que nos concierne...! Pero no es posible que se
salgan con su gusto. Vos, ¿qué pensáis hacer en esto, señor tío?
—Si de mí solamente se tratase
—respondió el adelantado con sar-
dónica sonrisa—, ya sé yo lo que
había de hacer: viejo y achacoso
como estoy, al cabo de mi paciencia
con tanto escarnio, iría ahora mismo a arreglar cuentas con ese bribón de Pasamonte, que es el autor
de estas infernales tramas, y a dar
su merecido a cuantos lo ayudan en
sus bellaquerías; pero estáis vos de
por medio, sobrina, y están los
grandes intereses de Diego y de
vuestros hijos, que es a lo que siempre asestan sus tiros estos incura-
bles envidiosos. Debemos por lo
mismo ser prudentes, muy prudentes, aunque reventemos.
Estas últimas palabras las profirió el adelantado con tal explosión
de rabia, que se pudo temer que
reventara efectivamente.
El señor Valenzuela habló entonces:
—El caso es grave —dijo—: es
sin duda un paso adelante en la
senda de los agravios y de la invasión de derechos de la casa de Colón, a la que se trata de reducir a
la nulidad en estas partes. Pero
la interrupción del matrimonio no

es un daño irreparable, y conviene
mucha calma y prudencia para no
dar ventaja a los enemigos. Aún falta un registro que tocar entre las
autoridades de la colonia, y voy
ahora mismo a ponerlo a prueba,
con vuestro permiso...
—¿De quién se trata? —interrumpió la virreina.
—Del juez de residencia, licenciado Lebrón —contestó Valenzuela.
—Un pícaro como los demás
—dijo el irritado don Bartolomé—.
Desde que ha llegado aquí, cuanto
hace es en perjuicio de nuestros intereses.
—Nada se pierde en hacer la diligencia —repuso con tranquila expresión Valenzuela—. En último
caso, poco les durará el gozo del
triunfo, pues con el almirante en
España, y el padre Las Casas a su
lado, es imposible que el bando
contrario prepondere, y ya veréis
que en esto del matrimonio, si no
se hace hoy, se hará otro día; no
necesitamos más que paciencia.
—No me parecéis bastante viejo
para tener la sangre tan fría, don
Francisco —dijo con vacilante despecho la virreina—. Id a ver a
vuestro Lebrón, de quien nada espero. Por mi parte, voy a dar
orden para que se apreste la nave
que llegó ayer de Costa firme, a fin
de que siga viaje a España sin demora: allá está mi esperanza de
obtener justicia contra tantas veja-
ciones como se nos hacen.
—No digo que no, señora —concluyó Valenzuela—. Iré cuanto antes a ver al juez Lebrón, y si re-
sulta infructuoso mi empeño, esta
misma tarde escribiré mis cartas al
padre Casas, para que todo lo arre-
gle en Castilla.
—Yo voy a escribir ahora mismo
a mi sobrino don Diego —dijo el
adelantado—, con lo cual me dis-
traeré un tanto: si no, creo que la
cólera me ahogará.
—Yo voy a participar mi desaire
a la concurrencia —añadió la virreina—, y compondré el semblante

para que nadie se burle de mi disgusto.

Y asiéndose del brazo de Valenzuela, ambos salieron del cuarto de don Bartolomé.

Cuando llegaron al salón, las damas y algunos caballeros familiares de la casa conversaban animadamente. Elvira, que por encargo especial de doña María procuraba entretener a Enriquillo, obtenía fácilmente la confianza de éste, y el franco mancebo le revelaba en términos sencillos su plan de vida, sus sentimientos respecto de la que iba a ser su esposa, y la observación que había hecho de que Mencía no le amaba sino con el tibio amor del parentesco. El cacique se daba a conocer en la discreta expansión de su lenguaje bajo un aspecto que jamás había entrevisto ni sospechado la ligera Elvira: escuchábale, pues, con agradable sorpresa, tratando de provocar más y más las candorosas confidencias de aquel corazón leal y generoso. Valenzuela puso fin a la conversación, tomando de la diestra a Enrique y diciéndole:

—Saluda a esta dama, y vámonos de aquí. Tenemos algo que hacer en otra parte, y volveremos en seguida a terminar los negocios del día.

Enrique, aunque no dejando de ver con extrañeza aquella novedad, siguió sin replicar a Valenzuela, y hechos los cumplidos de estricta cortesía, protector y protegido se alejaron de la casa de Colón, mientras que la virreina decía en alta voz, con la más afable y risueña expresión de su semblante:

—Por hoy, señoras y señores, no tendremos boda: se aplaza a otro día. Son asuntos de Estado, y nada más puedo deciros.

Hizo un gracioso saludo, y roja como la grana se retiró la pobre virreina del salón, dirigiéndose a sus aposentos en demanda de Mencía; en tanto que los escasos concurrentes extraños se iban para sus casas haciendo reflexiones y comentarios sobre tan inesperado fin de fiesta.

IX

UNO DE TANTOS

Francisco de Valenzuela se dirigió con Enrique a su alojamiento, y una vez en él refirió al joven punto por punto lo ocurrido. Enrique lo escuchó con grande atención e interés, pero sin dar muestras de sorpresa, y cuando hubo terminado la relación de Valenzuela, preguntó a éste:

—¿Escribirá ciertamente la señora virreina sobre ese asunto al señor almirante?

—No lo dudes, hijo —respondió el anciano—: y además, escribirá el adelantado, y escribiré yo a mis amigos, y sobre todo a nuestro buen padre Las Casas...

—Todo lo espero de éste mi querido protector —dijo Enrique—; yo le escribiré también.

—Así será, hijo —repuso con dulzura Valenzuela—, pero antes es preciso ver al juez de residencia, que trayendo entre sus comisiones la de tener la mano en que no se impidan los matrimonios entre castellanos e indias,[1] puede arreglarlo todo, si quiere.

—No querrá, señor —dijo Enrique tranquilamente—. Yo sospechaba que algún contratiempo había de sobrevenirme en mi boda, y más lo temí desde que tuve noticia de la presencia del señor Pedro de Mojica en esta ciudad. Él que siempre ha procurado hacerme mal por gusto, ¿cómo iba a dejar de ofenderme cuando voy a casarme con la que él llama su sobrina?

—¡Vive Dios, muchacho, que tienes razón! —exclamó Valenzuela—. No había caído en ello: el pillastre ha debido resentirse del desdén con que lo tratamos en el encuentro de

---

[1] Consta así en las instrucciones de Lebrón.

los últimos días pasados, y en su calidad de pariente de Mencía habrá armado esta tramoya. Voy a ver al licenciado Lebrón, y cualquiera que sea el resultado, sabré antes de regresar a casa la verdad de lo ocurrido.

Enrique pidió permiso al anciano para permanecer en casa, dando por seguro que sería infructuosa la diligencia que se intentaba con el juez de residencia. Efectivamente, Valenzuela volvió dos horas más tarde echando chispas: su paciencia había sufrido una ruda prueba, y a poco más sucumbe en ella del todo. El insolente magistrado a cuyo poder ocurría y en cuya justicia confiaba, después de haberle impuesto una espera de más de una hora en la antesala, recibió al antiguo y respetable colono con aire desdeñoso, lo midió con la mirada groseramente de pies a cabeza, y acabó por dispararle un *¿qué se ofrece?*, de los más duros y altaneros. Después oyó su relación con semblante distraído, sin dignarse mirarle siquiera, y encogiendo a cada instante los hombros como si dijera —"¿y qué se me da a mí?, ¿qué tengo que ver con eso?"— No profería su labio estas frases, pero todo su exterior, su actitud, su gesto altivo y desvergonzado las decían en todos los tonos. Cuando Valenzuela hubo terminado su exposición, el juez se le encaró bruscamente, y le dirigió esta pregunta:

—¿Y por qué el adelantado y *la mujer* del almirante no me han escrito sobre ese asunto, ya que decís que se han ofendido con la justa ordenanza de los jueces de apelación?

Valenzuela, algo destemplado ya con tanta impertinencia, contestó:

—Yo soy el designado para apadrinar esa boda, y tengo a mi cargo el cacique Enrique, y como se trata únicamente de pediros amparo, por ser vos el juez a quien su alteza ha recomendado que no permita se pongan impedimentos a los matri-

monios de los naturales de esta isla...

—Estáis equivocado, viejo —repuso con risa burlona Lebrón—. Lo que la cédula real de mis instrucciones dice es "que no se impidan los matrimonios de los castellanos con mujeres indias",[1] de ningún modo que se protejan enlaces escandalosos como el que los Colones y vos proponéis, por el cual una joven de noble familia castellana, muy rica por añadidura, pasaría a ser la mujer de un desarrapado cacique indio, contra la expresa voluntad de su honrado tío Mojica.

Al oír estas palabras, Valenzuela, depuesta la mesura que hasta entonces había guardado a costa de grandes esfuerzos, se encaró a su vez con el soberbio magistrado, y trémulo de ira le dijo:

—¡Vos sois el desarrapado, el escandaloso y el indigno de llevar la vara de justicia que el rey en mal hora ha puesto en vuestras manos! ¡Vos que os creéis facultado a tratar sin miramientos a las más ilustres personas de esta isla, a la familia del almirante don Diego Colón cuyo apellido deberíais siempre oír puestos de hinojos los que venís a cebar vuestra codicia y vuestra maldad en estas Indias! Vos que osáis llamarme *viejo* a mí, como si trataseis con alguno que os fuese inferior ni en calidad ni en fortuna. Quedáos al diablo, hombre descortés y grosero, y él me lleve si yo vuelvo a veros en los días de mi vida.

El licenciado Lebrón se quedó atónito al escuchar el inesperado desahogo de aquel anciano, cuya faz benévola y maneras afables no permitían suponer semejante explosión de energía. Como sucede a los hombres de carácter ruin y de sentimientos menguados, a quienes la suerte caprichosa lleva a ocupar elevados puestos, el juez de residencia

[1] Histórico.

era altivo y desvergonzado con los
pequeños y humildes, cobarde y
apocado con los fuertes. Y por fuerte tuvo a Valenzuela desde que oyó
su voz vibrante y su lenguaje severo; vio en sus ojos el fuego de la
indignación, y en todo su porte la
majestad del honor ofendido y de la
virtud sublevada... Valenzuela acabó su apóstrofe sin que el golilla
volviera en sí de su estupor, y cu-
briéndole· por toda despedida con
una mirada de desprecio, el generoso anciano se caló el sombrero
hasta las cejas, y salió con lento y
firme paso de la estancia del magistrado, quien al perderle de vista
pareció serenarse un tanto, y al
dejar de oír el acompasado ruido
de sus pisadas, reponiéndose completamente exclamó:

—¡Ese hombre es un rebelde, y
pagará caro su desacato!

X

RECURSOS

Aquella misma tarde, el licenciado Lebrón puso en movimiento a
las autoridades de justicia, y les
ordenó la prisión de Valenzuela,
pero no bien llegó esta nueva a
oídos del tesorero Pasamonte, que
metía la mano en todas las intrigas
contra la casa de Colón, cuando
acudió presuroso a verse con el juez
Lebrón, y le dijo:

—¿Estáis en vos, licenciado?
¡Ordenar la prisión de un hombre
como Valenzuela! Es lo mismo que
hacer sublevar toda la colonia contra nosotros. Más nos valiera mandar prender al adelantado don Bartolomé Colón, que tal vez sería menos sonado el hecho en la Española.
Además, Valenzuela tiene parientes
poderosos en la Corte, entre ellos
don Hernando de Vega, del consejo real...

—No hablemos más en ello, señor Pasamonte —dijo vivamente
Lebrón—. Olvídese el caso: perdo-
nar las injurias es deber de todo
buen cristiano.

—Y propio de los varones magnánimos —agregó con sarcástica
sonrisa el astuto aragonés, burlándose de la forzada generosidad del
licenciado Lebrón.

Por consiguiente, la venganza de
éste no pasó de proyecto: recogié-
ronse las órdenes dadas para prender al rebelde y formar la causa del
desacato, y nadie habló más del
asunto.

Don Francisco Valenzuela llegó,
como hemos dicho, a su posada, y
alterado todavía por la indignación
refirió a Enriquillo el mal despacho
de su demanda.

El joven le escuchó sin manifestar el menor abatimiento o disgusto,
y solamente expresó su pesar de que
por su causa y contra sus previsiones, el buen anciano hubiera ido
a molestarse en una diligencia vana,
que le había expuesto a tan penosa
vejación.

—Pero no os impacientéis, mi
amado padrino —concluyó el juicioso mancebo—: yo presiento que esta
pesadumbre no ha de durarnos mucho tiempo, y que venceremos al
cabo todas las dificultades que el señor Mojica nos viene suscitando.

—¡Mojica! Tienes razón, hijo
mío —replicó Valenzuela—. Había
olvidado decirte que no me queda
duda de que ese malvado es el
autor de la intriga. El mismo licenciado Lebrón lo dijo al terminar su
impertinente discurso.

—Yo lo habría jurado, aun antes
de saberlo con certeza, si el jurar
no fuera vicio —agregó Enrique.

—¿Sabes lo que más suspenso y
admirado me tiene, Enriquillo?
—volvió a decir Valenzuela—. Es
verte a ti tan sereno, tan en calma
como si fueras simple espectador
de este contratiempo. Se diría que
no amas a tu prometida, ni deseas
verla convertida en esposa tuya.

—A decir verdad, señor —contestó el joven—, yo no estoy contento con lo sucedido, pero tampoco siento aflicción ni despecho. Estoy tan acostumbrado a reprimir mis deseos, y a mirar frente a frente mi estado y mi condición, que cuantos enojos y contratiempos puedan sobrevenirme por consecuencia de ellos ya los tengo previstos, y no me pueden causar la impresión de lo inesperado.

—¡El cielo te bendiga, noble y discreta criatura! —dijo enternecido Valenzuela—; y sean confundidos cuantos te quieran mal y te hagan padecer.

—¡Bendito seais vos, mi bondadoso don Francisco! —respondió el cacique conmovido a su vez—. Jamás olvidaré vuestros beneficios, y los de aquellos que se os parecen en la bondad del corazón. Decidme ahora, señor, si os place, ¿qué pensáis hacer en este caso?

—Escribir hoy mismo a España; ir esta noche a despedirnos de la señora virreina, del adelantado y su casa, y que nos volvamos a la Maguana a aguardar tranquilamente el resultado de nuestras cartas y de las diligencias de nuestros amigos en la Corte. ¿Tienes algo que observar?

—Nada, señor, absolutamente. Lo que vos disponéis siempre está bien dispuesto, y a mí sólo me toca cumplirlo con buena voluntad —respondió el cacique humildemente.

A poco rato les sirvieron la comida, que uno y otro gustaron con tristeza de corazón y escaso apetito. Valenzuela estaba despechado con haber de volverse sin alcanzar el objeto de su largo y penoso viaje. A Enrique le mortificaba ver que sus protectores sufrían aquel vejamen por consecuencia del interés que tomaban en su destino y bienestar: se consideraba como culpable, aunque involuntariamente, del disgusto y la pena de tan buenos y para él tan solícitos amigos. Esta mortificación se aumentaba con la sorda impaciencia de su amor propio de veinte años, que se sentía desairado y deprimido por haber venido de San Juan a casarse, y volver para San Juan soltero; y sobre todas esas mortificaciones se cernía, como un águila de vastas alas negras sobre un vergel de flores marchitas, su amor, tan ardiente como casto, a la bella criatura que le estaba destinada por esposa; amor que vestía de luto ante la frustrada esperanza de una posesión inmediata.

Bajo estas impresiones se levantó Enrique de la mesa, y se puso a escribir una sentida y breve carta a su principal protector, el padre Las Casas: una vez terminada la leyó al anciano, que aprobó su tenor como inmejorable. Después el mismo Enrique escribió dos cartas más, bajo el dictado y la firma de Valenzuela: una muy lacónica al almirante Diego Colón, de cumplido, y refiriéndose a las de la virreina y del adelantado don Bartolomé; otra a Las Casas, explicándole sucintamente lo ocurrido, y terminando con esta exhortación: "Muchas veces he querido templar vuestro ardimiento, y moderar vuestro virtuoso celo, hoy os digo que hagáis todo esfuerzo por confundir cuanto antes a estos perversos envidiosos que tanto mal hacen y tan arruinada tienen esta isla. Venga pronto el remedio, y allanado lo del matrimonio de nuestro Enrique."

Por último, Valenzuela escribió de su propio puño una tercera carta para don Hernando de Vega, del consejo real. Hízolo como a íntimo deudo y pariente, recomendándole con fervor los asuntos de que iría a hablarle en nombre suyo Las Casas, e instándole porque se resolviera todo con brevedad.

Cerradas y listas estas cartas a tiempo que los últimos rayos del sol se hundían en el ocaso, don Francisco y el cacique se encaminaron al palacio de Colón, en el que ya eran esperados, pues la virreina los recibió inmediatamente, y se dirigió con ellos a la cámara de don Bartolomé. Éste se había calmado un tanto después de haber escrito por su parte dos larguísimas cartas llenas de amargas quejas contra los jueces y oficiales reales, refiriendo uno por uno al rey Fernando y a su sobrino el almirante todos los agravios y desafueros de aquellos funcionarios contra la casa y familia de Colón. El irascible adelantado estaba seguro de que sus despachos soliviarían el ánimo del rey, y que los atentados que él denunciaba recibirían el correspondiente castigo. Esta convicción había tranquilizado su espíritu, y hasta disipó durante algunas horas su malhumor habitual. Sin embargo, las emociones del día le habían agravado sus padecimientos físicos, y sentado en su lecho fue como don Bartolomé pudo recibir a la virreina y sus amigos.

Valenzuela dio cuenta brevemente de su desagradable conferencia con el juez Lebrón, y fue muy celebrado por la crudeza con que había dicho al grosero personaje lo que merecía. El adelantado rió de todo corazón, dijo que así era como debían ser tratados todos aquellos bribones, que usaban de la autoridad de sus oficios para vejar y oprimir, nunca para amparar y hacer justicia. "Un salteador de caminos —agregó— procede más honradamente que ellos; porque los salteadores roban y ofenden con riesgo de sus personas, y en su propio nombre, y estos pillos autorizados cometen todas sus maldades sin riesgo alguno, y en nombre del rey y de las leyes."

La conversación duró más de una hora, y quedó convenido que la virreina daría sus órdenes aquella misma noche, para que la carabela que estaba disponible fuera avituallada y se hiciera a la mar al siguiente día, con rumbo a España, llevando las cartas referidas y las demás que la misma virreina y sus deudos tuviesen a bien escribir a la corte. Al salir del aposento de don Bartolomé, Valenzuela y Enrique fueron a despedirse de Mencía y las damas de la casa, por haber fijado a la mañana del siguiente día su partida de regreso a la Maguana. Valenzuela quería ahorrarse la mortificación de otras visitas de despedida en tan desfavorables circunstancias: Enrique habló pocas palabras con su prometida, sin deponer su gravedad y compostura características.

—Dios no ha permitido todavía que tú seas mi compañera —le dijo—. Me resigno a su voluntad, y espero en él. Te amo, Mencía, y pensaré siempre en ti: algunas veces te escribiré. Escríbeme tú, piensa en mí, y no olvides que mi única dicha en la tierra es tu amor.

—Así lo haré, Enrique —respondió la joven conmovida—: yo te amo, a nadie amo como a ti, te escribiré, y rogaré a Dios por tu felicidad.

A imitación de Valenzuela, el cacique besó la mano que le tendía la virreina, y fue estrechando una por una las que le ofrecían cordialmente las doncellas en señal de despedida: tomó la diestra a Mencía con igual tímido acatamiento, cuando intervino la entusiasta Elvira diciéndole:

—Si yo fuera prima vuestra, Enrique, me ofendería de vuestro desvío. La señora virreina, no os llevará a mal que os despidáis de vuestra prometida con un beso. ¿Es cierto, señora?

—Muy cierto —contestó sonriéndose la bondadosa virreina.

Enrique posó entonces sus labios en la frente angelical de la doncella, y haciendo mesurada cortesía al femenil concurso, salió con Valenzuela del salón.

XI

UNA POR OTRA

La nave que debía conducir al Viejo Mundo las cartas, y cifradas en ellas, las aspiraciones y esperanzas de todos aquellos personajes, se hizo efectivamente a la mar en la noche del día siguiente. Los oficiales reales no se atrevieron a estorbar su salida, y cuanto hicieron fue retardar durante el día las formalidades del despacho marítimo, para tener tiempo de escribir por aquella misma ocasión a sus amigos y valedores en España.

El señor Valenzuela y Enrique se habían puesto en camino por la mañana al rayar el sol en el horizonte. Hicieron rápidamente sus preparativos de marcha durante la noche, y el mayor trabajo que tuvieron fue aplacar la terrible cólera que arrebató a Tamayo, al saber que el matrimonio se había frustrado y que se volvían a la Maguana sin Mencía. Pocas palabras de sus amos bastaron para enterarle de todo lo ocurrido, y dejarle penetrar que el señor Mojica era el verdadero motor de tal fracaso; con lo cual el bravo indio, fiel hasta la exageración, hizo juramento de no salir de Santo Domingo sin tomar señalada venganza de aquel malvado, aunque él mismo se perdiera para siempre. Consiguieron al fin que aparentemente entrara en razón, amenazándolo Enrique con no tenerlo junto a sí más nunca si no enfrenaba sus furibundos ímpetus. Convínose, pues, en que Tamayo, al frente de toda la recua de criados y animales, se pondría en marcha en seguimiento de sus superiores, tan pronto como se acabara de arreglar el equipaje.

Pero cuando una idea se había introducido en aquel cerebro de hierro, era muy difícil hacerla abandonar el sitio sin llevar a cabo el propósito, por descabellado que fuese. No bien desaparecieron por la primera esquina los dos jinetes, Valenzuela y Enrique, saliendo a escape de la ciudad, cuando Tamayo se volvió a los otros criados y les dijo con voz agria:

—Ahora mando yo aquí, y al que no haga lo que yo le diga, le rompo la cabeza como si fuera un higüero.

—Sí, cacique —contestaron los indios de la recua.

—Tú eres aquí el mayoral —agregó otro criado, bruto como el que más de los gallegos, aunque era andaluz.

—Bueno —repuso Tamayo—: haced lo que os digo, arreglad esas cargas y estad listos: por una mujer hemos venido, y una mujer nos llevaremos.

Y sin más explicación echó a andar hacia la iglesia mayor, donde las campanas tocaban a misa. Los primeros rayos del sol doraban los techos de las casas y los sencillos chapiteles del templo, situando a corta distancia de la comenzada fábrica de la catedral, cuyos cimientos adelantaban rápidamente desde el día en que Diego Colón, poco antes de emprender su viaje a España, puso la primera piedra de aquel augusto edificio, que durante mucho tiempo después dio sombra digna a su sepulcro, y donde todvía reposan, a despecho de sofísticas negaciones, los restos mortales de su egregio progenitor.[1] Los obreros y

---

[1] Por más que la pasión se obstine en negar que los restos mortales de Cristóbal Colón, que fueron extraídos de Santa María de las Cuevas en Sevilla, en 1536, y conducidos a Santo Domingo donde se les dio sepultura en la *Capilla Mayor* de la catedral dominicana, son los mismos que en el lugar indicado se hallaron el día 10 de setiembre de 1877, el hecho es verdadero de toda verdad; cierto de toda certidumbre. La fe y la inspiración del benéfico sacerdote dominicano don Francisco Javier Billini, acometiendo la reforma del referido templo y el ensanche de su presbiterio, hicieron que se encontraran casualmente los restos de don Luis, nieto del descubridor. Este suceso sirvió de estímulo para la investigación que el mismo sacerdote, con la venia y acuerdo del sabio prelado de la Arquidiócesis, hijo de Italia, Monseñor don fray Roque Cocchia, Delegado apostólico, prosiguió hacia el sitio de la

peones indios comenzaban a llegar
en cuadrillas de a cinco y de a diez
hombres al sitio de la fábrica, y
recibían las órdenes de los sobrestantes, alguno de los cuales, después de dar breves instrucciones a
sus subalternos, se dirigía a oír
misa confundiéndose con los demás
devotos que afluían de todas partes
a la iglesia.

Tamayo, con mirada febril, examinaba los semblantes de todas las
mujeres que iban apareciendo en la
extensa plaza. Al efecto se había
situado a corta distancia del pórtico del templo, y disimulaba su
espera como contemplando el movimiento de los trabajadores. Hubo
un momento en que se distrajo de
su objeto efectivamente: un pobre
indio, flaco y descolorido, cumplió
mal o torpemente la orden de apar-
tar hacia un lado una enorme pie-

capilla mayor de donde en 1795 habían sido extraídos, como de Cristóbal
Colón, unos restos humanos completamente anónimos, según consta en la
solemne acta notariada de aquel hecho
histórico. Las conjeturas fundadas sobre esta falta de inscripciones, tocante
a una equivocación posible y sustitución involuntaria de unos restos por
otros en la exhumación del siglo precedente, quedaron del todo compro-
badas con el hallazgo de la vetusta caja
de plomo, llena de indicaciones positivas sobre su precioso contenido. Los
verdaderos restos del gran Cristóbal
Colón eran devueltos a la veneración
del mundo, y los nombres del ilustrado fray Roque Cocchia y del virtuoso
padre Billini quedaron eternamente
vinculados en este servicio a la verdad
histórica, y a las glorias clásicas del
suelo dominicano. Después el mismo
reverendo prelado ha sostenido en
brillantes y doctos escritos la verdad
del hallazgo, combatida unas veces
por el error, otras por la mala fe, y
en esta noble tarea de defender la verdad han concurrido también, con no
escaso mérito, los autorizados escritores don Emiliano Tejera, don José
Gabriel García, las inspiradas poetisas
doña Salomé Ureña de Henríquez,
doña Josefa A. Perdomo, y otros literatos dominicanos.

dra, y el bárbaro capataz descargó
un varazo en la desnuda espalda
del infeliz enfermo, que rodó por
tierra. Tamayo, sin poderse contener, saltó como un tigre sobre el
flagelador, arrebató la flexible vara
de sus manos, y rápido como el rayo
le golpeó la cara con ella —¡bien
hecho!— exclamó un sobrestante
viejo que miraba el lance con faz
severa a pocos pasos de distancia.

Promovióse el consiguiente alboroto, acudió la gente al sitio, y un
alguacil puso sus manos en Tamayo
diciéndole: "Date preso".

Tamayo no opuso resistencia, y
ya salía de la plaza conducido por
el oficial de justicia, cuando el referido sobrestante se aproximó a
éste, y le dijo:

—Mal cumples con tu deber, Antón Robles: ¿por qué no te infor-
mas de lo sucedido? Quizá este
buen hombre no tenga culpa, y te
salga caro prender a un servidor de
don Francisco de Valenzuela.

El alguacil miró espantado a su
interlocutor: ya hemos dicho que
Valenzuela era conocido y respetado en toda la Española.

—Estoy tan aturdido, maese Mar-
tínez —respondió el esbirro—, que
no pensé en aclarar el hecho. ¿Me
podréis vos decir lo que ha pasado?

El sobrestante era un hombre justo y honrado: explicó al corchete
lo ocurrido desde el principio, y
añadió que si Tamayo no se hubiera interpuesto, él se disponía a
hacer castigar al capataz agresor, a
causa de la dureza con que había
golpeado al pobre indio, sin haber
dado motivo justificado para ello,
pues la falta de fuerzas no es un
delito.

El alguacil, recibida esta explicación, y zumbándole todavía en los
oídos el imponente nombre de Valenzuela, dio libertad a Tamayo, en-
careciéndole que se reportara en lo
sucesivo, e hizo una breve amonestación al cuadrillero, para que no

fuese otra vez tan duro con los encomendados de la iglesia.[1]

Retirábase Tamayo del grupo de curiosos que lo rodeaba, y todo mohíno iba a tomar la dirección de su posada, desistiendo ya del proyecto que lo había conducido a la plaza, cuando la casualidad pareció ponerse de su parte; pues una mujer, una joven muy morena, pero de notable hermosura, pronunció su nombre en alta voz, llamándole con acento familiar.

El valeroso indio depuso el ceño, dio un grito de alegría al divisar a la joven que lo llamaba, y se acercó de un salto a ella.

—Anica —le dijo—; por ti he venido a este lugar, y he hecho el mal encuentro que a poco más da conmigo en la cárcel.

—Ya te vi, Tamayo, vengar a nuestro pobre hermano, tan flaco que más bien debiera estar curándose en el hospital, y no en tanto trabajo. Mientras tú disputabas, yo me llegué a él, y le regalé todo el dinero que don Pedro me dio anoche.

—Bueno, Anica —repuso Tamayo—; pero ahora es preciso que vengas conmigo: Enriquillo lo quiere así, y te espera puesto ya en camino.

—¡No te entiendo! —dijo sorprendida la joven—, y además, yo voy a oír misa ahora, y doña Alfonsa me espera para que prepare el desayuno: bien sabes que está en cama...

—Lo se, Anica —replicó Tamayo con precipitación—; pero no se trata de eso ahora. La doña Alfonsa con su fluxión y su reuma, don Pedro que no sale a sus enredos sino después de almorzar y acicalarse, todo lo he observado. Es preciso que me sigas, porque En-

riquillo me ha dado ese encargo: lo he convencido de que debe corresponderte, ya no se casa con su prima, y el señor Valenzuela ha consentido en que te vayas a vivir conmigo a la Maguana, pues le he dicho que soy tu tío.

—¿Y no me castigarán por dejar a doña Alfonsa? —preguntó vacilante la joven.

—¡Quién va a atreverse con el señor Valenzuela, muchacha! —contestó el astuto indio—. Ya has visto cómo a mí me han dejado en libertad ahora poco, por respeto de mi señor don Francisco. Sígueme: nada te hará falta, y no perdamos el tiempo.

—Así como así —dijo la Anica—, no me pesa dejar burlado a ese don Pedro: sólo por ser doña Alfonsa tan dura conmigo...

—No te excuses, muchacha, lo sé todo: vamos pronto de aquí.

Y Tamayo echó a andar seguido de la joven india; llegó a su posada, donde ya sus compañeros tenían listas las cargas, y se pusieron todos en marcha a pie, llevando del cabestro los animales y a Anica en el medio y conversando con naturalidad, para no llamar la atención.

Salieron en este orden de la ciudad, y a corta distancia de ella acomodaron a la muchacha en el mejor caballo, y siguieron viaje a buen paso. La venganza de Tamayo estaba consumada, pues la graciosa Anica era, más bien por fuerza que por su gusto, el regalo y el embeleso de don Pedro de Mojica, que la quería como a las torvas niñas de sus ingratos ojos.

---

[1] Los encomendados para la fábrica de la catedral figuran en el repartimiento a cargo de don Rodrigo de Bastidas, que los administraba, y de quien es sabido que trataba con mucha humanidad a los indios.

XII

ANICA

Aquella joven india había vivido desde su infancia encomendada en la casa del contador real, don Cristóbal de Cuéllar, y por su gracia y discreción era entre todas las criadas de su raza la predilecta de la pobre María, aquella infortunada hija de don Cristóbal, la cual no sobrevivió seis días a su forzado matrimonio con Diego Velázquez. Al embarcarse la inocente víctima para Cuba, donde había de morir virgen y con el vano título de esposa del gobernador, fue para ella otra causa de pena no poder llevar consigo a su *Anica,* que así la llamó ella la primera; porque las pragmáticas vigentes prohibían sacar ningún indio de la Española para las otras islas, a causa de la despoblación ya muy sensible de aquélla, según atrás queda dicho, al tratarse del repartimiento de Alburquerque.

Anica quedó, pues, en la casa de Cuéllar, hasta que el contador real, atormentado por los remordimientos de haber inmolado su hija a cálculos egoístas, consiguió que el rey utilizase sus servicios en otra parte, saliendo de aquellos sitios llenos todos de las para él torcedoras reminiscencias de su mártir hija. Entonces, agradecido a las oficiosidades y adulaciones de su amigo don Pedro Mojica, trabajó de acuerdo con él para que aquellos indios de su encomienda que mejor viniesen en cuenta al codicioso hidalgo, quedaran a su servicio o destinados a gusto suyo. Las ordenanzas de repartimentos no permitían que las mujeres indias jóvenes fuesen encomendadas a solteros, y como don Pedro lo era, fue preciso interponer otra persona para encomendarle según su indicación a la bella y agraciada Anica, que contaba ya en aquella época diez y seis años, y sobre la cual había puesto los ojos desde el principio, con no buenos ni honestos propósitos, el corrompido Mojica.

Una doña Alfonsa, su amiga vieja, viuda de mala reputación, fue el agente escogido para burlar las previsiones legales, y poner la infeliz muchacha a merced de la lasci-

via del repugnante hidalgo: tales son comúnmente las bellezas morales de la esclavitud, institución que ha llenado de crímenes y escándalos el mundo de Colón, hasta nuestros días. Lo que debía suceder sucedió, sin que se necesite mucho esfuerzo de ingenio de parte del lector para adivinarlo.

Pero Anica tenía en el fondo de su alma una pasión pura, digna de su corazón virgen, y el grosero amor de Mojica no podía apagar ni entibiar ese afecto generoso, que se mantenía robusto y agravaba la invencible repugnancia con que la desamparada joven cedía a su triste destino, entregándose a aquel monstruo. Habitualmente acompañaba a su señora María de Cuéllar, cuando ésta era dama de honor de la virreina y su predilecta amiga: Enriquillo se había ofrecido varias veces a sus ojos, siempre en condiciones favorables para causar en el alma ardiente de Anica una profunda impresión. Enamoróse de él perdidamente, y buscando el medio de ser correspondida, pronto se granjeó la amistad de Tamayo, que residía con el joven cacique en San Francisco; y con verdad o sin ella, las relaciones de ambos, Anica y Tamayo, so color de próximo parentesco, se establecieron e intimaron con mutuo y desinteresado cariño, toleradas por todos como las de tío y sobrina. Tamayo tenía una especie de prurito de emparentar con los seres que amaba, y ya se ha visto que su principal empeño consistía en ser también pariente, no sabemos en qué grado, de los caciques de Jaragua y del Bahoruco.

Pero Enriquillo no fue accesible a la pasión espontánea de la joven india, y aunque la trataba con amistosa afabilidad, siempre eludió con inflexible entereza cuanto pudiera alimentar en ella la esperanza de ver correspondido su inocente amor: la pobre muchacha tuvo al fin que guardarse éste en lo más recóndito de su pecho, y exhalar sus quejas y confidencias en la intimidad de sus conversaciones con Tamayo, que por lo mismo adquirió un ascendiente irresistible sobre el ánimo de Anica, dócil y obediente a todos sus consejos e indicaciones.

Esto explica la evolución ideada por Tamayo para vengar a Enriquillo y al señor Valenzuela del desaire de que había sido fautor Mojica, y la facilidad con que ese plan de venganza se había llevado a efecto.

—Mujer por mujer —se decía el enérgico y fiel servidor, caminando alegremente con rumbo a la Maguana—, tanto da que nos llevemos a Anica como a Mencía. Se le quita la presa de entre las garras a ese maldito don Pedro, y no le quedará gusto para reírse a costa de mis amos, por la burla hecha a Enriquillo.

A orillas del río Nigua encontró a los dos viajeros que le aguardaban con impaciencia y no pocas ganas de comer: quedáronse pasmados de asombro al ver a la muchacha que llevaba consigo Tamayo. Éste explicó en breves razones y con aire denodado todo lo acontecido; y, como es de presumirse, fueron grandes el escándalo y la cólera de Valenzuela y Enrique por el mal paso en que los colocaba el celo excesivo de su mal aconsejado escudero. No obstante, el viejo concluyó su regaño con estas palabras que todo lo componían:

—A lo hecho, pecho. Ni hemos de regresar a Santo Domingo a remendar este desperfecto, ni vamos a dejar esta muchacha en el camino real, como cosa perdida. Sigue con nosotros, hija, que vivirás al cuidado de tu tío Tamayo y del viejo Camacho, y nada te faltará.

Después, mientras comían con buen apetito, sentados sobre la fresca yerba, habló aparte Valenzuela con Enrique diciéndole:

—¡Vive Dios, Enriquillo!, que no me pesa esta calaverada de Tamayo, antes estoy muy contento, y la creo inspiración del cielo. Que rabie Mojica, y no se ría impunemente de nosotros. ¡Ojalá hubiera algún desaforado que hiciera otro tanto al bribón de Pasamonte, que con mengua de sus cabellos blancos, tiene convertido en serrallo el depósito de los dineros del rey! [1]

Prosiguieron su camino, y desde la villa de Azua escribió Valenzuela una carta a su amigo don García de Aguilar, narrándole todo lo ocurrido con Anica, y recomendándole que arreglara cualquier dificultad que pudiera sobrevenir de ese rapto, hecho en bien de la moral, y contra la corrupción de la colonia. Aguilar, que aborrecía cordialmente al perverso hidalgo, desde que supo que por su intervención había surgido la desgracia de su amigo Juan de Grijalva y María de Cuéllar, y en memoria de ésta, ofreció no levantar mano hasta dejar frustrada ante la justicia cualquier pretensión de Mojica. Efectivamente, no bien promovió éste las diligencias de reivindicación de su amada prenda, cuando el leal don García acudió a confundirle, poniendo de manifiesto el amaño usado en la encomienda de Anica.

El odioso personaje tuvo que sufrir con paciencia su percance, y Aguilar pudo escribir dos semanas después a Valenzuela estas líneas: "Podéis guardar tranquilamente a Anica como confiada al celo de su tío, en clase de encomendada con éste a doña Leonor de Castilla y bajo vuestra respetable protección. Figuraba equivocadamente encomendada al licenciado Sancho Velázquez, con la nota de *fuera de registro*.[2] La picardía quedó patente, y los pícaros confundidos."

---

[1] Histórico. A lo menos, entre los documentos del archivo de Indias (tomo I) hay un *Memorial dado al cardenal Cisneros*, sobre necesidades y abusos que pedían remedio en la Española, y en ese escrito consta el edificante dato que consignamos en este lugar, atenuando sus términos, contra el tesorero Pasamonte.

[2] Consta en el repartimiento de Alburquerque.

XIII

EL APÓSTOL

Corría el tiempo, y subían de punto la malignidad y desvergüenza de los enemigos de Diego Colón en Santo Domingo, no pasando un día sin una nueva vejación o injuria a la virreina o a sus más allegados amigos. El adelantado don Bartolomé, clavado por la enfermedad en su lecho, se agravaba rápidamente, no pudiendo sus gastadas fuerzas resistir las terribles emociones que en su ánimo enérgico y esforzado producía cada insolencia de los oficiales reales en perjuicio de la casa y los intereses de sus sobrinos, a quienes amaba con entrañable cariño. Al cabo sucumbió, rindiendo al peso de los disgustos aquel espíritu batallador e indómito, que le había hecho en altas y duras ocasiones mostrarse digno hermano del heroico descubridor. La virreina cumplió como buena matrona hasta el último instante sus deberes para con el ilustre difunto, lloró sobre su cadáver tiernamente, e hizo celebrar en su honor pomposos funerales.

Llegó a don Gonzalo de Guzmán el turno de padecer por causa de su adhesión a la casa del almirante. Su altivez y arrogancia generosas, el desprecio con que públicamente trataba a Pasamonte y los demás émulos de Diego Colón, al defender a doña María de Toledo contra sus indignas agresiones, tales fueron los motivos que atrajeron sobre Guzmán las iras de aquellos tiranos, dictando su orden de destierro a Cuba, para privar de tan leal apoyo a la noble señora. García de Aguilar, o por temor de que con él se obrara igual arbitrariedad, o por sugestión de su celo en el servicio de la virreina, resolvió embarcarse por el mismo tiempo para

España, llevando al almirante y sus amigos nuevos datos y relaciones sobre los desmanes que sin cesar cometían los malos *servidores* del rey en la Española, donde el poder y la influencia de la casa de Colón quedaban reducidos a huecos títulos y vana sombra. Las quejas del almirante y su virtuosa consorte eran siempre atendidas con deferencias por el soberano, que ordenó repetidas veces que se les guardasen todos los respetos y miramientos a que eran acreedores, siendo la virreina próxima parienta suya, aparte de cualquier otra consideración; pero la malicia de los soberbios funcionarios desvirtuaba todas esas y otras buenas providencias, que eran siempre mal interpretadas en el despacho y peor cumplidas en Santo Domingo. Gastadas ya las fuerzas y cansado el antes vigoroso espíritu del rey Fernando, los intrigantes validos suyos que gobernaban los asuntos de las Indias hacían de la regia autoridad un mero símbolo entre sus corrompidas manos.

Tal era el estado de las cosas en España cuando el padre Bartolomé de las Casas se presentó por primera vez en la corte, provisto de una fervorosa recomendación que para el rey le dio el digno arzobispo de Sevilla, fray Diego de Deza, a quien fue presentado por el valeroso y eficaz fray Antón de Montesino.

En Plasencia vio y habló al rey católico. Éste escuchó al celoso sacerdote con gran bondad y mucho interés, sobre todos los puntos y arduas materias que Las Casas expuso elocuentemente a su real consideración, y le ofreció nueva audiencia; pero la carta de fray Diego de Deza pasó de las manos del rey a las del secretario Conchillos, y allí quedó estancado el efecto de las primeras diligencias del filántropo, que comenzó a ver cumplido el pronóstico del pío fray Pedro de Córdova al despedirse de él Las Casas en Santo Domingo: "Padre, vos no perderéis vuestros trabajos, porque Dios terná buena cuenta dellos, pero sed cierto que mientras el rey viviere, no habéis de hacer cerca de lo que deseáis y deseamos, nada."

Con el auxilio que le prestó el confesor del rey, fray Tomás de Matienzo, obtuvo por último de aquél la, promesa de volver a ser oído en Sevilla, para donde iba a partir la corte en aquellos días, los últimos del año 1515; y entre tanto, por cónsejo del mismo fray Tomás, conferenció con Lope de Conchillos y el obispo Fonseca. El primero, como astuto cortesano, trató de ganarse y poner en sus intereses a Las Casas, a cuyo fin le hizo brillantes proposiciones que, como era de suponer, fueron desdeñosamente desechadas por el esforzado defensor de los indios. Fonseca oyó en silencio la lúgubre exposición de atrocidades que Las Casas le relató con todos sus pormenores, hasta que al cabo, como incomodado de que tan rudamente se tocara a las puertas de su ensordecida conciencia, respondió con desprecio al narrador: *¡Mirad qué donoso necio! ¿Qué se me da a mí, y qué se le da al rey?* Indignado Las Casas al oír tan extraño como vergonzoso concepto, alzó la voz con energía, y dijo al empedernido ministro: "¿Qué ni a vuestra señoría ni al rey de que mueran aquellas ánimas no se da nada? ¡Oh gran Dios eterno!, ¿y a quien se le ha de dar algo?" Y salió de allí en seguida, más firme que nunca en la generosa resolución de luchar contra todos los obstáculos para redimir de su dura servidumbre a los indios.

De Plascencia partió para Sevilla, a esperar allí la llegada del rey; pero faltó el efecto, pues en el camino se agravaron los achaques y dolencias de Fernando el Católico, y en un pobre mesón de Madrigalejos rindió el espíritu aquel soberano que señoreaba dos mundos, el más afortunado político y más poderoso monarca de su tiempo.

Este suceso no desalentó a Las Casas, que haciendo inmediatamente sus preparativos para ir a Flandes, si fuese necesario, a continuar sus representaciones ante el sucesor de la corona, don Carlos de Austria, pasó a Madrid, asiento entonces de la regencia encomendada al cardenal Jiménez de Cisneros, asistido del embajador del príncipe heredero, el manso y benigno Adriano, deán de Lovaina (después cardenal y sumo pontífice). Las Casas, en prosecución de su obra redentora, escribió una larga exposición en castellano para Cisneros, y otra en latín para el embajador, que no entendía el romance.

El resultado fue sumamente favorable a los fines del filántropo. Adriano se horrorizó con el relato de las inhumanidades que asolaban a las Indias, al leer el memorial de Las Casas, y avistándose al punto con el cardenal, pues ambos moraban en el mismo palacio, le comunicó las impresiones que acababa de recibir. El eminente ministro, que ya sabía demasiado de aquellos escándalos, por informes de los frailes de su orden, corroboró la exposición de Las Casas, diciendo a su compañero que aún había muchos más daños que reparar, y por último, acordaron hacer comparecer al piadoso viajero, que tan esforzadamente acometía la ardua empresa de hacer reformar el desgobierno y la desventura del Nuevo Mundo. Francisco Jiménez de Cisneros y Bartolomé de las Casas, eran dos almas gigantes capaces de comprenderse y compenetrarse mutuamente. El humilde sacerdote halló gracia en la presencia del poderoso purpurado, y desde el punto en que éste conoció a aquel extraordinario modelo de caridad e inteligencia, le notificó que no debía pensar en seguir viaje a Flandes, porque en Madrid mismo hallaría el remedio que con tanto ahínco procuraba en bien de la humanidad.

Alcanzó, pues, en esa época grande autoridad y crédito Las Casas en el Consejo real de Indias, consiguiendo hacer partícipes de sus opiniones y elevadas miras a los consejeros más renombrados por su ciencia y por la probidad de su carácter. Sobre todos ellos se captó sus mayores simpatías el doctor Palacios Rubios, que por su gran talento e instrucción, como por sus bellas prendas morales era muy adecuado para identificarse con Las Casas. Entre estos dos generosos consultores y el no menos digno e ilustrado fray Antón de Montesino, que muy pronto fue a reunirse en Madrid con su compañero de viaje y de combates contra la tiranía colonial, guiaron segura y certeramente las decisiones del gran cardenal y del Consejo de Indias, a despecho de los codiciosos intrigantes y especialmente del obispo Fonseca, a quien Cisneros se cuidó de hacer excluir de las deliberaciones sobre la suerte de los naturales del Nuevo Mundo; señalado triunfo del generoso defensor de la oprimida raza contra el soberbio que lo había menospreciado.

Por efecto, pues, de aquel humanitario concierto de voluntades enérgicas, se dictaron providencias nuevas para el régimen de los indios, y para castigar los abusos cometidos y consentidos por las autoridades de la isla Española. A este fin fueron nombrados, con activa intervención de Las Casas, tres venerables frailes de la orden de San Gerónimo para ejercer de mancomún la real y pública autoridad en la mencionada isla y demás indias de occidente; Las Casas fue a sacarlos de sus conventos, y los exhortó a aceptar el meritorio encargo, llevándoselos consigo a Madrid, donde los alojó en una buena posada y los sustentó a su costa. Pero con toda esta diligencia, los artificiosos agentes de la tiranía, que con no menos afán y eficacia trabajaban por contrariar la obra de justicia y reparación, a fuerza de sobornos, mentiras y calumnias, lograron sorprender el ánimo sencillo de los padres gerónimos, e infundirles desconfianza contra su recto inspirador, por lo

que acordaron mudarse a otro alojamiento, evitando la compañía del licenciado y entregándose con ciega fe a sus adversarios.

Tan inesperado revés no desanimó al intrépido atleta. Avisó de la novedad a su amigo Palacios Rubios, y ambos, recelando con justicia lo peor de parte de los inexpertos y mal aconsejados frailes, recabaron del cardenal la reforma de sus poderes, limitándolos a la ejecución de órdenes precisas respecto de las encomiendas de indios. Para todo lo demás que concernía al buen orden y gobierno de la Española, reforma de abusos, desagravio del almirante, y castigo de delitos, fue nombrado juez de residencia el íntegro y prudente licenciado Alonso Zuazo, natural de Segovia, buen amigo del padre Las Casas, con lo que creemos haber escrito su mejor elogio.

En lo relativo al regreso del almirante a la Española, Las Casas, que desde el principio instó vivamente en favor de los intereses de la casa de Colón, se convenció muy pronto de que el cardenal no cedería en ese punto, persuadido como estaba de que era preciso extirpar previamente el espíritu de bandería y parcialidades que imperaba en la Española, para que el almirante pudiera ejercer con quietud y buen fruto su gobierno. Por lo demás, y mientras las nuevas autoridades llenaban ese importante cometido, Diego Colón fue siempre objeto de la mayor consideración y de las más cumplidas distinciones por parte de Cisneros y Adriano, asistiendo constantemente con voz y voto preponderante al Consejo real de Indias.

Y receloso todavía el cardenal ministro de que sus deseos acerca del bien de los indios fueran desvirtuados por la impericia de los gerónimos, ordenó al padre Las Casas que fuese con ellos al Nuevo Mundo, y los instruyera e informara respecto de todo lo que debían hacer en favor de aquella raza hasta entonces desvalida. Al efecto le dio amplio poder y credencial, por cédula que firmaron el mismo cardenal, y Adriano, embajador, mandando a los gobernadores y justicias de Indias que prestaran fe y acatamiento a todos los actos del protector, *tocante a la libertad y buen tratamiento y salud de las ánimas y cuerpos de los dichos indios.*[1]

Igual buena voluntad halló, por conclusión, Las Casas cuando se propuso allanar todos los reparos que artificiosamente habían suscitado los oficiales reales de la Española para impedir el matrimonio de Mencía de Guevara y el cacique Enrique. Las providencias más terminantes fueron dictadas contra esa maligna oposición.

Pero aún después de conquistados todos esos importantes acuerdos, tuvo el filántropo que poner en ejercicio su incansable tesón para remover la estudiada inercia con que los pertinaces enemigos de la reforma diferían los despachos. Todo dormía o afectaba dormir en cuanto el cardenal volvía su atención a otros grandes negocios de Estado que de su prudencia y acierto dependían. Fue preciso que el gran ministro instado por Las Casas y Palacios Rubios, llegara a fruncir sus olímpicas cejas para que la intriga, acobardada al fin, abandonara la arena. Esta primera campaña política del protector de los indios duró un año.

Los padres gerónimos y Las Casas se embarcaron en Sevilla, en dos distintas naves, pues aquéllos protestaron que era muy pequeña la suya, para no hacer el viaje junto con el peligroso licenciado. Alonso Zuazo tuvo que diferir su partida por motivos privados. Después de una próspera navegación, los distinguidos viajeros descansaron unos días en la bellísima isla de Puerto Rico, tierra de bendición,

que parece una sonrisa de la naturaleza.

Allí comenzaron los gerónimos a ver y palpar los efectos de la iniquidad que había de convertir en fúnebres osarios las islas encantadoras, en que se recreó con deleite la imaginación soñadora y poética del gran descubridor. Un tal Juan Bono, a quien Las Casas apellida Juan Malo,[2] había hecho lo que entonces llamaban *un salto* contra la isla Trinidad, y se volvió para Puerto Rico y la Española a vender sus infelices prisioneros. Los padres comisarios, siguiendo las inspiraciones con que salieron de España, ni en Puerto Rico ni en Santo Domingo quisieron atender a las reclamaciones de Las Casas en favor de los indios salteados, de los que muchos se hallaban en poder de los jueces y oficiales reales, lo que fue desde luego causa para que entre los condescendientes comisarios y el inflexible protector de los indios la desavenencia se hiciera radical y profunda.

XIV

LLAMAMIENTO

En la Maguana se esperaba con impaciencia el regreso del padre Las Casas a Santo Domingo, anunciado por él mismo con no poca anticipación. Don Francisco Valenzuela contaba los días, y aun las horas, extrañando la mucha tardanza de su amigo, a quien conocía tan activo y puntual en todos sus asuntos. El buen anciano se sentía decaído y enfermo: deseaba sobre todo concluir las bodas y el establecimiento de Enriquillo, de cuya suerte se tenía por responsable ante el hombre benéfico que le había hecho la hon-

---

[1] Cédula expedida en Madrid el 17 de septiembre de 1516.

[2] *Historia de Indias.*

ra de elegirlo como protector de aquel huérfano. Obraba también con eficacia en su ánimo el aguijón del resentimiento contra aquellos perversos oficiales del rey, como contra los inicuos jueces de la Española, especialmente el de residencia Lebrón, que lo habían desairado y ofendido gravemente, y a los cuales quería tener el gusto de ver como a los arcángeles rebeldes, precipitados del alto asiento de que tan indignos se mostraran. En el corazón del bueno, las manifestaciones del rencor se limitan al noble deseo de que la justicia triunfe y la iniquidad sea confundida.

Enriquillo mostraba su impasibilidad característica, pero ésta no era sino el velo que encubría su mortal inquietud por el creciente cuidado de perder la mano de Mencía. Mientras más días pasaban, mayor cuerpo tomaban en su imaginación los obstáculos que desde su viaje del año anterior tenía por cierto que habían de oponerse a su felicidad, ora como prometido, ora como esposo de la peregrina criatura. Por más que Las Casas le asegurase desde Madrid, en una expresiva y afectuosa carta, que todos los inconvenientes y reparos suscitados contra el matrimonio estaban vencidos y resueltos, el cacique temía siempre algún accidente, alguna celada nueva de su mala suerte, para frustrar otra vez su esperanza de ser el esposo de su prima; pero si en sus meditaciones llegaba a admitir el dudoso suceso como un milagro, entonces la inquieta fantasía daba espacio a otra serie de pensamientos alarmantes y tristes, que, como la primera vez le hacían desechar la posibilidad de que aquella suspirada unión fuera dichosa, dada su anómala condición personal, y el mérito extraordinario de la que debía ser su compañera.

En este combate penoso de sus propias reflexiones, el cacique, estrechado en los límites de un fatal dilema, no lograba serenar su espíritu, ni acosar la turba de ideas lúgubres que lo atormentaban, sino mediante el consuelo de ver pronto a su más ardoroso bienhechor, al benéfico padre Las Casas, que era para él como la estrella favorita que le indicaba el norte de la esperanza en el sombrío cielo de su existencia. Pensaba ciertamente con embeleso en la hermosa doncella que le estaba prometida; pero sin saber por qué, una especie de vago presentimiento agravaba su tristeza al considerarse ya dueño de aquel tesoro de gracias. No así cuando el recuerdo querido de Las Casas se ofrecía a su mente: entonces su alma se abría sin reserva a la plácida emoción de un afecto blando y puro, libre de sombras, exento de inquietud. Era un fenómeno de que el mismo Enrique no acertaba a darse cuenta, y que pretendemos explicar por la conciencia íntima, instintiva, de que la dignidad de esposo significaría en él la responsabilidad de la fuerza para con la débil consorte, mientras que él mismo necesitaba sentirse amparado y protegido por un ser verdaderamente fuerte, en quien la bondad hiciera veces de responsabilidad.

Por fin, una mañana volvió el joven cacique más temprano que de costumbre a la casa de campo de Valenzuela, que hemos descrito antes. Había ido a la inmediata villa de San Juan, a indagar, como solía, si Alonso de Sotomayor, vecino principal, tenía cartas para su patrono, porque desde el percance de aquella carta escrita a la virreina y perdida sin saberse cómo, Francisco de Valenzuela, comprendiendo por los sucesos posteriores que había gente interesada en interceptar su correspondencia, había tomado la precaución de hacérsela dirigir por conducto de aquel amigo de toda su confianza. Enrique se presentó a Valenzuela lleno de júbilo, con una carta en la mano, la cual le entregó diciendo:

—Ved aquí, mi señor don Francisco, una carta del padre Las Casas: la conozco en la letra del sobrescrito.

—Veamos, muchacho —dijo con vivacidad Valenzuela—: abre esa ventana, y leeme tú lo que dice ese buen amigo.

Enrique obedeció presuroso, y leyó estos cortos renglones:

"Muy amigo y mi señor Francisco de Valenzuela: hoy hace tres días que por fin llegué a esta ciudad de Santo Domingo sin novedad, ¡loado sea Dios! Venid pronto con nuestro Enriquillo, que ya os espero impaciente, y la señora virreina también. Sin tiempo para más os besa las manos, vuestro fiel amigo y capellán, *Bartolomé de las Casas* (presbítero).

"De Santo Domingo, día de los santos reyes, 1517."

—¡Imposible, hijo! —exclamó Valenzuela cuando Enrique hubo acabado de leer—. Irá contigo Andrés en lugar mío: ya sabes que el asma me fatiga hasta el punto de querer ahogarme, y no me falta la calentura una sola noche.

—Muy cierto, señor —contestó Enrique—, pero si don Andrés y yo nos vamos, ¿quién va a cuidar de vos en nuestra ausencia?

—Andrés poca falta me hará —repuso con tristeza el anciano—; aún no lo he visto hoy. Tú, Enriquillo, ya es diferente. Pero ahí está Tamayo, y está Anica, que no me dejarán carecer de asistencia, y en caso de que mi mal se agravara, doña Leonor Castilla vendría a gobernar esta casa y atenderme como ella sabe. Anda, hijo, llámame a Andrés.

Enriquillo salió, y volvió a entrar al cabo de pocos minutos con Andrés de Valenzuela en el aposento del anciano. Allí se concertaron todos los preliminares del viaje a Santo Domingo, que debía emprenderse pasado el día siguiente. Don Francisco dio sus instrucciones a su hijo y a Enrique, hizo que éste escribiera su carta contestación para Las Casas que firmó él debidamente, y los dos jóvenes, el castellano

y el indio, salieron a ocuparse en los aprestos de la marcha, que debía efectuarse como la vez pasada, con todo el equipo de caballos y criados necesarios para conducir en litera o silla de manos a la novia.

Al despedirse Enrique del señor Valenzuela éste le dijo:

—Mi casa de San Juan estará dispuesta para que tú y tu esposa os alojéis en ella. Yo haré que Tamayo y Anica se cuiden de prepararlo todo, ayudados de tus naboríes.[1]

Andrés de Valenzuela y Enrique emprendieron su viaje acompañados del viejo Camacho, que había querido ir a ver a su amo desde que supo que estaba en Santo Domingo. Iba pues como mayoral o jefe de bagajes, en lugar de Tamayo, al que en pena de la mala pasada hecha en el viaje anterior, y para evitar alguna otra calaverada suya, no le permitió don Francisco que fuera en la expedición, como lo deseaba.

Quedóse, por consiguiente, el mal acondicionado indio muy a pesar suyo, gruñendo a dúo con la pobre Anica, que le reprochaba amargamente haberla conducido con engaño a la Maguana, para verse desairada de Enriquillo, que a todas sus insinuaciones amorosas había respondido invariablemente con severo lenguaje, exhortándola a la honestidad y buenas costumbres, como pudiera hacerlo el más austero predicador.

—Pues, ¿qué más quieres? ¿Pensabas que se casaría contigo mi cacique, mi pariente Enriquillo? —le contestaba con grande enojo Tamayo—: ¿quién eres tú, desastrada?

—¡Ya sé que no valgo nada —replicaba la infeliz muchacha—, pero bien podías tú no haberme engañado, diciéndome que el cacique me miraba con mejores ojos...!

—¡Sí; eso es! Tú quisieras que

[1] Los caciques tenían hasta seis de sus indios adscritos a su servicio personal, según las reglas porque se regían los repartimientos.

Enrique fuera un perdido, un marrano como ese bellaconazo de don Pedro, ¡mala peste!, concluía duramente Tamayo; mientras que Anica dejaba salir el llanto de sus ojos, y entonces el fiero indio, que en el fondo tenía excelente corazón, pasado el mal momento en que era capaz de hacer mil barrabasadas, se movía a lástima, y acudía solícito a consolar a la joven.

XV

BIENVENIDA

Los viajeros llegaron sin incidente digno de mención a Santo Domingo, unos doce días después de haber despachado Las Casas su carta para Valenzuela. Sintió mucho el buen sacerdote la enfermedad de su excelente amigo, y el haber de pasarse sin verle apadrinar las bodas de Enrique. Éste vertió todas sus penas y cavilaciones en el seno de su querido protector, que procuró tranquilizarlo y desvanecer sus recelos.

—Las nuevas ordenanzas que han de plantear los padres comisarios —le dijo— acaban de una vez con la maldita plaga de las encomiendas, y restituyendo los indios a la libertad, señalan a los caciques autoridad y preeminencias considerables. Yo te daré copia de esas providencias en que tuve no pequeña parte, pero que se deben a la bondad y justica del cardenal Cisneros y del embajador Adriano; y siendo tú quien eres, con instrucción y doctrina como tienen pocos de los vecinos principales de esta isla, ¿quién te ha de ir a la mano, ni en vida de mi buen amigo Valenzuela, ni cuando a Dios nuestro señor le plazca llamarlo a sí? Cortado entonces por la muerte del vínculo de amor y gratitud que hoy te liga a tu actual patrono, serás tan libre y señor absoluto de tu albedrío y tus acciones como yo: ¿qué tienes, pues, que temer?

Enrique pareció quedar convencido con los razonables argumentos de Las Casas, y desde entonces afrontó con más tranquilidad su porvenir.

Vio y habló a Mencía en presencia de la virreina y sus damas: deliberó en familiar coloquio con su novia todos los pormenores del casamiento, y la vida que habían de hacer en la Maguana, y se mostró en todas sus maneras y palabras más desembarazado y seguro de sí mismo que la vez pasada. Esto podía ser efecto, en primer lugar, de la presencia del bondadoso Las Casas, que, como nadie, sabía inspirar a Enriquillo confianza y serenidad de ánimo; y en segundo lugar, de que, recibido por todos en el palacio de la virreina como un antiguo conocido, y no siendo ya una novedad aquel matrimonio para ninguno de los moradores o allegados de la casa, la femenil curiosidad se desviaba del modesto cacique para cebarse en la gallardía y arrogancia del joven Valenzuela, que con la riqueza de sus vestidos y la distinción de su persona, atrajo toda la frívola atención y deslumbró completamente a aquella turba de desocupadas doncellas, que acogían con avidez cualquier objeto nuevo que de algún modo alterara el cotidiano y acompasado movimiento vital en que la noble María de Toledo había encerrado su melancolía de esposa solitaria.

Andrés de Valenzuela causó, pues, la más favorable impresión entre las damas de la virreina, y la sensible Elvira, ya bastante conocida del lector, fue la que con más vivacidad y desenvoltura aprovechó su reminiscencia del presente llevado al almirante años atrás por el joven Valenzuela de parte de su padre, para entrar en conversación con el apuesto hidalgo y hacerle comprender el lisonjero triunfo que había alcanzado en todos aquellos blandos y combustibles corazones. Elvira era hermosa: tenía esos ojos de fuego y esas mejillas color de cereza que son tan comunes en la siempre morisca Andalucía, y el galante mancebo manifestó mucha complacencia al verse tan graciosamente acogido por la bella compatriota de los abencerrajes. Todos los circunstantes creyeron advertir, por consiguiente, como el principio de unos amoríos en aquellas demostraciones recíprocas de simpatía entre el gallardo Andrés de Valenzuela y la amable, la demasiado amable Elvira Pimentel. Despedidos los huéspedes, ésta recibió con todo el deleite de su vanidad halagada las felicitaciones que, no sin secreta envidia, le tributaron sus compañeras: después tomó a Mencía del brazo, según lo había hecho un año antes, y se fue a conversar con ella a un balcón retirado.

—¿Estás contenta de tu Enrique? —preguntó a Mencía.

—Sí: ha estado muy razonable en todo —respondió ésta—: no se ha mostrado quejoso como la vez pasada, y más bien yo fui la que le di quejas.

—¿De qué?

—De no haberme escrito sino cuatro veces en un año: él porfió y juró que me había escrito más de quince cartas, y lo creo, porque él no es capaz de mentir, pero esas cartas, ¿adónde habrán ido a parar, Elvira?

—Se habrán perdido en el camino, Mencía, como la Maguana está tan lejos... —contestó con distracción Elvira, y luego con repentina viveza volvió a preguntar:

—¿Qué te dijo el señor Andrés Valenzuela cuando te saludó?

—Fue muy amable y cortés —respondió Mencía—, y me dijo que se alegraba de mi matrimonio con Enrique, a quien ama como a un hermano.

—Bien, Mencía: ¿sabes que me agrada mucho ese joven? —repuso Elvira.

—Sí, ya he visto que conversaste con él mucho —dijo Mencía con sencillez.

—¡Ah! —exclamó la ligera granadina—; si Dios me lo diera por esposo...

—¡Qué cosas tienes, Elvira! —replicó Mencía en tono de reproche—. Ya suspiras por don García, que está con su mujer en España, ya deseas casarte con otro a quien apenas conoces...

—No entiendes de estas cosas, Mencía —replicó llevándose la mano al corazón Elvira—. Esta vez va de veras: amo con pasión a Valenzuela.

—Pues yo no sé lo que es amar con pasión —dijo Mencía.

—Comienzo a creer que tú no sabes amar de ninguna manera, pobre Mencía —repuso Elvira—. Todas mis amigas, menos tú, me han felicitado hoy por mi fortuna en haber agradado a Valenzuela, y hasta la señora virreina me dijo indirectamente que era un buen partido.

—¡Ojalá Dios te lo depare, Elvira! —concluyó con afectuosa naturalidad Mencía, que recibió un sonoro beso de la apasionada andaluza en pago de su buen deseo.

XVI

DISIMULO

Enrique observó, como los demás, que Andrés de Valenzuela se había enamorado de Elvira, y su corazón se alivió de un gran peso con este descubrimiento. Conocía algunas calaveradas del turbulento joven, cuyos desarreglos en la Maguana eran causa de gran pena y disgusto para su honrado padre, que por lo mismo le ataba cuan corto podía en todas ocasiones; pero esa ligereza y voltariedad con que el mozo tomaba y abandonaba una tras otra las muchachas del contor-

7

no, que en realidad no poseían las dotes y calidades necesarias para fijar a un mancebo de las condiciones de Andrés, entraban por no escasa parte en las nebulosidades que aquejaban el espíritu de Enrique, entreviendo en la liviandad del joven hidalgo un formidable peligro para la paz de su matrimonio. Los ejemplos que a su alrededor veía de casos análogos eran innumerables, siendo muy equívoco el miramiento que los corrompidos señores profesaban a las uniones legítimas de los caciques sus encomendados. Y aunque él, Enrique, excepción en todo de la regla general, esperaba alcanzar mayor respeto, siempre sentía en su conciencia un aguijón de inquietud cuando pasaban en revista una a una todas las circunstancias de su situación.

No fue, por consiguiente, pequeña la alegría que experimentó al ver el ceremonioso cumplimiento con que el hidalgo llegó a saludar a Mencía, y la indiferencia con que pareció mirar su esplendorosa hermosura; ni fue menor la satisfacción del cacique cuando muy en breve se persuadió de que Andrés de Valenzuela estaba enamorado de Elvira Pimentel.

Esa persuasión quedó del todo ratificada en un expansivo diálogo que trabaron los dos compañeros de viaje, al volver a encontrarse solos en la posada donde los había instalado Las Casas.

—Hermosa es tu novia, Enrique —dijo con aire distraído y frío, como por decir algo, Valenzuela.

—Hay entre aquellas damas muchas tan hermosas como ella —contestó Enrique.

—Sí, a fe mía —insistió con calor el hidalgo—: aquella doña Elvira me ha parecido un querubín bajado del cielo.

—Es muy graciosa efectivamente, don Andrés —dijo el cacique.

—Me casaré con ella, si mi padre me da licencia —agregó el hidalgo.

Pero la alegría y satisfacción de Enriquillo se habrían trocado en espanto, si dos horas más tarde hubiera podido asistir a este coloquio que el mismo Valenzuela, saliendo bajo pretexto de ir a tomar el fresco, entabló con un individuo que, embozado hasta las cejas, lo aguardaba en la esquina próxima a la posada.

—¿La habéis visto? —preguntó el embozado.

—Sí, y es bella como el sol. Si lográis desbaratar la boda de Enrique, tomaré al punto el lugar de éste —contestó Andrés.

—Estoy trabajando y tengo buenas esperanzas —repuso el embozado—. Vos tenéis la culpa de que el tiempo me haya faltado: yo contaba con que interceptaríais la carta del endiablado clérigo como las otras, y la dejasteis pasar.

—Fue muy de mañana, y yo dormía —dijo con humildad Valenzuela.

—Cuando se quiere conseguir la doncella más linda y acaudalada de la Española, no se duerme, señor Andrés —volvió a decir con ironía el embozado.

—Yo la conseguiré, ¡voto al diablo! —replicó Valenzuela con ímpetu—; aunque tenga que matar a disgustos a Enriquillo.

—A tarde lo aplazáis, don Andrés.

—No quiero dar motivo a mi padre para desheredarme —contestó el mozo—, como me ha dicho que lo hará, legando sus bienes a los frailes, si vuelvo a incurrir en su desagrado, y sobre todo, me amenaza con su enojo si ofendo en algo al cacique.

—¿Tanto ama a Enriquillo? —preguntó con interés el recatado interlocutor.

—Más que a mí, que soy su hijo —respondió Andrés—. Pero cuando él muera, que será pronto, lo arreglaremos todo vos y yo, si no podemos arreglarlo ahora.

—No olvidéis vuestro papel de enamorado de otra, conviene para todo evento este disimulo —agregó el desconocido.

Y el hijo infame se despidió del

infame Pedro de Mojica, que no era otro el misterioso consejero de Andrés de Valenzuela.

XVII

IMPROVISACIÓN

La virreina y Las Casas habían convenido en que el matrimonio de Enrique y Mencía se efectuara tres días después de la referida visita que los dos viajeros de la Maguana hicieron con el sacerdote a la casa de Colón. Este concierto no había recibido la menor objeción de parte del principal interesado, Enriquillo, ni de Valenzuela: el primero no tenía voluntad propia cuando su protector, a quien veneraba como a un ser sobrenatural, tomaba por su cuenta lo que al cacique concernía; y el joven hidalgo tenía demasiado interés, como se ha podido ver, en no desagradar a su padre, que le había recomendado absoluta sumisión en todo a las disposiciones de Las Casas.

Éste se hallaba, pues, al día siguiente de su mencionada visita a la virreina, muy ajeno a todo propósito de alterar el acuerdo dicho sobre la boda. Sentado ante una mesa de luciente caoba, se ocupaba en hojear y revisar las ordenanzas sobre encomiendas de indios que aún estaban vigentes en la Española, y de las cuales iba anotando en una hoja de papel aquellas disposiciones más vejatorias, y que por lo mismo reclamaban, a su juicio, con mayor urgencia el planteamiento de las reformas que los frailes gerónimos traían a su cargo, sin darse prisa de llevarlas a ejecución. La lucha estaba por consiguiente empeñada entre el fogoso filántropo y los morosos depositarios de la autoridad; y cada anotación de Las Casas iba acompañada de un monólogo expresivo, que reflejaba al exterior

los movimientos de aquel espíritu generoso, cuanto inflexible para con la injusticia y la maldad.

—¡Eso es! ¡siempre en el tema...! Que los indios de esta Española no son aplicados al trabajo... *Item,* que han acostumbrado siempre a holgar... Que se van huyendo a los montes por no trabajar... Veis aquí la fama que los matadores dan a sus víctimas. ¡Oh!, y qué terrible juicio padecerán ante Dios estos verdugos, por forjar tan grandes falsedades y mentiras, para consumir aquestos inocentes, tan afligidos, tan corridos, tan abatidos y menospreciados, tan desamparados y olvidados de todos para su remedio, tan sin consuelo y sin abrigo. No huyen de los trabajos, sino de los tormentos infernales que en las minas y en las otras obras de los nuestros padecen: huyen del hambre, de los palos, de los azotes continuos, de las injurias y denuestos, oyéndome llamar perros a cada hora, del rigoroso y aspérrimo tratamiento a que están sujetos de noche y de día.[1]

Por este estilo eran los comentarios del pío sacerdote a todos los yerros e injusticias que iba notando en los trabajos oficiales sobre que versaba su examen, cuando se le presentó Camacho, su indio viejo de confianza, que, como acostumbraba, le tomó gravemente la diestra y se la llevó a los labios:

—Beso la mano a vuesa merced, padre —dijo sumiso.

—El Señor te guarde, buen Camacho —contestó Las Casas desechando el mal humor que se había apoderado de su ánimo al revisar las inicuas ordenanzas. ¿Y Enriquillo? ¿Y el joven Valenzuela?

—Bien están, señor: Enriquillo aguarda en la posada a que don Andrés regrese de la calle, para venir juntos a veros...

—¿Y por qué has dejado solo,

---

[1] Conceptos del mismo Las Casas. *Historia de Indias,* Lib. III. Cap. LVI.

aburriéndose, al pobre muchacho? —repuso Las Casas.

—Le diré a vuesa merced —contestó Camacho—. Como el señor don Francisco me recomendó que tuviera cuenta con los pasos de su hijo, y lo observara, y diera cuenta a vuesa merced de cualquier cosa que advirtiera en él que no estuviera en el orden, yo, que vi a don Andrés salir anoche ya dado el toque de ánimas, le seguí a lo lejos, y le vi hablar con un sujeto que no pude conocer, y que parece que le aguardaba en la primera esquina: luego que lo vi apartarse del tal sujeto y dirigirse a casa, me volví de prisa e hice como que lo esperaba para abrirle la puerta, que él había dejado entornada: hoy, cuando observé que quiso salir solo, me fui detrás, y lo vi entrar en una casa de las Cuatro-calles, donde permaneció un buen rato. Así que salió, me esquivé de su vista, pregunté a un transeúnte quién vivía en la tal casa, y me dijeron que una señora viuda, de Castilla, que se llama doña Alfonsa: entonces concebí una sospecha, por cierta historia que me contaron Tamayo y Anica en la Maguana. No perdí de vista la casa por buen espacio de tiempo, y al cabo vi salir de ella, caminando muy de prisa, al señor don Pedro de Mojica.

—¡Mojica está aquí! —exclamó Las Casas con un movimiento de sorpresa.

—Sin ninguna duda —respondió Camacho—: ha debido venir pisándonos las huellas, pues quedaba en San Juan cuando nosotros salimos para acá. Por cierto que la última vez que se incomodó el señor don Francisco con su hijo fue porque supo que don Andrés andaba a caballo por los campos, en compañía de aquel mal hombre, a quien de muerte aborrece...

Pero ya Las Casas no prestaba atención a su criado, y poniéndose el manteo precipitadamente, decía como hablando consigo mismo:

—¡Aquí ese malvado! Claro está, ha venido a ver si puede estorbar la boda. Pero a fe mía que todos sus ardides no han de valerle conmigo. Aunque fuera el diablo en persona, juro que esta vez no será como la pasada.

Y seguido de Camacho, que con trabajo guardaba la distancia, el activo sacerdote se dirigió velozmente a la posada de Enrique y Valenzuela, a quienes halló en amistosa conversación, esperando la hora de almorzar.

—A ver, muchachos —les dijo Las Casas sin preámbulos—: vestíos vuestros mejores sayos, y vamos en seguida a almorzar con la señora virreina.

—¿Es posible...? —comenzó a preguntar Valenzuela.

—Todo es posible —interrumpió con fuerza Las Casas—: ¡vivos, a vestirse, y en marcha!

Nadie osó replicar, y los jóvenes entraron en su aposento a mudarse de traje: Camacho ayudó en esta operación a Valenzuela, que por usar vestidos más ricos y complicados necesitaba ese auxilio. En cuanto a Enrique, a pesar de las exhortaciones de don Francisco a que se proveyera nuevamente de vestidos de lujo, persistió en el propósito que había formado cuando se frustró su boda el año anterior, no alterar en ningún caso su traje sencillo de costumbre, que se componía de calzas atacadas y jubón de paño oscuro de Navarra, con cuello vuelto de tela blanca fina llamada cendal, y un capellar de terciopelo, con gorra del mismo género. Medias de seda negra y calzado a la moda italiana completaban el equipo del cacique, cuyo aspecto gentil y distinguido no perdía nada con la modestia y la severidad de aquellos arreos.

Pronto estuvo terminado el atavío de los dos mancebos, y Las Casas pareció satisfecho al examinar el de Enrique. Salieron sin demora y a buen paso todos tres, y en pos de ellos Camacho, que había recibido de su amo la orden de seguirle.

Ya en casa de la virreina, Las Casas hizo pasar recado anunciando su presencia: la señora estaba en el comedor, a punto de sentarse con su familia a almorzar. A este acto la acompañaba regularmente el otro tío de su marido, llamado como él don Diego, hombre de carácter simple y apocado, muy devoto, y que vivía sumamente retraído en Santo Domingo, más metido en la iglesia que en su casa. Acompañaba también a la virreina el capellán de la casa, clérigo anciano que, fuera de sus funciones sagradas, reducidas a decir la misa todas las mañanas y el rosario todas las noches, era una especie de mueble de adorno, que todo lo veía como si no tuviera alma, indiferente y taciturno.

Las Casas pasó al comedor por invitación de María de Toledo, dejando en el salón principal a sus compañeros.

—¿Nos haréis merced de almorzar con nosotros? —le dijo la virreina con su genial naturalidad.

—Admiraos de mi atrevimiento, señora —respondió riendo el interpelado—. He venido espontáneamente a almorzar con vueseñoría, y no es esto lo peor, sino que he traído conmigo, por mi cuenta y riesgo, dos convidados más.

—Mucho me place la feliz ocurrencia, padre Casas —repuso doña María—; pues gracias a ella, sin faltar a mi duelo por la larga ausencia de mi esposo, voy a tener a mi mesa tan grata compañía.

—Permitidme, señora —agregó Las Casas—: os pido que deis orden de que no sea admitido mensaje, ni persona extraña a vuestra presencia, mientras no terminemos el importante asunto que nos conduce hoy a esta casa.

—Me asustáis, padre, mas lo haré como pedís.

—Sé que vais a alegraros, señora —volvió a decir Las Casas.

Y mientras la virreina ordenaba a un mayordomo que fuera a establecer la consigna de no admisión, Las Casas decía al buen capellán:

—De quien más necesitamos ahora es de vos, padre capellán.

—Estoy pronto a serviros —respondió éste.

Entonces Las Casas refirió a la virreina su descubrimiento de que Mojica se hallaba en Santo Domingo, intrigando sin duda para volver a enredar la boda de Enrique y Mencía.

—¿Y qué pensáis hacer? —preguntó la virreina cuando estuvo enterada de todo.

—Lo más sencillo del mundo, señora —contestó con la mayor frescura Las Casas—. Ahora mismo se casan nuestros protegidos, y *laus Deo*.

No dejó de sorprenderse la virreina con esta súbita resolución, pero reconoció su conveniencia en seguida, y se alegró de poder burlar alguna vez la malignidad de sus enemigos: el capellán se mostró más reacio y moroso, y mirando con ojos turbados a los dos interlocutores, comenzó a rumiar excusas:

—Pero... yo no puedo —decía así de repente... ¿Y si hay oposición... como la pasada?

—¡Hum, padre capellán! —exclamó con vehemencia Las Casas—. Mal me huelen esos reparos de vuesamerced. ¿Estáis o no estáis al servicio de esta casa?

—Sí estoy, padre —contestó con humildad el capellán—; pero los oficiales del rey...

—Ésos no mandan aquí, ¿lo entendéis? —replicó Las Casas con voz tonante—. Yo me encargo de todo: ¿haréis o no haréis el matrimonio?

—Yo haré lo que me mande mi señora la virreina —volvió a decir el pobre hombre—, pero el señor Pasamonte...

—¡Dale! —dijo el impaciente Las Casas—. ¡Ea!, venid conmigo, voy a arreglar esto a gusto de todos.

Y tomando del brazo al capellán, casi lo arrastró por fuerza hasta el oratorio de la casa.

—Mandad a este infeliz —dijo a la virreina que les había seguido sin saber qué decir ni qué pensar, entre risueña y cuidadosa—, mandadle que permanezca aquí tranquilo viendo todo lo que pasa.

En seguida abrió un grande armario que servía para guardar los sagrados ornamentos, sacó de él sobrepelliz, estola y bonete, y volviéndose a la noble dama, le dijo:

—Ordenad que venga la novia, como quiera que esté, y venga el señor don Diego, y el mayordomo, y toda vuestra casa... Capellán, ¿qué tenéis que decir?

—Que yo no respondo de nada —balbuceó el atontado viejo.

—Pues venga el breviario, que yo respondo de todo —repuso Las Casas.

La virreina salió del salón, y a poco volvió a entrar con Mencía de la mano, y seguida de don Diego el anciano, Elvira, sus damas y toda la servidumbre.

Enrique y Valenzuela, sorprendidos, siguieron al mayordomo que fue a requerirles de parte de Las Casas que pasaran al oratorio: cuando vieron aquel aparato y al sacerdote revestido con sus ornamentos, ambos jóvenes palidecieron.

—No os asustéis, muchachos —les dijo riendo el ministro del altar—, no se trata de excomulgaros.

Y advirtiendo a cada cual lo que convenía para el mejor orden de la ceremonia, indicándoles la colocación correspondiente, manejándolos, en fin, como un instructor de táctica a sus reclutas, el denodado Las Casas comenzó y acabó las fórmulas del sacramento matrimonial, haciendo de acólito el viejo Camacho; dio la bendición nupcial a los contrayentes, arrodillados, y concluyó con una sentida exhortación a las virtudes conyugales, usando de términos tan afectuosos y elocuentes, que todos los circunstantes se enternecieron, y las damas llevaron más de una vez el bordado pañuelo a los ojos.

Después, volviéndose a la virreina y a Valenzuela, que hacían de padrinos, y fijando su penetrante mirada en el sombrío y meditabundo semblante del joven hidalgo, pronunció Las Casas estas palabras con acento solemne y voz vibrante:

—Nada tengo que encarecer a la madrina, que ha sido una verdadera madre para la contrayente. Vos, señor padrino, no descuidéis jamás la obligación, que más que nadie tenéis, de velar por el honor y la felicidad de vuestros ahijados. Si así lo cumpliereis, el Señor de los cielos derrame sobre vos sus bendiciones; mas si faltáis a esta obligación, que os falte la gracia divina y seáis castigado con todo el rigor que en el mundo y en la otra vida, merecen los perjuros.

Luego, como para borrar la impresión de sus últimas palabras, agregó, haciendo el signo de la cruz sobre toda la concurrencia: El Señor os bendiga a todos; y quitándose la estola y los demás ornamentos sacerdotales dijo con franca risa a la virreina:

—Dignaos noble dama, proseguir ahora vuestro interrumpido almuerzo, y os acompañaremos. Será el banquete de bodas.

Así se hizo en efecto, y el improvisado matrimonio fue celebrado por todos —excepto uno— con la más expansiva alegría. Valenzuela, que era la excepción, hizo cuanto pudo por disimular el despecho de su derrota, exagerando sus finezas y galanterías para con la bella Elvira.

Cuando el capellán pronunciaba la oración de gracias, se presentó un criado, y dijo a la virreina que el padre Manzanedo, uno de los comisarios de gobierno, había estado a visitarla, y que habiéndosele dicho que la virreina no podía recibirle en aquel momento, se retiró ofreciendo volver por la tarde.

No sin emoción comunicó la señora este incidente a Las Casas, que al punto dio por sentado que el fraile gerónimo iba con intención de poner algún impedimento a la boda.

—Ved si hemos obrado con acierto dando un corte decisivo al asunto —dijo Las Casas—. Por lo demás, no tenéis que inquietaros, de aquí me iré a ver a los padres gerónimos, y les mostraré las provisiones en cuya virtud he procedido en este caso. Todo quedará terminado satisfactoriamente.

XVIII

EXPLICACIONES

Una hora más tarde, el cacique, Valenzuela y Camacho estaban en su posada, recapacitando sobre los inesperados sucesos de aquella mañana, a tiempo que el infatigable Las Casas celebraba su importante conferencia con el padre Manzanedo, en las casas de contratación, donde estaban hospedados los padres gerónimos.

Éstos habían llegado ya en sus relaciones con el filántropo a ese periodo embarazoso y difícil en que apenas puede disimularse el desabrimiento y malestar que produce la presencia de un antagonista. Las Casas no contaba ciertamente entre sus virtudes una excesiva humildad; porque pensaba, y creemos que tenía razón, que ser humilde con los soberbios sólo sirve para engreír y empedernir a este género de pecadores, a quienes conviene, al contrario, abrirles la vía del arrepentimiento haciéndoles sentir lo que ellos hacen padecer a otros. Es un caso moral que el gran filántropo (y nosotros con él), no definía acaso con perfecto arreglo a la doctrina cristiana; lo cierto es que tenía especial complacencia en mortificar la vanidad de los presuntuosos, y dar *tártagos,* como él los llamaba, a sus poderosos y altaneros adversarios.

Toda su humildad, toda su caridad, toda su ternura las tenía reservadas para los pobres y los pequeñuelos, para los míseros, los afligidos y oprimidos. Eran los que en verdad necesitaban el bálsamo consolador de aquellas virtudes.

Llegó, pues, el padre Las Casas a la, según él mismo nos lo ha hecho saber, fea presencia del padre Manzanedo [1] y después de un "Dios os guarde" dado y recibido recíprocamente con la entonación y el cariño de un "el diablo os lleve", entró en materia el sacerdote, diciendo:

—Aquí me ha traído, padre Manzanedo, el deber de daros cuenta de un acto consumado hoy por mí, a fin de que no haya lugar a ningún *quid pro quo,* ni falso informe.

—Hablad, padre Casas —dijo lacónicamente el padre feo.

—Hoy he celebrado el santo sacramento del matrimonio y dado la bendición nupcial, en el oratorio de la señora virreina, a los nombrados Enrique, cacique del Bahoruco, y doña Mencía de Guevara.

—¡Qué decís! —saltó muy alborotado el fraile gerónimo: ese matrimonio no debía celebrarse. Había un impedimento dirimente.

Las Casas se sonrió de un modo significativo, al oír esa declaración; y replicó moviendo la cabeza de arriba abajo, con gran sorna:

—Ya sabía yo que algo se fraguaba, bien conozco a Mojica.

—¿Mojica? Eso es —repuso el fraile—; ved aquí su escrito haciendo oposición al matrimonio, en su calidad de tío de la doncella. Esta misma mañana me lo han entregado, y se me encargó por mis compañeros entender en este negocio.

Las Casas tomó el papel y lo leyó rápidamente para sí.

—Esto no es sino un tejido de infames calumnias —dijo devolviendo el documento al padre Manzanedo.

---

[1] "... se contentó y alegró, no de la cara, porque la tenía de las feas que hombre tuvo ...", Las Casas *H. de I,* Lib. III, Cap. LXXXVII.

—Sí —contestó éste—, será lo que queráis, pero habéis de convenir en que una información minuciosa sobre esos hechos era necesaria, antes de proceder al matrimonio, y vos habéis incurrido en grave responsabilidad con vuestra precipitación.

—No lo creáis, padre —replicó fríamente Las Casas—, antes bien, por presumir que no faltaría algún enredo de esa especie me apresuré a terminar el tal matrimonio.

—¡Sois un hombre terrible, padre Bartolomé! —exclamó colérico el fraile—. ¿Con qué facultad habéis procedido de ese modo?

—Vedla aquí —dijo Las Casas sacando del bolsillo un pliego sellado con las armas del cardenal Cisneros—. Aquí se me confiere facultad privativa y exclusiva para entender en ese matrimonio y arreglar todas las dificultades que a él pudieran suscitarse, efecto de una precaución acertada de mi parte, porque habéis de saber, padre, que ya pasa de rancia la oposición de Mojica, cuyas intrigas han retardado antes de ahora el suceso, con fines nada santos.

—Parece que destinaba otro esposo a su sobrina —dijo el fray Bernardino dulcificando la voz, a vista del formidable diploma, que ya tenía en las manos y leyendo su contenido.

—Estáis en regla, padre Casas —agregó devolviéndole la credencial—; pero, ¿qué os costaba habernos informado de esto desde el principio? Hubiéramos investigado con tiempo la conducta del cacique, vuestro protegido.

—Por eso mismo, padre, lo dispuse de otro modo: haced enhorabuena la investigación, y ya veréis cuánto y cuán gravemente ha mentido el protervo Mojica, al suponer que Enriquillo haya faltado en lo más mínimo a la honestidad. Harto sabe el malvado que quedará mal, pero quería ganar tiempo para seguir enredando: ya todas sus bellaquerías son inútiles, y la última

voluntad de la madre de Mencía queda cumplida.

En resumen, fray Bernardino acabó por convenir en que la boda estaba bien hecha; concibió vehementes sospechas de que Mojica era un bribón, y solamente pidió a Las Casas que le hiciera venir de la Maguana, bajo la firma del señor Valenzuela y de los regidores de aquel ayuntamiento, una declaración jurada de que la conducta de Enriquillo era irreprensible, y de todo punto falso que él se hubiera llevado en calidad de manceba a Anica en su viaje anterior a Santo Domingo, que tal fue el cargo denunciado por Mojica para evitar la boda de *su amada sobrina*. Entre tanto no llegara a poder de los padres gerónimos ese informe justificativo, el cacique debía permanecer en Santo Domingo, sin usar de ninguno de sus derechos como esposo de Mencía.

XIX

JUSTIFICACIÓN

El correo para la Maguana partió aquella misma tarde, y el joven Valenzuela fue a dar cuenta de todo lo ocurrido a su abominable consejero. Mojica montó en grandísima cólera al ver burlada su habilidad y diligencia por la eficacia de Las Casas.

—¡Sois un mandria, un para poco! —dijo a Valenzuela—: todo se ha echado a perder por vuestra torpeza y ruindad de ánimo.

—¿Qué queríais que hiciera? —respondió el mozo—: las cosas sucedieron tan de improviso... Pero ahora depende todo de ese correo que ha salido para San Juan, pues en tanto que no venga la información de allá, Enriquillo no poseerá a Mencía.

—¿Y qué diablos vale eso? —replicó Mojica con creciente enojo—. ¿Voy a tomarme el trabajo de interceptar papeles, voy a mandar a mi gente que mate al correo, por mero gusto? Eso hubiera sido bueno si ya el matrimonio no estuviera hecho, que era lo que importaba evitar.

—Sí —repuso Valenzuela—; mas ya sabéis que la información ha de versar sobre el rapto de Anica, y me habéis dicho que vos no habríais de salir bien librado si se revuelve ese asunto.

—Claro está —dijo furioso Mojica—, yo he de pagar siempre los tiestos, pero sea como fuere, ya no interceptaré esos cartapacios: por seducir a una indiezuela nadie me va a quitar un solo cabello; porque entonces el viejo Pasamonte debería estar calvo, mientras que por el pasatiempo, que ya no sería otra cosa, de hacer birlar los despachos oficiales, sabe el diablo lo que me puede suceder. ¡Nada!, por ahora dejo la partida, y me vuelvo a mis tierras.

Y los dos malvados se separaron descontentos el uno del otro. Antes de veinticuatro horas volvieron a hacer las paces, y afirmaban su pacto de iniquidad, en espera de tiempos más propios a sus nefandos proyectos.

Entre tanto, don Francisco Valenzuela recibía las cartas de su amigo Las Casas, y lleno de indignación por la nueva intriga de Mojica, no pudiendo él mismo hacer las diligencias ante el regimiento [1] de San Juan, a causa de su enfermedad, llamó a su deudo Sotomayor, y le hizo el encargo de pedir con urgencia a los regidores la probanza que se exigía sobre la conducta del cacique Enrique. A porfía dieron aquellos dignos concejales testimonio favorable y honroso de las bellas prendas y excelente comportamiento del joven indio. Su patrono don Francisco cerró los in-

[1] Lo mismo que Ayuntamiento.

formes con una declaración jurada, verdadero panegírico de las cualidades de Enriquillo, y agregando la carta de don García de Aguilar, que atrás hemos mencionado, lo remitió todo a Santo Domingo con el mismo diligente mensajero de Las Casas, a cuyas manos llegó el proceso sin pérdida de tiempo.

Por consiguiente, en el término de la distancia, el padre Manzanedo tuvo en su poder las pruebas evidentes de la bellaquería e impostura de Mojica, pero en vano ordenó que buscaran a éste en Santo Domingo: el pillastre se había despedido sin ceremonia, y corría a ocultar su despecho y a meditar nuevas maldades en sus posesiones de Jaragua.

Los recién casados se pusieron, por fin, en marcha para la Maguana, acompañados de Valenzuela y su servidumbre. Las Casas hizo ir con ellos también a su viejo servidor Camacho, a quien dio especiales y reservadas instrucciones; y la virreina quiso imprimir al cortejo toda la dignidad y el decoro de su casa, aumentando la comitiva con un mayordomo y dos lacayos, que ostentaban bordadas en el pecho las dos columnas de Hércules, y el *plus ultra* de las armas de Colón.

XX

RESIDENCIA

Una nueva prueba como la que había producido Las Casas ante Manzanedo, del alto aprecio en que el gran cardenal tenía su celo generoso en favor de los indios, era poco a propósito para restablecer la confianza y la cordialidad entre los padres gerónimos y el ilustre filántropo. El tesón y la entereza con que éste reclamaba la perentoria ejecución de las provisiones que tenían en su poder los tres frailes, para la reforma de los repartimientos, chocaban de lleno con la predisposición que los interesados en la servidumbre de los indios habían hecho concebir a los inexpertos religiosos respecto del carácter y las nobles intenciones de Las Casas. Veían en él un hombre altanero y dominante, y prestaban oídos complacientes a cuanto la codicia maligna y feroz inventaba para herir la fama y dignidad de aquel varón eminente, en quien rivalizaba la alteza de pensamientos, con los móviles de la más sublime abnegación.

Los padres comisarios no pudieron sustraerse a la preocupación que hasta nuestros días parece haber sido ley común a la mayor parte de los gobernadores coloniales, de exagerar el respeto a los intereses creados, por injustos, ilegítimos y escandalosos que fueran. La facilidad con que el espíritu de lucro, puesto como base fundamental a la creación de colonias, degenera en desenfrenada codicia, y se engríe convencido de que todos los sentimientos del hombre deben estar subordinados a la sórdida utilidad, es causa de que se difunda en la atmósfera moral de las sociedades así constituidas, una especie de niebla mefítica que ofusca la razón, y la convierte en cámara oscura, donde los objetos se reflejan falazmente, en sentido inverso del que realmente tienen: de esta especie de fascinación sólo pueden librarse las conciencias privilegiadas por un temple exquisito, cuya rectitud resiste sin torcerse a todas las aberraciones, a todas las sugestiones del interés o del temor. *Rara avis.*

Sometido el juicio a esa fascinación, las leyes morales subvertidas no sublevan el espíritu de justicia; la iniquidad parece cosa aceptable y hasta necesaria, y se llega a temblar ante la idea de los desastres imaginarios que ha de traer consigo el reponer los elementos sociales sobre las bases eternas, sacrosantas, inviolables, aunque frecuentemente violadas, de la naturaleza y el derecho.

Fue, por lo mismo, fácil y hacedero quitar a los ausentes y residentes en Castilla los indios que tenían encomendados y en usufructo en la Española; porque el factor Juan de Ampiés, hechura de Pasamonte, iba a ser beneficiado con el depósito en su poder de aquellos infelices, teniendo a su cargo comprar las haciendas en que trabajaban, con el dinero de sus altezas, para que de ellas fuesen mantenidos los depositados.[1] Contra estas providencias no había en la isla ningún interesado que pudiera alzar el grito. Mas no así con respecto a los indios mal habidos por personas residentes en Santo Domingo y constituidas en autoridad. En poder de Pasamonte y sus satélites, incluso el mismo factor Juan de Ampiés, como en poder de otras personas influyentes, se hallaban los indios robados o salteados años atrás en las islas Lucayas, y recientemente en Trinidad. Los últimos, para mayor escándalo, se los habían repartido los mismos jueces de apelaciones y el de residencia Lebrón, dejando completamente impunes y hasta favorecidos a los infames piratas que, al apresarlos y reducirlos a esclavitud, se habían hecho culpables de los más feos delitos.

Ese escándalo, no obstante, subsistía a ciencia y paciencia de los padres gerónimos, que traían comisión especial de castigar con toda la severidad de las leyes aquellos hechos criminales, y devolver su libertad a las tristes víctimas de tales atentados. Los jueces y oficiales reales estaban, pues, a la cabeza de todos los encomenderos, para obstruir el juicio y entorpecer la razón de los comisarios, alzando hasta las nubes el alarido de los intereses que iban a ser lastimados con el cumplimiento de los capítulos de las

[1] Carta de los padres gerónimos al cardenal Cisneros, 20 de enero de 1517.

provisiones relativas a la libertad de los indios. Y así, intimidados sus ánimos, y alarmadas sus conciencias con el delicado escrúpulo de causar la ruina e indigencia de aquellos pobrecitos y honrados funcionarios y colonos, si cometían la injusticia de quitarles los despreciables siervos que en santa y bendita esclavitud tenían, los buenos religiosos desistieron absolutamente de cumplir sus instrucciones, y solicitaron del cardenal su reforma en muchos puntos, por el bien de sus altezas los reyes y del Estado; que en cuanto al servicio de Dios y de la humanidad nada tenía que ver en el negocio, "porque —decían explícitamente— según lo que hasta ahora hemos alcanzado, *mucha diferencia hay de ver esta tierra, o de oír hablar de ella*".[1] Tema usual y favorito de los conservadores de esclavos en todos los tiempos.

La insistencia con que Las Casas reclamaba que se llevaran a efecto las próvidas disposiciones de que él había sido el principal inspirador y colaborador en Castilla, sólo le dio por fruto la enemistad de los comisarios y la saña más violenta de parte de los encomenderos. Sus buenos amigos los frailes dominicos, llegando a temer por la vida y seguridad del fogoso protector de los indios, lo instaron vivamente a que tomara precauciones contra la exasperación de sus adversarios, y consiguieron que fuera a residir con ellos a su convento. Allí estaba, sin cejar un punto en sus reclamaciones y pedimentos a los gerónimos, cuando llegó al cabo a Santo Domingo, Alonso Zuazo, a quien

con tanta impaciencia aguardaba Las Casas. Entonces, apurada ya la vía de las instancias y exhortaciones, el valeroso filántropo fue mucho más lejos, y puso demanda a los jueces y oficiales reales ante el nuevo juez de residencia, formulando contra ellos los más terribles cargos por sus prevaricaciones y concusiones contra los infelices indios.

Zuazo, varón íntegro y recto, acogió la demanda y comenzó a instruir los procesos; pero los malvados, con el apoyo de los obcecados gerónimos, enviaron un procurador a España con numerosos artificios y embustes contra los actos de Las Casas, a quien los padres comisarios acusaron ante el cardenal como hombre violento, indiscreto y perturbador de la tierra. Las cartas de Casas y de los pocos buenos fueron interceptadas, y su justificación no pudo llegar a la noticia de Cisneros, que no obstante su gran talento, por de pronto fue sorprendido y dio crédito a los falsos y maliciosos informes. El licenciado Zuazo recibió orden de sobreseer en las causas, cualquiera que fuese el estado de los procesos, a tiempo que ya estaban plenamente convictos de prevaricadores y concusionarios todos los oficiales del rey y los jueces de la Española.

Las Casas entonces, en el colmo de su generosa indignación, acordó con Alonso Zuazo y el padre fray Pedro de Córdoba, volver a España para restablecer en su punto la verdad y la justicia. Zuazo lo participó a los frailes gerónimos, en la forma que había convenido con el mismo Las Casas y fray Pedro; lo cual oído por aquéllos, el prior de la Mejorada, fray Luis de Figueroa, exclamó muy alterado: "No vaya, porque es una candela que todo lo encenderá." A esto respondió el juez: "Mi fe, padres, ¿quién le osará impedir su ida siendo clérigo, mayormente teniendo cédula del rey en que le da facultad para cada y cuando que bien visto le fuere pueda tornar a informar al rey, y

---

[1] Carta de los gerónimos, a 20 de enero de 1517. Es justo consignar aquí que en lo que a otras materias ajenas a régimen de los indios se refería, y especialmente franquicias de comercio y contratación, los padres comisarios mostraron mejor criterio, sirviéndoles de guía el utilitarismo de los mismos encomenderos, que querían emanciparse del monopolio de Sevilla.

hacer en el cargo que trajo lo que quisiere?" [1]

Provisto, pues, Las Casas de cartas de crédito y recomendación, del pío y santo fray Pedro de Córdova y los principales frailes dominicos y franciscanos, para el cardenal y el rey, fue a despedirse de los padres gerónimos, que disimulando sus zozobras lo trataron con mucha cortesía, y se embarcó para España, adonde llegó con próspero viaje y en breves días. Los gerónimos resolvieron que fuera en pos de él, para defenderse y combatirlo en la corte, uno de ellos, el ya conocido fray Bernardino de Manzanedo: era lo mismo que echar en el circo un pesado camello a luchar con un ágil y poderoso león; era como pretender que el torpe avestruz pudiera combatir con el águila, reina de las aves y de las cumbres.

XXI

COMPENDIO

No cederemos a la tentación vehementísima de narrar los interesantes episodios de esa lucha célebre, emprendida con asombrosa fe y heroica perseverancia por uno de los varones más insignes que ha producido España, para reivindicar los fueros de la libertad y la justicia, en favor de una gran porción del linaje humano, condenada a cruel tiranía y horrenda matanza por la impiedad y torpeza de inexorable codicia.

Al surcar de nuevo las ondas del Atlántico, Bartolomé de las Casas llevaba a Europa la convicción íntima, inquebrantable, profundamente arraigada en su conciencia, de que para salvar la raza india de la

opresión que diariamente la diezmaba no había otro medio que acabar de una vez con el sistema fatal de las encomiendas. En vez de los repartimientos que entregaban a la merced de explotadores sin entrañas y en calidad de siervos los naturales de las Indias, "para que los doctrinasen en la fe cristiana e hiciesen trabajar", fórmula que en concepto de Las Casas equivalía a entregar manadas de carneros bajo la guarda de carniceros lobos, él quería combinar la verdadera utilidad del Estado con las más humanitarias nociones de derecho natural y político, tratando de hacer prácticas sus teorías sobre la mejor manera de fundar establecimientos europeos para regir y civilizar los indios; teorías que hoy merecen el aplauso de los hombres buenos y de los sabios, por la grande analogía que guardan con los principios más acreditados de la ciencia económica, pero que en aquel siglo y entre la gente que manejaba y aprovechaba las riquezas del Nuevo Mundo parecían utopías ridículas y monstruosas.

Las Casas se encontraba armado de su fe, su perseverancia y su talento, enfrente de poderosos adversarios que contaban con autoridad, influencia, riquezas, y sobre todo, con la fuerza del hábito y de los intereses creados. Muerta la egregia y magnánima reina Isabel, las Indias quedaron abandonadas muy temprano por la fría política de Fernando el Católico a la explotación y el lucro. Para aquel monarca egoísta los descubrimientos no tenían más valor que el de las ventajas materiales que pudieran producir a la corona, y de aquí provino que echaran hondas raíces en el régimen del Nuevo Mundo las ideas de Conchillos, Fonseca, Pasamonte y compañía. Con tales hombres y contra tales ventajas, la lucha de Las Casas y los pobres frailes sus amigos fue desigual, ruda, violenta, y más de una vez cayó el apóstol abrumado por el número y los po-

[1] Todo esto es literalmente histórico.

derosos recursos de sus adversarios, pero sin desalentarse jamás, pudo glorificarse de no haber sucumbido en la descomunal contienda, y de haber conseguido al cabo hacer triunfar la verdad y la justicia, con tanta mayor gloria, cuanto más trabajoso fue el triunfo.

Pasemos por alto las peripecias del combate, su habilidad y tesón para encontrar nuevos auxiliares, una vez muerto el gran cardenal Cisneros, en la corte flamenca de Carlos de Austria; cómo consiguió ganarse la más alta estimación del canciller Juan Selvaggio, del ayo que fue del rey, Mr. de Xevres, del canciller Laxao, del obispo de Badajoz y otros prelados y grandes de Castilla: dejemos aparte sus diarias disputas con letrados insignes de la época, que siempre acababan por reconocer con admiración su gran carácter y vastos talentos, poniéndose de su parte, como lo hicieron los ocho predicadores del rey, connotados teólogos, y entre ellos el sapientísimo fray Miguel de Salamanca; y limitadamente, con el fin de dar una idea de la colosal empresa de Las Casas, y de los grandes medios intelectuales y morales que hubo de emplear para combatir a sus prepotentes enemigos, reciban valor estas humildes páginas con la narración breve de algunos rasgos salientes de aquella campaña laboriosísima, en que el filántropo desplegó las extraordinarias dotes que había recibido del Creador, como predestinado para servir y defender una de las más nobles causas que se han inscrito en el libro de oro de la historia.

Por lo que respecta al pobrecito padre Manzanedo, apenas hizo figura ni sonó su nombre en la corte, parece que pronto se persuadió modestamente de su insuficiencia para contrarrestar al instruido y elocuente Las Casas, y fue a encerrarse en su convento de Lupiana. Mas no así el irascible y engreído Fonseca, obispo de Burgos, su protegido el cronista González de Oviedo, y fray Juan de Quevedo, obispo del Darién, que fueron rudos justadores contra Las Casas, y le dieron bastante que hacer. Él, con sus réplicas vivaces y agudas, de palabra o por escrito los confundía y derrotaba en todas ocasiones. La primera vez que se encontró con fray Juan de Quevedo fue en el palacio del rey, ya emperador de Alemania, que tenía entonces su corte en Barcelona, no precisamente en la ciudad, donde reinaba una mortífera epidemia, sino en Molíns del Rey, población inmediata muy salubre. Llegóse Las Casas a saludar al obispo, el cual, informado de que aquel sacerdote era el protector de los indios, contra quien venía desde Panamá a defender las tiranías de Pedrarias y demás gobernadores de Indias, dijo a Las Casas con arrogancia: "¡Oh, señor Casas, qué sermón os traigo para predicaros!" Picóse un tanto el filántropo, y respondió: "Por cierto, señor, también a vuestra señoría certifico que le tengo aparejados un par de sermones, que si los quisiere oír y bien considerar, valen más que los dineros que trae de las Indias." El obispo replicó agriamente, y la disputa hubiera ido muy lejos si no la cortara el secretario del rey, Juan de Sámano, favorecedor de Las Casas, diciendo al prelado que todos los del consejo real, allí presentes, opinaban como el protector de los indios.

El mismo día tuvieron otro encuentro el obispo del Darién y el filántropo, en casa del doctor Mota, obispo de Badajoz, muy estimado del Monarca, y en presencia del almirante don Diego Colón y don Juan de Zúñiga, noble principal. La disputa se trabó sobre haber afirmado Las Casas y negado el obispo que en la Española se podía aclimatar el cultivo del trigo, y para probarlo mostró allí mismo el primero algunos granos de excelente calidad, cogidos por él debajo de un naranjo de la huerta del convento de dominicos en Santo Domingo.[1] El obispo, a quien duraba el pasado enojo, dijo con gran menosprecio a Las Casas:

—¿Qué sabéis vos? Esto será como los negocios que traéis: vos ¿qué sabéis de ellos?

—¿Son malos o injustos, señor, los negocios que yo traigo? —contestó modestamente Las Casas.

—¿Qué sabéis vos? —repitió el obispo—. ¿Qué letras y ciencia es la vuestra para que os atreváis a tratar esos negocios?

Entonces Las Casas, mudando de tono e irguiéndose en toda su altura, dijo con dignidad al soberbio prelado:

—Sabéis, señor obispo, que con esas pocas letras que pensáis que tengo, y quizá son menos de las que estimáis, os pondré mis negocios por conclusiones. Y la primera será: que habéis pecado mil veces, y mil y muchas más, por no haber dado vuestra ánima por vuestras ovejas, para librarlas de los tiranos que os las destruyen. Y la segunda conclusión será, que coméis carne y bebéis sangre de vuestras propias ovejas. La tercera será, que si no restituís cuanto traéis de allá, hasta el último cuadrante, no os podéis más que Judas salvar.

El obispo, abrumado por esta andanada, quiso echarlo a burla, riéndose y haciendo escarnio de lo que acababa de oír, por lo que Las Casas volvió a decirle:

—¿Os reís? Debíais llorar vuestra infelicidad y la de vuestras ovejas.

—Sí, ahí tengo las lágrimas en la bolsa —respondió con descaro el obispo.

—Bien sé —repuso Las Casas—, que tener lágrimas verdaderas de lo que conviene llorar, es don de Dios, pero debíais rogarle con suspiros que os las diese, no sólo de aquel humor a que damos ese nombre, sino de sangre, que saliesen de lo más vivo del corazón, para mejor manifestar vuestra desventura y miseria, y la de vuestras ovejas.[2]

—¡No más, no más! —exclamó entónces el obispo de Badajoz, doctor Mota, que jugaba a las tablas con el almirante, y parece que gozaba en la disputa, dejándola correr como desentendido de ella. Don Diego Colón y don Juan de Zúñiga elogiaron fervorosamente a Las Casas, y el obispo de Badajoz no lo hizo sin duda por guardar cortesía y miramiento a su colega y huésped; pero el mismo día, asistiendo al consejo real, que en aquella época se celebraba diariamente, refirió a Carlos V el altercado de Las Casas con fray Juan de Quevedo, en estos términos:

—Holgárase vuestra majestad de oír lo que dijo micer Bartolomé al obispo de Tierra-firme, sobre las cosas de Indias, acusándole que no había hecho con los indios, sus ovejas, como debía, según buen pastor y prelado.[3]

El joven monarca, que por la seriedad de su carácter y la aplicación a los grandes negocios de Estado se mostró digno de sus altos destinos desde que fue exaltado al imperio, prestó atento oído a las palabras del prelado, y después de meditar unos instantes, se volvió a monsieur de Xevres, y le dijo:

—Quiero conocer y oír por mí mismo a ese valeroso clérigo de quien tantas veces me habéis hablado. Disponed lo conveniente para que, antes de tres días, comparezcan

---

[1] Así lo refiere Las Casas en su Historia.

[2] Palabras textuales de Las Casas. Es digno de admiración eterna este hombre en quien el espíritu de justicia y caridad resplandecía con tan pura luz, que a cada paso se hallan en él conceptos que parecen nuevos aun en este democrático siglo XIX. El que motiva esta nota ofrece singular analogía con el argumento fundamental de *La Pitié Suprème* del gran Víctor Hugo.

[3] Toda esta narración es literalmente histórica. Nada alteramos en los precedentes discursos y réplicas del texto de Las Casas.

él y el obispo de Tierra-firme a debatir su gran litigio en mi presencia.

XXII

SESIÓN CÉLEBRE

A la misma sazón que Las Casas, alterado todavía por la contestación que acababa de tener con el altanero obispo del Darién, salía de la casa del doctor Mota, se llegó a él en el portal un fraile que vestía el pardo hábito de San Francisco, y después de saludarle modesta y humildemente, preguntó:

—Decidme, padre, así Dios os guarde, ¿conocéis al clérigo señor Bartolomé de las Casas?

—Él mismo es quien os besa las manos —respondió el interpelado.

—Os buscaba con ahínco —dijo el fraile—, para deciros que acabo de llegar de la Española, donde fui cuando ya vos erais venido para acá, y de donde vengo espantado con las iniquidades que he visto en el poco tiempo que allá he permanecido. Sabiendo los trabajos que traéis entre manos, he venido a ayudaros con el beneplácito de mi superior, de quien os traigo esta recomendación.

El padre Las Casas consideró como un favor del cielo aquel inesperado auxiliar que se le presentaba en tan preciosa coyuntura, y después de hablar largamente con el franciscano (cuyo nombre, contra su laudable costumbre, omite en su narración) fue a pedir al gran canciller y obtuvo fácilmente, que aquel autorizado testigo fuera también a la regia audiencia, y a expresar su sentir sobre las cosas de Indias, en presencia del emperador.

Llegó el día memorable en que la elocuencia varonil, severa, irresistible del celoso sacerdote de Cris-to, iba a penetrar en el oído y en el corazón del César prepotente, del augusto Carlos V, abogando por el bien de la infortunada raza india. Jamás se vieron frente a frente la libertad y el imperio más dignamente representados. Cuando Las Casas y el religioso franciscano que lo acompañaba entraron en la espaciosa cuadra [1] que, decorada con magnífico e imponente aparato, debía servir para la solemne sesión, ya se hallaba allí, en medio de multitud de magnates y funcionarios de palacio, el obispo del Darién. Reconoció éste en el compañero de Las Casas un predicador que en los días anteriores había conmovido los ánimos de todos los señores de la Corte, con los sermones vehementes y libres que predicaba en la iglesia vecina a la residencia imperial; y nada contento con la novedad, se dirigió al pobre fraile tratando de intimidarlo como superior suyo, y echarlo de allí.

—¿Qué hacéis ahora aquí? —le dijo—. A los frailes no les está bien dejar sus celdas para andar revolviendo por los palacios.

A lo que el increpado, sin inmutarse, replicó al desabrido obispo, franciscano como él:

—Así me parece, señor obispo, que nos sería mejor estar en nuestras celdas a todos los que somos frailes.

—Idos de aquí, padre —repuso con acritud el prelado—, que va a salir el rey.

—Dejad que salga el rey —insistió el impávido fraile—, y ya veréis lo que pasa.

Apareció en este momento Carlos de Austria, con todos los atributos de su real poderío como soberano señor de dos mundos. Acababa de ser electo emperador de Alemania, y aunque todavía no había recibido la investidura de esta suprema potestad, ya toda su persona

[1] Así llamaban en aquel tiempo a un gran salón o a la cámara principal de un palacio, castillo, &.

resplandecía con la majestad augusta de quien llevaba en la conciencia el sentimiento íntimo de su desmedida grandeza y poderío. Tomó asiento en el dorado trono que bajo dosel de púrpura ocupaba un testero del salón; a su derecha e izquierda sentáronse en bancos monsieur de Xevres y el gran canciller respectivamente, y siguiendo en igual orden se colocaron el almirante don Diego Colón, el obispo de Badajoz, el del Darién y todos los prelados y señores del Consejo real y de Indias. En el testero opuesto y frente a frente del monarca, el padre Bartolomé de las Casas y su compañero se mantenían de pie, en actitud humilde, aunque serena y desembarazada.

Después de breve pausa, monsieur de Xevres y el gran Canciller se levantaron a una, y llegándose al trono cada cual por su lado, hincaron en sus gradas las rodillas, consultaron en voz baja con el monarca, y tomada su venia, hiciéronle reverencia y volviéronse a sus asientos. Tras otra breve pausa, el gran canciller pronunció estas palabras dirigiéndose a fray Juan de Quevedo: "Reverendo obispo, su majestad [1] manda que habléis, si algunas cosas tenéis de las Indias que hablar."

"El obispo de Tierra-firme (dejemos hablar al mismo Las Casas [2] que lo dice todo incomparablemente mejor que nosotros), se levantó, e hizo un preámbulo muy gracioso y elegante, como quien sabía graciosa y elocuentemente predicar, diciendo 'que muchos días había que deseaba ver aquella presencia real, por las razones que a ello le obligaban, y que agora que Dios le había cumplido su deseo, conocía que *facies Priami digna erat impe-*

rio,' lo que el poeta Homero dijo de la hermosura de Príamo, aquel excelente rey troyano'. Cierto, pareció muy bien a todos, y de creer es que al rey no menos agradó el preámbulo." [3]

Ganada de este modo, conforme a las reglas de la oratoria, la benevolencia del ilustre auditorio, el obispo del Darién, perseverando en su propósito de humillar a los dos osados contendientes que desde las ínfimas gradas del estado religioso se atrevían a entrar en liza con él, que ya figuraba en las altas jerarquías eclesiásticas, pretendió con insistencia que se hiciera despejar el sitio a los que no fueran del consejo, por ser de gran secreto e importancia los asuntos que habían de exponer ante el rey y sus consejeros, y para no poner en disputa (decía) sus años y sus canas; pero desechada dos y tres veces seguidas semejante petición, hubo de entrar al fin en materia, y no sin notoria contradición en su discurso acusó a los gobernadores y colonos de Tierra-firme de robadores, homicidas y tiranos, afirmando al mismo tiempo que los indios eran seres incapaces de civilización y policía, y de los que Aristóteles califica como siervos *a natura.*

Llegó su turno al padre Las Casas, a quien el gran canciller ordenó en nombre del monarca que hablara lo que tuviera que decir, mediante los mismos términos y ceremonias que se emplearon con el obispo. Allí, en presencia del augusto Carlos V radiante de majestad y juventud, rodeado de ministros y sabios cuyas deliberaciones y decisiones pesaban sobre los destinos de infinidad de súbditos en ambos hemisferios, el pío sacerdote sintió sin duda, más presurosos que nunca, los latidos de su gran corazón, a impulso del fuego divino que inspiró a Pablo ante el rey Agripa y

[1] Por ser ya electo Emperador se le daba el título de *Majestad.* Hasta entonces los Reyes de España eran tratados de *Alteza.*

[2] Capítulo CXLVIII. *Historia de Indias.*

[3] *Historia de Indias.*

el procónsul Festo, a Ambrosio ante la intimidada majestad del culpable Teodosio, y a todos los grandes apóstoles que para la redención y el bien de la humanidad, iluminados por el espíritu de Dios, transfigurados gloriosamente por la caridad y la fe, han eclipsado el prestigio deslumbrador de las coronas, enseñando a los príncipes y potentados de la tierra cuán vano y efímero es su poder, cuán falsa e instable su grandeza.

Bartolomé de las Casas habló a Carlos V en un lenguaje nuevo, desconocido sin duda hasta entonces para el joven monarca, a quien desde la cuna preparó la suerte una existencia brillante y gloriosa, embellecida por todos los triunfos y por todas las lisonjas. Tal vez, cuando hastiado de su fortuna se retiró hacia el fin de sus días al monasterio de Yuste, cuando postrado ante los altares solía escuchar los salmos lúgubres del oficio de difuntos, en la imperial memoria se alzaba la varonil y noble figura de aquel digno sacerdote de Cristo que había atravesado los mares para venir a decirle frente a frente: "Allá en aquellos dominios inmensos y lejanos, sometidos al cetro de vuestra majestad, la tiranía y la codicia destruyen y devoran una raza inocente, capaz de libertad y de cultura; a vuestra majestad toca remediarlo, suya es la responsabilidad ante Dios, y en avisarle de ello, sé yo de cierto que hago a vuestra majestad uno de los mayores servicios que hombre vasallo hizo a príncipe o señor del mundo... No lo hago por servir a vuestra majestad, sino por el servicio de Dios; y para vindicar la humanidad ultrajada he venido a decíroslo: ni me va en ello interés de merced o galardón mundano, *porque os aseguro que, salva la fidelidad de súbdito, por el servicio de vuestra majestad no me movería desde aquí a ese rincón, si no pen-* *sase y creyese hacer a Dios en ello gran sacrificio..."* [1]

Tal fue en sustancia el discurso del padre Bartolomé de las Casas, que a todos, y más al rey que a todos, impresionó profundamente. Después de él habló el fraile franciscano, con gran fervor y elocuencia, amenazando con la divina justicia a toda la Nación Española si las iniquidades de Indias no se remediaban; y por último, invitado el almirante don Diego Colón por las referidas fórmulas y ceremonias a decir lo que le pareciera, también lo hizo en términos dignos de su nombre y estado, corroborando todo lo dicho por Las Casas.

El obispo del Darién pidió permiso para hablar nuevamente, y consultado el rey por sus dos grandes asistentes, el canciller contestó: "Reverendo obispo, su majestad manda que si algo tenéis que añadir a lo dicho, lo hagáis por escrito."

Con esto el rey se retiró del salón, y terminó el solemne acto. El triunfo de Las Casas fue completo y brillante. Fray Juan de Quevedo, o porque la gracia divina le tocó el corazón, o por la vergüenza de haber sostenido la mala causa con peor éxito, presentó al Consejo de Indias varios memoriales, confesando que Las Casas tenía razón en todo, y diciendo que se adhería a su parecer y a sus indicaciones. Enfermó en seguida; Las Casas fue a verle, hiciéronse amigos, y a pocos días el vencido prelado se murió, pudiéndose creer en caridad que de puro arrepentimiento: de Dios es el juicio.

El mismo obispo Fonseca, con toda su soberbia, abatió pendones y capituló, aceptando los proyectos de Las Casas para establecer en el el Nuevo Mundo colonias pacíficas de labradores españoles honrados, que irían convirtiendo los indios a

---

[1] Es la sustancia del discurso de Las Casas, fielmente extractado. Véase el apéndice número 6.

la civilización y el trabajo libre por
medio de la religión y de los buenos ejemplos. Llevados aquellos
proyectos a la práctica, toda la previsión, los trabajos y las santas intenciones del filántropo se estrella-
ron en la malicia y los feroces hábitos de rapacidad de aquellos endurecidos conquistadores, que contrariaban, hacían estériles y ponían
en ridículo los esfuerzos del insigne
varón, cuya alma colmaron de dolor y de amargura, no concibiendo
otros medios de medrar y prosperar
que el asesinato y la esclavitud de
los indios.

XXIII

VIDA NUEVA

Las disposiciones de don Francisco Valenzuela, relativas a la buena
y cómoda instalación del cacique
Enrique y su esposa en el lindo
pueblo de San Juan, sufrieron inmediato trastorno por la alarmante
agravación de las dolencias del anciano. Acostumbrado al movimiento, a la equitación y los demás ejercicios saludables de la vida campestre, la forzosa inmovilidad a que
le redujo la calentura que su médico denominaba *pleuropneumónica*,
postró rápidamente sus fuerzas: la
enfermedad se complicó haciéndose
refractaria a todos los medicamen-
tos, y cuando los recién casados con
Andrés de Valenzuela y su séquito
regresaban de Santo Domingo, ya
un correo les llevaba la noticia de
que el enfermo había recibido los
últimos sacramentos. Enrique y
Mencía, sin detenerse siquiera a descansar en San Juan, resolvieron seguir inmediatamente al Hato, donde se hallaba el moribundo, a fin
de asistirle y demostrarle su afectuosa gratitud.
El joven Valenzuela dio muestras
de gran pesar ante el próximo e

inevitable fin de su excelente padre, y éste tuvo en ello el más grato
consuelo, pues siempre le había las-
timado la idea de que su hijo no
le amaba: lo bendijo, pues, con go-
zosa efusión. Dos días después le
habló largamente, exhortándolo a
ser bueno y a seguir los santos ejemplos que él le había dado en toda
su vida, y concluyó por decirle, en
presencia de Enrique y de Mencía,
que mustios y abatidos asistían a
aquellas recomendaciones supremas:
—Ya sabes, hijo mío, cuánto he
amado a este virtuoso Enriquillo:
confío en que, acabada esta mi vida
mortal, para entrar en la eterna por
la misericordia del Señor, tú has
de considerar y tratar al cacique, en
memoria mía, como a un buen hermano tuyo, protegiéndole a él y a su
esposa en todas las ocasiones, puesto que él es de hecho y de derecho
libre, y nadie puede pretender de
él servicio como encomendado ni en
ningún otro concepto. Mi voluntad
es que habite como propiedad suya
mi casa de San Juan, si es que no
se hace otra más a su gusto... Enrique, ama siempre a Andrés, como
me has amado a mí.
El anciano acabó de hablar, y
comprimidos sollozos respondieron
a su discurso de despedida. Además de los tres personajes mencionados, rodeaban el lecho del moribundo su amigo Sotomayor, la india Anica, y una señora viuda, algo
entrada en años, que con gran decoro y opulencia vivía en San Juan,
llamada doña Leonor de Castilla.
Era íntima amiga y aun pariente de
Valenzuela. Otros criados, con Camacho y Tamayo, aguardaban órdenes en la sala contigua.
El esfuerzo que Valenzuela hizo
para expresar su voluntad postrera
le causó, al parecer, gran fatiga: su
respiración no tardó en hacerse es-
tertorosa y anhelante: perdió poco
después el uso de la palabra, y
asistido del párroco de la inmediata
villa entregó su espíritu al Creador.
Aquella misma noche fue trasladado su cadáver a la población,

donde se le hicieron exequias tan suntuosas como lo permitieron los recursos de la villa. Pero el mejor lucimiento de ellas consistió en el duelo general, y el llanto con que regaron aquellos restos los pobres y humildes seres, a quienes el benéfico y poderoso colono había tratado con caridad durante su vida.

Andrés de Valenzuela hizo su papel de hijo afligido por espacio de tres días, pasados los cuales se entregó en cuerpo y alma a las diligencias necesarias para entrar en posesión de los cuantiosos bienes heredados de su padre. Le fueron de grande auxilio en este caso, para obviar dificultades y trámites innecesarios, la experiencia y habilidad de su amigo Pedro de Mojica, que voló a su lado desde Yaguana, tan pronto como supo la muerte de don Francisco; solicitud oportuna que le agradeció mucho el joven heredero, ansioso de constituirse cuanto antes bajo la dirección, mejor dicho, bajo la tutela del corrompido hidalgo.

La línea de conducta que había de seguirse con respecto a Enriquillo, fue cuidadosamente estudiada parte por parte, en todos sus pormenores. Andrés de Valenzuela debía continuar empleando el mayor disimulo en todas sus relaciones con el joven cacique, inspirarle confianza y procurar imponerle sus voluntades por medio del agasajo y el cariño, haciendo valer las recomendaciones finales del viejo Valenzuela. En cuanto a Mencía, quedó convenido entre los dos malvados que el joven hidalgo haría todos sus esfuerzos por inspirarle amor, a la sombra de la candorosa confianza de su esposo, y cuidando sobre todo de no declararse abiertamente, sino emplear la mayor cautela en los procedimientos, para que por precipitación o imprudencia no fueran a despertarse las sospechas, o a causar la menor alarma antes de tiempo en el ánimo de la víctima, con lo que todo se echaría a perder.

Acordaron también, que para frustrar a Enrique del legado que le hiciera Valenzuela de su casa de San Juan, el heredero, sin alegar derechos y solamente como quien propone un arreglo de circunstancias, instara al cacique porque se quedara a vivir en la casa del Hato, por dos o tres meses, a causa de convenir a los arreglos de la sucesión que él, Andrés de Valenzuela, fijara durante ese tiempo su residencia en la villa. Todos estos ardides y disimulos deberían subsistir mientras el temible padre Las Casas permaneciera en la isla; después, cuando faltara aquella sombra protectora a los jóvenes esposos, si la ficción no había alcanzado sus principales fines, se desecharía como innecesaria, y se emplearían los recursos supremos para llegar abiertamente al objeto que se proponían conseguir ambos cómplices.

La ejecución puntual de aquellos infernales proyectos comenzó inmediatamente después del nefando acuerdo. Enriquillo, del todo engañado por las afables maneras de Valenzuela, convino fácilmente en cuanto éste le propuso tocante al cambio de la residencia que le estaba destinada en la población, por la del campo. A Mencía le había agradado mucho la belleza del sitio: aquellas perspectivas risueñas que en todas direcciones se extendían hasta el lejano horizonte, con una variedad de aspectos graciosa y encantadora por todo extremo, la habían cautivado completamente, distrayéndola de la pena con que se había separado de su madrina la virreina y sus amigas de Santo Domingo. Volvía a encontrar, discurriendo sobre la verde yerba de los prados y a la fresca sombra de las *matas* o sotos que decoraban a trechos la llanura, esas primeras impresiones de la infancia, que tanto ascendiente conservan toda la vida en los corazones candorosos.

Por consiguiente, la joven esposa manifestó su regocijo sin reserva, cuando Valenzuela propuso y Enrique aceptó en su presencia el cambio de morada. Diez o doce días hacía solamente que habitaban los recién casados en el pueblo de San Juan, que aunque bonito y bien situado, tenía en la mayor parte del año un aire de tristeza y monotonía, efecto de que casi todos sus habitantes residían en los campos, atendiendo a la dirección de sus *ingenios* y demás trabajos agrícolas. La vida de los hatos, en las haciendas y estancias, rebosando en actividad y movimiento, en íntima comunión con aquella naturaleza exhuberante y primorosa, tenía mucho más atractivo para los colonos ricos, que se rodeaban de todas las comodidades y el regalo imaginables en sus campestres viviendas.

A Enrique le complació además el arreglo propuesto por Valenzuela, a causa de que, permaneciendo cerca de los indios que estaban a su cargo, y de los rebaños y labranzas que tenía en administración, podía con más comodidad que residiendo en la villa, atender a todo sin estar muchas horas ausente de su Mencía. Cariñosa amistad ligó muy pronto a ésta con doña Leonor de Castilla, que aceptó con júbilo la invitación de irse a pasar al Hato la temporada en compañía de su nueva amiga.

Un punto sumamente delicado quedaba por arreglar, y era el relativo a la condición personal del cacique Enrique y sus indios. Valenzuela, bien instruido por Mojica, se guardó cuidadosamente de tocar esa materia. Enrique, maniatado por la conducta afectuosa y casi fraternal del joven hidalgo, dejó pasar muchos días sin alterar en lo más mínimo el régimen y la ordenanza que tenía establecida en su can[1] de indios. Como el viejo Valenzuela había sido de los pocos encomen-

[1] Lo mismo que campo. Es voz que denota punto de vivienda en el campo, según el uso que aún conserva en algunos parajes de la isla de Santo Domingo.

deros que, tan pronto como tuvieron noticia de las reformas traídas de España por los padres gerónimos en favor de los encomendados, se habían apresurado a darles cumplimiento, los indios de Enrique formaban una especie de población o caserío aislado, en una graciosa llanura, llamada *La Higuera,* detrás de espeso bosque, y a orillas de un lindo arroyuelo. Tenían su policía especial con cabos o mayordomos que mantenían un orden perfecto, sin violencia ni malos tratamientos de ninguna especie: había un gran campo de labor, donde trabajaban en común durante algunas horas del día, en provecho del amo y del cacique; y cada padre de familia, reputándose como tal el adulto que era solo o no dependía de otro, tenía su área de terreno que cultivaba para su exclusivo y particular provecho.

En una especie de plazuela hermosa y limpia, situada al promedio de las graciosas cabañas cobijadas de amarillento esparto, descollaban la ermita y la casa del cacique, ambas de madera y paja como las demás habitaciones, pero mucho más espaciosas y con todas las comodidades requeridas para sus respectivos usos.

Todas las noches se reunían los vecinos en la ermita a rezar el rosario, ante una imagen de la Virgen, dirigidos por el más anciano de ellos, y algunas veces por el mismo Enriquillo.

Todo aquello lo gobernaba el joven cacique con la doble autoridad de su título y del amor extremado que le tenían sus indios. Era como un patriarcado que traducía a la práctica algunas de las más bellas páginas de la Biblia. La condición de los indios, la cuestión de los repartimientos eran entonces asunto de ardiente discusión en Santo Domingo: las ordenanzas de Cisneros y Adriano, las pragmáticas soberanas, mediante argucias, sutilezas, retruécanos y artificios de todo género, estaban sometidas a la controversia y al beneplácito de los interesados en que no se diera libertad a los indios. Las Casas y el licenciado Zuazo disputaban con los padres gerónimos, ya catequizados por los arteros colonos, y que no veían ni querían ver la manera de ejecutar las reformas contenidas en sus instrucciones; pero los encomendados de Valenzuela era ya una feliz excepción de aquel estado de cosas, y Enrique no veía en la conducta del hijo nada que desdijera de las buenas intenciones y el espíritu de justicia que habían animado al padre. Además, conocía las pragmáticas, y no quería suponer siquiera que sus derechos y los de sus indios pudieran ser discutidos por el joven Valenzuela, después de las terminantes declaraciones de su padre en el lecho de muerte.

El impetuoso Tamayo preguntó un día al cacique, con la ruda entonación que le era habitual:

—¿Somos encomendados todavía, Enriquillo?

—Eso debe arreglarse pronto —respondió evasivamente el cacique.

—Pues trata de arreglarlo cuanto antes —prosiguió Tamayo—. Veo que estás muy tranquilo y confiado, con las zalamerías del señor Andrés, y yo tengo para mí que vas a tener un desengaño.

—Siempre te inclinas a pensar mal, Tamayo —replicó Enrique—. ¿A que no es ésa la opinión del buen Camacho?

—¡No por cierto! —exclamó el viejo indio, que escuchaba atentamente la conversación—. Hasta aquí no hay motivo para desconfiar del señor Andrés de Valenzuela, y cuando las cuadrillas estén para mudarse, por San Juan de Junio, entonces podrá quedar todo bien claro y puesto en su lugar. Antes, sería necedad promover ese asunto.

—Lo creo como tú, Camacho —repuso Enrique—. Además, ni nosotros ni nuestra gente estamos en el caso de reclamar nada por ahora. Muchos otros hay menos afortunados...

Detúvose el cacique, y por su frente pasó como una ráfaga de disgusto. Permaneció callado durante un buen espacio, al parecer entregado a seria meditación. Por último volvió a decir:

—Escribiré *al padre* consultándole lo que debemos hacer. Siento no haberle dicho nada de esto cuando le participé la muerte de mi señor don Francisco, que Dios haya.

—¡Bien pensado! —dijo el prudente Camacho, mientras que Tamayo significaba su impaciencia con un desdeñoso encogimiento de hombros y dejando escapar un sordo gruñido.

Enriquillo miró un instante fijamente al iracundo indio, y puso fin a la conversación diciéndole con benévola sonrisa:

—¡Mi pobre Tamayo, tu locura no tiene remedio!

XXIV

TRAMAS

Escribió sin tardanza el joven cacique una extensa carta al padre Las Casas. En ella le daba cuenta circunstanciada de su estado, le ratificaba sus anteriores informes sobre la buena conducta que con él seguía observando Andrés de Valenzuela, después de la muerte de su padre, y concluía por pedirle consejo en cuanto al modo mejor de formalizar auténticamente la nueva condición en que los encomendados del difunto debían ser tenidos. La razón que exponía Enrique para dudar en este punto era que los indios de *La Higuera*, por ser los únicos de aquellos contornos en quienes hasta la fecha habían tenido cumplimiento las ordenanzas favorables a la libertad de los encomendados, más parecía que lo debieran al beneplácito del mismo don Francisco de Valenzuela, que a la efica-

cia de dichas ordenanzas; y en prueba de ellos ningún otro colono de
San Juan había constituido sus repartimientos en pueblos, ni siquiera
había podido conseguir el mismo
Enrique que los indios de su tribu
encomendados al señor Francisco
Hernández, participaran de la policía, el régimen y los beneficios de
los encomendados a Valenzuela.

Esta carta llegó a poder de Las
Casas, habiéndosela dirigido el cacique con las necesarias precauciones,
para que no fuera interceptada por
Mojica, a quien veía en San Juan
con legítimo recelo. Mas el protector de los indios, empeñado en sus
acaloradas disputas con los padres
gerónimos y con los empedernidos
colonos, precisamente por la misma
causa que deseaba Enrique ver de-
finida, no tuvo igual cautela con
su contestación, la cual, en vez de
llegar al cacique a quien iba destinada, cayó en manos de Andrés
de Valenzuela.

Mientras que Enrique aguardaba
con impaciencia aquella carta, el
pérfido y astuto Mojica la hacía
servir como arma venenosa contra
el joven cacique. Era éste generalmente querido en toda la Maguana
por cuantos le conocían y habían
tenido ocasión de apreciar sus bellas prendas; pero los colonos encomenderos amaban infinitamente
más sus intereses, y estaban por lo
mismo aferrados a la servidumbre
de los indios. Mojica, con la carta
de que se había provisto Andrés de
Valenzuela, se fue diligentemente a
ver a aquellos vecinos de San Juan
y de sus campos, haciéndoles leer
lo que el padre Las Casas, que era
ya para los encomenderos lo que la
cruz para el diablo, decía a Enrique
en contestación a la consulta de éste.
El protector de los indios exhortaba al cacique a mantenerse con el
joven Valenzuela en los términos de
afectuosa deferencia en que se hallaban, pues que no podía aspirarse
a más, según el mismo Enrique lo
manifestaba, "y en cuanto a los indios que tiene el señor Francisco

Hernández —agregaba el protector—, aunque son de los repartidos
en cabeza tuya, deja las cosas como
se están por ahora, que su remedio,
como el de todos los que como ellos
son tenidos fuera del orden que está
mandado, eso es lo que yo con más
ahínco estoy procurando."

El tenor de esta carta de Las
Casas, sazonado con los malignos
comentarios de Mojica, mató instantáneamente las simpatías que inspiraba Enriquillo a casi todos los
habitantes ricos de la Maguana. Desde que vieron aquella prueba de que
no descuidaba los intereses de sus
hermanos de raza, y trataba de su
libertad con el hombre que había
consagrado los poderosos recursos
de su talento y de su actividad a la
protección de los indios, concibie-
ron contra el joven cacique mortal
aborrecimiento, considerándolo como
un criminal que conspiraba con
objeto de arrebatarles su hacienda
y de reducirlos a la indigencia. Juzgaban en él como imperdonable ingratitud aquella ingerencia en la
cuestión de los repartimientos; porque mirando con los ojos de su
egoísmo, los colonos se figuraban
que Enriquillo, bien tratado y atendido en su persona, debía gozar de
su propio bienestar, sin cuidarse
poco ni mucho de la suerte de los
otros encomendados.

Esta nube de animadversiones era
para Enriquillo tanto más peligrosa
cuanto que la causa que la producía no se manifestaba claramente,
ni él podía en manera alguna adi-
vinarla. Mojica y Andrés de Valenzuela consiguieron plenamente su
objeto. El cacique estaba malquisto
en la opinión de sus antiguos esti-
madores, y cuando llegara el día
de proceder contra él abiertamente
podrían hacerlo sin temor de que
ningún vecino principal de la Maguana saliera a su defensa. Los malvados no descuidaban la más minuciosa precaución para asegurar el
buen éxito de sus planes.

Al mismo tiempo Valenzuela re-
doblaba sus solícitas atenciones res-

pecto de Enrique y su esposa, con refinada perfidia. Bajo un pretexto u otro iba con harta frecuencia a la casa de el Hato, revolvía los muebles y papeles que su difunto padre había dejado en la estancia mortuoria, y espiaba las ocasiones de encontrarse con Mencía cuando ésta bajaba del piso principal, que era donde los esposos tenían sus aposentos, mientras que doña Leonor de Castilla, acompañada de Anica y sus criadas de confianza, ocupaba todo el resto de la casa en el piso bajo. La presencia de esta señora, a quien Andrés de Valenzuela aparentaba tratar con el respeto y la afectuosa familiaridad que un hijo a su madre, alejaba todo asomo de recelo o desconfianza respecto de las intenciones del joven hidalgo al multiplicar y prolongar sus visitas a la casa de que era, además, propietario y señor.

Los asuntos que servían de temas a las conversaciones de éste, siempre que Mencía formaba parte de su auditorio, no podían ser ni menos ofensivos ni más agradables a los oídos del cacique y su inocente consorte. Versaban casi siempre sobre la necesidad y conveniencia del matrimonio, de esa unión santa que hace de dos uno, y que es el estado único en que puede hallarse la felicidad en esta vida. Así, a lo menos, lo decía el hipócrita mancebo con aire de profunda convicción, y si ocurría que la buena doña Leonor le preguntara maliciosamente que desde cuándo se había convertido a tan sanas ideas, contestaba que era un milagro del amor, porque en su último viaje a Santo Domingo había aprendido a amar verdaderamente, de un modo muy distinto de las distracciones y pasatiempos que hasta entonces habían ocupado sus ocios, para no sucumbir al fastidio de aquellos campos.

—¿De modo que pronto os casaréis, según eso? —decía doña Leonor en tono incrédulo.

—No lo dudéis —replicaba el joven—. En cuanto termine los arreglos de la sucesión, vuelvo a Santo Domingo a pedir la mano de mi amada.

Poco a poco fue, por estos términos, ganándose la confianza de la inexperta Mencía, que no podía dudar de que Valenzuela amaba sinceramente a su amiga Elvira Pimentel. La complacencia con que oía todo lo que le recordaba su género de vida y sus compañeras en el palacio de Diego Colón, era causa de que la candorosa joven se acostumbrara muy pronto a aquellas conversaciones que iban adquiriendo gradualmente el encanto de la intimidad y el abandono de las confidencias. Valenzuela pudo observar los progresos de su táctica, y lisonjearse en sus conciliábulos con Mojica de que estaba próxima su victoria sobre aquel sencillo corazón, al que pensaba tener ya envuelto en sus traidoras redes.

Pero por fortuna se equivocaba. Un día creyó llegada la oportunidad de descorrer los velos a sus vergonzosas intenciones, y lejos de alcanzar el éxito que creía seguro, pasó por la humillación de reconocer que había perdido su tiempo. Mencía, sentada a la sombra de dos gigantescos robles que decoraban el patio de la casa, se ocupaba en una primorosa labor de mano, con la cual se proponía obsequiar a su amiga y huéspeda, doña Leonor de Castilla: ésta, blandamente acariciada por la brisa del medio día trató en vano de resistir al sueño que iba pesando sobre sus párpados, y al cabo cedió a su influjo, quedándose profundamente dormida en una butaca de la galería, a doce o quince pasos de la joven bordadora. Los criados estaban lejos, ocupados en sus varias faenas, Enrique no había regresado todavía del campo: el silencio era absoluto, y la joven se hallaba entregada a sí misma, completamente sola. Al extremo de la galería se abrió sigilosamente una puerta, y en su dintel apareció Valenzuela, que tras breve observación se dio cuenta de todas las circunstancias del lugar y del momento. Adelantóse sin hacer ruido, y a dos pasos de Mencía, que atenta a su trabajo no había advertido la presencia del hidalgo, la saludó con trémula voz, en estos términos:

—Bendita sea esa labor, y bendita la mano que tan lindas cosas hace.

—¡Ah, señor Valenzuela! —exclamó con sorpresa la joven—. ¿Estabais ahí?

—Aquí estaba, absorto ante tanta hermosura —respondió Valenzuela.

—De poco os admiráis, señor —replicó sencillamente Mencía—; tengo para mis bordados dibujos aún más bonitos que éste.

—Pero ninguno será tan precioso como vos, Mencía —dijo audazmente el mancebo.

—Hablamos de dibujos —repuso riéndose la joven—. Si de hermosura de personas fuera, vos sabéis que Elvira Pimentel es mucho más...

—Dejemos a Elvira —interrumpió vivamente Valenzuela—. Ni ella, ni mujer alguna, puede comparar su belleza con la vuestra... Es preciso que lo sepáis de una vez, Mencía: quien llegó a ver el resplandor de vuestra hermosura, quien sintió arder su alma al fuego de vuestros ojos divinos, queda ofuscado, ciego, e incapaz de amar o admirar otro objeto.

La joven miró sorprendida a su interlocutor, al oír en sus labios tan inusitado lenguaje. Viendo aquel rostro enardecido, aquellas facciones animadas por el incendio de una vehemente y desordenada pasión, Mencía tembló espantada, y por un movimiento maquinal se puso instantáneamente en pie.

—¡Qué decís!... —exclamó balbuciente—. ¡No entiendo lo que queréis decir, señor Valenzuela!

—Lo que digo —insistió éste con mal comprimida vehemencia, y percibiéndose en su voz los silbos de la serpiente—; lo que quiero decir es que os amo, que mi corazón está consagrado a vuestra adoración, y que sin la esperanza de poseer vuestro amor, ya hubiera muerto de pena. Lo que digo es que un despreciable cacique no merece tanta dicha, un tesoro de tan inmenso valor como es Mencía de Guevara...

—¡Basta, hombre vil! —dijo con severa dignidad la joven, repuesta ya de su primera turbación—. El despreciable, el infame sois vos, engañoso traidor. Salid al punto de aquí, si no queréis que publique a voces este oprobio.

Y alzó efectivamente la voz al pronunciar su enérgica increpación, con la majestad imperiosa de una reina ofendida.

Valenzuela hizo un ademán de inquietud volviéndose a mirar hacia donde yacía entregada al sueño doña Leonor. La irritada joven dio dos o tres pasos en la misma dirección.

—Escuchadme una palabra, Mencía —le dijo con voz sorda Valenzuela—: olvidad lo que acaba de pasar, cuidad de no referirlo a nadie, y menos que a nadie, a Enriquillo: así os conviene.

—Una mujer honrada no tiene secretos para su marido —respondió con acento aún más enérgico y resuelto Mencía, alejándose siempre de Valenzuela, y ya a pocos pasos de la galería. Doña Leonor despertó sobresaltada, al herir su oído las últimas palabras de la joven, y pudo percibir esta réplica del audaz mancebo:

—¡Si lo decís, sois perdida!

—¡Qué escucho! —exclamó la buena señora interviniendo—. ¡Andrés!, ¿vos aquí? Ese lenguaje, ese aspecto amenazador... ¿Qué significa esto?

Valenzuela comenzaba a improvisar una explicación; pero Mencía se le anticipó vivamente diciendo:

—Este hombre ha tenido la osadía de requerirme de amores.

—¡Cielos! —dijo costernada doña Leonor—. ¿Es posible, Andrés...? ¡Ah, sí! Demasiado sé que es posible, y harto desconfiaba de vuestra enmienda...

—Señora —replicó bruscamente el

joven—; ¿con qué derecho os atre-
véis a reprenderme como si fuera
hijo vuestro?

—Os amo desde niño como si lo
fueseis, y me pesa que os hagáis
odioso con vuestras maldades —le
dijo severamente la digna matrona.

—¿Y quién os dice que yo he
intentado nada contra Mencía?
—respondió con descaro Valenzuela—. Ella se equivoca, ha interpre-
tado mal mis palabras, engañada
por su vanidad, que la hace ver
en cada hombre un enamorado...

—Callad, señor Andrés —dijo in-
dignada doña Leonor—; yo misma
he oído vuestra amenaza a Mencía... ¿Por qué le imponíais silencio?

—Por evitar las consecuencias de
su error. No quiero que me desacre-
dite injustamente... —contestó el
hipócrita.

—¡Desacreditaros! —repuso con
irónica sonrisa la viuda—: ¡buen
crédito es el vuestro!

—Pensad lo que os parezca, señora —dijo altivamente Valenzuela—; pero si queréis evitar grandes
disgustos a vuestra protegida, que
también lo es mía, como a su esposo, haced por persuadirla a que
sea discreta, y que no haga ruido
con esas visiones suyas.

—Ella callará este suceso, pues
que a su propia fama no le conviene otra cosa —contestó la prudente
señora—. ¿Lo ofrecéis así, Mencía?...

La joven se había retirado aparte, y estaba sentada con aire distraído y desdeñoso en el mismo
asiento que poco antes ocupaba
doña Leonor.

A la interpelación de ésta respondió secamente, sin moverse, ni
mirar a Valenzuela:

—Que ese hombre se quite de mi
presencia, que no vuelva aquí durante el poco tiempo que aún este-
mos en esta casa, y nada diré a
Enrique.

Se levantó en seguida, y tomando
del brazo a doña Leonor se alejó
con ella de aquel sitio, dirigiéndose
al interior de la casa.

Valenzuela, inmóvil, fija la torva
mirada en las dos damas mientras
las tuvo a la vista, permaneció buen
espacio pesaroso y meditabundo,
hasta que al fin pareció haber adoptado un partido; sus ojos brillaron
con siniestra expresión, y exclamó
entre dientes, en son de amenaza,
con la mano extendida hacia la
puerta por donde habían desaparecido la joven esposa y su compañera.

—¡No importa! ¡Pese al cielo y
al infierno, será mía!

XXV

SUSPICACIA

Acababa el protervo mozo de proferir estas fatídicas palabras, cuando un galope de caballos en la inmediata llanura hirió su oído. Apresuróse a entrar en el aposento que
ocupaba habitualmente, y se fue a
mirar por una celosía quiénes eran
los jinetes que llegaban. Reconociendo a Enrique y a Tamayo, que
se apeaban de sus cabalgaduras en
la puerta campestre, salió inmediatamente al encuentro del primero,
y le dijo en tono afable:

—Te aguardaba con impaciencia,
Enriquillo.

—¿En qué puedo serviros, señor
Andrés? —preguntó el cacique.

—He estado revolviendo papeles
toda esta mañana —repuso el hidalgo—. Debía regresar con algunos documentos a la villa al medio
día, y no he podido hacerlo porque
mi caballo se me puso cojo cuando
venía para acá, y no puede dar
pisada.

Es de advertir que para prolongar aquel día su estancia en el
Hato, Valenzuela había recurrido al
ardid de clavar una espina disimulada a su caballo en un menudillo,

de manera que efectivamente el pobre animal estaba cojo.

—¡Válgame Dios, señor Andrés! —exclamó el cacique—. ¿Y esa pequeña dificultad os pudo embarazar? ¿No estaba en la cuadra mi yegua rucia? ¿No lo sabíais?...

—Sí, Enriquillo —contestó con blandura Valenzuela—, y tratándose de servirme de cualquier otro animal tuyo no hubiera vacilado en hacerlo, pero la rucia, ya es distinto. Siempre recuerdo aquella represión de mi padre..., cuando quisiste cederme esa bestia, ¿te acuerdas?

—Sí me acuerdo, señor Andrés —contestó Enrique—; pero eso no quita que podáis usar de ella como cosa vuestra, cada vez que la necesitéis.

—Tú pensarás, como yo —repuso con estudio Valenzuela,—, que aquello no fue sino un escrúpulo de monja, cosas de viejo...

—Perdonad, señor Andrés —interrumpió Enrique—: para mí, cualquier amonestación de mi señor don Francisco, que esté en el cielo, es punto menos que un evangelio.

—Bien, Enriquillo, no disputemos más —dijo con visible disgusto el voluntarioso hidalgo—. Haz que me alisten la bestia, y que me lleven el caballo a la villa, del diestro y con cuidado, para que el herrador lo cure.

—Seréis servido, señor —respondió Enrique retirándose, y cinco minutos después Valenzuela, montado en la linda yegua rucia del cacique, atravesaba la llanura con la velocidad del huracán, mientras que el dueño de la fogosa bestia, siguiéndola con la mirada, decía a Tamayo:

—¿Ves esa yegua tan hermosa, y de tantas condiciones excelentes? Pues creeme, Tamayo, siento que no pueda dejar de ser mía. Quisiera regalársela al señor Andrés.

—No tengas cuidado —respondió sarcásticamente el astuto indio—: ya encontrará el señor Andrés medio de quedarse con ella.

—Ese mal pensamiento tuyo, Tamayo —repuso Enrique— no se realizará. Bien sabes que el señor Valenzuela está obligado a respetar la voluntad expresa de su buen padre.

—Bien sé, Enriquillo —replicó Tamayo—, que tú no quieres ver nada malo en ese mozo, que es capaz de meterte un puñal acariciándote: yo te lo digo.

—Tamayo, te complaces en atormentarme, y tus palabras son mortal veneno para mi alma —dijo con tristeza Enrique—. Hace días que no veo adonde quiera que miro sino semblantes airados y sañudos, gente que me mira de reojo: los mismos que antes me solicitaban y me hacían demostraciones de cariño, ahora esquivan mi presencia y mi trato. El señor Sotomayor, tan bondadoso conmigo siempre que he ido a su casa, ya viste hace poco rato con cuanta frialdad me devolvió el saludo, cuando le encontramos en el camino, como si yo fuera un extraño para él. Sólo me muestra faz amiga el hijo de mi bienhechor, que ha heredado el afecto que me tenía su padre, ¿y quieres tú que yo le corresponda con aborrecimiento?...

—No, Enrique —dijo gravemente el inflexible Tamayo—; ésa no es mi intención. ¿Quién consigue de ti que aborrezcas a nadie?... Quiero que no te dejes engañar; que no te fíes de las apariencias, porque si el señor Valenzuela es tu amigo, también lo será el señor Mojica, que es como la sombra de su cuerpo.

—Eso consiste, como me lo ha dicho el señor Andrés —replicó Enrique—, en que el tal Mojica es entendido en materia de leyes, y lo ayuda mucho en el arreglo de la herencia. No podemos dudarlo, pues todos los días pasan los dos largas horas en casa del alcalde mayor, señor Badillo, y comen a su mesa muchas veces.

—Y eso mismo me da que pensar —Enrique—, insistió Tamayo:

ellos arreglan sus asuntos, y tú dejas que los nuestros sigan desarreglados...

—Me cansa, Tamayo, tu continuo murmurar —dijo Enrique con impaciencia—. ¿Qué más he de hacer? ¿Quién se ha metido hasta ahora con *La Higuera?* Y por lo que hace a los indios del repartimiento del señor Hernández, ¿no te he dicho que de ellos, y de todos los demás infelices que están como ellos, he tratado ya en mi carta al padre protector?

—No te enojes, mi Enriquillo —respondió Tamayo dulcificando la voz—. La tardanza del padre en contestarte es lo que me tiene de mal humor.

—¡Cuidado con resbalarte a pensar también mal del padre, desdichado! —dijo con ademán imponente Enrique—; porque entonces sí me enojaré de veras. Yo también hallo que tarda mucho su respuesta, estoy ya inquieto... ¿quién sabe? Hay tanto pícaro...

—Eso, eso es, Enriquillo —exclamó Tamayo con alegría—; eso es lo que yo quiero decir, lo que hay es que no sé explicarme tan bien como tú.

—Pero vamos con tiento, hombre, y no supongamos lo peor contra el prójimo —repuso Enrique—. Es preciso que aclaremos el motivo de esa inexplicable tardanza. ¿Dónde está Galindo?

—En *La Higuera:* esta mañana lo vi con su cuadrilla —contestó Tamayo.

—Pues, en cuanto comas, montarás otra vez a caballo, vas a buscarlo, y haces que se aliste sin que nadie lo advierta para ir a Santo Domingo: tan luego como cierre la noche ha de estar en camino.

—¡Bien, cacique! Así me gusta. Actividad, y no quedarnos con los brazos cruzados para que los pícaros nos acaben.

Con estas palabras de Tamayo concluyó la conversación.

XXVI

PRETEXTO

Galindo era un *naborí* que tenía diez y ocho años de edad, ágil, robusto y bien dispuesto de cuerpo: la naturaleza lo había favorecido además con un ingenio vivo y despejado, y una voluntad enérgica, que se complacía en vencer obstáculos. Era el muchacho de confianza de Enriquillo, para todos los encargos y comisiones cuyo cumplimiento requería celeridad e inteligencia.

Tamayo fue a buscarlo a *La Higuera,* y le transmitió las órdenes del cacique. Antes que se extinguiera el postrer crepúsculo de la tarde, ya el mozo indio, montado en un excelente caballo de la primera raza criolla, se detenía ante la puerta llamada del corral, en la casa del Hato. Echando pie a tierra, Galindo ató el bruto a un árbol contiguo, y penetró en el patio, donde a pocos pasos encontró a Tamayo que lo aguardaba.

—Espera un poco —dijo éste—, el cacique no dilata.

El muchacho, taciturno por carácter, se sentó sin hablar una palabra en el sitio que ocupaba Mencía, a la sombra de los robles, cuando aquel mismo día se arrojó Valenzuela a hacerle su atrevida declaración. Enriquillo, como lo había dicho Tamayo, no tardó en bajar de la casa, con dos cartas en la mano.

—¿Estás del todo listo, Galindo? —preguntó al mozo.

—Sí, cacique —respondió éste lacónicamente.

—¿Llevas de comer?

—Sí, cacique.

—Toma estos dineros —dijo entonces Enrique—, para que ni tú ni la bestia paséis hambre en el camino. De estas dos cartas, una es para el padre Bartolomé de las Casas, en el convento de los padres domi-

nicos: la otra es para la señora virreina... Nadie en la Maguana ha
de saber tu viaje, ni al ir ni al
regresar. Hoy es lunes, te espero el
domingo a esta hora, con las respuestas, aquí mismo. ¿Has entendido bien?

—Sí, cacique.

—Anda con Dios, muchacho.

—Adiós, cacique. Adiós maese
Tamayo.

Con esta simple despedida salió
Galindo por donde había entrado,
montó a caballo, y partió a paso
vivo en medio de las tinieblas que
ya envolvían la llanura.

Media hora más tarde Anica servía la cena, como de costumbre, a
Mencía, doña Leonor y Enrique. Los
tres estaban preocupados y tristes:
las damas habían guardado una penosa impresión del incidente de la
siesta, y tenían como un presentimiento de que Valenzuela no se
daría por vencido, ni dejaría de emprender alguna nueva maldad contra Mencía: ésta deseaba encontrar
un medio discreto de hacer entender a Enrique la conveniencia de
mudar prontamente de casa, sin despertar en su ánimo el menor recelo
sobre lo acontecido. Doña Leonor
había aconsejado a la joven que dejara pasar aquella noche, y forja-
ra la fábula de un sueño pavoroso,
en el cual la aparición de algún
horrible espectro viniera a advertirle que debían abandonar cuanto antes aquella morada. Mencía detestaba la mentira, y por lo mismo
desechó aquel expediente, sin acertar a fijarse en ningún otro. Así se
explica la silenciosa distracción en
que permanecieron las dos amigas
mientras estuvieron a la mesa. Las
declaraciones precedentes de Enriquillo en su diálogo con Tamayo no
permiten dudar de la causa que
obraba en su ánimo para el mismo
efecto.

—No parece sino que estamos
en misa —dijo al fin doña Leonor—. Cuéntanos algo agradable,
Enrique, según acostumbras.

—Ciertamente, señora, que no he
cumplido con vosotras esta noche
como debo —respondió Enrique—;
pero no me culpéis por este descuido, más bien tenedme lástima.

—No veo la causa, Enrique, y
Dios te libre de mal —replicó la
buena señora.

—Si estuviésemos en la villa, acaso la echaríais de ver —volvió a
decir Enrique—. De pocos días a
esta parte no sé qué hechizo obra
en contra mía; pero hoy he acabado de convencerme de que he perdido la estimación de aquellos que
más me favorecían con su amistad.

Y continuó el cacique refiriendo
el desvío y la mala voluntad que
había observado en los principales
colonos de la Maguana, y especialmente en Alonso de Sotomayor, que
era de quien más lo sentía.

—Eso no es natural, Enrique
—dijo la discreta dama al acabar
el cacique su confidencia—. Algo
extraño ocurre, y te aconsejo que
procures aclarar ese enigma. Vamos mañana a la villa.

Al formular esta proposición, tocó
a Mencía con el pie disimuladamente.

La joven comprendió la señal en
seguida.

—Sí, Enrique —dijo a su vez—,
vamos a la villa mañana: tal vez
esas personas que antes eran amigas
tuyas te miren mal por no haber
yo correspondido todavía a las visitas que recibí de las principales
señoras.

—Puede ser así —añadió doña
Leonor—; pero sea como fuere,
Enrique, convendrá que sin demora
volvamos para San Juan. Me com-
prometo a poner en claro la causa
de ese cambio inexplicable que te
tiene con razón apesadumbrado.

—Me place, doña Leonor —contestó Enriquillo—; pero recordad
que nuestra casa está en la actualidad ocupada por el señor Andrés.

—Veníos a la mía, que es bastante grande —repuso la excelente
dama con seductora franqueza—:

Valenzuela desocupará pronto la vuestra.

—No quisiera causarle ese enojo —objetó Enrique.

—No llevéis muy lejos las consideraciones —replicó doña Leonor con desabrimiento—; el mozuelo no merece tanto.

—¡Ah, señora! —exclamó Enrique—, se conduce muy bien conmigo.

—Hasta ahora no digo que no, Enriquillo, pero ¿quién sabe en lo sucesivo?...

—No es bueno anticipar malos juicios, doña Leonor.

—Ni fiarse demasiado, cacique: quien malas mañas tiene, tarde o nunca las pierde.

Prosiguieron los tres la conversación en el mismo tono, y después de discutir un buen rato las objeciones de Enriquillo, fundadas en la necesidad de que él permaneciera en el Hato para atender a las labranzas de *La Higuera,* y a otros trabajos perentorios en aquella época del año, quedó convenido que al día siguiente la viuda regresaría a San Juan a preparar en su casa alojamiento provisional para los esposos; y de esta manera, Enrique podría ir y venir al Hato y a sus contornos, o donde mejor le pareciese, dejando su mujer bien acompañada. Así se efectuó, instalándose la pequeña familia tres días después en la cómoda y espaciosa casa de doña Leonor Castilla. Andrés de Valenzuela aparentó ver con grande extrañeza aquella súbita resolución, cuando se la participó el cacique, y concluyó por recomendar a éste que tuviera mucho cuidado en que no se desarreglara el servicio del Hato, ni el de las cuadrillas de *La Higuera,* mientras llegaran a su término los inventarios y liquidaciones de la sucesión paterna. Mas se guardó bien de hacer ni remota alusión a la casa que él debía desalojar y poner a disposición del cacique, según la voluntad del difunto Valenzuela, omisión que dio harto que pensar a Enriquillo.

XXVII

NOVEDADES

Por la noche, durante la cena, el cacique refirió a su mujer y a doña Leonor su conversación con Andrés de Valenzuela.

—¿Nada te dijo de la casa? —preguntó Mencía a su esposo.

—Ni una palabra —respondió éste—: dejaré pasar dos o tres días para explorar su intención.

—Eso no corre prisa, amigos míos —dijo doña Leonor—. Yo no pienso dejaros ir de aquí tan pronto.

Enriquillo no insistió en el punto. Meditaba subordinar su conducta a los consejos que había pedido, y debía recibir de Las Casas. El domingo fue a oír misa con Mencía. Al salir de la iglesia repararon en Valenzuela que con Mojica, el teniente gobernador Badillo y algún otro curioso, formaban el acostumbrado corro a la puerta del templo. La faz de Valenzuela dejaba traslucir una siniestra alegría, y la de su infame confidente se mostró más sarcástica y desvergonzada que nunca, a vista de la devota pareja.

El cacique saludó quitándose con respeto el sombrero, al pasar junto al grupo, sin obtener más contestación a su saludo que un irónico y desdeñoso *Adiós, cacique,* lanzado por Mojica, cuya voz heló la sangre en las venas a Enriquillo.

—Alguna desdicha me amenaza, Mencía —dijo a su esposa cuando hubo dado algunos pasos lejos del grupo.

—¿Has visto algún cuervo? —respondió la joven, sonriendo.

—He visto a un verdadero demonio, esposa mía—; replicó Enriquillo, y comunicó a Mencía su aprensión supersticiosa, que tenía la presencia de Mojica por signo de mal agüero.

Después de almorzar, Enrique montó a caballo y se dirigió al Hato. Esperaba con impaciencia la noche, seguro de que su mensajero Galindo llegaría en sus primeras horas, con las nuevas que ansiosamente aguardaba de Santo Domingo.

A las cinco de la tarde se le presentó el viejo Camacho.

—¿Qué hay en *La Higuera?* —le preguntó el cacique, sorprendido—. ¡Tú por aquí, a estas horas!...

Camacho estaba habitualmente en el pueblecillo indio, donde vivía a sus anchas, como un filósofo, metido en su hamaca, fumando su cachimbo,[1] enseñando a rezar a los niños, y fabricando toscas imágenes de arcilla, que él llamaba *santos*, y por la intención realmente lo eran.

A la interpelación de Enriquillo respondió el anciano con misterio:

—Gran novedad, Enriquillo. Hace poco más de una hora que los visitadores, con el escribano señor Luis Ramos, estuvieron en *La Higuera* mirándolo todo de abajo arriba, haciendo apuntes, y preguntando a diestro y siniestro cómo vivía la gente, y los oficios en que se ejercitaba.

—Y eso, ¿tiene algo de particular, Camacho? —preguntó Enrique.

—Mucho, a mi ver —contestó el viejo—: al partir oí distintamente al señor Hernando de Joval decir a sus compañeros: "Esto es un verdadero desorden. Nadie tiene indios de esta manera." [2]

—Es porque no saben que son los indios del finado don Francisco, libres de hecho y de derecho —dijo Enrique.

—Sí lo saben —insistió Camacho—: bien claro trataron de esto, y hasta se propasaron a murmurar del difunto, que dijeron era un bo-

tarate, un santochado,[3] que debió tener curador de oficio para sus bienes.

—¡Deslenguados! —exclamó Enriquillo, al oír calificar tan indignamente la liberalidad de su bienhechor.

—Si mis sospechas se confirman —volvió a decir Camacho—, convendrá que yo vaya a dar cuenta al padre: al enviarme acá con vosotros, fue recomendándome que vigilara mucho y le hiciera saber cualquier novedad que fuera en perjuicio de tus intereses...

—¡Bondadoso protector, sacerdote santo! —exclamó enternecido Enriquillo—. Tu virtud por sí sola paraliza en mi corazón los impulsos del odio, cuando quiere sublevarse ante las injusticias que los de tu raza...

—¡Silencio, cacique! —interrumpió el viejo—. Nunca olvides que a esa raza debemos tú y yo la fe de Cristo, que nos enseña a amar a los que nos aborrecen: tú y yo estamos también obligados a recordar que no solamente su merced el padre Las Casas, sino algunos otros, nos han tratado siempre con cristiana caridad.

—Bien sabe Dios, Camacho —dijo Enrique con grave acento—, que mi pecho no es avaro de gratitud, y que por esa misma razón, es ancha y honda la medida de mi paciencia.

—¿Cabrán holgadamente en ella las humillaciones, Enriquillo? —preguntó el anciano indio, como un padre que explora el corazón de su hijo.

—Hasta cierto punto, Camacho —respondió con voz agitada Enrique—. Es preferible la muerte, a la humillación del alma: pase la del cuerpo.

—¿Aún la muerte eterna, cacique? —insistió Camacho.

—¡Todas las muertes! —concluyó Enriquillo.

---

[1] La pipa de fumar de los indios.

[2] Los *visitadores* de indios tenían a su cargo velar por el exacto cumplimiento de las ordenanzas. En la Maguana lo eran Fernando de Joval y Luis Cabeza de Vaca.

[3] En aquel tiempo, lo mismo que idiota o mentecato: hállase el vocablo usado por las Casas.

El viejo calló, bajando la cabeza entristecido. A poco rato requirió su sombrero y el rústico palo que le servía de apoyo, como para despedirse. Enrique lo advirtió y le dijo:

—Vale más que te quedes aquí hasta mañana, Camacho. Cenarás conmigo, y veremos las nuevas que me trae Galindo esta noche.

—Me parece bien, cacique —dijo el viejo volviendo a colocar en un rincón su palo y su sombrero de palma-cana.

El esperado mensajero llegó efectivamente a las nueve de la noche. Por toda contestación traía a Enriquillo un billete de cuatro líneas, abierto y sin firma: acompañaba a otra carta cerrada que el cacique reconoció por ser la misma que él había escrito a Las Casas. El billete estaba así concebido:

El padre es ido, cansado de porfiar en vano. Va a seguir sus pleitos en España. Los adversarios son hoy más poderosos que nunca: nada podemos por ahora. Valor y esperanza en Dios.

—¿Quién te dio este billete, Galindo? —preguntó Enrique al muchacho, cuando hubo leído el papel.

—Una mujer, moza, bonita. Me dijo que no se podía ver a la señora virreina; le di las dos cartas, me devolvió la del padre. Ya yo había ido al convento y supe que el padre no estaba allí. La dama vino luego, me dio el papel, y me preguntó mucho por señora Mencía y por ucé.[1] Me ofreció si quería comer y descansar. Le di muchas gracias, mandó memorias y me vine sin parar.

—Es imposible que mi amo el padre no escribiera antes de irse —dijo Camacho.

—Sin duda... y, ¿quién sabe? —contestó Enrique—. Pudo hacerlo; pudo no hacerlo... Acaso estén sus cartas en poder de don Pedro Mojica.

_____
[1] *Ucé*, como usarcé, y por fin usted, contracciones de *vuestra merced*.

—Así lo creo. De éste no es pecado pensar mal —observó el devoto viejo.

—Camacho —dijo con abatimiento Enriquillo—, las grandes pruebas van a comenzar para mí. ¡Dios me dé fuerzas para resistirlas!

XXVIII

CONFERENCIA

El cacique permaneció en el Hato inspeccionándolo todo hasta la tarde del día siguiente. Visitó *La Higuera*, y antes de anochecer regresó a la villa.

—No hace mucho rato —le dijo Mencía—, que vino para ti un recado del señor Valenzuela: no hallándote el mensajero, declaró a doña Leonor que si no regresabas hoy del campo, era preciso mandarte decir que don Andrés necesitaba hablar contigo mañana, y te aguardará hasta medio día.

—Bien está —contestó Enrique—: preferiría verle esta misma noche, para que la incertidumbre no me perturbara el sueño.

—¿Qué puedes temer? —preguntó la joven esposa, acariciando el negro cabello del cacique.

—El *no sé qué*, Mencía —respondió éste—: ¿hay nada más temible?

—Doña Leonor dice que ya sabe algo de lo que te preocupa —agregó Mencía—; y ha salido esta tarde expresamente a completar sus noticias.

—¡Cuánto me alegro! —dijo Enriquillo—. Así podré aguardar tranquilo la conferencia con el señor Valenzuela.

Era ya noche cerrada cuando volvió a su casa la buena doña Leonor, única amiga de valimiento con quien contaban en la Maguana los jóvenes esposos, aunque el cacique no desconfiaba todavía de Valenzuela. Tan pronto como vio a Enriquillo,

la leal matrona le dijo con aire apesadumbrado:

—Lo he sabido todo: no son gratas las nuevas que os traigo.

Y en seguida refirió a la atenta y
silenciosa pareja cómo la esposa de
don Francisco Hernández, a quien
había estado a visitar en la tarde
del domingo, la había informado de
que, alertados los principales encomenderos por una carta del padre
Las Casas a Enriquillo, la cual se
hubo sin explicarse cómo, habían
comisionado secretamente al regidor
Alfonso Daizla, para que fuera a
Santo Domingo a contrarrestar los
trabajos del padre en daño de los
colonos de la Maguana, y a desvanecer las quejas que suponían haber escrito el joven cacique a quien
todos habían cobrado por lo mismo
grande aversión. El regidor Daizla
regresó de su comisión el sábado por
la tarde, muy complacido, pues los
jueces y oficiales reales lo despacharon con todo favor, y le dieron cartas para las autoridades de San
Juan, mandándoles que no consintieran novedad alguna en la policía
y administración de las encomiendas, y que si alguna reforma de las
antiguas ordenanzas se había introducido por cualquier persona, la re-
vocaran del todo y se atuvieran a
guardar el orden establecido. Las
Casas se había ido derrotado para
España, según agregó Daizla.

El cacique oyó con gran suspensión de ánimo el relato de doña
Leonor: bien supo comprender a
primera vista la intensidad de la
borrasca que se le venía encima;
pero no dejó traslucir ninguna muestra de debilidad, y replicó sosegadamente:

—Una cosa me agrada y me con-
forta, en medio de la pena que me
causa el injusto enojo que existe
contra mí. El padre Las Casas, mi
buen protector, no me olvida, como
llegué a temerlo: ¡cuánto daría por
leer su carta!

—Salí esta tarde con esperanzas
de conseguirla —repuso doña Leonor—; pues Beatriz, la esposa de

Hernández, me aseguró que estaba
en manos de Sotomayor; pero éste
me dijo que la había devuelto, sin
expresar a quién. Me reprochó además que yo te tratara con amistad,
y como volví por tu defensa diciéndole que quisiera ver esa carta, segura de que ha sido mal interpre-
tada, tuvimos un altercado sobre el
asunto, y nos separamos no muy
satisfechos el uno del otro.

—¡Cuánta bondad, señora! —exclamó el cacique—; pero a fe que
me hacéis justicia. No merezco que
se me trate como a enemigo, por
haber querido obrar con prudencia
y rectitud, cumpliendo mi deber.

Y Enrique narró punto por punto
la materia de su carta a Las Casas,
explicando su móvil y objeto.

—No creo que esto vaya muy
lejos, hijo —concluyó doña Leonor—; pero de todos modos, y
suceda lo que sucediere, nunca llegará a faltaros mi amistad, por estos asuntos de vil interés.

—¡Que el cielo derrame sobre vos
todos sus favores señora! —dijo Enriquillo a la bondadosa dama—.
Sin vos aquí, mi pobre Mencía no
tuviera en San Juan una sola amiga
que disipara el hastío de su soledad.

—Soy yo la que agradecida —replicó la viuda—, debo bendecir a
la Providencia, que me ha depara-
do esta criatura angelical como amiga y compañera.

Es de suponer que el cacique dor-
miría mal aquella noche: presentía
la proximidad de una gran crisis
en su existencia. Como era su costumbre, abandonó el lecho a la primera luz del alba, y aunque el aire
estaba frío y la tierra humedecida
por la lluvia, salió a caballo a recorrer los campos inmediatos, cediendo a la necesidad de buscar en
el movimiento y el ejercicio del cuerpo un paliativo a la violenta agitación de su ánimo. Regresó al lado
de su esposa cuando ya el astro rey
llenaba con su luz todo el espacio;
y después de tomar un ligero desayuno, mudó de traje y se fue a
ver a Valenzuela.

Éste no había salido todavía de su aposento, ya tuvimos otra vez ocasión de saber que no era madrugador, pero el criado que lo asistía estaba advertido del llamamiento hecho a Enriquillo, y habiendo anunciado a su amo la visita del cacique, dijo a éste que podía penetrar en el dormitorio del joven hidalgo. Valenzuela, a medio vestir, afectando amistosa familiaridad, recibió a Enriquillo con estas palabras:

—Muy temprano has venido, cacique, y no era del caso tanta prisa. El objeto que he tenido en hacerte llamar, es participarte que estamos emplazados nosotros dos, para comparecer el jueves, pasado mañana, a las diez del día, ante el teniente gobernador.

—¿Y podréis decirme cuál es la causa de ese emplazamiento? —preguntó el cacique.

—Según parece —dijo con aire indiferente Valenzuela—, los visitadores nos acusan de haber infringido las ordenanzas vigentes sobre el repartimiento.

—¿Y qué tienen que ver los visitadores con vos, conmigo, ni con los indios de mi cargo? —repuso sin inmutarse Enriquillo.

—Eso es lo que sabremos el jueves en la audiencia del teniente gobernador —respondió Valenzuela—: lo que ha llegado hasta ahora a mi noticia es que *La Higuera* da mucho que decir porque suponen que aquella manera de vivir los indios es un mal ejemplo para los demás, y que está fuera del orden regular.

—No lo creeréis vos así —dijo el cacique—; pues sabéis que vuestro buen padre, que Dios haya, fundó *La Higuera* por cumplir con las últimas ordenanzas; y además, por su muerte, todos aquellos encomendados suyos son y deben permanecer libres.

—Yo no tengo que discutir esa materia contigo, cacique —replicó secamente el hidalgo—; no he estudiado el punto lo suficiente para tener una opinión ya formada sobre él; y por lo mismo he de atenerme a obedecer estrictamente lo que la autoridad ordenare en definitiva.

—Pero, ¿y la voluntad expresa de vuestro padre? —objetó Enriquillo con asombro.

—Sobre la voluntad de mi padre están las leyes, cacique —arguyó con énfasis el hipócrita mancebo—; y seguramente no pretenderás que yo me subleve contra ellas.

Enrique no volvió a decir una palabra. Conoció que Valenzuela no hacía sino recitarle una lección aprendida y ensayada, y que aquel era el principio de las hostilidades activas contra su reposo y contra su libertad. Meditó un momento con tristeza sobre las desventajas y los compromisos de su situación. Ausentes Las Casas y el almirante, la virreina sin poder ni crédito, según se lo había declarado en su lacónico billete, y él rodeado de enemigos influyentes, que tenían a su disposición numerosos medios de hacerle daño, la lucha se le presentaba imponente, amenazadora, y con las más siniestras probabilidades en contra suya. Tenía, no obstante, fe robusta en la providencia de Dios y en su justicia, y se consolaba con el pensamiento de que Las Casas vivía, y que se acordaba de él. Ostentó pues, en el semblante valerosa resignación, y puso término al prolongado silencio que había sucedido a la última declaración de Valenzuela, diciendo con entereza:

—Muy bien, señor; el jueves al medio día concurriré a la audiencia del señor teniente gobernador.

Dichas estas palabras en son de despedida, salió con aire tranquilo y paso firme de la estancia. El maligno mozo, que acaso sentía el malestar de la vergüenza desde que hizo saber al cacique su intención de posponer la voluntad paterna a lo que fementidamente llamaba autoridad de las leyes, no bien se vio libre de la presencia de Enriquillo, respiró con fuerza, y recobrando su natural desparpajo e impudencia,

8

hizo un gesto de feroz alegría, y dijo a media voz:

—¡Anda, perro indio! Ya domaremos ese orgullo.

XXIX

DERECHO Y FUERZA

A las preguntas que Mencía y doña Leonor hicieron a Enriquillo sobre la conferencia con Valenzuela, el cacique respondió sobriamente, diciendo que debía concurrir a la citación oficial del jueves, y que hasta entonces no sabría el objeto de esa demanda —aunque, agregó—, no creo que sea para nada bueno.

La joven esposa, después de escucharle con interés, miró fijamente en sus ojos, y le dijo estas palabras, en tono de reproche:

—Cuando Dios te dé alegrías, Enrique, guárdalas, si así fuere tu voluntad, para ti solo; pero de tus penas y cuidados nunca me niegues la parte que me corresponde.

—No, Mencía —replicó Enriquillo con voz conmovida—; aunque quisiera, no podría ocultarte nada mío. Engañarte sería más cruel para mí, que verte compartir mis sufrimientos.

—Prométeme —insistió Mencía—, que me contarás todo lo que suceda en la audiencia del teniente gobernador.

—Prometido, y no hablemos más de eso hasta entonces —concluyó Enrique.

La autoridad que ejercía Pedro de Badillo, teniente gobernador de la Maguana, le había sido conferida por el almirante don Diego Colón; pero como suele verse con harta frecuencia, en los días de prueba, el desgraciado favorecedor halló ingratos en muchos favorecidos suyos, y Badillo fue de los primeros que acudieron solícitos a consolidar su posición formando en las filas de los que combatían al que se la proporcionó, tan pronto como la fortuna, que nunca se mostró muy amiga de la casa de Colón, volvió de una vez las espaldas al pobre don Diego. Las demás condiciones morales de Pedro de Badillo armonizaban con esta feísima nota de ingratitud, que sólo se halla en los caracteres bajos y protervos. Como no podía menos de suceder, dadas estas premisas, Badillo parecía forjado a propósito para ser íntimo amigo de Mojica y del joven Valenzuela. Los tres no tardaron por consiguiente en concertarse y aunar sus miras, sino lo que tardaron en conocerse y apreciarse recíprocamente.

Enriquillo se encaminó solo a la casa del teniente gobernador, el día de la cita y a la hora señalada. Hiciéronle aguardar breves instantes, y luego lo introdujeron en la sala donde tenía aquel magistrado su tribunal, que así podía llamarse en razón de la diversidad de funciones que el tal empleo asumía, una de las cuales era tener a su cargo la vara o autoridad de justicia. El cacique se presentó con su aire habitual, sin altivez ni embarazo: halló con Badillo a los regidores y el escribano del ayuntamiento; a los visitadores Cabeza de Vaca y Joval, y sentados a par de éstos a Valenzuela asistido de su *ad latere* Mojica. Nadie se tomó el trabajo de ofrecer asiento a Enriquillo, que por lo mismo permaneció de pie, como el reo que va a sufrir un interrogatorio, en mitad del recinto.

Badillo ordenó al escribano que leyera las piezas que encabezaban aquel proceso: hízolo así el oficial de injusticia, leyendo primeramente el edicto de los jueces de apelación, con firma ejecutiva de los oficiales reales, mandando que las ordenanzas del repartimiento del año XV se mantuvieran en toda fuerza y vigor, anulándose toda innovación o reforma indebidamente introducida en el régimen de las encomiendas y restituyendo éstas a su prístino y antiguo estado, donde quiera que hubiesen recibido cambio o alteración, por convenir así al real y público servicio. Siguió después la lectura de un auto o mandamiento del teniente gobernador, requiriendo a los visitadores de indios de su jurisdicción que, según era su deber, informaran sumariamente cuál era el estado de las encomiendas, y si había alguna en la Maguana que se hallara fuera de las condiciones exigidas por el edicto superior de referencia. Leyóse en seguida el informe de los visitadores, en que certificaban que todas las encomiendas de su cargo estaban en perfecto orden y según las ordenanzas del año XIV, con la única excepción de la que entonces fue hecha en favor de don Francisco de Valenzuela, cuyos indios estaban fuera de los términos de toda policía legal habiendo observado por sí mismos el desorden y abandono en que vivían, holgando por su cuenta como moros sin señor (agregaban); haciendo lo que bien les placía; juntos en un caserío donde los habían visto jugando a la pelota en cuadrillas de hombres y muchachos, corriendo y haciendo algazara, sin que nadie se ocupara en cosas de utilidad ni provecho material o espiritual, etc., etc.

Por último, el escribano leyó el auto de convocatoria a los referidos funcionarios, y el de emplazamiento a Andrés de Valenzuela, hidalgo, en calidad de heredero de los indios de su difunto padre, y a Enrique, cacique del Bahoruco, que gobernaba y administraba los dichos indios, encomendados en cabeza suya.

Terminada la prolija lectura, el teniente gobernador dirigió la palabra a Valenzuela, interrogándole en estos términos:

—Señor Andrés de Valenzuela: habéis oído los cargos que os resultan por el descuido y mal gobierno de los indios que heredasteis, de la encomienda de vuestro difunto padre. ¿Tenéis algo que decir para justifi-

caros? Porque os advierto (agregó Badillo afectando gran severidad en su tono y aspecto) que en cumplimiento de las órdenes rigurosas que habéis oído leer de sus señorías los jueces y oficiales reales, ese escándalo debe cesar en la Maguana, y si vos no acreditáis capacidad para tener vuestros indios bajo buena y concertada disciplina, os serán quitados, y repartidos a quien mejor los administre.

—Señor —respondió Valenzuela en tono humilde—; yo he conservado los indios en el mismo orden y estado que los dejó mi difunto padre, que Dios haya; y así continuaran si ahora no me fuera notificado que es contra fuero y derecho. Mas, en cuanto a quitármelos, no lo creo justo, estando como estoy dispuesto a acatar lo que ordenan las superiores autoridades.

—Ya lo oís cacique —dijo Badillo inmediatamente—: serviréis con vuestros indios a este señor Valenzuela en igual forma y manera que sirven en la Maguana todas las cuadrillas de indios. Sois responsable del orden y la buena conducta de los indios que administráis, y se os ha citado para amonestaros por primera vez: si se repite la menor queja sobre las *zambras* que suelen armarse en vuestro *aduar* de *La Higuera,* se os impondrá severo castigo.

Enriquillo, que desde el principio y durante la lectura de documentos había opuesto la más impasible serenidad a la predisposición hostil y al propósito de humillarle, que eran manifiestos en los individuos de aquella asamblea, lo escuchaba todo con tranquila atención. De pie, algo adelantada la rodilla derecha, y reposando el bien formado busto sobre el cuadril izquierdo; en la diestra el sombrero de anchas alas, generalmente usado en San Juan, y los brazos caídos con perfecta naturalidad, su actitud así podía denotar la humilde resignación como un majestuoso desdén. Al oír los cargos que en su informe hacían los visitadores a la pequeña colonia de *La Higuera,* vagó una ligera sonrisa por sus labios, dejando entender que había previsto la extraña acusación. Cuando Badillo interpeló a Valenzuela, miró a éste fijamente, y no apartó más de él los ojos hasta que hubo acabado su breve descargo: pareció hasta entonces inalterable y dueño de sí mismo; y como quien espera que le llegue su turno para hablar. Pero la declaración dura, precisa y concluyente del teniente gobernador, dio al traste con su admirable paciencia y compostura. Se irguió bruscamente desde que oyó las primeras palabras que con voz áspera le dirigía Badillo, y aguardó hasta el fin, con el oído atento, inclinada la cabeza hacia el hombro derecho, fruncidas las cejas, la vista inmóvil, y mostrando en todo su ademán la vehemente ansiedad y la gran concentración de su espíritu en aquel momento.

Acabó de hablar el tiranuelo, y la sorpresa, la indignación de Enriquillo estallaron en estas palabras, dichas con toda la energía y la solemnidad de una protesta:

—No tenéis razón ni derecho para amenazarme así, señor teniente gobernador. No tienen razón ni derecho los señores visitadores, en hablar mal de *La Higuera;* no le tiene nadie en considerarnos como sujetos a ley de encomienda a mí y a los indios que fueron de mi buen protector don Francisco de Valenzuela...

Y como si este nombre hubiera evocado repentinamente sus sentimientos afectuosos, se volvió al que indignamente lo heredara, y suavizando el irritado acento le dijo:

—A vos que sois su hijo os tocaba haber explicado a estos señores el error en que se hallan. Él os encargó al morir que me considerarais como vuestro hermano, y nunca esperé ver que permitierais a nadie tratarme como siervo, cuando sabéis que soy libre, y que lo son como yo los indios de *La Higuera.*

Valenzuela tartamudeaba algunos monosílabos, sin acertar a formar un concepto cualquiera, cuando una voz agria y chillona intervino diciendo irónicamente:

—¡Libres! Ya veis las pretensiones que tiene el mozo... Hermano de su señor, nada menos. ¡Buen ejemplo para los demás caciques!

El que así hablaba era Mojica.

—Mas, vos, ¿con qué derecho os entrometéis aquí, señor hidalgo? —le dijo Enrique exasperado.

—Ya lo sabrás a su tiempo, rey de *La Higuera* —contestó malignamente Mojica.

—Este señor hidalgo —dijo Badillo con severidad al cacique—, está aquí con sobrado título y derecho. Habladle, pues, con respeto.

—Yo guardo mi respeto para los hombres de bien, señor teniente gobernador —replicó Enriquillo recobrando su aire tranquilo e impasible.

—¿Queréis ir de aquí a la cárcel? —le preguntó mal enojado Badillo.

—Os pido que seáis justo —respondió con sosiego Enrique—. Yo soy libre: mis indios se repartieron por una sola vida. *La Higuera* se hizo por obra y gracia de mi patrono el difunto don Francisco, y después trajeron los padres gobernadores una ordenanza nueva para que todos los indios vivan como allí se vive...

—¿Holgando y vagando?... —interrumpió el odioso Mojica.

—No; trabajando con buen orden y bien tratados— contestó sin mirarle el cacique—: no como esclavos. Los señores visitadores fueron a *La Higuera* el domingo por la tarde, y hallaron divertida la gente, como de costumbre, después de santificar el día en la ermita, hasta las diez de la mañana. Hubieran ido allá un día de trabajo, hoy por ejemplo, y hallarían a todos ocupados en sus faenas.

—¿Qué faenas son esas? —preguntó Badillo.

—Labores de campo, y algunos

oficios —contestó Enriquillo—. ¿Veis esas jarras de barro que están en aquella ventana para refrescar el agua que bebéis? Son fabricadas en *La Higuera*. Allí se hacen hamacas de cabuya que no desdeñáis para vuestro descanso. No hay casa en San Juan que no tenga además alguna silla de madera y esparto, o alguna butaca de cuero con espaldar de madera cincelada, de las que se fabrican en *La Higuera*. ¿No visteis sobre la puerta grande de la ermita un San Francisco de bulto? —agregó volviéndose a Hernando de Joval—; pues lo hizo con sus manos uno de aquellos pobres indios.

—Algún mamarracho.... —dijo burlándose Mojica.

—Como vos —respondió fríamente Enriquillo; y esta agudeza espontánea hizo reír a toda la grave concurrencia a costa del chocarrero hidalgo.

—Todo eso estará muy bueno cacique —dijo Badillo con menos aspereza—; pero ya lo veis, no puede continuar así. Vos estáis equivocado: el repartimiento no se hizo por una sola vida, y después se ha aclarado que fue por dos. Sabéis escribir; lo que tenéis que decir podéis decirlo por escrito para proveer despacio; pero entre tanto, ha de cumplirse lo que está mandado. Servid con vuestros indios al señor Valenzuela, y no seáis soberbio.

—Y este documento, ¿nada vale? —volvió a decir Enriquillo, sacando de su jubón la copia que le había dado Las Casas de las instrucciones llevadas a Santo Domingo por los padres gerónimos, y adelantándose a entregar el papel a Badillo.

El mandarín lo recorrió con la vista rápidamente, y luego lo hizo circular de mano en mano, haciendo cada cual una breve inspección de su contenido, y devolviéndolo como asunto cancelado. El teniente gobernador, a quien fue devuelto al fin el documento, preguntó entonces con frialdad a Enriquillo.

—Y esto, ¿qué tiene que hacer aquí?

—Ahí se declara que los indios sean libres —respondió Enrique—, y formen pueblos hasta de trescientos vecinos, y trabajen para sí, pagando sólo tributo al rey: se manda además que el cacique principal tenga cargo de todo el pueblo, y que con parecer del padre religioso, y un administrador del lugar, nombre el dicho cacique mayor los oficiales para la gobernación del pueblo, así como regidores, o alguacil, u otros semejantes.[1]

—¿De dónde sacasteis este documento? —volvió a preguntar Badillo.

—A su final está expreso —satisfizo el cacique.

Badillo miró al pie del escrito, y leyó estas palabras inteligiblemente:

"Y para los fines que puedan convenir a Enrique, cacique del Bahoruco, y a los indios que de él dependan, libro esta copia yo, el protector de los indios por sus altezas, en Santo Domingo a 28 de enero de 1517.

"Bartolomé de las Casas, clérigo."

—Pues este escrito —agregó Badillo alzando la voz—, y el que lo firma, y los que lo escribieron, no valen aquí nada.

Y diciendo estas palabras, rasgó el papel, y lo redujo a menudos fragmentos.

—¡Bien!, ¡muy bien! —exclamaron todos los circunstantes, excepto Enriquillo, que viendo a Alonso de Sotomayor aplaudir como los demás, se volvió a él increpándole:

—¿Es posible, señor don Alonso, que vos también halléis justo lo que conmigo se hace? ¿No oísteis a vuestro buen amigo el señor don Francisco decir que yo era de hecho y de derecho libre, en el punto y sazón que él iba a pasar de esta vida?

—Mi amigo no pudo querer desheredar a su hijo —contestó con

---

[1] Histórico. Sacado de la instrucción dada a los p. p. gerónimos por Cisneros y Adriano.

dureza Sotomayor, en quien las pasiones del colono interesado anulaban la honradez y bondad natural del hombre; y aun cuando encargó que fueses bien tratado, no pudo querer autorizarte a perjudicar a los demás.

—¿En qué perjudico yo a nadie, señor? —preguntó Enriquillo con tristeza.

—Con pretender novedades, y valerte de papeles como ese que se acaba de destruir, para perturbarnos a todos —respondió el injusto viejo.

Bien comprendió Enriquillo que Sotomayor se refería a su correspondencia con Las Casas; pero no queriendo causar disgusto a doña Leonor, revelando que sabía el incidente de la carta interceptada, no se dio por entendido, y guardó silencio.

—Es por lo visto inútil, cacique —dijo tras breve pausa el teniente gobernador—, que me presentéis escrito, ni hagáis diligencia alguna. Vuestros fundamentos ya están condenados como nulos. Aveníos a servir con vuestros indios al señor Valenzuela, e id con Dios.

Enrique bajó la cabeza, meditabundo, y salió lentamente de la sala.

—Este cacique es muy ladino; y necesita de que se le sofrene con mano dura: ya lo veis, señores —dijo Mojica sentenciosamente, cuando se hubo ausentado Enriquillo.

—No le dejéis pasar una, Valenzuela —agregó Badillo, y aquellos irritados encomenderos repitieron uno por uno, al despedirse del joven hidalgo, la innecesaria cuanto malévola recomendación.

XXX

ABATIMIENTO

Mencía y doña Leonor aguardaban con impaciente inquietud a Enriquillo. Con el instinto de su amor la una, y la otra guiada por las inducciones de su experiencia, hallaban suficientes datos para presentir que el llamamiento del cacique ante la autoridad, en aquellas circunstancias, era un suceso extraordinario, acaso una crisis suprema en la existencia de Enriquillo; y así, cuando le vieron llegar triste y preocupado, las dos acudieron a él con anheloso interés, informándose de lo acontecido.

El cacique las miró un momento con cierta vaguedad, como quien despierta de un sueño y trata de coordinar sus confusas ideas; y al cabo les habló en voz baja, dando a su acento la inflexión del más sombrío pesar, en estos términos:

—Lo que sucede, doña Leonor, es que hoy por primera vez en mi vida, he creído que la Providencia, la casualidad y la fortuna son una misma cosa... Lo que sucede, Mencía, es que hoy, en el quinto mes de nuestro casamiento, ya tengo por maldita la hora en que pude llamarte mía, encadenándote a mi triste destino...

—Me asombra ese lenguaje, Enrique —dijo Mencía con espanto—. Dime de una vez lo que ha pasado.

—Ha pasado, Mencía, el sueño, la ilusión, la mentira; y queda la tremenda realidad. Soñé que yo era un hombre libre, y no soy sino un mísero siervo.

—¿Quién puede reducirte a esa condición, Enrique? ¡Tú deliras! —dijo doña Leonor.

—¡Ah, señora! —exclamó Enrique—; yo creía estar delirando, sometido a una horrible pesadilla, cuando vi a todos aquellos señores, a quienes estaba acostumbrado a mirar siempre con amor y respeto, conjurados contra mí, retratados en su semblante el odio y la resolución implacable de ofenderme, de ultrajarme, de reducirme a la desesperación. He creído delirar cuando he visto a Andrés de Valenzuela, al hijo de aquel santo hombre, por quien gustoso hubiera dado toda la sangre de mis venas, renegar de la memoria y de la voluntad de su padre, y convertirse en dócil instrumento del malvado Pedro de Mojica... Cuando he oído a don Alonso de Sotomayor haciendo contra mí, que le veneraba, el odioso papel de falso acusador; y por último, cuando me he convencido de que yo no puedo prometerme el amparo de la justicia y de las leyes, porque leyes y justicia nada valen en la Maguana, y estoy enteramente a discreción de los tiranos, mis fieros y encarnizados enemigos...

—Tú exageras sin duda, Enrique —replicó la bondadosa viuda, conmovida, y sin querer persuadirse de lo que oía.

—No exagero, señora —repuso el cacique con voz melancólica y acentuada—. Contra todo derecho, contra toda consideración y contra toda reclamación de mi parte, han declarado que soy y permanezco encomendado con mis indios a Andrés de Valenzuela, como heredero de su padre.

—¡Eso no podrá ser de ningún modo! —exclamó con terror Mencía—: yo escribiré a la señora virreina, iré a verla a Santo Domingo si es necesario...

—La virreina —le interrumpió el cacique—, nada puede en este caso: hoy he visto confirmada la declaración que de su desamparo me hizo la noble señora. Sin eso no se hubieran atrevido a tanto.

Diciendo estas palabras, Enriquillo dio a leer a su esposa el papel que le había llevado Galindo.

—Cierto; es de Elvira la letra —dijo con desaliento Mencía—. ¡No hay remedio!

—Yo veré hoy mismo a Sotomayor, Enriquillo —repuso la digna viuda—. Os digo que exageráis, y espero que pronto os lo haré ver.

—Sólo veré, señora, que vos, mi generosa amiga, vais a ganaros enemistades y disgustos por mi causa; y eso no debo de ningún modo consentirlo. Todos los poderosos de

la Maguana están conjurados en contra mía, y nadie hay en la Española hoy que pueda torcer el rumbo a su malicia. Mi esperanza debe quedar aplazada a cuando regresen a la isla el señor almirante y el padre protector.

—¡Tal vez!... —dijo pensativa doña Leonor.

Y los tres guardaron por buen espacio penoso silencio.

—¿Qué obligaciones habrás de cumplir en esa condición de encomendado? —preguntó al fin Mencía a su esposo.

—Las más ajenas de mis sentimientos —contestó el cacique—. En vez de tener a mis pobres indios como hermanos, velar por su salud y bienestar, deberé oprimirlos, hostigarlos para que sean asiduos en los trabajos que los mayorales y calpisques les señalen; perseguirlos sin descanso cuando huyan; castigarlos severamente por la menor falta, y ser, en suma, el más duro instrumento de su terrible esclavitud.

—Pero tú personalmente, ¿cómo has de ser considerado y tratado? —preguntó otra vez la joven, buscando un atrincheramiento al egoísmo del amor.

—¡Ah, esposa mía! —respondió Enriquillo—: si Valenzuela es, como ya lo temo, un corrompido malvado, esperemos lo peor. Medios le han de sobrar para convertir mi título de cacique en padrón de ignominia, y tratarme con menos consideración que al último de sus perros de presa.

—¡Dios mío! —exclamó consternada Mencía—. ¿Y he de verte despreciado, ultrajado?...

—Me verás sufrir, Mencía —dijo en tono solemne Enriquillo—, y sufrirás conmigo todas las pruebas que un ánimo valeroso y cristiano puede soportar... Hasta que Dios quiera. ¿Estás dispuesta?

—¡A todo! —dijo con vehemencia la animosa joven—: ¡a todo, por mi deber y por tu amor!

XXXI

ARREGLOS

Bien hubiera querido Enriquillo evitarse el mal rato de notificar al irascible Tamayo el cambio que acababa de sobrevenir en la condición de los indios residentes en el caserío de *La Higuera;* pero comprendiendo que no podía sustraerse a la necesidad de esa confidencia, optó por hacerla cuanto antes, convocó para aquella misma noche al fiel asistente y al honrado viejo Camacho, y les refirió punto por punto la novedad ocurrida.

Tamayo, escuchándole, tuvo estremecimientos de energúmeno, y cuando Enrique concluyó por atribuir su desgracia a la enemistad de Mojica, el iracundo jaragüeño se irguió con fiereza, extendió la diestra convulsivamente, y preguntó con voz breve al cacique:

—¿Quieres que lo mate?

—¡Ya te aguardaba en ese terreno, loco! —le respondió Enriquillo—. ¿Tengo yo el corazón lleno de odio y furor como parece que lo tienes tú? Pregunta al buen Camacho si cabe aquí mejor la ira que la templanza.

—¡Cuándo hallará el cacique Enriquillo que la ira cabe en alguna parte! —dijo con acento irónico Tamayo.

—Dios no permita que llegue el caso, pero quizá te equivoques figurándote que mi paciencia no tiene límites —contestó con calma sombría el cacique.

—Si no los tuviera, Enriquillo —terció Camacho—, no serías un triste pecador, sino un santo: ojalá fuera tan grande tu paciencia, que en ningún caso llegara a faltarte.

—A tanto no aspiro, Camacho: trato de *ser hombre,* según la ley de Cristo, y por amor de los que me la enseñaron, sabré soportar muchas injusticias y humillaciones.

—¡Bien, cacique! —exclamó el anciano indio con efusión—. Así no serás ingrato con *el padre;* todos los males podrán remediarse, y Dios te bendecirá.

—Pero entre tanto —dijo Tamayo con voz sorda—, serás el humilde servidor de Valenzuela, y Mojica se reirá de ti.

—¡Déjame en paz, demonio! —replicó en súbito arrebato de cólera Enriquillo; y serenándose inmediatamente añadió—: ¿Qué puedo hacer? ¿He de olvidarme de lo que debo al padre protector, al señor almirante y su familia, al mismo don Diego Velázquez, mi padrino? ¿He de empeorar mi suerte, hoy que me está confiada la suerte de Mencía? ¿Qué quieres que haga, estúpido? —dijo volviendo a exaltarse con creciente vehemencia—. Toma mi cuchillo, y dame por tu mano la muerte: será el favor más grande que puedas hacerme...

—¿Y es ésa tu paciencia, cacique? —le increpó Camacho tristemente—. Oye tú, Tamayo: ¿no comprendes que haces mal en atormentar así a Enriquillo?

—Perdón, cacique —dijo Tamayo con pesar—: yo no quiero incomodarte: soy tu esclavo, tu perro, lo que tú quieras, pero no estés enojado conmigo.

Enriquillo acogió con melancólica sonrisa este acto de arrepentimiento, y así terminó aquella dolorosa conferencia.

Al siguiente día Valenzuela llamó a su presencia al cacique, y sin preámbulo de ninguna especie le hizo saber su voluntad...

—Debo hacer como los demás, Enriquillo —le dijo—. Arregla tus cuadrillas de modo que estén siempre listas para cuando te las pidan mis estancieros.

—Según eso, ¿ya no se trabajará más en *La Higuera?* —preguntó Enrique.

—Por mi cuenta, no: la gente se necesita en las estancias.

—Bien, señor, pero *La Higuera* podrá entretenerse con mis seis naboríes, y los que quieran trabajar para sí de las cuadrillas en descanso.

—Eso será cuenta tuya, Enriquillo —repuso Valenzuela—. Que no me falte uno solo de los indios, ni una sola hora de las que es su obligación trabajar donde yo lo dispusiere, y nada tengo que ver con *La Higuera*. Allí pueden vivir los remanentes.

—Me alegro, don Andrés: así se conservará aquella fundación de vuestro buen padre —dijo el cacique.

—Si puede ser, sea —replicó Valenzuela con sequedad—; pero es bien que adviertas, Enriquillo, que tú eres responsable del menor desorden en ese lugar, y quizá te convendría residir de continuo en él.

Esta insinuación resonó en el oído del cacique como el chasquido de un látigo. Se dominó, sin embargo, y creyó oportuna la ocasión para tocar otro punto delicado.

—No tendré reparo en ello —dijo— después que haya instalado a mi esposa en casa propia.

—¿Por qué no os vais ambos a vivir en la del Hato? —preguntó Valenzuela con fingida sencillez.

—No hay que tratar de eso: Mencía no quiere —contestó el cacique.

—Pues con la mía de San Juan no podéis contar —dijo con tono áspero el hidalgo—: la necesito para mí.

—Deseaba oíros esa declaración, señor —replicó el cacique tranquilamente—, y a fe que no me sorprende: compraremos en San Juan otra casa, con dineros de Mencía.

—No veo esa necesidad, Enriquillo —volvió a decir con afable sonrisa Valenzuela—. Es un capricho de tu esposa no querer habitar en mi hermosa casa del Hato.

—Será capricho, señor —concluyó Enrique—; pero jamás violentaré su voluntad en lo más mínimo.

Valenzuela calló pensativo, y Enrique se despidió diciéndole que iba a ocuparse en reformar el plan de las cuadrillas de *La Higuera* para someterlo a la aprobación del joven hidalgo, y poder ocurrir con regularidad a los pedimentos de indios que le hicieron los sobrestantes de trabajos o estancieros. Al inaugurar así su vida de sujeción y vasallaje, el magnánimo cacique ahogaba en lo profundo del esforzado pecho la angustia y el dolor que lo desgarraban; y en su rostro grave y varonil solamente se traslucía la serena bondad de aquel noble carácter, incapaz de flaqueza, que sabía medir el tamaño de su infortunio, y entraba en lucha con él, armado de intrépida resignación.

XXXII

CAMBIO DE FRENTE

Fue para doña Leonor causa de grande alteración y maravilla la nueva que le dio el cacique de que Andrés de Valenzuela había revocado definitivamente las disposiciones de su padre, relativas a la casa que en San Juan estuvo destinada para habitación de los jóvenes esposos. Protestaba la buena señora contra aquel nuevo rasgo de perversidad del indigno hijo, y se ofrecía a deponer en justicia sobre el derecho que Enriquillo tenía a vivir como propia la referida casa, pues que ella había sido testigo, con don Alonso de Sotomayor, de cuál fuera la expresa voluntad del difunto propietario a ese respecto. Desechó Enriquillo el expediente por inútil, recordando la rectificación que hizo el don Alonso en la audiencia del teniente gobernador, a las declaraciones benévolas de su moribundo amigo, y porque repugnaba a la delicadeza del cacique formular reclamación alguna contra el mal hijo, para hacer valer los favores del buen padre.

Era resolución irrevocable de Enrique no volver a hacer mención de ese asunto, y así lo significó a la viuda, consultando con ella y con Mencía el proyecto de comprar otra casa en San Juan para establecer en ella su hogar. Doña Leonor quiso rebatir este propósito, diciendo al cacique que ninguna casa podía ser más suya que la de ella, para quien era una verdadera dicha el trato y la cariñosa compañía de los dos esposos, y por lo mismo les rogaba que no pensaran en abandonar aquel techo amigo. El afectuoso litigio acabó en transacción, y las dos partes convinieron en que Enriquillo no se daría mucha prisa en comprar casa, sino que iría procurándola con todo espacio, a fin de conseguirla a medida de sus deseos, o en otro caso hacerse fabricar una; y entre tanto, el matrimonio continuaría disfrutando la amplia y generosa hospitalidad de doña Leonor: con lo que el cacique podría atender a sus faenas diarias del campo, sin el pesar de que Mencía no quedara bien acompañada.

Esta última parte del arreglo fue, como se puede concebir, muy del agrado de Enriquillo, que por lo demás no quería contrariar a su bondadosa amiga. Viendo al mismo tiempo la dificultad de conseguir una casa de medianas comodidades en aquella población, en que todas las existentes eran viviendas de sus dueños, resolvió a pocos días hacerse construir desde luego una de madera, según el gusto o el capricho de su esposa. Había dado ya con este objeto los primeros pasos, y tenía convenido con el mejor maestro carpintero de la Maguana la forma, condiciones y costo de la fábrica, para lo cual llegó a adquirir el sitio a propósito y algunos materiales, cuando le detuvo en el principio de la ejecución una ordenanza o mandamiento del teniente gobernador, en el cual se le notificaba que, a requerimiento de don Pedro de Mojica, hidalgo, de cincuenta y cinco años de edad, soltero, y en su calidad de tío en el segundo grado de doña Mencía de Guevara y curador nato de sus bienes, la autoridad judicial decretaba que, por muerte del administrador de dichos bienes, don Francisco de Valenzuela, el heredero de éste, su hijo don Andrés, quedaba obligado a presentar cuenta liquidada y justificada de dicha administración, al teniente gobernador, para que esta autoridad, oyendo los reparos del referido Mojica, aprobara, reformara o reprobara las tales cuentas, según hubiese lugar. Y entre tanto, quedaran los bienes depositados en manos de don Andrés de Valenzuela, hasta nueva disposición, y prohibiéndose absolutamente que el cacique Enrique interviniera en ninguna operación como administrador de hecho, según venía practicándolo indebidamente después de la muerte del verdadero administrador; a causa de no haber llegado a edad de mayoría, y hallarse por tanto en las mismas condiciones de su esposa doña Mencía, en cuanto a la incapacidad legal de administrar esos bienes, etc., etc.

—¿Queréis decir, que un extraño tiene mejor derecho que yo a administrar la hacienda de mi mujer? —preguntó Enrique al oficial de justicia.

—Yo no quiero decir nada, cacique —respondió el alguacil—. Yo no hago más que notificaros, y reclamar vuestra firma aquí al pie de este escrito, para constancia de que quedáis enterado.

—¿Y si no me conformo, maese Domínguez?— volvió a decir Enrique.

—Escribid entonces aquí: "No me conformo", y firmad después, pero curad que es desacato —replicó el alguacil.

Enrique tomó el papel silenciosamente, escribió la fórmula, y consumó el desacato, firmando con su nombre al pie de aquellas tres palabras.

—Aunque me desollaran vivo —dijo volviendo el escrito al alguacil—, no cometería el más leve desacato contra los preceptos de la autoridad, pero tratándose de defender los derechos e intereses de mi esposa, venga lo que viniere.

—Así lo explicaré al señor teniente gobernador —contestó Domínguez—. Quedad con Dios, cacique.

Desde aquel día comenzó para el pobre Enriquillo una serie de pruebas y de mortificaciones que sería cansado y enojoso reseñar en sus infinitos y minuciosos pormenores. Bajo pretexto de que la justicia le había ordenado dar cuenta de la administración de su padre, en lo concerniente a los bienes de Mencía, Valenzuela, siempre instigado por Mojica, no daba punto de reposo al cacique, a quien trataban como a un deudor fraudulento cada vez que se figuraban haber descubierto la menor irregularidad en sus registros. Pero el joven esposo llevaba estos en tan perfecto orden, que siempre salía victorioso de todos los reparos, y confundía con su sencilla franqueza a sus maliciosos enemigos. No parece sino que tenía previsto el caso, y que se complacía en poner de manifiesto los actos más insignificantes de su inteligente administración.

Si se le pedían copias o extractos de algún documento, certificados por él, no oponía la menor dificultad; pero siempre que intentó Valenzuela arrancarle una firma que supusiera asentimiento a la intervención extraña que se le había impuesto —y la tentativa se repitió muchas veces bajo diferentes formas y pretextos—, el cacique antes de su firma, estampaba la severa fórmula "No me conformo", invariablemente. De aquí provenían a cada instante borrascas de mal humor en el voluntarioso Valenzuela, que se vengaba acrecentando de día en día sus exigencias con respecto a los servicios que debían prestarle los indios de Enrique, y por grados subía el tono, apartándose cada vez más de todo miramiento personal hacia aquel joven, "a quien tenía

en mayor menosprecio que si fuera estiércol de la plaza", y que en realidad "pudiera con más justa razón ser señor que servidor suyo".[1]

Muchas veces pareció que Valenzuela se inclinaba a la benevolencia y la concordia con el cacique, pero esta buena disposición pasajera sólo tenía un tema para sus manifestaciones. Enriquillo y Mencía debían reconciliarse con el señor Mojica, que había sido el verdadero salvador de aquel patrimonio, cuando su sobrina estaba en la primera infancia, y había visto recompensados con ingratitud sus desvelos, merced a las intrigas de Las Casas. Tal era el lenguaje de Valenzuela; pero Enriquillo, fundándose en mejores y más verídicos argumentos, se negaba absolutamente al deseo del joven hidalgo, y las tentativas de éste en favor de su cómplice resultaban siempre infructuosas.

Hallábase Enriquillo un día en *La Higuera,* y Mojica, aprovechando su ausencia, se arrojó a hacer por sí mismo una prueba atrevida, entablando comunicación directa con su sobrina. Se presentó en casa de doña Leonor, e invocando su título de pariente para ver y hablar a Mencía. La joven se negaba a recibirle, pero su repugnancia fue al cabo vencida por las instancias de doña Leonor, que la exhortaba a no rechazar la visita de su tío, de quien acaso podría servirse la Providencia divina para que ella y su esposo reivindicaran sus fueros y derechos personales. Según la viuda, no era imposible que Dios hubiera tocado aquel corazón empedernido, y hecho entrar en él un saludable remordimiento, por verse a menudo que un malo suele ser resorte eficaz a pesar suyo para realizar el bien. Estas y otras razones de igual peso, unidas al ascendiente que alcanzaba doña Leonor en el ánimo

---

[1] Conceptos del P. Las Casas, *Historia de Indias,* Lib. III, Cap. CXXV.

de sus agradecidos huéspedes, fueron parte a que Mencía consintiera en admitir a su presencia el odioso hidalgo.

Cerca de tres años hacía que los dos dejaran de verse y tratarse, desde que Mojica fue echado de la casa del almirante; incidente del que hizo mención Las Casas en su carta a don Francisco Valenzuela, antes del matrimonio de Enriquillo con la inocente joven. Ésta participaba, como era natural, de la invencible antipatía con que su esposo miraba al pérfido pariente, y al salir acompañada de doña Leonor a recibir su inesperada visita, apenas lo saludó con una leve inclinación de cabeza, tomó asiento, y aguardó evitando mirar a la cara a a Mojica, que éste se explicara sobre el objeto de su solicitud.

—Veo, sobrina mía —dijo con voz meliflua y aflautada el hipócrita—, que mis enemigos han conseguido armaros de desconfianza y mala voluntad en contra mía; y a fe a fe, que obráis locamente en alejaros de mí, y en mostraros tan ingrata conmigo.

Hizo una corta pausa en su discurso, y viendo que la joven nada respondía, prosiguió:

—Mis culpas en contra vuestra, ¿sabéis cuáles han sido? Amaros como a hija mía desde la cuna, soñar para vos un empleo digno de la noble sangre de Guevara, que corre por vuestras venas, y deplorar la maldad y la locura que os han arrojado en los brazos de un mísero y oscuro cacique.

Mencía hizo un movimiento involuntario, pero se repuso y no contestó.

—Hoy mismo —continuó el hidalgo—, se empeñan en alimentar vuestra aversión hacia mí, pero yo, movido a misericordia ante vuestro infortunio y abatimiento, acudo a ofreceros una mano protectora, y a deciros con el alma llena de ternura: "Mencía: no estáis desamparada ni sola. De vos depende el vivir opulenta y feliz: os basta con

firmar este papel, en el cual pedís a la autoridad separaros de Enriquillo, y constituiros con vuestros bienes bajo mi protección paternal."

Diciendo estas palabras, el hidalgo frotó con las manos sus dóciles ojos, de los cuales manó copioso llanto.

Mencía le preguntó secamente:

—¿Es eso cuanto teníais que decirme, señor?

—Es todo.

—Pues nada tengo que contestaros. Soy la esposa del cacique Enrique, y nadie podrá separarme de él.

—Pues prepárate a ver redoblar sus sufrimientos y los tuyos, menguada —dijo fuera de sí y trémulo de rabia Mojica.

—A todo estoy dispuesta: —contestó con entereza la joven—; a todo con él. Nada tengo ni quiero de común con vos.

Y sin más ceremonia salió de la sala, dejando a doña Leonor sola con el corrido hidalgo.

—Os tomo por testigo, señora —dijo éste a la viuda—, de que mi buena voluntad de pariente ha sido despreciada y escarnecida por esa loca, cuando he venido a procurar su bien y su remedio.

—De lo que he sido testigo, señor don Pedro —dijo con sequedad doña Leonor—, es de vuestro empeño en ultrajar un sacramento de la santa madre iglesia. ¿Qué habíais de prometeros de Mencía, que es buena esposa y modelo de virtudes, al pretender que abandone a su marido?

—Acaso tengáis razón en parte, señora —contestó Mojica reflexionando, y con su estudiada afabilidad—. Puede ser que yo haya ido muy lejos, llevado de mi cariño a esa tontuela, pero vos no desconoceréis la bondad de mi intención en su favor, y si queréis ayudarme, haciendo que Mencía y su esposo dejen de oír las instigaciones de mis enemigos, y me confíen sus poderes, estad segura de que la suerte de ambos mejorará infinito, y vos habréis contribuido a ello en gran manera.

—Mi mucho amor a esa virtuosa pareja, señor hidalgo, me obliga a oíros con vivo interés —dijo doña Leonor cayendo sencillamente en el lazo—. Procuraré reducir a Enriquillo y Mencía a lo que indicáis como necesario para su provecho; mas os advierto que sea cual fuere el resultado, yo amparé siempre, hasta donde alcancen mis fuerzas de mujer, a esos dos jóvenes que sin razón ni motivo se ven aborrecidos y mal mirados de todos.

—Yo haré que cambie esa situación, señora, si vos me ayudáis eficazmente —repuso Mojica.

Contad con ello, don Pedro.

El hidalgo se retiró satisfecho, pues siendo doña Leonor el único apoyo inmediato que tenían los jóvenes esposos entre los colonos españoles de San Juan, no era poca cosa la adquisición de su inocente auxilio para conducir aquellas infelices víctimas a la capitulación completa que él pretendía. Por la noche, en casa de Badillo, se jactaba en presencia de éste y de Valenzuela del buen éxito que había alcanzado su diligencia, prometiéndose que muy pronto se les entregaría a discreción la rebelde pareja, y los bienes de Mencía, nueva túnica del Crucificado, serían repartidos sin obstáculo ni responsabilidad entre los tres cómplices de aquella odiosa intriga.

XXXIII

CRISOL

Pero a todas las reflexiones e insinuaciones de doña Leonor, opusieron Enrique y Mencía la negación más absoluta e inflexible. Preferían la última pobreza y la ruina total, a ningún pacto o avenimiento con Mojica. ¿Qué dirían sus bue-

nos protectores, Las Casas y el almirante, cuando supieran que Enriquillo había abdicado en Mojica sus derechos y los de su esposa, poniendo el sello de su consentimiento al despojo de Mencía?

La perseverancia con que el protervo hidalgo repitió sus visitas a doña Leonor, desplegando en ellas todos los recursos de su aptitud para el engaño y la intriga, y el candor con que la buena señora reiteró tres o cuatro veces a Enriquillo sus argumentos para que aflojara un tanto los nudos de su repugnancia a todo concierto con aquél, en pro de los intereses de Mencía, fueron despertando poco a poco en el ánimo del cacique, ya predispuesto por los desengaños recibidos de los mejores colonos, el injusto recelo de que también doña Leonor, hasta entonces su único amparo y leal aliada, se inclinaba a la causa de sus enemigos, y se cansaba de dispensarle una amistad que a ella le atraía la malevolencia y el desvío de los principales habitantes de la villa. Sabido es cuán susceptibles hace la adversidad a los caracteres nobles y generosos. Enriquillo comunicó tan amargas cavilaciones a su esposa, y ambos, careciendo de casa propia, embargados en manos de Valenzuela todos los recursos patrimoniales de Mencía, resolvieron no eludir por más tiempo las consecuencias naturales del estado a que se hallaban reducidos; y aceptando de lleno la crudeza de su infortunio, declararon un día formalmente a doña Leonor su propósito de irse a vivir al caserío de *La Higuera*.

Inútiles fueron las objeciones, los empeños y las súplicas de la excelente viuda para hacer desistir a sus huéspedes de semejante resolución. La humilde *casa del cacique*, en mitad del *aduar* de *La Higuera*, como lo había denominado con desprecio Badillo, fue preparada en poco tiempo tan convenientemente como se pudo, y Enriquillo, con gran satisfacción del viejo Camacho, se instaló en aquella pobre morada con su esposa y Anica, que siempre figuraba como encomendada a doña Leonor, de quien se despidieron previas las más afectuosas demostraciones de gratitud, y no sin mediar muchas lágrimas sinceramente derramadas por las dos amigas.

—Vosotros me abandonáis —dijo la buena matrona en aquella ocasión—; pero yo os perseguiré con mi cariño adonde quiera que fuereis. Esperad muy pronto mi visita.

Y para comenzar su anunciada persecución, envió aquel mismo día muebles, provisiones y numerosos regalos de valor a *La Higuera,* donde gracias a esta solicitud generosa, y al regocijo y esmero con que Camacho, Tamayo y Anica lo arreglaban todo, el cacique y su esposa hallaron su cambio de residencia mucho más agradable y cómodo de lo que pudieran haberse prometido; y en medio de su pobreza y abatimiento experimentaron durante algún tiempo aquella serenidad de espíritu que siempre acompaña al que sabe conformarse con cualquier estado a que lo reduzca la suerte, cuando tiene limpia la conciencia, manantial único de la felicidad posible en este mundo.

XXXIV

RAPACIDAD

Mojica y Valenzuela vieron con mucho desagrado la instalación de Enriquillo y su familia en *La Higuera;* el primero porque comprendió que la novedad era simple efecto del interés que doña Leonor Castilla mostrara en favor de sus pretensiones, y el segundo porque, con aquella radical determinación del cacique, perdía la esperanza de que aceptara el ofrecimiento de la casa del Hato, donde le hubiera sido más fácil que en ninguna otra parte, se-

gún su manera de ver, llegar al logro de sus nefandos propósitos.

Al convencerse de que Mencía se negaba definitivamente a toda relación directa con él, y prefería una pobre cabaña con la dignidad de su marido, a la morada suntuosa que él les ofrecía, su irritación llegó al colmo, y ya no se tomó el trabajo de velar sus viles sentimientos y la grosería de su carácter con el sufrido Enriquillo. Éste había conseguido salvar su decoro personal a fuerza de cuidado y habilidad: estudiando y conociendo a fondo las ordenanzas de repartimiento por las cuales debía regir sus obligaciones, jamás pudo Valenzuela hallar nada que reprochar en los actos del cacique; y cuando intentaba extralimitarse en sus exigencias, Enrique sabía advertírselo y refrenarlo con impasible mesura. Pero los días de las grandes pruebas llegaban, el joven señor no guardaba ya miramiento alguno, y su tiranía se iba haciendo de todo punto insoportable: bajo cualquier pretexto y sin el menor asomo de razón trataba duramente al cacique, le prodigaba dicterios, y no perdía ocasión alguna de humillarle y escarnecerle.

Sufría Enriquillo con pasmosa paciencia, y con la impasibilidad del mármol, aquellos denuestos y malos tratamientos. La peste de viruelas comenzaba a hacer serios estragos en los infelices indios, y los primeros que por esa enfermedad dejaron incompletas las cuadrillas que estaba obligado a proveer el infortunado cacique, fueron inocente causa de que Valenzuela lo mandara tres veces consecutivas a la cárcel.

Aún así, la estoica resignación de Enriquillo resistía victoriosamente a tan penosas pruebas; pero los indios de *La Higuera,* que sentían agravarse día por día el pesado yugo a que estaban sometidos, no tenían igual sufrimiento; y los unos al sentirse enfermos, los otros en convalecencia, y los sanos por sustraerse al recargo de faenas y de penalidades que por la reducción de los brazos gravitaba sobre ellos, comenzaron a huir a los montes, y comenzó para el desesperado cacique, obligado a perseguir incesantemente a los fugitivos, un trabajo corporal y de espíritu que llegó a rendir sus fuerzas y lo postró en cama por algunos días. Su temperamento privilegiado y la fuerza de su voluntad le impulsaron a dejar muy pronto el lecho, para continuar, según decía, la persecución de los prófugos, habiéndose adquirido la noticia de que andaban ocultos en las montañas del Bahoruco, de donde eran naturales.

A la apremiante intimación de Valenzuela, el cacique, manifestando gran celo por cumplir el más penoso de los deberes que se le habían impuesto, declaró su propósito de ir a las montañas, donde él también había visto la primera luz; y al efecto, reclamó con bien medidas razones su excelente yegua rucia, que había guardado en su poder Valenzuela desde el día de la cojera ficticia de su caballo, muy desentendido de que debía restituir la bestia a su dueño. La justa demanda de éste fue recibida con extrañeza y burla, como una proposición extravagante, y el procaz usurpador acabó por preguntar riéndose al asombrado cacique:

—¿Para qué quieres a *Azucena*? (Tal era el nombre que él mismo impuso a la preciosa yegua de Enriquillo.)

—La quiero, señor —respondió éste—, para ir al Bahoruco: doliente como estoy todavía, necesito hacer con comodidad ese viaje.

—¿Pero no hay otros caballos en el Hato? —volvió a preguntar Valenzuela con desfachatez—. Estás muy exigente, Enriquillo, y parece que te figuras que todo ha de pasar como en vida de mi padre.

—No, señor —replicó Enrique—; harto veo la diferencia, pero su voluntad debe ser sagrada para vos como para mí, por eso reclamo a *Azucena*, que según lo ordenó don

Francisco, no puede dejar de ser mía.

—¿Estás loco, Enriquillo? Esa yegua no sale ya de mi poder: ¿qué vas a hacer con ella? Coje cualquiera de mis caballos en cambio, y déjate de disparates.

—Yo no aceptaré en cambio de ese animal nada, señor. Harto sabéis que no debe ser.

—Harto sé que será, Enriquillo —dijo con descaro Valenzuela.

—Será por la fuerza, señor, por vuestra exclusiva voluntad, mas no por la mía. Cumplo con lo que debo al padre Las Casas, que me regaló esa bestia, y a vuestro padre que me mandó conservarla y no cedérosla —dijo con firmeza el cacique.

—Haz lo que quieras, Enriquillo —replicó desdeñosamente el hidalgo—, me quedo con la yegua.

Enriquillo, sin ocultar esta vez su indignación, se retiró a su casa y refirió a su esposa en presencia de Camacho la nueva injusticia que acababa de sufrir de parte de Valenzuela. La mansedumbre del anciano indio tuvo un eclipse pasajero al escuchar aquel irritante relato, y sin dar tiempo a que Mencía expresara su sentir, dijo con despecho a Enriquilo:

—Reclama en justicia tu yegua, cacique.

—No haré tal, Camacho —contestó Enrique—: por una bestia, así sea mi hermosa *Azucena*, no voy a olvidar lo que debo al nombre de don Francisco Valenzuela, pidiendo justicia contra su hijo. Ni me la haría tampoco el señor Badillo.

—Es verdad, Enriquillo —repuso Camacho, ya depuesto el efímero enojo—: ¡paciencia, hijo, paciencia! Volverá el padre a la isla, y todo se remediará.

—Ésa es mi esperanza —dijo por conclusión Enrique; y recobrando del todo su magnánima serenidad se volvió placenteramente a Mencía, que en silencio y reclinando la bellísima faz en el dorso de su diminuta mano, escuchaba con melancólica atención el precedente diálogo.

Enriquillo estampó un beso en aquella ebúrnea y pensativa frente, y llamando enseguida a Tamayo, le ordenó que para el siguiente día, bien temprano, hiciera los aprestos del viaje que los dos —Enrique y Tamayo— debían hacer a la sierra del Bahoruco.

XXXV

EL BAHORUCO

Era en los primeros días del otoño; pero el otoño, en los valles afortunados de la Maguana, ni amortigua el verde brillante de las yerbas que esmaltan las llanuras, ni en los sotos despoja a los árboles de su pomposo follaje. Más bien parece que toda aquella vegetación, sintiendo atenuarse el calor canicular de los rayos solares, viste los arreos que en otros climas están reservados a la florida primavera, para tributar en festivo alarde su homenaje de gratitud al fecundo principio creador.

Dotado Enriquillo de sensibilidad exquisita, y capaz por su delicado instinto como por la superioridad de su inteligencia, de ese entusiasmo sencillo cuanto sublime que genera el sentimiento de lo bello, olvidaba sus penas al recorrer, seguido del fiel Tamayo, y del no menos fiel mastín que solía acompañarle, por una mañana sin nubes, aquellas dilatadas y hermosas praderas, donde la vista se esparce con embeleso en todas direcciones, y se respira un ambiente embalsamado; y las auras, rozando con sus alas invisibles las leves y ondulantes gramíneas, murmuran al oído misteriosas e inefables melodías.

En el seno de aquellos esplendores de la naturaleza, el cacique experimentaba la necesidad de expandir en la comunicación con otro ser inteligente y sensible sus gratas impresiones; y creyendo que Tamayo era capaz de reflejarlas, que experimentaría como él la sensación halagüeña de respirar con libertad en medio de aquel vasto espacio, embellecido con todos los primores de la fauna y la flora tropicales, trataba de poner su espíritu en íntima comunión con el de su adusto compañero, evocando su admiración cada vez que se ofrecía a sus extasiados sentidos un objeto más peregrino o seductor que los demás del vistoso y variado panorama. Pero sus tentativas en este sentido siempre salían frustradas, y Tamayo, parodiando sin saberlo a un célebre varón ateniense, era el hacha de los discursos entusiastas de Enriquillo. Llamaba éste la atención del rudo mayoral hacia los fantásticos cambiantes del lejano horizonte, y obtenía esta helada respuesta:

—Si llegamos allá no hallaremos nada: eso parece, y no es. ¡Así son las esperanzas del triste indio!

Volvía Enriquillo a la carga al cabo de un cuarto de hora:

—Esta linda sabana, Tamayo, es de las que hacen creer al padre Casas que en nuestra hermosa tierra estaba el paraíso de Adán.

—Pero nosotros los indios somos como el padre Adán después del pecado —respondía el inexorable Tamayo.

—Mira allá a lo lejos —insistía Enriquillo— aquellas alturas: repara cómo con la luz del sol que les da de lleno, parecen una ciudad con grandes edificios, como los de Santo Domingo.

—Que buenos trabajos y buenas vidas han costado a los pobres indios —replicaba el empedernido misántropo.

Cansado Enrique de tan persistente manía, dejó de tocar las indóciles fibras de la inerte admiración de Tamayo, y guardó para sí solo en adelante sus originales y poéticas observaciones.

El siguiente día al declinar el sol llegaron a la gran sierra del Bahoruco. Cuando iban a penetrar por uno de sus tortuosos y estrechos desfiladeros, el cacique hizo alto, su mirada brilló con insólito fulgor, y estas palabras salieron grave y acompasadamente de sus labios:

—Oye, Tamayo: desde aquí es preciso que te desprendas de tu mal humor. Se acabó la contemplación desinteresada de la risueña naturaleza: quiero estudiar palmo a palmo, de un lado a otro, a lo largo y a lo ancho, esta serranía del Bahoruco, dominio y señorío de mis mayores: quiero ver si reconozco alguno de los sitios en que, niño, vagué contigo, siguiendo a mi cariñoso tío Guaroa, por estas recónditas soledades. A esto es a lo que en realidad he venido, y no a dar caza a los infelices hermanos nuestros que huyen de la servidumbre.

—¡Enriquillo! —exclamó Tamayo con júbilo, al escuchar esta declaración—. ¿Al fin te acuerdas de tu raza, y te resuelves a salir del poder de Valenzuela? ¿Nos quedaremos en estas inaccesibles montañas?

—Poco a poco, Tamayo —respondió Enrique—: vas muy de carrera. Todo es posible, pero hasta ahora no estamos en el caso de pensar en alzarnos, no. ¡Plazca al cielo que ese extremo no llegue! —agregó con angustiado acento.

—Bien sé que no llegará nunca para ti, Enriquillo —dijo Tamayo sarcásticamente.

—Yo mismo no lo sé, loco, ¿y pretendes tú saberlo? —replicó Enrique—. Sí te declaro que jamás daré motivo de arrepentimiento a mis bienhechores, dejándome ir a la violencia, en tanto que haya una esperanza de obtener justicia.

—Pues yo te digo, Enriquillo, que abusarán de ti hasta más no poder; buscarás esa justicia que dices, y no la encontrarás.

—Quedan todavía cuatro o cinco horas de día —contestó Enrique mudando bruscamente de tono—: visitemos toda esta parte de la sierra hasta que venga la noche, y continuaremos mañana nuestra exploración.

Desde que se internaron en la cordillera comenzaron a ver indicios de que en ella se albergaban muchos indios alzados, de lo cual pronto obtuvieron completa certidumbre por informes de algunos viejos, parientes o amigos de Tamayo, que vivían ostensiblemente en los sitios menos agrestes, cuidando cerdos y cabras por encargo de algún colono que los dedicaba a esta atención. Fácilmente consiguieron, por medio de estos mismos vividores de la montaña, ponerse en comunicación con algunos de los fugitivos de *La Higuera*, a quienes Enriquillo reprendió con bondad por haberle abandonado y expuesto a la cárcel y a otros sufrimientos. Lloraron amargamente los pobres indios al reconocerse culpables para con su cacique, y se ofrecieron a seguirle todos a la Maguana, o a hacer lo que él quisiera.

—¿Volver allá?, no —les dijo Enriquillo—; recios castigos os aguardan, y yo prefiero considerarlos rescatados de la servidumbre a costa de mi prisión y de los demás disgustos que he sufrido a causa de vuestra fuga. Permaneced por aquí bien ocultos, cultivad vuestros conucos en lo más intrincado y secreto de estos montes, y cuidad de que yo os encuentre fácilmente, cada vez que tenga necesidad de vosotros.

Los prófugos besaron humildemente las manos al cacique, prometiéndole cumplir sus instrucciones punto por punto; y los dos exploradores pudieron proseguir con mayor holgura, y conducidos por guías perfectamente prácticos, la minuciosa investigación de muchos picos, laderas, barrancos y precipicios de aquel confuso laberinto de montañas, en cuyo trabajo emplearon cinco o seis días, sin que les faltara el necesario sustento, que en abundancia les proporcionaba la rústica hospitalidad de los moradores del Bahoruco. Enriquillo parecía encantado con la variedad de objetos y accidentes de aquella original excursión, cuyo fin verdadero no se atrevía a confesarse a sí mismo: los puros aires de la sierra devolvían la salud y el vigor a sus miembros, y el mismo Tamayo, libre de su mal humor habitual, se hacía locuaz y expansivo, hasta el punto de reír abiertamente de vez en cuando.

XXXVI

MALAS NUEVAS

Era imposible que en el corto espacio de tiempo que Enriquillo había destinado a la exploración de sus montañas nativas, adquiriera un conocimiento cabal de aquella vasta sierra, cuyo desarrollo se dilata por más de veinte y cinco leguas corriendo de levante a poniente, y sus estribaciones alcanzan en muchas partes cinco y seis leguas de norte a sur. Pero la sección que había logrado visitar era de por sí muy extensa, y quizá la más accidentada de la cordillera, bastando al cacique aquel estudio práctico para quedar bien orientado de todo el contorno, y con la seguridad de que con Tamayo y los demás guías que tenía a su disposición, le sería sumamente fácil el acceso a cualquier otra localidad de la agreste serranía.

Ordenó, pues, el regreso a la Maguana, a pesar de las reclamaciones de Tamayo, a quien parecía demasiado pronto para poner término a tan agradable excursión. Enriquillo dio punto a todos sus reparos con esta sencilla pregunta:

—¿Te parece que puedo estar tranquilo y gozoso lejos de mi Mencía?

Y con toda la celeridad de que eran capaces los excelentes caballos que montaban[1] salieron por la tarde de las montañas, volvieron a las llanuras, y durmiendo pocas horas en el camino, al siguiente día llegaron a *La Higuera.*

Enriquillo se desmontó rápidamente a la puerta de su casa, y corrió anheloso al interior llamando a Mencía, pero a sus voces sólo respondió tristemente el anciano Camacho, que salió al encuentro del cacique, y le hizo saber que la joven esposa había ido con Anica a San Juan, a aguardar su vuelta del Bahoruco en casa de doña Leonor Castilla; que la cuadrilla vacante estaba toda en el Hato, y Galindo preso en la cárcel de la población; por lo que él, Camacho, habiendo quedado solo en *La Higuera,* no había podido enviar recado a Enriquillo, para enterarle de la gran novedad que había ocurrido en su ausencia.

Apenas hubo acabado el viejo su rápido relato, Enriquillo, que le había escuchado con atención y febril impaciencia, volvió a montar en su generoso caballo, e hincándole reciamente las espuelas, partió a escape, siempre seguido de Tamayo, en dirección de la villa, adonde llegó antes que el sol al ocaso. Abrazó a su tierna esposa, en cuyo semblante se veían patentes las huellas de un profundo pesar, y oyó de sus labios la narración extensa del suceso, que Camacho no había hecho sino indicarle sin precisión.

Dos días después de haberse ausentado Enriquillo, Valenzuela y Mojica, acompañados de dos estancieros, se presentaron en *La Higuera.* Uno de los estancieros o *calpisques,*[2] reunió todos los indios, sin distinción de edad ni sexo, y por orden de Valenzuela se encaminó con ellos a el Hato. Solamente quedaron Camacho y Anica en la casa del cacique, acompañando a Mencía; pero a poco espacio los dos

---

[1] Era ya en aquel tiempo (1518-19) muy abundante y de buena raza el ganado caballar en la Española.

[2] *Calpisque, la peor especie de verdugos conocida;* dice Las Casas.

caballeros, con su doble autoridad de señor del lugar el uno, y de tío de la joven dama el otro, intimaron al viejo y a la muchacha que les dejaran a solas con Mencía, para tratar asuntos de que nadie más que los dos hidalgos y la esposa del cacique debían tener conocimiento. Camacho salió de la casa y Anica se retiró a un cuarto inmediato, adonde poco después la siguió Mojica; porque habiendo hecho vanos esfuerzos para conseguir que su sobrina entrara en conversación con él, y obstinándose Mencía en guardar absoluto silencio, se levantó despechado, y salió de la sala diciendo a la taciturna joven estas palabras: "Ya tendréis que entenderos con Valenzuela."

Lo que pasó después, según la narración de Mencía a su esposo, fue que Valenzuela, presentándole un escrito, le rogó que lo firmara por su bien; que ella leyó el papel y vio que contenía una declaración bajo juramento, de que el cacique su marido la trataba muy mal, obligándola a vivir en una pajiza cabaña en *La Higuera*, cuando podían vivir en el Hato, o en la villa, e imponiéndole otras muchas penitencias y privaciones, por lo que pedía a la justicia que la separasen de él, y le nombrasen curador especial. La joven señora se había negado rotundamente a firmar semejante infamia, y entonces Valenzuela, amenazándola y tomándola por un brazo sin miramiento alguno, quiso arrancarle por fuerza la firma; pero ella, resuelta a no ceder, pidió a gritos socorro, y a sus voces acudió Anica, forcejando con Mojica que pugnaba por contenerla; mientras que por la puerta principal aparecieron Camacho y Galindo, armado este último de un nudoso garrote, con el cual cayó furiosamente sobre los dos viles hidalgos, dislocando el hombro derecho a Valenzuela, y descalabrando malamente a su cómplice.

Anica y Camacho no dejaban de tener parte en la hazaña del intrépido Galindo, por cuanto el viejo, con una agilidad increíble en sus años, corrió a prestar ayuda a la muchacha, y ambos se aferraron fuertemente del contrahecho Mojica, que por lo mismo no tuvo libertad para sacar la inútil espada, cuando cargó sobre él el Galindo, después de dejar mal parado a Valenzuela. En cuanto a éste, el vivo dolor que le produjo su inesperada contusión tampoco le permitió otra cosa, cuando se repuso de su primera sorpresa, que increpar con voz terrible al atrevido naborí, prometiéndole que lo haría ahorcar. El esforzado muchacho le contestó con gran frescura: "Eso será mañana." Sobrevino entonces tardíamente el otro mayoral, que por acaso se había apartado un tanto de la casa, y viendo aquel espectáculo y el aire de rebelión de Galindo, a la voz de Valenzuela cerró con él, y le hirió con su espadón en la izquierda mano; pero el intrépido indio revolvió sobre su agresor, y de un recio garrotazo en la cabeza lo postró en tierra. Anica, con admirable serenidad, asió entonces del brazo a Mencía, y escoltadas por el fiero Galindo emprendieron ambas el camino de la villa, sin que el molido y medio atónito Valenzuela intentara oponérseles.

Camacho entonces, tranquilo, si no del todo satisfecho, se puso a curar a los heridos, comenzando por el asendereado y yacente caballero Mojica, de quien el viejo curandero dijo con mucha sorna a Valenzuela:

—Este señor hidalgo va a quedar señalado para toda su vida: hay aquí una oreja que nunca recobrará su forma natural... Si el palo de ese loco sube una pulgada más, tendríamos que llorar muerto a este bendito señor don Pedro de Mojica.

XXXVII

RECTIFICACIÓN

El precedente relato es un resumen fiel de lo que el cacique oyó parcial, .pero acordemente, de los labios de Camacho, Mencía y Anica, quienes siguiendo el parecer de doña Leonor, que abrió sus brazos con regocijo a la amiga que volvía a buscar su refugio entre ellos, se pusieron de acuerdo para omitir en su narración a Enriquillo, cuando éste regresara del Bahoruco, aquellas circunstancias que pudieran llevar la exasperación al ánimo del joven cacique. Reintegraremos en todo su punto la verdad, rectificando o más bien completando sucintamente aquella relación convencional de los sucesos.

Desde que Camacho vio al estanciero de Valenzuela ordenar que la cuadrilla de indios saliera para el Hato, presumió que se trataba de algún mal propósito contra doña Mencía, y tuvo industria para dar a Galindo la consigna de evadirse del cumplimiento de aquella orden, y estar sobre aviso. Luego que Mojica hizo salir al mismo Camacho de la casa, éste se ocultó en una choza vecina, de donde pudo oír la voz de Mencía; y reuniéndose al punto con Galindo, que también estaba oculto cerca de allí, obraron en perfecta combinación según se ha escrito.

Por lo que respecta a la escena entre Valenzuela y Mencía, hubo una circunstancia gravísima. El joven hidalgo, tan pronto como se vio a solas con la peregrina beldad, y autorizado a todo por Mojica, creyó haber llegado al logro del objeto que más le preocupaba, y que la codiciada mujer de quien sabía que era aborrecido, estaba en sus manos, enteramente a discreción de sus torpes deseos.

Hízole efectivamente leer el papel en que se contenía la deshonra de Enriquillo y de la misma Mencía; y mientras ésta tenía fijos los hechiceros ojos en aquellas líneas, trazadas con tinta menos negra que el alma del que las dictara, el liviano mancebo, devorando con la vista los encantos de la hermosísima joven, aguardaba ansioso, jadeante, a que concluyera su lectura.

Cuando Mencía devolvió secamente el escrito, diciendo que no lo firmaría aunque le arrancaran la vida, el inflamado libertino le respondió con vehemencia:

—¿Qué me importa ese papel? Mencía, tened compasión de mí, y no me hagáis con vuestro odio el más infeliz de los hombres... ¡Vos, reducida a vivir en esta miserable cabaña, por desdeñar mi pasión, por negaros a usar de los bienes que pongo a vuestros pies!... Vos, llenando de hiel este corazón que os adora, y siendo la causa de los sufrimientos que pesan sobre vos misma y sobre el que llamáis vuestro esposo... Sí, Mencía: de vos depende la suerte de Enriquillo y vuestro propio bienestar. Soy capaz de todo lo malo por haceros mía: vuestro amor, la dicha de poseeros, haría de mí el mejor entre los buenos... ¡Sed piadosa, como sois bella...!

Mencía escuchaba tal lenguaje inmóvil, espantada. Comprendía que lo que pasaba en aquel terrible momento era un acto premeditado, y entraba en su ánimo el terror, creyéndose a la merced de aquel hombre, que con cínica expresión le declaraba que era capaz de todo. Vaciló sobre el partido que debía tomar, y al cabo hizo un movimiento para huir; pero Valenzuela se abalanzó a ella como el tigre a su presa, la tomó por un brazo, y atrayéndola violentamente a sí, estrechó la bellísima cabeza contra su aleve pecho, e imprimió un ósculo de fuego en los inertes labios de Mencía.

Entonces fue cuando la joven prorrumpió en un grito agudo, penetrante, lleno de angustia, y haciendo un esfuerzo desesperado, logró desasirse de los brazos del vil corruptor.

Lo demás fue como queda anteriormente referido. Mencía repitió con todas sus fuerzas, dos y tres veces seguidas, la voz de ¡socorro! con acento desgarrador; al mismo tiempo que esquivaba el contacto del audaz Valenzuela, que insistía en su persecución, hasta que le contuvo la inesperada presencia de Galindo y Camacho, recibiendo el violento golpe que le asestó el robusto naborí, antes de que se diera cuenta de aquella súbita agresión.

Nuestras investigaciones no han alcanzado a saber de un modo cierto lo que pasara entre Mojica y Anica antes de llegar al ruidoso desenlace de la tentativa de Valenzuela. Ella contaba que el repugnante hidalgo había pretendido reanudar la pasada amistad, haciéndole mil reflexiones y deslumbradoras promesas, a las que ella estuvo aparentando que prestaba atento oído, hasta que Mencía alzó el clamor pidiendo auxilio. Es un hecho averiguado que la joven india detestaba al grotesco galán, en lo que no hacía cosa de mérito, porque el hombre era más feo que el padre Manzanedo, y por lo mismo debemos creer a Anica todo lo que le plugo referir, sobre su honrada palabra.

Enterado Badillo del percance de sus amigos, aquella misma tarde hizo buscar a Galindo, y ponerlo en la cárcel aherrojado con el mayor rigor.

XXXVIII

DESAGRAVIO

Cuando Enriquillo escuchó de boca de su consorte la relación, discretamente modificada, del atentado cometido contra su persona, sintió agolparse toda su sangre al corazón; un temblor nervioso se apoderó de sus miembros, y quedó por buen espacio como atónito y fuera de sí. Poco a poco dominó su emoción, recobró la aparente serenidad, y al cabo interrogó a Anica; apuntó varias notas en una hoja de papel, y negándose a tomar alimento alguno, se encaminó a la calle al toque de oraciones.

—Mira lo que vas a hacer, Enrique —le dijo cuidadosa Mencía.

—Queda tranquila, cielo mío —contestó él—; voy a ver si hay justicia en la Maguana.

Al salir de casa de doña Leonor halló en la puerta a Tamayo, que habiendo oído atentamente la narración que del suceso hizo Camacho, estaba envidioso de la suerte de Galindo, y tenía esperanzas de que se presentara alguna otra oportunidad de repartir palos.

Tan pronto como vio al cacique le dirigió la palabra con voz bronca, preguntándole:

—¿Dónde vas, Enriquillo?

—A ver si hay justicia en San Juan —respondió el cacique, repitiendo lo que dijera a su esposa.

—¿Y si no la hallas? —insistió Tamayo.

—La iré a buscar a Santo Domingo —volvió a responder Enriquillo con gran tranquilidad.

El impaciente mayoral dio una violenta patada en el suelo; mas reponiéndose en seguida preguntó de nuevo:

—¿Y si no la hallas?

—Entonces, Tamayo, será lo que Dios quiera —concluyó Enrique, siguiendo su camino.

Se dirigió a la casa del teniente gobernador, que estaba a la mesa con varios amigos. Uno de éstos era Mojica, que con la cabeza llena de vendajes, hacía gala de valor, negándose a guardar cama. Enriquillo tuvo que esperar más de media hora a que acabara la cena, y mientras tanto pasó por el suplicio de escuchar confusamente la voz agria y chillona de aquel monstruo, refiriendo a su manera la rebelión de La Higuera, y las frecuentes carcajadas con que los comensales acogían los chistes y agudezas del hidalgo histrión. Levantóse al fin Badillo, y fue a la sala donde estaba el cacique, preguntándole con muestras de afabilidad qué se le ofrecía. Enriquillo le denunció lo ocurrido entre Valenzuela y su esposa, según obraba en su noticia, y acabó por formular tres peticiones: la una, que Galindo fuera puesto inmediatamente en libertad; las otras, que se quitara a Valenzuela todo cargo o intervención en los bienes de Mencía, y se diera por terminada la dependencia o sujeción del mismo Enrique y sus indios a un señor que se conducía tan indignamente.

Badillo acogió con sarcástica sonrisa la exposición de Enriquillo, y le preguntó si tenía pruebas de lo que se atrevía a decir contra su patrono.

Al oír la helada cuestión, el cacique respondió con sosegado, pero firme acento, estas palabras:

—Vos sabéis tanto como el que más, señor teniente gobernador, que he renunciado a mis derechos personales no una, sino muchas veces; que en parte por gratitud a la memoria venerada de don Francisco de Valenzuela, y en parte por sentir que pesaba sobre mí una mala voluntad general, he soportado cuantas injusticias se ha querido hacerme: prisión, malos tratamientos e injurias de quien ni por ley ni por fuero tenía facultad para exigir mis servicios. Sabéis que soy incapaz de urdir mentiras, y acabáis de oír a ese infame señor Mojica hacer motivo de risa en vuestra mesa, lo que es causa de dolor y desesperación para mí. Lo que no sabéis, señor teniente gobernador, es que yo había puesto por límite a mi paciencia el respeto a mi esposa, y que estoy resuelto a que se nos haga

reparación cumplida en justicia, para lo cual está constituida vuestra autoridad en San Juan de la Maguana.

El tono reposado, digno, solemne, con que Enriquillo enunció su corto y expresivo discurso, hizo impresión en el ánimo de Badillo, que escuchaba sorprendido aquel lenguaje lleno de elevación, en un sujeto a quien se había acostumbrado a mirar como a un ente vulgar y falto de carácter. Pero como Badillo era un malvado, en la más alta acepción de la palabra, en vez de sentirse inclinado a retroceder en el sendero de la iniquidad, su orgullo satánico se sublevó a la sola idea de que un vil cacique, según calificaba a Enriquillo, tuviera razón contra él, y pretendiera sustentarla con la entereza que denotaban las palabras del ofendido esposo. Contestóle, pues, con afectado desprecio y grosería, que son el recurso habitual de las almas cobardes y corrompidas, cuando se sienten humilladas ante la ajena virtud:

—¿De dónde os viene esa arrogancia y desvergüenza, cacique? ¿Pretendéis que saque de la cárcel a ese criminal muchacho, que ha tenido la osadía de poner las manos sobre su mismo amo, y apalear al respetable don Pedro? Antes cuidad vos de no ir a hacerle compañía, como bien lo merecéis.

—Ésa es en verdad, señor Badillo —dijo con voz vibrante el cacique—, la justicia que siempre esperé de vos. Pronto estoy a sufrirla, si os place cumplir vuestra amenaza, mientras los verdaderos criminales son vuestros íntimos amigos, y comen a vuestra mesa.

—¡Hola! —exclamó irritado Badillo—: alguaciles de servicio, llevad a ese deslenguado a la cárcel.

Aparecieron instantáneamente dos esbirros, y cada cual asió de un brazo a Enriquillo, que se dejó conducir por ellos sin oponerles la menor resistencia.

Tamayo, que le había seguido y aguardaba en la calle con inquietud el resultado de la visita al teniente gobernador, cuando vio que el cacique iba preso se acercó a pedirle sus órdenes.

—Avisa a Mencía, y que no se intranquilice —fue el único encargo que Enriquillo hizo al fiel mayoral.

Pero éste, una vez cumplida la recomendación, volvió a llevar al desgraciado cacique cena y cama. Enriquillo dejó una y otra intactas, y además rehusó obstinadamente el ofrecimiento que el leal Tamayo le hizo, de quedarse con él en la cárcel.

XXXIX

RECURSO LEGAL

Duró tres días la prisión de Enriquillo, al cabo de los cuales, sin ceremonia ni cumplimientos, le fue restituida su libertad; si libertad podía llamarse aquella tristísima condición a que el infeliz cacique estaba sometido. Al volver a abrazar a su desconsolada esposa, tanto ésta como doña Leonor vieron con secreta inquietud que ni en su rostro, ni en sus maneras, había la más leve señal de ira o resentimiento. Una impasibilidad severa, una concentración de espíritu imponente era lo que caracterizaba las facciones y el porte del agraviado cacique. Tranquilamente reunió en torno suyo a los seres que por deber o por cariño compartían sus penas y podían comprenderlas. Mencía, doña Leonor, Camacho, en primer término, y con voz deliberativa; Tamayo y Anica en actitud pasiva y subalterna, compusieron aquella especie de consejo de familia.

Enriquillo anunció su propósito de ir a la ciudad de Santo Domingo a pedir justicia ante los jueces de apelación contra Badillo y Valenzuela; y como la discreta doña Leonor contestara reprobando el propósito, que en su concepto sólo habría de dar por resultado una agravación de las persecuciones que sufría el cacique, éste replicó diciendo que de no intentar aquel recurso de reparación legal, estaba en el caso de quitar la vida a uno de los susodichos tiranos, o más bien a su instigador y cómplice, Mojica; y esto lo dijo Enriquillo con tan terrible acento de inquebrantable resolución, que a nadie pudo quedar duda de que lo había de poner por obra. Tamayo dejó asomar una sonrisa de feroz satisfacción en su angulosa faz, al oír la formidable amenaza del cacique; y el viaje de éste quedó decidido con unánime aprobación, aunque el suceso acreditó más adelante el prudente reparo de doña Leonor.

Dio Enriquillo orden a Tamayo para que le aprestara cualquier cabalgadura, a fin de salir de San Juan al despuntar la aurora el día siguiente; y el leal servidor le hizo saber que esto era algo difícil, porque Valenzuela había hecho que sus estancieros recogieran todos los caballos útiles que había en *La Higuera*, sin excepción de propiedad ni destino, pasándolos a el Hato, con prohibición de que nadie se sirviera de ellos sin su previo permiso. Precaución aconsejada por Mojica, para quitar a Enriquillo todo medio de acudir a quejarse a la capital, como no dudaba que lo intentaría, al saber en qué términos había hecho su demanda ante Badillo.

Entonces resolvió Enrique hacer su viaje a pie; y como doña Leonor le dijera con mucho calor que eso no había de suceder, teniendo ella a su disposición varias bestias de excelentes condiciones, Enriquillo la tranquilizó explicándole que el irse a pie era de todo punto necesario, para frustrar cualquier plan que sus enemigos tuvieran trazado con el fin de impedirle su viaje, como permitía suponerlo aquel estudio en privarle de cabalgadura.

La observación no admitía réplica; y el infeliz cacique Enrique, solo, cubierto de andrajosos vestidos y llevando una alforja al hombro, se despidió con entereza de la llorosa y acongojada Mencía y de aquel limitado círculo de amigos, y salió de San Juan furtivamente, como un criminal que huye del merecido castigo; él, que no abrigando en el generoso pecho sino bondad y virtudes, maltratado y escarnecido por los que sobre él ejercían la autoridad en nombre de las leyes y de la justicia, se obstinaba en conservar su fe sencilla en la eficacia de la justicia y de las leyes, y arrostrando trabajos y privaciones iba a buscar su amparo a muchas leguas de distancia.

Llegó a la capital en menos de cuatro días de marcha, y fue bien recibido y hospedado en el convento de los dominicos, por los píos y virtuosos padres fray Pedro de Córdova y Antón de Montesinos, que conocían al joven cacique y le apreciaban por amor de Las Casas. Ellos acogieron sus quejas, se hicieron partícipes de su justa indignación, y lo consolaron con paternal solicitud. Después fue a visitar a su madrina y protectora doña María de Toledo, que le dio larga audiencia con su acostumbrada cariñosa benignidad, informándose minuciosamente de cuanto podía afectar la suerte del cacique y de Mencía, a quienes de todo corazón amaba la noble virreina. Al saber de boca de Enriquillo la situación a que los tiranos de la Maguana lo tenían reducido, y viéndole en tan infeliz estado, la sensible esposa de Diego Colón vertió amargo lloro, y sintió más que nunca la impotencia en que ella misma yacía, experimentando los efectos de la iniquidad que se había entronizado en la Española.

Sus recomendaciones, no obstante, y las de los dos eminentes frailes dominicos, proporcionaron a Enriquillo un punto de apoyo en el juez de residencia Alonso Zuazo, contra el desprecio y la indolencia de los jueces superiores ordinarios, que, o no se dignaban escucharle, o cuando alguna vez conseguía hacerse oír de ellos lo despedían desdeñosamente, objetándole falta de pruebas, o que no iba en forma; frase forense que equivalía a decirle que pusiera su asunto en manos de procuradores y abogados, y se volviera a su lugar a dormir hasta el día del juicio. Zuazo, único hombre recto y justiciero entre aquella turba de prevaricadores, pronto hubo de reconocer que sus fuerzas no eran suficientes para luchar contra el desbordado torrente de vicios y pasiones que afligía a la colonia; y mermado su crédito en la corte por las intrigas de los oficiales reales, se limitaba a hacer el bien que buenamente podía. Compadecióse de las desgracias de Enriquillo, y no le ocultó la dificultad de que encontrara el remedio que buscaba, por lo cual le aconsejó mucho que perseverara en su templanza, al entregarle una carta oficial, llamada *de favor*, para el teniente gobernador Badillo, la cual consiguió del nuevo juez de gobernación [1] licenciado Figueroa, remitiendo otra vez a aquella autoridad el asunto del quejoso cacique, con encargo de que le administrara cumplida justicia.

Pobres eran por consiguiente las esperanzas del infortunado Enriquillo al emprender su regreso a San Juan, con solo aquella provisión irrisoria por todo despacho. En su despedida de la virreina obtuvo nuevas demostraciones de amistad de la ilustre señora, que le entregó un pequeño crucifijo de oro como recuerdo de su parte para Mencía. Elvira no le escaseó tampoco las muestras de buen afecto, aunque no las dio de juicio, recomendando al joven que se reconciliara con

[1] Así lo llaman los oficiales reales en carta al Emperador, fecha 28 de enero de 1520.

Valenzuela, de quien no creía que tuviera mal corazón.

Fue después el cacique a besar las manos a los frailes sus amigos, en ambos monasterios, dominico y franciscano; y cuando estos santos varones, movidos a honda lástima por la injusticia de que le veían siendo víctima, le encarecían contra todo evento la paciencia y esperanza en Dios, Enriquillo les contestaba invariablemente, alzando los ojos al cielo.

—Tomo a Dios por testigo de mi paciencia. Sedlo vosotros, padres, de que me sobra razón para dejar de tenerla.

Y se volvió tristemente para la Maguana.

XL

ÚLTIMA PRUEBA

Un mes duró en todo la ausencia de Enriquillo de San Juan. Más triste fue, si cabe, el regreso que la partida: se arrojó en los brazos de su amante esposa, que lo aguardaba contando las horas, y las primeras palabras que profirió revelaron su profundo desaliento:

—No hay esperanza para nosotros, ¡Mencía de mi alma! ¡Oh!, ¡cuánto he sufrido en este viaje! ¡Qué amargas reflexiones he venido haciendo por ese camino, que jamás me ha parecido tan largo!

—¿Nada pudiste conseguir? —le preguntó tímidamente Mencía.

—Esto es todo —respondió el triste, sacando de su alforja el pliego del justicia mayor Figueroa—.[1] Una carta de favor para el mismo Badillo, remitiendo otra vez a este tirano mi queja. Nuestros protectores nada pueden, ellos mismo padecen injurias... Si no fuera por ti, Mencía, amor mío —continuó con exaltación el cacique—; ya todas las tiranías y las infamias hubieran acabado para mí: yo alzaría la frente del libre con justa altivez, y nadie pudiera jactarse, como se jactan ahora, de que tu esposo el cacique Enriquillo no es sino un miserable siervo.

A estas palabras, Mencía se estremeció como la gentil palmera al primer soplo de la tempestad.

—¿Qué dices? ¿Soy yo la causa de tus humillaciones?— preguntó a su marido con vehemencia.

—Sin ti, Mencía, una vez que esta carta de favor fuera despreciada por Badillo, yo no sufriría más baldones. Me iría a las montañas.

—¿Y por qué no lo haces, y me llevas contigo? —repuso la joven con exaltado acento—. Jamás hubiera sido yo quien te lanzara en esa vía, pero siendo ese tu sentir, yo te declaro con toda la sinceridad de mi corazón, que prefiero vagar contigo de monte en monte, prefiero los trabajos más duros y hasta la muerte, a que vivamos aquí escarnecidos y ultrajados por el villano Valenzuela y los que se le parecen.

Enrique oyó sorprendido esta enérgica declaración, que nunca osó esperar de su tímida consorte; y luego, tomándola en sus robustos brazos como toma la nodriza afectuosa al tierno infante, la besó con efusión. Pasado este movimiento de entusiasmo y recobrando la calma reflexiva que presidía a todas sus resoluciones, notificó al reducido conciliábulo, compuesto de doña Leonor, Mencía y Camacho, su propósito de hacer la última prueba de paciencia, entregando la carta de favor a Badillo, y ateniéndose al resultado.

—¿La última prueba? —replicó la generosa doña Leonor—. Dices bien, Enriquillo, y dice bien este ángel. Por no ver tanta iniquidad, yo misma sería capaz de irme con vosotros a las montañas.

---

[1] Justicia Mayor se llama a sí mismo Figueroa en una información y sentencia dada por él en 1520, pág. 379. Doc. Inéd.

A pesar de la exaltación que denotaban estas explícitas declaraciones, se acordó no decir nada a Tamayo, que estaba a la sazón en *La Higuera*, por temor de que se alborotara más de lo conveniente.

Ansiosos los ánimos quedaron en expectativa del éxito que tuviera la carta de favor; y al día siguiente Enriquillo, con el traje modesto y severo que usaba en las grandes ocasiones, fue a casa del teniente gobernador, que tan pronto como alcanzó a verlo, le dijo en alta voz y en son de reproche:

—¡Hola, buena pieza! ¿Ya estáis por aquí? Pensábamos que os habíais alzado.

—Ya veréis por este documento que os equivocabais, señor —contestó Enrique, y le entregó la provisión que le diera Zuazo.

Badillo la leyó con atención, y volvió a mirar detenidamente a Enriquillo, midiéndole con vista airada de pies a cabeza. Meditó breve rato, y por último dijo al cacique:

—Cada vez extraño más vuestro atrevimiento, Enriquillo. ¿Habéis visto a *vuestro señor*?

—No conozco la ley que dé ese título para conmigo a nadie. ¿Habláis acaso del señor Andrés de Valenzuela? —contestó Enrique.

—Altanerillo me andáis, cacique. De Valenzuela hablo —repuso Badillo—, que os ha reclamado ante mi autoridad como prófugo.

—Ya veis que se engañaba —volvió a decir Enriquillo.

—Sea; mas no por eso dejaréis de ir desde aquí a su presencia. ¡Con Dios! —acabó desabridamente Badillo.

Y al punto ordenó a dos de sus alguaciles que fueran custodiando a Enriquillo, hasta ponerlo a la disposición de *su amo* el señor Valenzuela.

Así lo hicieron los esbirros, o hablando con más propiedad, el mismo cacique fue muy de su grado a cumplir el mandato de la autoridad. Valenzuela lo recibió con sañudo talante, y dando a su voz todo el volumen y el énfasis de que era susceptible, dijo a Enriquillo:

—Deseo saber, señor bergante, ¿dónde habéis estado en todo este tiempo?

—Fui a Santo Domingo a quejarme de vos y del señor Badillo —contestó Enrique sin vacilación ni jactancia, como quien presenta la excusa más natural del mundo.

—¿Qué obtuvisteis, señor letrado? —preguntó Valenzuela burlándose.

—Una simple carta de favor —dijo el cacique—, de la cual no ha hecho caso el señor Badillo, quien manda ponerme a vuestra disposición.

—¿Es por soberbia, o por humildad, que así me respondéis? —volvió a preguntar Valenzuela, no acertando a definir la naturaleza de las contestaciones de Enriquillo.

—Haced de mí lo que os plazca, señor. Sólo sé decir la verdad.

—Iréis a la cárcel, Enriquillo, para corregir vuestro atrevimiento.

—Si no es más que eso, vamos de aquí —dijo el cacique a sus guardianes.

—Es algo más que eso —agregó Valenzuela despidiéndole—: ponedle en el cepo, y que pase en él la noche.

Con esto, alguaciles y prisionero se retiraron a cumplir la orden del insolente hidalgo. Enriquillo manifestó, no ya mera tranquilidad, sino una satisfacción extraordinaria; y en tanto que caminaba con paso igual y seguro en medio de los ministriles, repetía, como hablando consigo mismo:

—¡Ya lo veis, don Francisco, basta! He cumplido con vos más allá de lo que hubierais exigido, y basta. ¡Don Francisco, basta!

Los esbirros escuchaban con extrañeza este monólogo, y el uno dijo a su colega, llevándose un dedo a la sien con aire de lástima:

—¡Está loco!

XLI

ALZAMIENTO

Acaso logra el águila prisionera romper las ligaduras con que una mano artificiosa la prendiera en traidora red; y entonces, nada más grato y grandioso que ver la que fue ave cautiva, ya en libertad, extender las pujantes alas, enseñorearse del espacio etéreo, describir majestuosamente amplios círculos, y elevar más y más el raudo vuelo, como si aspirara a confundirse entre los refulgentes rayos del sol.

Aún no hace ocho días que Enriquillo, el abatido, el humillado, el vilipendiado cacique, ha salido de la inmunda cárcel, donde lo sumieran el capricho y la arbitrariedad de sus fieros cuanto gratuitos enemigos. Cada minuto, de los de esa tregua de libertad ficticia, ha sido activa y acertadamente aprovechado para los grandes fines que revuelve en su mente el infortunado siervo de Valenzuela.

Tamayo se multiplica, va, viene, vuelve, corre de un lado a otro con el fervor de la pasión exaltada, que ve llegar la hora de alcanzar su objeto. Enriquillo ordena, manda, dirige, prevé: Tamayo ejecuta sin réplica, sin examen, con ciega obediencia, todas las disposiciones del cacique. Éste es el pensamiento y la voluntad, aquél es el instrumento y la acción. Lo que en una semana prepararon e hicieron aquellos dos hombres, se hubiera juzgado tarea imposible para veinte en un mes.

La fuga a las montañas está decidida; pero se trata de un alzamiento en forma, una redención, mejor dicho. Enriquillo no quiere matanza, ni crímenes; quiere tan sólo, pero quiere firme y ardorosamente, su libertad y la de todos los de su raza. Quiere llevar consigo el mayor número de indios armados, dispuestos a combatir en defensa de sus derechos; de derechos ¡ay!, que los más de ellos no han conocido jamás, de los cuales no tienen la más remota idea, y que es preciso ante todo hacerles concebir, y enseñárselos a definir, para que entre en su ánimo la resolución de reivindicarlos a costa de su vida si fuere necesario. Y este trabajo docente, y ese trabajo reflexivo y activo, lo hacen en tan breve tiempo la prudencia y la energía de Enriquillo y de Tamayo combinadas.

Un día más, y la hora de la libertad habrá sonado; y mientras Enrique, seguido de dos docenas de indios de a pie y de a caballo, trasportará a Mencía a las montañas del Bahoruco, otros muchos siervos de la Maguana, en grupos más o menos numerosos, se dirigirán por diversos caminos al punto señalado; y el valeroso Tamayo, con diez compañeros escogidos por él, aguardará a que la noche tienda su negro manto en el espacio, para caer por sorpresa sobre la cárcel, y arrebatar a Galindo del oscuro calabozo en que el desdichado purga su fidelidad y abnegación, hasta tanto que el juzgado superior confirme el fallo de Badillo condenándole a pena de horca.

La Higuera es el sitio donde se reúnen los principales iniciados en la conjuración, para dar los últimos toques al plan trazado por Enriquillo. Allá han vuelto pocos de los indios que Valenzuela hizo conducir a el Hato; lo que atenuando la vigilancia de los feroces calpisques, facilita la adopción de medidas preparatorias que en otro caso no hubieran dejado de llamar su atención. Allí están congregados los caciques subalternos Maybona, Vasa, Gascón, Villagrán, Incaqueca, Matayco y Antrabagures;[1] todos resueltos a seguir a Enriquillo con sus tribus

---

[1] Todos estos nombres son de caciques que figuran en el repartimiento de San Juan de la Maguana, por Alburquerque.

respectivas. Allí también los caciques de igual clase, Baltasar de Higuamuco, Velázquez, Antón y Hernando del Bahoruco, que con algunos otros deben quedarse tranquilos por algún tiempo, con el fin de proveer de armas, avisos y socorros de todo género a los alzados, a reserva de seguirlos abiertamente en sazón oportuna. Otros tres caciques, cuyos nombres son Pedro Torres, Luis de la Laguna y Navarro,[1] toman a su cargo llevarse consigo al Bahoruco los magníficos perros de presa de Luis Cabeza de Vaca y de los hermanos Antonio y Gerónimo de Herrera, ricos vecinos y ganaderos de la Maguana, a quienes estaban encomendados los referidos caciques.

Estas disposiciones comienzan a recibir puntual ejecución desde la noche siguiente.

Enriquillo va por la tarde a la villa a tomar consigo a Mencía, que se despide amorosamente de su buena amiga doña Leonor. Ésta hace que el cacique le prometa enviarle muy pronto con las necesarias precauciones un emisario discreto, para enterarla del éxito de su alzamiento; y ofrece a su vez hacer en toda la Maguana y escribir a Santo Domingo la defensa de aquella resolución extrema, para que todos sepan con cuanta razón la había adoptado su infeliz amigo. Enrique, penetrado de honda gratitud, besa la mano a aquella generosa mujer, y parte con su esposa para La Higuera.

Hacen sin pérdida de tiempo sus preparativos para la fuga: las santas imágenes domésticas, las ropas y los efectos de mayor aprecio y utilidad de ambos esposos, en bultos de diversos tamaños, son confiados a unos cuantos mozos indios, ágiles y fuertes. Mencía también es conducida en una cómoda litera, llevada por un par de robustos naboríes que no sienten incomodidad ni fatiga con aquel leve y precioso fardo; otros llevan del diestro dos o tres caballos destinados a relevos, y entre los cuales luce el dócil y gallardo potro, regalo de doña Leonor a Mencía, cubierto de ricos jaeces, para el uso de la joven señora. Anica monta con desembarazo una excelente cabalgadura, y Enriquillo cierra la marcha con cuatro jinetes más y el resto de la escolta a pie, todos perfectamente armados.

En el orden referido salieron de La Higuera, donde quedaba casi solo el buen Camacho, que incapaz de abandonar el sitio en que le dejara su amo, después de hacer cristianas advertencias a Enriquillo, permanecía orando fervorosamente en la ermita, por el éxito feliz de su formidable empresa. Era noche cerrada cuando los peregrinos se pusieron en marcha, sin que los confiados opresores llegaran a sospechar siquiera el propósito de las víctimas, conjuradas para recuperar su libertad.

La parte del proyecto encomendada a Tamayo fue la que presentó mayores dificultades. Cierto que la cárcel estaba flojamente custodiada por media docena de guardas que tenían casi olvidado el uso de sus enmohecidos lanzones; pero aquella noche quiso la casualidad, o el diablo, que nunca duerme, que el teniente gobernador y los regidores de la villa dieran un sarao en la casa del ayuntamiento, situada a corta distancia de la cárcel, festejando oficialmente la investidura imperial del rey don Carlos de Austria.[2]

Tamayo no encontró, pues, a la media noche, cuando fue con sus

---

[1] Todos estos nombres son de caciques que figuran en el repartimiento de San Juan de la Maguana, por Alburquerque.

[2] La investidura oficial y solemne fue el 28 de junio de 1519. Desde la muerte de su predecesor Maximiliano, en 1517, se consideró electo a Carlos, y se le dio el título de Majestad Imperial, según atrás se dijo.

hombres a libertar a Galindo, la soledad y las tinieblas que debían ser sus mejores auxiliares; y comenzaba a desesperarse por el contratiempo, cuando le ocurrió un ardid que llevó a cabo inmediatamente.

Dispuso que dos de sus compañeros fueran a poner fuego a la casa de uno de los pobladores que él más aborrecía por sus crueldades, y en tanto que se ejecutaba la despiadada orden, él, con su gavilla, se quedó oculto detrás de la iglesia, esperando el momento de obrar por sí.

No pasó media hora sin percibirse el rojo reflejo de las llamas coloreando con siniestro fulgor las tinieblas de la noche. Entonces Tamayo corrió al campanario de la iglesia, que no era de mucha elevación, y tocó a rebato las campanas, dando la señal de incendio.

Los encargados de la autoridad salieron todos precipitadamente a llenar, o hacer que llenaban, el deber de acudir al lugar del incendio. Siguiéronles en tropel todos los caballeros y músicos de la fiesta, y en pos de éstos los guardianes de la cárcel abandonaron su puesto para ir también a hacer méritos a los ojos de sus superiores. Esto era precisamente lo que previó y esperaba Tamayo. Corrió como una exhalación adonde estaban los suyos, y cargando todos a un tiempo con las ferreas barras de que estaban provistos, hicieron saltar a vuelta de pocos esfuerzos las puertas de la cárcel, penetraron en su interior, y Tamayo voló a la mazmorra en que yacía el pobre Galindo, aherrojados los pies con pesados grillos. Sin detenerse ni vacilar, el fuerte indio toma en brazos a su compañero, sube en dos saltos las gradas de la mazmorra, y sale con su carga de la cárcel, seguido de toda la partida expedicionaria, antes de que nadie pudiera darse cuenta del audaz golpe, y cuando el incendio estaba aún en su apogeo. Los demás presos se quedaron por un instante suspensos, y pasado un buen rato fue cuando los más listos y deseosos de salir de aquel triste lugar, siguieron las huellas de sus inopinados libertadores.

Otros presos más tímidos permanecieron allí temblando y dieron cuenta de lo ocurrido, después que sofocado el incendio volvieron a sus puestos con aire de triunfo el alcaide y los guardas, quienes se llenaron de estupor al darse con las prisiones forzadas y todo el establecimiento en desorden. El teniente gobernador y los regidores recibieron aviso inmediatamente; y una estruendosa alarma, cundiendo al punto de casa en casa, mantuvo en vela por todo el resto de la noche a los asombrados habitantes de San Juan de la Maguana.

XLII

LIBERTAD

Las majestuosas montañas del Bahoruco se presentaron a las ávidas miradas de los infelices que iban a buscar en ellas su refugio, al caer la tarde que siguió a su nocturna emigración de la Maguana. Viendo en lontananza aquella ondulante aglomeración de líneas curvas que en diversas gradaciones limitaban el horizonte al oeste, destacándose sobre el puro azul del éter, Vasa, uno de los caciques indios de la escolta, detuvo su caballo, señaló con la distra extendida la alta sierra, y pronunció con recogimiento estas solemnes palabras: ¡Allí está la libertad! Los demás indios oyeron esta expresiva exclamación conmovidos, y algunos la repitieron maquinalmente, contemplando las alturas con lágrimas de alegría. Entonces Enriquillo les habló en estos términos.

—Sí, amigos míos; allí está la libertad, allí la existencia del hombre, tan distinta de la del siervo.

Allí el deber de defender esforzadamente esa existencia y esa libertad;
dones que hemos de agradecer siempre al Señor Dios Omnipotente,
como buenos cristianos.

Esta corta alocución del cacique
fue escuchada con religioso respeto
por todos. El instinto natural y social obraba en los ánimos, haciéndoles comprender que su más perentoria necesidad era obedecer a
un caudillo; que ese caudillo debía ser Enrique Guarocuya, por derecho de nacimiento y por los títulos de una superioridad moral e
intelectual que no podían descono-
cerse. Vasa y los demás caciques
de la escolta eran precisamente los
más idóneos, por su valor e inteligencia, para apropiarse la jefatura
y la representación de los demás
indios. Enriquillo fue aclamado allí
mismo por ellos como caudillo soberano, sin otra formalidad o ceremonia previa que el juramento de
obedecerle en todo, según lo propuso el viejo Antrabagures.

Casi al anochecer comenzaron a
subir por un escabroso desfiladero,
que se abría paso por entre derriscos perpendiculares y oscuros abis-
mos. En aquella hora el sitio era
lúgubre y horroroso. Mencía sintió
crisparse sus cabellos por efecto del
pánico que helaba su sangre, al
oír resbalar por la pendiente sombría las piedras que se despren-
dían al paso de los conductores de
su litera; pero Enriquillo, que se
había desmontado del caballo con-
fiándolo a un joven servidor, seguía a pie a corta distancia de su
esposa, que al verle llegarse a ella
ágil y con planta segura en los pasos
más difíciles, recobraba la serenidad, y acabó por familiarizarse con
el peligro.

Pararon al fin en una angosta sa-
baneta, donde había dos o tres chozas de monteros; y allí se dispuso
lo necesario para pasar la noche.
Hízose lumbre, se aderezaron ca-
mas para Mencía y Anica, con las
mantas de lana y algodón de que

llevaban buena copia, y los demás
se instalaron como mejor pudieron,
después de cenar de lo que llevaban a prevención. Hicieron todos
devotamente sus oraciones, y se entregaron al descanso.

Al amanecer, la caravana siguió
viaje al interior de las montañas.
Antes del medio día llegó a las orillas de un riachuelo, que serpentea-
ba entre enormes piedras: lo vadea-
ron, subieron todavía una empinada
cuesta, y se hallaron en un lindo y
feraz vallecito, circundado de pal-
meras y otros grandes árboles. Desde
allí se descubría un vasto y gracioso panorama de montes y laderas,
matizadas a espacios con verdes y
lozanos cultivos. Aquél fue el sitio
de la elección de Enriquillo para
hacer su primer caserío o campamento estable, y así lo declaró a
sus subordinados, comunicándoles
al mismo tiempo que su plan consistía en multiplicar sus sementeras
y habitaciones en todos los sitios
inaccesibles y de favorables circunstancias, que fueran encontrando en
la extensa sierra, a fin de tener asegurado el sustento, y cuando no
pudieran sostenerse en un punto,
pasar a otro donde nada les hiciese
falta.

Todos aplaudieron la prudente
disposición, y se pusieron a trabajar con ardor para cumplirla. Una
cabaña espaciosa y bastante cómoda quedó construida aquel mismo
día, para el cacique soberano y su
esposa; otras varias de muy buen
parecer la rodearon en seguida, y
las cuadrillas de labradores, bien
repartidas, comenzaron desde luego
a trabajar en los conucos, desmon-
tando y cercando terrenos los unos;
limpiándolos y sembrando diversos
cereales los otros. El tiempo era
magnífico, y favorecía admirablemente a estas faenas.

Por la noche, el cacique congregó
ante la puerta de su habitación a
todos los circunstantes, y rezó el
rosario de la Virgen, costumbre que
desde entonces quedó rigurosamente

establecida, y a que jamás permitió Enriquillo que nadie faltara nunca.[1] Los dos días siguientes se emplearon de igual manera en organizar el género de vida, las ocupaciones y policía de aquella colonia dócil y activa. Después comenzaron a afluir indios fugitivos de diferentes procedencias: primero los que de antemano estaban errantes por las montañas; más tarde los que seguían desde la Maguana a sus caciques, según la consigna que oportunamente recibieran. Por último, iban acudiendo los que en distintas localidades del sur y el oeste de la isla recibían de Enriquillo mismo o de sus compañeros aviso o requerimiento especial de irse al Bahoruco a vivir en libertad.

Al tercer día ya pudo contar Enrique hasta un centenar de indios de todas edades y de ambos sexos en su colonia; de ellos once que llevaban título de caciques, y veinte y siete hombres aptos para los trabajos de la guerra, armados de lanzas y espadas los primeros; de puñales, hachas y otras armas menos ofensivas los demás. Algunos tenían ballestas que aún no sabían manejar; otros un simple chuzo, y no faltaban gruesas espinas de pescado en la punta de un palo, a guisa de lanza.

Éste era el número y equipo bélico de la primera gente de armas de Enriquillo, cuando llegó Tamayo al campamento seguido de Galindo y los demás expedicionarios que habían forzado la cárcel de San Juan, recogiendo y trayéndose de paso media docena de mosquetes y otras armas. Enrique reprobó mucho el incendio que sirvió para preparar la fechoría, medio que no había entrado en sus miras. Tamayo se disculpó como pudo, y, abo-

nado por el éxito incruento y por la presencia de Galindo, a quien Enrique abrazó con efusión, quedó por bueno, válido y digno de aplauso todo lo que el bravo teniente había hecho.

Pero era de presumirse que el escándalo producido por aquellos actos precipitara la persecución de parte de las autoridades de la Maguana, facilitando el pronto descubrimiento de las huellas de los fugitivos. Así lo pensó Enriquillo, y se preparó al efecto.

Sus exploradores recibieron orden de estar muy apercibidos y dar oportuno aviso de cuanto observaran en las poblaciones inmediatas a la sierra; precaución que resultó superflua, pues en la tarde del cuarto día llegaron Luis de la Laguna y los dos caciques sus compañeros, con la trahílla de perros de presa, dando la noticia de que Andrés de Valenzuela y Mojica habían debido salir de San Juan aquel mismo día, al frente de una banda de caballeros y peones, con ánimo de perseguir a Enriquillo y a los demás indios alzados que lo acompañaban.

No perdió tiempo Enriquillo al saber que se movían contra él sus enemigos, y fue al punto a establecer una línea de observación al pie de los montes, con los exploradores y centinelas convenientemente distribuidos, y una guardia para estar a cubierto de cualquier sorpresa. Vasa fue el jefe escogido por Enrique para mandar esa fuerza avanzada.

Tomada esta precaución, Enriquillo vuelve al campamento, y todo lo dispone con gran sosiego y serenidad de ánimo para hacer frente al peligro. Distribuye su gente en dos grupos, conservando a sus inmediatas órdenes quince hombres, los más de ellos caciques, a los cuales exhorta uno por uno a cumplir bien su deber.

Los viejos caciques Incaqueca y Antrabagures, prácticos en el arte de curar, provistos de bálsamos y

---

[1] Histórico. No queremos alterar el tipo de nuestro héroe, suprimiendo este detalle, que acaso no armonice con la estética moderna, pero que nos parece de gran valor característico.

yerbas, han de permanecer en determinado sitio, guardando las mujeres y los individuos inermes; y
allí han de ser llevados los heridos
a fin de que sean auxiliados debidamente. Los demás indios aptos para
combatir, forman una hueste bajo
el mando de Tamayo y Matayco, a
quienes Enriquillo da instrucciones
claras y sencillas para obrar juntos
o separados, según lo exijan las circunstancias. Galindo, no sano aún
de su herida, es obligado a quedarse
con los caciques curanderos.

Ya terminados los preparativos
de todo género, y atendidas las exigencias más minuciosas de aquella
situación, Enriquillo, después de probar en una breve esgrima con Tamayo si sus manos conservaban la
antigua destreza, y satisfecho de la
prueba, hizo que los caciques primero, y por turno los demás guerreros improvisados, se ejercitaran
igualmente ensayando su fuerza y
agilidad en el uso de sus respectivas
armas. La noche puso fin a estos
ejercicios, y el inteligente y previsor
caudillo no quedó descontento de
la marcial disposición que había
manifestado su gente.

XLIII

EL DEDO DE DIOS

Otras disposiciones complemen-
tarias dictó Enrique durante la noche, que todas hubieran bastado a
justificar la ciega confianza con que
le obedecían sus compañeros, acre-
ditándole como prudente y experto
capitán, si esa confianza instintiva
necesitara de justificación. Los perros de presa, conducidos por los
caciques conocidos de ellos, fueron
a reforzar la guardia de Vasa, y
entre ésta y el campamento cruzaban de continuo mensajeros y vigilantes, que tenían al corriente a
Enriquillo de cuanto llegaba a no-

ticia de los exploradores. De este
modo se supo con certeza hacia la
madrugada, que la tropa de San
Juan había pernoctado en Careybana, de donde emprendería la marcha a la Sierra desde el amanecer.
De Careybana al campamento de
los alzados la distancia era casi
igual por tres distintos caminos;
¿cuál de ellos sería el preferido por
los agresores? Contra las emergen-
cias de esta duda, el prudente caudillo no podía hacer más que mantener el mismo campamento a cubierto de la acometida del enemigo;
aunque siempre tuvo por más probable que éste penetrara en la sierra
por el sendero que guarnecía Vasa,
por ser el más accesible; previsión
que se justificó muy pronto.

Era cerca del medio día cuando
los correos llegaron al campamento avisando que la tropa entraba
resueltamente en el desfiladero principal. Enriquillo dirige entonces la
palabra a sus compañeros, los exhorta a pelear con denuedo por su
libertad, y tomando consigo la corta hueste de caciques y hombres
escogidos para combatir bajo su dirección personal, acude presuroso al
socorro de Vasa.

A tiempo que bajaba la cuesta
del riachuelo este refuerzo, se oyen
lejanos ladridos: son los perros de
Luis de la Laguna que dan aviso
de que el enemigo asoma. Resuenan
poco después varias detonaciones
de arcabuz, y no bien llega Enriquillo a la opuesta ladera, cuando tiene el dolor de percibir la mayor
parte de los indios de la avanzada,
que en desorden y llenos de terror
huyen como tímido rebaño. Detiéne-
los con la voz y con el gesto, les
afea su cobardía, y se informa del
paradero de Vasa, sin conseguir
saberlo. Prosigue entonces a carrera
abierta, y a poco encuentra al valiente cacique postrado en tierra y
herido en una pierna: le acompaña
Luis de la Laguna, que seguido de
sus tres enormes dogos, le ayudó a
llegar hasta allí, y le exhorta a continuar la retirada.

Forma el desfiladero en aquel punto un brusco recodo, más allá del cual se oyen las voces de los enemigos animándose a subir por la rápida pendiente, en persecución de los indios, que con tanta facilidad desalojaban la fuerte posición.

De una ojeada vio Enriquillo el partido que podía sacar de aquella estrechura: rápidamente distribuyó su escasa fuerza a derecha e izquierda, dominando el paso, y él se colocó a la salida del recodo, con cinco hombres, armados de lanza y espada.

Un instante después se presentaron Valenzuela y Mojica, a la cabeza de su tropa, toda a pie, pues hubiera sido imposible maniobrar a caballo en aquella escabrosa altura. Los dos hidalgos subían envalentonados con el fácil éxito de su primera acometida, y creyendo que no osarían los indios volver a resistirles. —¿Dónde está ese perro? ¿Dónde está Enriquillo? —vociferaban sin cesar.

En aquel momento apareció ante su vista, no el perro, no el triste siervo que ellos acostumbraban despreciar como a vil escoria; sino Enriquillo, transfigurado, imponente, altivo, terrible. El valor indómito, la resolución inflexible, la fiereza implacable fulguraban en sus ojos, en su aspecto, en toda su actitud; y al ver aquella intrépida y formidable figura, que con temerario arrojo se adelantaba hacia ellos sin precaución alguna, como si se creyera invulnerable, los dos hidalgos sienten desfallecer súbitamente sus bríos, enmudecen espantados, y dan dos pasos atrás.

—¡Aquí está el que buscáis! —exclama Enriquillo con voz de trueno—. ¡Aquí está el señor de estas montañas, que vivirá y morirá libre de odiosos tiranos!

Y viendo que la tropa enemiga se agrupaba en torno de los dos suspensos hidalgos, se volvió a los suyos, y con vibrante acento les gritó:

—¡A ellos, amigos míos!

Entonces aquellos hombres, imitando el ejemplo de Enriquillo, se precipitaron como despeñado torrente sobre el desordenado grupo, con tanto ímpetu, que algunos rodaron por la ladera asidos del enemigo a quien habían atravesado el cuerpo con su lanza. Enriquillo se arrojó como un león en demanda del aborrecido Pedro de Mojica, que en vano procura esquivar el encuentro: el cacique, con irresistible coraje, rompe, deshace cual si fueran frágiles cañas, los hombres de armas que se interponen, y logra inferir al cobarde tirano una profunda herida en el rostro con la punta de su espada, no habiendo podido alcanzarle de lleno por la dificultad del sitio y la celeridad con que huyó el despavorido Mojica, revuelto con otros soldados, que iban dando tumbos y caídas por el tortuoso desfiladero abajo.

Al seguirles Valenzuela, Tamayo le descargó un recio golpe con el cuento de su rota lanza, que le abrió la cabeza, haciéndole caer en tierra. Iba a rematarlo allí mismo, pero el generoso Enriquillo sintió despertarse sus sentimientos benignos al ver en tal extremidad al hijo del que fue su bienhechor, y adelantándose vivamente, contuvo el brazo del terrible Tamayo.

—No lo mates —le dijo—. Acuérdate de don Francisco Valenzuela.

—Eres un mandria, Enriquillo —contestó el iracundo indio—. A cada cual lo que merece; don Francisco en el cielo, y este pícaro que se vaya al infierno.

—No, Tamayo: hoy pago mi deuda a aquella buena alma.

Y alzando Enrique del suelo al estropeado y confuso Valenzuela, examinó su herida, vio que no era de cuidado, y le dijo estas sencillas palabras:

—Agradeced, Valenzuela, que no

9

os mato: idos, y no volváis más acá.[1]

Tamayo golpeó con la planta en tierra enfurecido: luego, como si le hubiera ocurrido una idea repentina, se dio una palmada en la frente, y viendo a Enriquillo ocupado en dirigir la traslación de Vasa al campamento, el voluntarioso teniente se quedó rezagado, hasta que perdió de vista al magnánimo caudillo: entonces tomó consigo seis o siete compañeros, y emprendió a escape la bajada del desfiladero, llegando al pie de la montaña a tiempo que Mojica, desarmado, sin sombrero y con la faz ensangrentada, sostenido por dos hombres montaba en su caballo, y partía a todo correr. Tamayo articuló una imprecación semejante a un rugido, al pensar que se le escapaba aquel hombre justamente execrado: mas como acertara a ver cerca de allí cinco o seis corceles que con las sillas puestas y el freno pendiente del arzón, aún no habían sido recobrados por sus dueños, extraviados o muertos en la montaña, se lanzó rápidamente sobre una de dichas bestias, la más próxima que halló al acaso, y partió a carrera tendida en persecución de Mojica. El animal, estimulado por su jinete, devoraba la distancia con tal velocidad, que Tamayo, saliendo de su loca preocupación, adquirió la certeza de dar alcance al fugitivo; y prendado de la excelencia de su cabalgadura, miró a su ondulante crin más fijamente, y reconoció con júbilo que era *Azucena*, la yegua tan indignamente usurpada por Valenzuela a Enriquillo.

Por su parte Mojica, que había podido reconocer a su perseguidor, pretendió ganar distancia hundiendo las espuelas hasta los botones en los hijares de su caballo, pero éste no podía competir con la veloz *Azucena*, y el hidalgo, que medio muerto de terror veía reducirse a cada instante el espacio que lo separaba de Tamayo, vencido por su miedo antes que por la fortuna, acordó parar súbitamente su carrera, y entregarse a discreción, esperando hallar piedad en su contrario.

—Tamayo —le dijo con voz suplicante—, ¿qué quieres de mí? Aquí me tienes: ayúdame a salir de este paso, y te daré lo que me pidas.

Tamayo detenía en aquel momento su yegua, cubierta de espuma y azorada, al lado de Mojica, a quien asió de un brazo diciéndole con feroz sonrisa:

—¡Ya eres mío, hombre maldito, hijo del diablo! ¿Qué hablas de darme nada? Tu vida es lo que quiero, y no te la dejaría por todo el oro que has robado en este mundo.

Y amenazándolo con su puñal le ordenó que desmontara del caballo.

Obedeció Mojica temblando, y repitiendo con balbuciente labio sus súplicas, mezcladas con ofertas y deprecaciones a la Virgen y a todos los santos. El inflexible Tamayo, quitándole el cinto de la espada (la cual había perdido en su fuga a pie), le ató con él muy bien las manos, y aguardó a sus compañeros que veía venir a lo lejos, unos a pie y otros a caballo.

A medida que éstos iban llegando, el despavorido Mojica volvía a sus lamentaciones y ruegos, pidiéndoles compasión. —¡Muchachos, no me matéis, queriditos míos! —les decía—. Yo seré vuestro mejor amigo, yo haré que os perdonen y os dejen en libertad. ¡Yo os daré todo lo que tengo, perdonadme la vida, por Jesucristo, por la Virgen Santísima, por San Francisco!

—¿El mamarracho de *La Higuera*, eh? —le respondió Tamayo, a quien Enrique había informado de este chiste impío del hidalgo, en la audiencia del cabildo de San Juan—. No tengas cuidado, ya vas

---

[1] Palabras textuales de Enriquillo a su inicuo opresor, cuando lo tuvo vencido y a su disposición, según lo refieren Las Casas y los demás historiadores.

a pagar tu herejía: el santo te ha puesto en mis manos.[1]

Y ahorrando más razones, cortó la jáquima al más próximo caballo; hizo brevemente un lazo corredizo, y rodeó con él la garganta de Mojica.

—¡Reza! —le dijo.

—¿Qué rezo? —preguntó el sin ventura, fuera de juicio.

—Lo que te dé la gana. Sujetadle bien —agregó Tamayo dirigiéndose a los suyos.

—¡No sé rezar! —exclamó el hidalgo, pensando tal vez que esta ignorancia le salvaría.

—¡Pues peor para ti! —contestó fieramente Tamayo—. ¡Anda a los infiernos!

Al decir estas palabras, apretó la cuerda sin piedad, ayudándose con pies y manos. Mojica cerró los ojos, luego los abrió desmesuradamente, todo su rostro se puso cárdeno; la sangre que manaba de su herida se contuvo al cabo, y una convulsión postrimera recorrió todo su cuerpo. Entonces lo colgaron del árbol más inmediato.

Después de estarle observando por buen espacio de tiempo, al ver su lívida faz, sus miembros inmóviles y rígidos, Tamayo dijo con fría indiferencia:

—Está muerto, y bien muerto. Es el mayor malvado que había en la Maguana. ¡Dios me perdone! Ahora vuelvo a creer en Él y en su justicia.

Luego, acariciando el gracioso cuello de *Azucena,* montó en ella, y seguido de su gente partió para su campamento.

—Ésta es otra prueba —decía reanudando su monólogo—. ¡Qué contento va a ponerse Enriquillo con recobrar su linda yegua!

Al terminar este concepto, divisó a un hombre que cabizbajo, y con paso vacilante venía de la sierra. Trató de ocultarse en el bosque cuando vio el grupo de jinetes, pero

ya era tarde. Fue detenido, y Tamayo reconoció en aquel triste derrotado, que traía los vestidos llenos de sangre y la cabeza envuelta en tosco vendaje, al soberbio tirano Andrés de Valenzuela.

Éste lo miró con abatimiento, y en actitud resignada le dijo:

—¿Qué quieres de mí?

—Eso mismo me preguntó hace un rato tu compadre Mojica —le respondió con dureza Tamayo—, y acabo de decírselo, muy bien dicho. De ti, en verdad, no sé lo que quiero. Me figuro que San Francisco te ha puesto también en mis manos...; pero Enriquillo te ha concedido su perdón...

Tamayo hablaba como un hombre indeciso, y en verdad tenía terribles ganas de acabar con Valenzuela como lo había hecho con Mojica, pero no se atrevía a ir tan lejos contra la voluntad de su caudillo.

De súbito volvió riendas a su cabalgadura, y dijo a Valenzuela:

—Sígueme: no quiero de ti gran cosa.

Caminaron hasta el lugar en que estaba colgado Mojica, a quien Valenzuela no pudo reconocer al pronto en aquel oscilante cadáver.

—Mira a tu amigo, el compañero de todas tus maldades —le dijo Tamayo con voz parecida al vibrante silbo del huracán, y señalando al muerto—. Enriquillo valía mil veces más que tú y que él, y lo tratabais como a vil esclavo. Ya ves si valía más que tú, pues te perdona; y yo que no valgo tanto, te perdono también por él, pero óyeme bien, Valenzuela. No sigas siendo malo, no aflijas a los infelices, no deshonres a las pobres mujeres: procura ser buen cristiano, como lo era tu padre, o te juro acabar contigo donde quiera que te halle, ¡y vete, vete! —agregó con vehemencia—: ¡no vuelvas nunca por aquí!

Valenzuela, confundido, aterrado, más muerto que vivo, oyó la in-

---

[1] Perdónenos la moderna despreocupación: narramos con arreglo a las ideas de aquel tiempo.

crepación de Tamayo como un fúnebre aviso del cielo, y prosiguió su camino pudiendo mover apenas la atónita planta.

XLIV

GUERRA

Careybana era el primer caserío de importancia que se hallaba en el camino del Bahoruco a la Maguana. Allí acudieron a guarecerse y descansar brevemente los restos de la desbandada tropa. Valenzuela llega al anochecer, y después de apaciguar su hambre con lo poco que encuentra, y curada más formalmente su rota cabeza, rendido de fatiga, duerme hasta la siguiente mañana, bien entrado el día.

Procura a cualquier precio una cabalgadura para seguir su viaje, y no la encuentra. Doliente y débil, no sabe qué partido tomar, sintiéndose incapaz de andar una legua siquiera. Su perplejidad dura aún, cuando un estanciero de la Maguana que es también de los derrotados de la víspera, se le presenta montado en *Azucena*, y le entrega un papel en nombre de Enriquillo.

—Fui hecho prisionero: me encontraron extraviado ayer tarde, y esta mañana me devolvió el cacique la libertad con este encargo. Tal fue la explicación verbal que dio el inesperado mensajero.

Valenzuela leyó el papel, que contenía estas líneas:

"Pesóme mucho, señor Andrés, del desafuero cometido por Tamayo; pero los consejos que me dice os dio, téngolos por buenos, y ojalá Dios os tocara el corazón y los siguierais. Guardad la yegua en memoria mía, y de vuestro buen padre: ya puedo ofrecérosla, pues que dejé de ser quien era, y recobré mi natural libertad.[1] Si cumplís vuestra palabra a doña Elvira, sea ése mi presente de boda, y os traiga dicha. Entregad los negros bienes de Mencía a don Diego Velázquez en nombre nuestro. Es el pago de mi deuda por sus cuidados. Os envía salud, *Enrique.*"

Permaneció silencioso y triste Valenzuela después de la lectura de esa singular misiva. La guardó después cuidadosamente en su seno, hizo descansar media hora la yegua, y partió en ella para la Maguana.

La noticia del descalabro sufrido en el Bahoruco por la tropa de San Juan cundió rápidamente por todas partes, y fue el pasmo de cuantos la oyeron. "Enriquillo es alzado." "Los indios han derrotado a los castellanos en el Bahoruco"; éstas fueron las nuevas que circularon de boca en boca, comentadas, aumentadas y desfiguradas por cada cual; que las imaginaciones ociosas aprovechaban aquel pasto con avidez. Badillo se figuró que le llegaba una magnífica ocasión de cubrirse de gloria a poca costa: apellidó a las armas toda la gente capaz de llevarlas en la Maguana; pidió auxilio a Azua, y reunió en poco más de una semana doscientos cincuenta hombres bien armados y equipados. ¿Cómo suponer que los rebeldes del Bahoruco pudieran resistir a aquella formidable cohorte? El teniente gobernador, lleno de bélicas ilusiones, marchó con sus fuerzas en buena ordenanza militar, sin embarazarle otra cosa que la elección del castigo que había de aplicar a Enriquillo y sus alzados indios de la sierra.

Pero éstos veían engrosar sus filas prodigiosamente. Al ruido de la primera victoria, los tímidos cobraron valor, y día por día llegaban al Bahoruco bandadas de indios que iban, en busca de su libertad, a

[1] Alude a la promesa que hizo una vez, de no enajenar la yegua. *Antes dejaré de ser quien soy* —dijo.

compartir los trabajos y peligros de Enriquillo y sus súbditos. Uno de los primeros que acudieron fue un pariente del cacique, conocido con el nombre de Romero. Era más joven aun que Enriquillo; pero no le cedía ni en valor, ni en prudencia para el mando. Pronto dio pruebas de ello, como de su modestia y subordinación a las órdenes del superior caudillo.

Como si éste no hubiera hecho en toda su vida sino ejercitarse en aquella guerra, a medida que le llegaban refuerzos los iba organizando con acierto y previsión admirables. A primera vista parecía adivinar la aptitud especial de cada uno, y le daba el adecuado destino. Creó desde entonces un cuerpo de espías y vigilantes de los que jamás funcionaba uno solo, sino por lo regular iban a sus comisiones de dos en dos y a veces más, cuidándose el sueño y la fidelidad respectivamente. Con los más ágiles y fuertes formó una tropa ligera, que diariamente y por muchas horas seguidas se ejercitaba en trepar a los picos y alturas que se juzgaban inaccesibles a plantas humanas; en saltar de breña en breña con la agilidad del gamo; [1] en subir y bajar como serpientes por los delgados bejucos que pendían de las eminencias verticales, y en todas aquellas operaciones que podían asegurar a los rebeldes del Bahoruco el dominio de aquella fragosa comarca.

El manejo de la lanza, la espada, la honda y la ballesta ocupaba también gran parte del tiempo a los libres del Bahoruco. Algunos arcabuces quedaron en poder de Enriquillo cuando venció por primera vez a sus enemigos; pero por suma escasez de pólvora sólo se usaba en alguna rara ocasión, como señal, su estampido en las montañas. En cambio, más formidable que la artillería de aquel tiempo, era la habilidad de destrozar y poner en equilibrio las puntiagudas cimas de los montes, y mantenerlas por medio de cordeles a punto de despeñarlas sobre el agresor en los pasos estrechos y los barrancos, que por donde quiera cruzaban aquel titánico laberinto.

Para completar la organización de su pequeña república, Enriquillo creó un concejo de capitanes y caciques, que hacía de senado y ayuntamiento a la vez, atendiendo a las minuciosas necesidades de la errante tribu. Pero el cauteloso caudillo se reservó siempre el dominio y la autoridad suprema para todos los casos. Comprendía que la unidad en el mando era la condición primera y más precisa, de la seguridad, del buen orden y la defensa común, en aquella vida llena de peligrosos azares.

Por último, adoptó para cierto número de hombres escogidos un equipo marcial que le sirvió de grande auxilio en los combates, e hizo más temible su milicia. Entre las armas y arreos militares que algunos de los alzados caciques habían conseguido sustraer a sus amos, había dos magníficas cotas de malla, de las que el feliz raptor regaló una a Enriquillo. De aquí vino a éste la idea de hacer fabricar ciertos petos o corazas con cuerdas bien torcidas, de pita, cabuya y majagua, exteriormente barnizadas con bálsamo resinoso; a favor de cuya industria logró hacer impenetrables al golpe de las espadas los cuerpos de los indios, que así protegidos cobraban más arrojo; y algún tiempo después perfeccionó la invención, revistiendo también los brazos y piernas de igual cordage; con lo cual, después de adquirir la práctica y desenvoltura necesarias, los indios cubiertos de aquel tosco arnés tenían toda la apostura de verdaderos soldados de profesión.[2]

---

[1] *Como picazas*, se lee en los documentos oficiales de la época, que tratan de la rebelión del Bahoruco.

[2] Son históricos estos rasgos del ingenio militar de Enriquillo.

Ya estaban terminados casi todos los reseñados aprestos, cuando Enriquillo tuvo aviso de que Badillo al frente de su hueste iba contra él. Dirigió entonces una breve y expresiva arenga a sus soldados; ofreció honrar y recompensar a los valientes, y juró que los cobardes recibirían ejemplar castigo.

Distribuyó después la gente cubriendo las principales entradas de la sierra con tres fuertes guardias avanzadas, cuyos jefes eran el valeroso Tamayo y otros dos cabos de la confianza del cacique, cada cual provisto de un gran caracol nacarado que se conoce con el nombre indio de *lambío*, y que resuena como una enorme bocina. De este instrumento debían servirse mediante ciertos toques de llamamiento y aviso previamente concertados. Romero con setenta hombres debía acudir adonde cargara la mayor fuerza del enemigo, y Enriquillo con el resto de la gente se mantendría en observación, para caer en el momento oportuno sobre la retaguardia de Badillo.

Tal era la disposición de los combatientes del Bahoruco, cuando llegó la tropa invasora a los primeros estribos de la sierra, y penetró en su desfiladero principal, que era el confiado al advertido y brioso Tamayo. Éste, que ocupaba con su tropa una eminencia que parecía cortada a pico, y cuyos aguzados cornijales no podían presumirse sino viéndolo que sirvieran de atalaya, arsenal y fortaleza a aquellos seres humanos, aguardó tranquilamente a que la milicia de San Juan llegara a pasar por la hondonada que servía de camino al pie de su escondido adarve, para descargar sobre ella una lluvia de enormes piedras, que no solamente maltrataron a muchos de los soldados de Badillo, si que también, obstruyeron la salida del barranco, y pusieron en grande aprieto y confusión a los sorprendidos expedicionarios: resonó al mismo tiempo el caracol de Tamayo, y respondieron a distancia varios otros, que se transmitían el aviso de que la función estaba empeñada, y del punto adonde era preciso acudir. Badillo, viendo que en aquel angosto sitio su tropa era diezmada rápidamente por la espesa pedrisca que le caía de las nubes, dio primero la orden de forzar el paso para salir del apuro; mas comprendió al punto que el conflicto se agravaba, porque la obstrucción causada en el desfiladero por las primeras rocas desprendidas de lo alto, sólo permitía pasar de frente a dos hombres, y la lluvia de piedras continuaba entre tanto con igual intensidad, aplastando y descalabrando gente. El novel capitán pierde entonces el tino, y atortolado, sin saber lo que hace ni lo que dice, ordena la contramarcha, y corre como un loco a dirigir la retirada.

Aquí llegaron a su colmo la confusión y el desorden: los que se hallan más expuestos a la pedrea de Tamayo, impacientes por salir del aprieto, atropellan violentamente a muchos de sus compañeros. Romero aparece en aquella crítica coyuntura por un cerro que flanquea el estrecho paso, y cae denodadamente, lanza y espada en mano, sobre el confuso remolino que forman los aturdidos milicianos de San Juan. Algunos de éstos se defienden valerosamente; el combate se empeña cuerpo a cuerpo, y Badillo se reanima al observar que han cesado de caer piedras, y el corto número de los montañeses que se han atrevido a acometerle al arma blanca; pero esta satisfacción le dura poco: Tamayo y los suyos se han descolgado de la altura en pos de sus últimos proyectiles, y con atronadores gritos cargan también espada en mano a la gente de Badillo, secundando oportunamente al intrépido Romero. A esta sazón los ecos del monte resuenan con los metálicos acentos del cuerno de caza, que acaba de llenar de asombro a Badillo, invadiendo el pánico a sus más esforzados hombres de armas. Es Enriquillo que anuncia su llegada con una tocata marcial, de ritmo grave y solemne. Sus indios lo aclaman con entusiasmo, y el nombre del caudillo es cual grito de guerra que infunde nuevo aliento a los ya enardecidos montañeses, y determina la completa derrota de los invasores.

Tamayo, el ardiente e infatigable Tamayo, acosa y persigue a los desbandados fugitivos. El imprudente Badillo, culpable por su jactanciosa negligencia de aquel desastre, huye desalado por una vereda, en pos del montero que le sirve de guía. Cada cual se salva como puede, y muchos hallan su fin en los precipicios que circundan el desfiladero.

Los caracoles dan su ronco aviso nuevamente, intimando a los vencedores la orden de retraerse y suspender la persecución. Ha corrido ya mucha sangre, y el magnánimo caudillo quiere ahorrar la que resta; pero Tamayo va lejos, y no ha oído, o no ha querido oír, la piadosa señal. Transcurre más de un cuarto de hora en ociosa espera. Entonces Enriquillo, seguido de buen número de combatientes, resuelve bajar la empinada ladera por donde vio partir como desatada fiera a su teniente, en pos del grueso de los derrotados. Llega a la falda del monte, y a pocos pasos del sendero, entre unos árboles, percibe al fin a Tamayo con su gente, ocupados todos en una extraña faena.

Formando semicírculo en torno de un gran montón de leña, que obstruye la boca de una cueva en casi toda su altura, Tamayo acababa de aplicar una tea resinosa a las hojas secas acumuladas debajo de los maderos, y la llama comenzaba a levantarse con voracidad, extendiéndose en todos sentidos. Una espesa nube de humo asciende en vagaroso torbellino y se esparce por encima de la hoguera, penetrando la mayor parte en el antro sombrío. Tamayo contempla su obra con feroz satisfacción.

—¿Qué haces? —le pregunta con vivacidad Enriquillo.

—Ya lo ves, cacique —responde el teniente—, sahumar a los que están ahí metidos.

No bien oye Enrique esta brutal contestación, cuando salta ágilmente sobre Tamayo, lo arroja con fuerza hacia un lado, y desbarata en un instante la hoguera, lanzando a gran distancia los maderos que arden en ella. Sus soldados se apresuran a ayudarlo.

—¡Bárbaro! —exclama el héroe con indignación—. ¿Es así como cumples mis recomendaciones?

Y volviéndose hacia la humeante boca de la gruta, dice en alta voz:

—Salid de ahí vosotros, los que estáis dentro de esa caverna. No temáis; Enriquillo os asegura la vida.

A estas palabras, los infelices que ya creían ver su sepultura en el lugar que habían escogido como refugio, salieron uno a uno, a tientas, medio ciegos y casi asfixiados por el humo.

Enriquillo los contó: eran setenta y dos [1] de los guerreros de Badillo.

—Idos en paz a la Maguana —les dijo—, o adonde mejor os pareciere, y decid a los tiranos que yo y mis indios sabemos defender nuestra libertad; mas no somos verdugos ni malvados. Y tú, Martín Alfaro —dijo volviéndose a un indio de gentil aspecto que estaba a su lado—; toma esa escolta y acompaña estos hombres al llano, hasta dejarlos en seguridad. Me respondes de ellos con tu vida.

Los vencidos, y tan a punto salvados de la muerte, juntaron las manos en acción de gracias, y bendijeron a porfía el nombre de su salvador. Uno de ellos se llegó al magnánimo caudillo, le tomó la diestra, y se la besó con muestras de

---

[1] Histórico.

viva emoción: después le dijo estas palabras:

—Escuchadme, señor Enriquillo: en mi tribulación ofrecí a Dios consagrarle el resto de mi vida, si me salvaba de este trance. Cumpliré mi promesa, y me obligo a orar todos los días por vuestro bien.[1]

XLV

CONVERSACIÓN

Luego que emprendieron la marcha los prisioneros, ya libres y contentos, bajo la protección de Martín Alfaro y su escolta, Enriquillo se volvió a Tamayo, que hosco y de mal talante permanecía mirándolo todo sin moverse del sitio adonde había ido a parar, a impulso del vigoroso brazo de su jefe. Acercósele éste, y le afeó severamente la crueldad que había manifestado en aquella tarde.

—Ya te dije el otro día, Tamayo, que era preciso no ofender a Dios con inhumanidades como la que cometiste con Mojica. Matar a los vencidos no es propio de los que pelean por la justicia.

—Veo, Enriquillo —contestó Tamayo con fiereza—, que si continuamos así vamos a acabar mal tú y yo. Para nuestros enemigos sólo conviene el hierro y el fuego, y tú quisieras darles dulces y flores cuando vienen a matarnos.

—Te equivocas, Tamayo, quiero hacer la guerra útilmente; no por el placer de hacer daño. En prueba, subamos al campamento; comeremos y descansarás un rato, hasta que salga la luna, para que bajes al llano con tu gente, y te traigas a la montaña todo el ganado que encuentres de aquí a Careybana.

[1] Lo refiere así Las Casas, que conoció y trató al individuo, ya fraile dominico en el convento de la ciudad de Santo Domingo.

Tamayo respiró con fuerza al recibir este encargo, tan conforme con su genio y su gusto. Se despejó como por encanto el mal humor que lo atormentaba, y prometió ajustar su conducta estrictamente a las instrucciones de Enriquillo.

Pero cuando volvió de su excursión en la tarde del siguiente día, con más de cien cabezas de ganado, el cacique vio con horror que traía al cuello un sartal de seis orejas humanas. Pertenecían a tres estancieros de Careybana, que habían perecido resistiendo valerosamente al raptor de sus rebaños.

Aquel salvaje trofeo, como la cínica ostentación de crueldad que hacía Tamayo, causaron gran pesadumbre e indignación en el ánimo de Enriquillo, que en vez de los plácemes que tal vez aguardaba el fiero teniente, le enderezó una severa plática moral, escuchada con visible impaciencia por su interlocutor.

—Me iré de tu lado, y haré la guerra por mi cuenta —dijo con altivez Tamayo, cuando acabó su sentida amonestación Enriquillo.

—Vete cuando quieras —contestó éste exasperado—: llévate a todos los que, como tú, tienen sed de sangre. Yo soy cristiano, y no tengo ese furor en mi pecho.

—Bien está, Enriquillo —replicó Tamayo—: vale más que yo me vaya. Desde mañana mismo saldré del Bahoruco con los compañeros que quieran seguirme, y haré la guerra como la aprendí de los cristianos de España.

—Libre eres, Tamayo —dijo Enriquillo—. Vete, y cuando no puedas más, vuelve al Bahoruco, a guerrear junto conmigo, a mi manera, para resistir a los tiranos, y no por gusto de verter sangre.

Con la rota de Badillo los alzados indios quedaron provistos de muchas armas y buen número de caballos, que Enrique puso a buen recaudo: los jinetes del Bahoruco discurrieron durante muchos días como señores por las llanuras inmediatas. Entre tanto el nombre de Enriquillo resonaba de boca en boca, enaltecido por esta segunda e importante victoria. Las autoridades de la capital recibieron con gran sorpresa tan estupenda noticia. Ya los padres gerónimos habían regresado a España, y la Audiencia gobernaba con los oficiales reales. Ordenaron una leva general en todos los pueblos de la isla, señalando a cada uno su contingente para embestir a los rebeldes del Bahoruco por varios puntos a la vez, y apagar en sangre su rebelión.

Hacíanse estos aprestos cuando llegó de España el almirante don Diego Colón, y pocos días después Las Casas, que iba para Tierra-firme, a hacer su ensayo de colonización pacífica en la costa de Cumaná. Opusiéronle las autoridades de la Española, como solían, cuantos obstáculos pudieron para estorbar sus piadosos proyectos; y para desenredarse de los ardides y malévolos reparos que le suscitaban, el buen sacerdote se resolvió a pactar con los jueces y oficiales prevaricadores, ofreciéndoles cuotas y ventajas en su empresa, con lo que consiguió salir al fin bien despachado de Santo Domingo; y a esto llama donosamente el ilustre filántropo *comprar el Evangelio, ya que no se lo querían dar de balde.*[1]

A su llegada a la Española supo con gran pesadumbre el alzamiento de Enriquillo y sus causas, según se lo narró todo Camacho, que después de la derrota de Badillo se había ido a la capital, por hallarse mal visto en San Juan. Poco después llegó también a Santo Domingo Andrés de Valenzuela, a quien el almirante hizo reducir a prisión y formarle proceso a causa de su conducta tiránica, que había sido la causa de aquel gran trastorno en la isla. El pío Las Casas consiguió superar el enojo y la aversión que

le inspiraba la maldad de aquel miserable, en gracia de los méritos de su honrado progenitor, y fue a verle a la cárcel, con el fin de hacerle aprovechar la lección que le daba la fortuna, y tratar de convertirlo a mejores sentimientos. No halló, con sorpresa suya, a aquel Valenzuela, cuya arrogante apostura daba a entender desde luego la soberbia de su alma; sino a un hombre enfermo, abatido, que humildemente se postró a los pies del digno sacerdote, y con lágrimas de dolor y arrepentimiento bendijo la caridad que le impulsara a llegarse hasta él, en su merecida desgracia y en aquel sitio. El generoso varón sintió conmoverse sus entrañas al aspecto de aquella contrición inesperada, y consoló a Valenzuela cuanto pudo, confortando su ánimo, convidándole con la misericordia divina en el tribunal de la penitencia, y ofreciéndole todo su valimiento para con el almirante y las demás autoridades.

El joven le refirió una por una todas las circunstancias de su derrota en el Bahoruco; su vergüenza y humillación al verse vencido y perdonado por Enriquillo, a quien se había acostumbrado malamente a mirar con más desprecio *que al estiércol de los campos;*[2] la impresión de horror que después le causara el espectáculo de Mojica pendiente de la horca, y la crueldad de Tamayo, contrastando con la clemencia y generosidad de Enrique; su convencimiento de que todo aquello, y más que nada los severos consejos y amonestaciones de Tamayo, en tan tremenda ocasión, eran una advertencia y llamamiento que le hacía el cielo, para apartarlo de la vía de maldad y eterna perdición en que vivía empeñado; y por último, el efecto que le hizo en Careybana el obsequioso papel de Enriquillo remitiéndole a *Azucena* como presente, e insinuándole que cumpliera la promesa ma-

---

[1] Concepto de Las Casas; textual.

[2] Concepto de Las Casas, narrando estos sucesos.

trimonial a doña Elvira; todos esos movimientos de su alma en tan pocas horas la habían devuelto a la divina gracia, arrepintiéndose muy sinceramente de sus pecados y mala vida, resuelto a reformarla, a hacer cuanto bien pudiera en lo sucesivo, y ofreciéndose a casarse con Elvira si ella le conservaba su afición.

Muy complacido escuchó Las Casas estas manifestaciones del contrito Valenzuela, y no solamente le exhortó a perseverar en sus laudables propósitos, sino que se ofreció a ayudarle en la ejecución de ellos; y empleando su genial actividad, desde el mismo día trabajó tanto, que al cabo de tres, con la cooperación eficaz de Alonso Zuazo y otros personajes, hizo salir de la cárcel a Valenzuela; el cual, apadrinado por los virreyes, antes de dos semanas era ya esposo de Elvira Pimentel, y fijaba definitivamente su residencia en Santo Domingo, por no tener a la vista las memorias de sus pasadas liviandades en la Maguana. Hizo después eficaces diligencias para dar la posesión de los bienes de Mencía a Diego Velázquez, según el encargo de Enriquillo; pero el adelantado de Cuba era ya muy rico, y rehusó el ofrecimiento, fundándose en las famosas leyes de Toro; por lo que siguió Valenzuela administrando dichos bienes hasta su muerte.

Si el Supremo juez de cielos y tierra castigó más tarde en la otra vida al antiguo pecador, o si fue penitencia bastante y providencial castigo en ésta su matrimonio con la casquivana Elvira, es materia teológica que no nos atrevemos a dilucidar, porque nos faltan suficientes datos para el efecto. Lo único que sabemos es que Valenzuela vivió después de casado cristianamente, humilde de corazón y favoreciendo a los desgraciados; como en sus días lo hizo el buen don Francisco, que desde la bienaventuranza eterna se congratularía en que la semilla de sus generosos ejemplos germinara, aunque algo tardíamente, en el corazón de su hijo.

XLVI

RAZÓN CONTRA FUERZA

Más hizo aún Las Casas, antes de despedirse de Santo Domingo para el continente del sur. Logró que el almirante y las demás autoridades, reconociendo en el alzamiento de Enriquillo circunstancias que lo hacían muy excusable, y en su generosa conducta como vencedor, rasgos dignos de elogio, se avinieran a no tratarlo como a un rebelde vulgar, ni fiaran exclusivamente a la fuerza de las armas la pacificación del Bahoruco. El raciocinio de Las Casas en favor del caudillo indio era en substancia el siguiente, extractado en propios términos de su discurso en la asamblea de autoridades, bajo la presidencia del almirante.

"Cuán justa sea la guerra que a los españoles hace Enriquillo —decía Las Casas—, y cuán justamente puedan los indios alzarse, sometérsele y elegirlo por señor y rey, claro lo muestra la historia de los Macabeos en la Escritura divina, y las de España que narran los hechos del infante don Pelayo, que no sólo tuvieron justa guerra de natural defensa, pero pudieron proceder a hacer venganza y castigo de las injurias, y daños, y muertes recibidas, y disminución de sus gentes, y usurpación de sus tierras, de la misma manera y con el mismo derecho, lo cual hacían y podían hacer con autoridad del derecho natural y de las gentes, y la tal guerra propiamente se suele decir no guerra, sino defensión natural. Cuanto más que aun Enrique tiene más cumplido derecho; como es el del príncipe, porque otro señor ni príncipe no ha quedado en esta isla, después de la destrucción de todas sus tan grandes repúblicas como en ella había. Ítem, nunca hubo en esta isla jamás justicia, ni jamás se hizo en desagraviar los indios vecinos y moradores de ella; y, donde quiera que falta justicia, se la puede hacer a sí mismo el opreso y agraviado. Por lo dicho no se deroga el principado supremo y universal de los Reyes de Castilla sobre todo este orbe, *si en él entraren y de él usaren como entrar deben y de él usar,* porque todo ha de tener orden y se ha de guiar, no por lo que a cada uno se le antojare, sino por reglas de razón; así como todas las obras de Dios son por razón guiadas y ordenadas." [1]

Los jueces y oficiales reales, que hubieran querido contradecir este discurso, no se atrevieron a hacerlo; tan abrumados los tenía la responsabilidad que sentían pesar sobre ellos por sus prevaricaciones y abandono total de la justicia, que asignaba el recto sacerdote como causa de aquella gran perturbación que sufría la isla. Por lo mismo fue hacedero y obtuvo unanimidad el acuerdo de que al mismo tiempo que la hueste militar iría a combatir a Enriquillo, al mando del valeroso y experimentado capitán Íñigo Ortiz, fuera en persona el licenciado Alonso Zuazo a residir en San Juan, para proveer a las atenciones de la guerra y tratar de reducir a las buenas a Enriquillo, atrayéndole con latas ofertas, si fuese posible.

Partió Las Casas a fundar su colonia modelo en Cumaná, con la que se proponía imprimir a la conquista del Nuevo Mundo un carácter más conforme con los principios de humanidad y civilización, que el que reinaba entre los conquistadores. Allá no le aguardaban sino nuevas pugnas y contrarieda-

des sin número, estrellándose sus generosas aspiraciones en el espíritu pertinaz y maligno de la brutal codicia, que no quería soltar su presa. De Costa-firme regresó a la Española antes de un año; y al tener noticia de que los indios, exasperados por las violencias de aventureros desalmados, habían dado trágica muerte a sus compañeros los religiosos que permanecieron en Cumaná, lacerada su alma y llena de amargura, tomó el hábito de fraile en el convento de dominicos de la ciudad de Santo Domingo. Allí, en la quietud de aquel sagrado recinto, escribió la mayor parte de su inmortal *Historia de Indias.*

Mas no ha entrado en nuestro propósito otra cosa respecto del insigne protector de los indios, que hacer mención de sus nobilísimos trabajos, en lo que de ellos concierne al asunto capital de este libro, o sea la libertad de los miserandos restos de la raza indígena de Haití. Otra pluma inimitable, honra de las hispanas letras en nuestro siglo, intérprete fiel de un alma de fuego,[2] capaz de comprender y dar relieve a la grandeza moral del PADRE LAS CASAS, ha señalado dignamente a la admiración de los buenos las virtudes y los gloriosos trabajos de aquel ilustre varón, **la gloria más pura de España;** grande entre los más grandes de todos los tiempos.

XLVII

¡YA ES TARDE!

El alzamiento de Enriquillo en el Bahoruco reclama perentoriamente nuestra atención, como reclamaba en aquellos días la diligencia

---

[1] Extracto fiel y textual, sin poner nosotros una palabra ni un concepto nuestro, del cap. CXXV de la *Historia de Indias,* de Las Casas. ¡Admirables principios de derecho y equidad en aquel tiempo!

[2] Manuel José Quintana, que escribió la *Vida de Fray Bartolomé de las Casas.*

política de Alonso Zuazo, y la pericia militar de Íñigo Ortiz. Situándose el buen licenciado en San Juan, envió uno tras otro hasta cinco emisarios a Enriquillo, en el espacio de un mes. Propúsole en primer lugar perdón y salvo conducto para él y sus indios si se le sometían, asegurando que el cacique y sus principales compañeros no volverían a ser encomendados a nadie; que se les darían medios de vivir holgadamente y los demás no serían obligados a trabajar sino con quien ellos quisiesen y en las faenas que fueran más de su agrado. A esta misiva contestó Enriquillo verbalmente, diciendo al enviado para que lo repitiera a Zuazo, que él no depondría las armas mientras quedara un solo indio sujeto a servidumbre en la Española. Volvió el segundo emisario de Zuazo con otro mensaje de éste, ofreciendo al cacique hacer considerar por el almirante y la audiencia su demanda, e instándole por una entrevista, sobre seguro que le ofrecía. Este mensajero regresó con una negativa absoluta, fundada en la irrisoria autoridad de las cartas de seguro y de favor, según la pasada experiencia con el mandamiento del juez Figueroa, menospreciado impunemente por Pedro de Badillo. Un nuevo emisario de Zuazo jamás volvió a parecer, y se creyó generalmente que Tamayo lo toparía en el camino y le daría muerte. De aquí provino que ningún otro español quisiera encargarse de comisiones semejantes, y Zuazo hubo de valerse sucesivamente de dos indios, que tampoco regresaron, ni se supo más de ellos.

Comprendió por consiguiente el negociador lo infructuoso de su empeño, y entonces desplegó sus banderas al capitán Íñigo Ortiz, marchando sobre el Bahoruco al frente de muy lucida y bien armada gente. En número, equipo y ordenanza militar esta fuerza aventajaba mucho a la que sufrió el descalabro precedente, y Ortiz contaba además con dotes de mando muy superiores a las del presuntuoso e imprevisor Badillo.

No entraron los expedicionarios en la formidable sierra en masa ni por un solo punto, sino que fraccionándose en tres cuerpos penetraron por otros tantos desfiladeros distintos. Llevaban perros de presa, de los cuales se prometían grande ayuda; pero salió fallida esta esperanza, y entonces pudo verse cuán acertado estuvo Enriquillo proveyéndose de cuantos animales de esa especie pudo hacer que fueran al Bahoruco. Lanzados como guías los perros de Íñigo Ortiz, muy pocos de ellos, desconociendo a los de Enriquillo, ladraron a tiempo en uno de los desfiladeros, avisando la presencia de los rebeldes. Los demás, amistosamente recibidos por los de su especie, o se pasaron voluntariamente a los indios, o fueron capturados fácilmente por Luis de la Laguna y los otros caciques entendidos y prácticos en los usos y costumbres de la raza canina.

Era Matayco el cacique que estaba situado en el lugar donde ladraron los perros de Ortiz, y la tropa de éste acometió briosamente en aquella dirección: los indios resistieron con denuedo, por más de tres horas continuas; [1] pero eran inferiores en número, y hubieron de ceder al fin la posición replegando a otra más defendida, y haciendo resonar sus caracoles con el aviso de aquella novedad.

En los otros dos pasos de la montaña se combatía con éxito vario. Los españoles peleaban con resolución, y arrollaron otro puesto de indios: la posición que ocupaba el valeroso Romero estaba también a punto de caer en poder de Ortiz, después de un encarnizado combate de media hora, cuando llegó Enriquillo que al frente de sus guerre-

[1] Las Casas afirma que los indios de Enriquillo resistían a pie firme y cuerpo a cuerpo, durante jornadas enteras, a los españoles.

ros escogidos cargó furiosamente al arma blanca, hizo retroceder a los agresores, y conservó el punto disputado. El eco lúgubre de los caracoles confundiéndose con el de las trompetas anunciaba sin embargo que los indios pedían auxilio en los otros desfiladeros; y Enriquillo, aprovechando su ventaja del momento sobre la hueste que Ortiz mandaba personalmente, dio a Romero instrucciones para que replegara de puesto en puesto, atrayendo al belicoso caudillo español al primer campamento por medio de una retirada gradual, mientras que el mismo Enrique daba auxilio a Matayco.

Análogas instrucciones de retraerse al real indio transmitió el cacique al destacamento del tercer paso; operación que se efectuó con mucho acierto, a la sazón que Enriquillo, cayendo sobre los que hostigaban a Matayco, lograba unirse con éste, después de causar gran destrozo en las filas enemigas, y ambos revolvían también, como en retirada, hacia el centro de la montaña.

Con toda su pericia, o tal vez a causa de ella, Íñigo Ortiz, que veía debilitarse otra vez la resistencia de los indios, quiso acabar su victoria lanzándose con nuevo ímpetu a ocupar lo que por noticias imperfectas consideraba como su núcleo o cuartel general. Ya Enriquillo y todos los demás indios no empeñados con Romero en contener a Ortiz, se ocupaban activamente en retirar del campamento las armas, provisiones y otros objetos útiles y de algún valor. Las mujeres, los heridos y demás seres indefensos habían mudado de sitio anticipadamente.

Apenas terminado el desalojo, Enriquillo hace la señal convenida para que Romero replegara de una vez, dejando el paso franco a Ortiz y sus valientes; disposición que fue ejecutada con tanta habilidad, que el jefe español creyó positivamente que el enemigo iba en completa derrota y que su victoria quedaba

coronada con la ocupación del campamento.

Eran sobre las tres de la tarde cuando esto sucedía. Íñigo Ortiz instaló su tropa en las abrigadas chozas del real indio, y viendo fatigados y hambrientos a los guerreros, dejó la persecución de los que él juzgaba fugitivos para el día siguiente. Comieron, pues, descansaron toda aquella tarde, y pasaron la noche sin ninguna otra novedad que la fantástica iluminación de las montañas vecinas con numerosas hogueras encendidas por los indios como señales.

Al amanecer del nuevo día Ortiz destacó tres o cuatro rondas a reconocer diversos puntos de las inmediaciones, pero antes de media hora regresaron una en pos de otra diciendo que los pasos estaban todos ocupados por fuerzas rebeldes considerables, y que habiendo intentado arrollar la resistencia de los indios, había sido imposible, por lo bien escogido de sus posiciones. Ortiz comenzó a entrever entonces que había caído en un lazo, mas supo disimular su recelo a fuer de prudente, y mandó reconocer los desfiladeros ganados el día anterior. Muy pronto adquirió la certidumbre de que estaba cercado por todas partes.

Penetrar más al centro de la sierra hubiera sido un desatino, y el jefe español no pensó siquiera en ello. Trató solamente de romper aquella red, y formando toda su gente en masa emprendió su retirada por el desfiladero que él personalmente había forzado la víspera. Romero estaba allí otra vez, con bien armada hueste, que trabó el combate oponiéndose enérgicamente a la tropa de Ortiz, y abrumándola desde los altos riscos con toda clase de armas arrojadizas. El intrépido Ortiz asalta con éxito una eminencia colocada entre dos despeñaderos, y allí se traba un combate encarnizado cuerpo a cuerpo, entre indios y españoles. Éstos comenzaban a dominar la resistencia por todas partes; ya algunos de los puestos de Romero estaban abandonados: sus defensores huyen desbandados al ver morir a los caciques Velázquez y Maybona, que sucumben peleando heroicamente, cuando Enriquillo sobreviene con sus cincuenta guerreros escogidos, armados de lanzas y cubiertos con cotas de cuerdas. La valentía y el empuje de este oportuno socorro bastan a cambiar la faz del combate: la fuerte y pesada lanza de Enriquillo se tiñe con la sangre de más de diez enemigos; hácese al fin astillas en el férreo peto de un castellano, y el héroe continúa combatiendo con la cortante espada. Sus soldados hacen como él prodigios de audacia, y el mismo Ortiz recibe una ancha herida en el hombro izquierdo.

Una parte de sus fuerzas, la que hacía de vanguardia, aprovechando la primera acometida que contrastó a Romero, sigue a paso de carga, más bien a carrera abierta, el desfiladero abajo, sin cuidarse de los toques de clarín que piden a retaguardia su auxilio: Ortiz y los que con él están empeñados se creen perdidos, y mientras que algunos se salvan trabajosamente rodando por las laderas y derriscos más practicables de aquel monte, otros menos afortunados van a parar destrozados y exánimes al fondo de los barrancos y despeñaderos.

Ortiz tuvo la dicha de librarse a costa de dos roturas de cabeza y media docena de contusiones, que sumadas con su herida de lanza hacían un total bien mísero y digno de lástima por cierto. Guiándose por las señales que hacían las trompetas de su vanguardia pudo dar con ella, que había hecho alto en una colina, ya fuera de aquella sombría garganta, que de cada árbol y de cada roca vomitaba indios armados. Ortiz, después de recoger algunos fugitivos y extraviados como él, hizo el recuento de su tropa, y halló solamente doscientos treinta hombres. El resto, hasta trescientos

cincuenta que entre soldados y milicianos formaban al principio los expedicionarios, había mordido el polvo, o estaba en poder de Enriquillo.

Mandó pronto aviso a la Maguana, y Zuazo le envió tres días después refuerzos, ordenándole volver sobre los rebeldes y castigarlos ejemplarmente; pero Ortiz fue de distinta opinión, y se abstuvo de penetrar otra vez en la formidable sierra, yéndose a Careybana a curar su herida. Allí adoleció largo tiempo.

Entonces se adoptó un sistema de guerra llamado *de observación*, que consistía en vigilar por medio de gruesos destacamentos los pasos de las montañas, y esperar a que los indios saliesen de sus inexpugnables guaridas, para hacerles sentir el peso de las armas de la autoridad. No podían desear nada más cómodo Enriquillo y sus súbditos. El Bahoruco quedó por algún tiempo libre de invasiones; y aunque guardando estrictamente su actitud marcial y defensiva, reinaban en el interior de aquellos agrestes y feraces montes la paz y la abundancia. Solamente el indómito Tamayo se hacía sentir muy a menudo, en saltos atrevidos que, comenzando por asolar las comarcas occidentales de la isla, fueron sucesivamente extendiéndose a la Maguana, a Compostela de Azua y a otros puntos muy distantes del Bahoruco. La seguridad y la confianza desaparecieron de todos aquellos contornos; y a favor de tan irregular estado de cosas los demás indios escapaban a la servidumbre y se iban a buscar su libertad a los bosques. Los que permanecían sujetos a sus amos o encomenderos no valían gran cosa para el trabajo, o se veían mimados por su señores para que no los abandonasen. El desorden y la decadencia alcanzaban a todos los ámbitos de la isla y afectaban todos los intereses; y al clamor general contra las depredaciones de Tamayo, que todas se ponían a cuenta y cargo del alzamiento de Enriquillo, las autoridades contestaban que Íñigo Ortiz hacía la guerra en el Bahoruco, y que guardadas cuidadosamente todas las entradas y salidas de la sierra, Enriquillo y sus rebeldes no podían moverse (en más de setenta leguas de territorio) y habían de ser más o menos pronto completamente exterminados.

Entre tanto, Alonso Zuazo se cansó de la Maguana y se volvió para Santo Domingo, llevándose consigo, por vía de precaución y con las mayores muestras de respeto, a doña Leonor de Castilla, que no hacía misterio de su amistad con el cacique Enriquillo, y solía escribirle por medio de emisarios seguros. Íñigo Ortiz después de sano permaneció en Careybana, solicitando del almirante su relevo; sus tenientes se aburrían estacionados al pie de los plutónicos estribos de la sierra, y ni los castellanos se cuidaban de hostilizar a los habitantes del Bahoruco, ni Enriquillo permitía que sus soldados inquietaran a los castellanos en sus pacíficos acantonamientos.

XLVIII

TRANSICIÓN

Esta tregua tácita permitió a Enriquillo perfeccionar la organización de su vasto señorío del Bahoruco. Amado con fanatismo por los suyos, obedecido ciegamente por todos aquellos seres que se veían libres y dignificados, gracias al tino, valor y fortuna de su hábil caudillo, éste no necesitó jamás apelar a medidas de rigor para mantener su absoluto imperio y predominio sobre los que le consideraban dotado de sobrenatural virtud, y constituido sobre ellos como salvador y custodio por voluntad divina.

La previsión del caudillo, servida eficazmente por la docilidad y el trabajo de los indios, hizo convertir muy pronto el interior de la extensa y variada sierra en una sucesión casi continua de labranzas, huertas, caseríos y fortificaciones que la mano del hombre, completando la obra de la naturaleza, había hecho punto menos que inexpugnables.[1] Allí no había ni brazos ociosos, ni recargo de faenas; todo se hacía ordenada y mesuradamente: había tiempo para el trabajo, para el recreo, para los ejercicios bélicos, para la oración y el descanso. El canto acordado del ruiseñor saludando la radiante aurora; el graznido sonoro del cao,[2] repercutido por los ecos de la montaña; el quejumbroso reclamo de la tórtola en los días nublados, la aparición del cocuyo luminoso, el concierto monótono del grillo nocturno y los demás insectos herbícolas, eran otras tantas señales convenidas para determinar el cambio de ocupaciones entre los moradores de aquellas agrestes alturas. La civilización europea, que había arrebatado aquellos infelices a su nativa inocencia, los devolvía a las selvas con nociones que los hacían aptos para la libertad, por el trabajo y la industria.

El ganado mayor y menor, como las aves de corral más estimadas se multiplicaban en diversas partes de la libre serranía, y además, la proximidad a ella del Lago Dulce (hoy laguna de Cristóbal o del Rincón), facilitaba el abastecimiento de abundante pesca a los súbditos de Enrique. Éste solía pasar algunos meses del año, cuando los cuidados de la guerra se lo permitían, en el gran lago de Caguaní, o de Jaragua, que hoy lleva el nombre de *Enri-*

[1] Aún se encuentran en las montañas del Bahoruco notables vestigios de estas obras militares de Enriquillo.
[2] Especie de cuervo de gran tamaño, abundante en la isla de Santo Domingo.

quillo, en mitad del cual está situada una graciosa islita cuyo verde y encantador recinto sirvió muchas veces de albergue al valeroso cacique y a su bella y discreta consorte. Para estas excursiones se servían de grandes canoas o piraguas. En la islita se improvisaban las rústicas viviendas necesarias para los dos esposos y sus allegados: sobrábales todo lo necesario para estar con comodidad, si no con regalo; y un fuerte destacamento, fraccionado por distintos puntos, vigilaba y guardaba las riberas inmediatas, contra las eventualidades de una sorpresa.

Además, el espionaje al servicio de Enriquillo estaba perfectamente organizado. Era de todo punto imposible que los castellanos intentaran un movimiento en cualquier sentido, sin que lo supiera con antelación el cauteloso cacique del Bahoruco; frustrándolo por astucia o fuerza de armas.

En esta época de tranquilidad relativa fue cuando Enriquillo determinó satisfacer una de las más persistentes aspiraciones de su alma, honrando ostensiblemente la querida memoria de su ilustre tío Guaroa. Fue con este fin al sud-oeste de la sierra, seguido de una escolta de jinetes, y acompañado de casi todos los caciques, entre los cuales había algunos que conocían el sitio donde sucumbió el jefe indio. Enriquillo erigió sobre aquella innominada sepultura un túmulo de enormes piedras, grande en su modestia e imponente en su severa sencillez, como el carácter del héroe a quien se tributaba aquel piadoso homenaje.

Acaso se complacía el joven caudillo en llevar ante aquella tumba los laureles de sus gloriosos triunfos, alcanzados sobre los antiguos vencedores de Guaroa. El alzamiento del Bahoruco aparece como una reacción, como el preludio de todas las reacciones que en menos de cuatro siglos han de aniquilar en el Nuevo Mundo el derecho de con-

quista. No sabemos si los hombres de estado españoles de aquel tiempo, que dieron harta importancia a la rebelión de Enriquillo, entrevieron el cumplimiento de aquella ley constante de la naturaleza, y guardaron discretamente la observación en su conciencia.[1] Escritores y poetas explicaron entonces la fortuna y las victorias del cacique Enrique por la molicie de costumbres y el apocamiento de ánimo en que habían caído los antes rudos y sufridos pobladores de la Española.[2] Explicación inadmisible, porque en México, en el Perú, en Castilla de Oro, en todo el continente iban a realizar épicas proezas muchos de los mismos que salían descalabrados de la sierra del Bahoruco. Lo cierto era que Enrique, y por reflexión sus indios, habían alcanzado ya la plenitud de civilización indispensable para apreciar las fuerzas de los dominadores europeos, y medir con ellas las suyas, sin la temerosa superstición del salvaje, tan favorable al desenvolvimiento de esa prodigiosa conquista de América, en que entraron de por mitad el valor fabuloso de los vencedores, y la fabulosa timidez de los vencidos.

Entre tanto, ¿cómo sobrellevaba Mencía, la noble y valerosa Mencía, los azares y privaciones de la vida en el Bahoruco? Casi habíamos olvidado la interesante criatura, desde que su duro destino y la generosa altivez de su carácter la condujeron a morar en el seno de aquella ruda y agreste serranía. Algún tiempo se mostró preocupada y triste, su soledad le parecía espantosa,

[1] Las Casas lo previó, elevando en sus inmortales escritos el tono hasta la inspiración profética: "Tenemos (dice) que aquel gravísimo pecado (la esclavitud) ha de ser causa de la total destrucción de la república de España, si Dios no lo repara o nosotros no lo enmendamos." *Historia de Indias,* Cap. CXXXV.
[2] Véase el apéndice, núm. 7.

mientras que Enrique, su amado compañero, estaba enteramente consagrado a la organización y defensa de su montañoso estado. Mas, cuando por primera vez el valiente cacique se presentó a sus ojos victorioso, cuando arrojó a los pies de ella la espada inútil del arrogante Valenzuela, cuando cubierto aún con el polvo del combate se le mostró grande, verdaderamente libre, con la aureola augusta del valor heroico y de la dignidad recobrada, entonces el corazón de Mencía palpitó a impulsos de imponderable satisfacción y de legítimo orgullo, y arrojándose en los brazos del conmovido guerrero, besó con santo entusiasmo su rostro varonil; corrieron sus cristalinas lágrimas por el robusto y polvoroso cuello del caudillo, y sus labios, trémulos de grata emoción, murmuraron apenas esta frase expresiva:

—Grande, libre, vengado...; ¡así te quiero!

Desde entonces Mencía se sintió conforme, si no feliz, entre los sobresaltos y la aspereza de aquella vida. Familiarizándose cada vez más con los peligros, solamente la apesaraba al fin el empeño de Enriquillo en alejarla de ellos, cuando su más vehemente deseo era acompañarle en todos sus trabajos, verle combatir en la lid, alentarle con su presencia, al mismo tiempo que protegerle con sus piadosas oraciones al cielo...

Ella se indemniza practicando la caridad y el bien: los heridos y enfermos la bendicen como a su providencia visible; mientras que las tiernas vírgenes del Bahoruco aprenden de ella religión, virtud, labores de mano y rudimentos literarios.

Anica por su parte es casi dichosa. Curada de su pasión por Enriquillo, la rectitud y entereza de éste, las virtudes de su esposa habían servido a la joven india de modelo para templar su alma al calor de los buenos y generosos sentimientos. Aquella pasión se ha trocado en cariño puro, sin límites, a ambos esposos; pero en su corazón halló cabida otro afecto más vehemente, que ha completado la curación de aquella antigua enfermedad de amor imposible, que la atormentaba como oculto aguijón. Ahora es otro el objeto de un sentimiento más tranquilo y razonable. Durante un mes ha asistido en el lecho del dolor a Vasa, al simpático e intrépido Vasa, cuando fue herido defendiendo solo, el puesto que abandonaron sus indios en la primera acometida de los castellanos al Bahoruco. Anica aprendió entonces a estimar las nobles y bellas cualidades del joven cacique subalterno: aficionáronse el uno al otro con recíproca ternura, y se juraron fe y perseverancia hasta que les fuera posible unirse en santo y religioso vínculo. Enrique y Mencía dispensaban su aquiescencia a estos castos amores.

Cuando los graves cuidados que pesaban sobre el vigilante caudillo no le obligaban a alejarse del oculto cuanto lindo valle donde tenía su principal estancia, asilo risueño que parecía creado expresamente para contrastar con el tumultuoso y terrífico aspecto de la soberbia cordillera; cuando los dos esposos estaban unidos, y su ánimo reposaba libre de las aprensiones que suelen engendrar el peligro y la ausencia, la meseta del Burén, como otras veces la isla de Cabras en el gran lago, no tenía que envidiar, por la pura dicha que en ambos sitios se disfrutaba, a las suntuosas residencias de los más fastuosos príncipes.

XLIX

DECLINACIONES

La guerra mansa se prolongó en el Bahoruco, no sólo mientras Íñigo Ortiz, escarmentado y pesaroso, pedía y obtenía su relevo, sino mucho tiempo después, durante el mando sucesivo de los capitanes Pedro Ortiz de Matienzo y Pedro de Soria, que fueron a guerrear con igual sistema de observación en las avenidas de la sierra. El primero pretendió sorprender a Enriquillo después de enviarle un mensajero indio que se decía pariente del cacique, con promesas y proposiciones pacíficas; pero habiendo sospechado Enrique la verdadera intención con que se le convidaba a una conferencia, prometió asistir al llamamiento; y asistió en efecto, pero al frente de sus más intrépidos guerreros, que dieron sobre los soldados de Pedro Ortiz emboscados, los desbarataron y pusieron en vergonzosa fuga. Enriquillo hizo ahorcar al traidor, su pretendido pariente, y desde entonces quedó seguro de nuevas tentativas insidiosas.

Pero las irrupciones que Tamayo, al frente de su cuadrilla de gente determinada, solía hacer en las cercanías de la Maguana, desde la Sierra de Martín García, situada al este de la del Bahoruco, difundían de vez en cuando la alarma entre los colonos, por el carácter de fiereza y salvajismo que distinguía estos *saltos* atrevidos, de la moderación y humanidad que ya eran notorias en las prácticas de Enriquillo. Durante la última permanencia de Diego Colón en Santo Domingo, que fue hasta 1523, las dificultades que le suscitaron sus émulos no le permitieron hacer otra cosa memorable que la represión de un levantamiento de esclavos africanos que dieron muerte al mayoral en una hacienda del mismo almirante, cerca del río Nisao. Trasladóse en persona Diego Colón al lugar de la ocurrencia; los alzados fueron fácilmente vencidos, y de ellos los que pudieron escapar con vida se incorporaron en la horda de Tamayo, que con este contingente extendió sus correrías devastadoras hasta los términos de Azúa.

Las autoridades, a pesar del clamor continuo de los pueblos más directamente perjudicados con aquel azote, excusaban cuanto podían la movilización de tropas, por resentirse ya demasiado el tesoro real con los crecidos gastos de las armadas precedentes. Un golpe de fortuna de los alzados indios, aunque exento de crueldad y ostentando el sello de la moderación que caracterizaba todos los actos de Enriquillo, tuvo al fin más eficacia para hacer que los encargados de la pública seguridad despertaran de su letargo, que todas las violencias de Tamayo y su horda sanguinaria. Arribó a Santo Domingo cierto día un barco, que navegando desde Costa-firme había recalado por causa del mal tiempo en un puerto de los más cercanos a la sierra del Bahoruco, donde los vigilantes indios de la costa consiguieron capturar la nave, con toda la gente que iba a su bordo.[1] Informado el cacique del suceso bajó a la ribera del mar, y por sus órdenes recobraron la libertad los navegantes con su barco; pero el valioso cargamento de oro, aljófar y perlas que aquél llevaba, quedó en poder de Enriquillo.

Al tener noticia de este fracaso los oficiales reales y jueces de la Audiencia, sintieron tanto dolor y angustia como si les arrancaran las entretelas del corazón. Que Tamayo y su gavilla incendiaran caseríos enteros, que mataran sin piedad hombres y mujeres, y cometieran otros hechos atroces, podía pasar como cosa natural y corriente, en el estado de rebelión en que se mantenía una gran parte de la isla; pero, ¡atreverse a despojar un barco de las riquezas que conducía! Ya eso pasaba todos los límites de lo honesto y tolerable, y el dios-oro exigía que las celosas autoridades hicieran los mayores esfuerzos para recobrar aquella presa, en primer lugar; y después por pacificar la isla si era posible. Procedimiento característico de todo un sistema.

[1] Histórico.

Resolvieron por lo tanto hacer leva de gente, y reforzar las guarniciones de la sierra; pero al mismo tiempo no desdeñaron los medios de persuasión y acomodamiento amigable, en lo que bien se deja ver que ya había pasado de esta vida Miguel de Pasamonte, el inflexible tesorero, que tardó poco en seguir a la tumba a Diego Colón, de quien había sido el más implacable antagonista.

Los oficiales reales, sabiendo que estaba en Santo Domingo el buen fray Remigio, aquel preceptor del cacique Enrique cuando éste se educaba en el convento de Vera Paz, echaron mano de él, y so color de servir a Dios y a la paz pública lo persuadieron a ir al Bahoruco en el mismo barco desvalijado, cuyos tripulantes iban consolándose con la esperanza de que el religioso conseguiría reducir su antiguo discípulo a que soltara la rica presa. Llegados allá, los alzados vigilaban como antes; el pobre fray Remigio saltó a tierra confiado, y fue al punto hecho prisionero, escarnecido y despojado de sus vestidos por los indios, que a pesar de sus protestas se obstinaron en creer que era un espía. Consiguió al fin a fuerza de súplicas ser conducido a la presencia de Enriquillo, que no estaba lejos.

Tan pronto como el cacique reconoció a su antiguo preceptor, y le vio en tan triste extremidad, corrió a él y lo abrazó tiernamente con las muestras del más vivo pesar, le pidió perdón por la conducta de su gente, y la excusó con las noticias que ya tenían de la nueva armada que contra él se hacía en Santo Domingo y otros lugares. Después hizo vestir al padre Remigio y sus compañeros del mejor modo que le fue posible, les dio alimentos y refrescos, y entró a tratar con el emisario acerca del objeto de su viaje al Bahoruco.

El digno religioso empleó todos los recursos de su ciencia y erudición, que eran grandes, y los de su ascendiente sobre el corazón de su antiguo pupilo, que no era escaso, para convencerle de que debía abandonar la mala vida que estaba haciendo, y someterse a los castellanos, que le ofrecían amplio perdón y grandes provechos. Toda la elocuencia de fray Remigio fue infructuosa: Enriquillo expuso con noble sencillez sus agravios, la justa desconfianza que le inspiraban las promesas de los tiranos, y su resolución de continuar la lucha mientras no viera que la corona decretaba la libertad de los indios, y que ésta se llevaba a efecto en toda la colonia. El cacique recordó a su preceptor con gran oportunidad sus lecciones de historia en la Vera Paz, y aquel Viriato, cuyo alzamiento contra los romanos era aplaudido por el sabio religioso como acto de heroica virtud.

A este argumento bajó fray Remigio la cabeza, y apeló a la generosidad del cacique para que devolviera el tesoro de Costa-firme.

—Por vos, padre mío —le contestó Enriquillo— lo haría gustosísimo, como por el padre Las Casas, a quien amo de todo corazón; pero ese tesoro lo quieren mis enemigos para armar nueva gente contra mí: ¿podéis darme la seguridad de que tal no ha de ser su destino?

—A tanto no me atrevo, hijo mío —respondió a su vez el padre Remigio—. No traje más encargo que el de exhortarte a la paz, y me alegraría de que dieras una prueba más de tu moderación y desinterés, restituyendo esas riquezas.

—Que me den la seguridad de no hostilizarme en mis montañas —repuso Enrique—; y devolveré al punto esas riquezas que para nada me sirven.

—¿Esa es tu resolución definitiva? —volvió a preguntar el fraile.

—Sí, padre mío: os ruego que la hagáis valer, y sobre todo, que expliquéis mis razones al padre Las Casas, al señor almirante, a mi pa-

drino don Diego Velázquez. Asegu-
radles que no soy ingrato...
—El padre Las Casas lo sabe muy
bien, hijo —repuso fray Remigio—.
En cuanto a don Diego Colón y don
Diego Velázquez, ya salieron de
este mundo, y pasaron a mejor vida.
—¡Dios los tenga en el cielo!
—dijo Enrique, con su acento grave
y reposado.

Pocas horas después, fray Remigio se despidió afectuosamente de
su antiguo discípulo, embarcándose
con los compañeros que habían tenido el valor de compartir sus riesgos. La nave desplegó al viento su
blanco lino, y en breve llegó a Santo Domingo sin novedad.

L

CELAJES

Efectivamente, como lo dijo a
Enrique fray Remigio, había muerto desde 1525 el gobernador Diego
Velázquez, adelantado de Cuba. No
fue feliz durante los últimos años
de su vida: su estrella se eclipsó
desde que pagando con ingratitud
a Diego Colón y a Juan de Grijalva —los personajes que más habían hecho por su fortuna y por
su fama—, se prestó a secundar las
intrigas de Fonseca contra el primero, y despojó al segundo de su
legítima gloria y sus derechos sobre
el descubrimiento y la conquista de
México. Hernán Cortés fue el instrumento escogido por la divina
justicia para vengar aquellas dos
almas generosas, hiriendo por los
mismos filos de la ingratitud la soberbia ambición del conquistador
de Cuba.

El almirante Diego Colón, víctima de las intrigas de sus émulos de
la Española, murió un año después
que Velázquez, siguiendo sus per-
petuos litigios en España y lejos de
su amada familia.

Gonzalo de Guzmán, que bajo la
protección de éste había logrado
acreditar sus talentos y sobresaliente
mérito en arduos negocios que repetidas veces le condujeron a la
corte de España, fue el designado
por doña María de Toledo, ya viuda, a su augusto sobrino el emperador, para suceder al difunto adelantado Velázquez. De este modo
la noble matrona pagó a fuer de
agradecida la adhesión y los servicios de Guzmán a su casa.

El segundo gobernador de Cuba
era bueno, y por consiguiente no
le faltaron pesadumbres en su mando: la humanidad con que procuraba el bien de los indios cubanos
le suscitó ruidosas luchas y grandes
disgustos con los engreídos colonos
de aquella isla, no menos aferrados
a la opresión y a sus inicuos medros
que los *leales servidores* del rey en
la Española.

No nos alejemos de ésta en pos
de muertos y ausentes; y dejando al
gobernador o semidiós de Cuba
Gonzalo de Guzmán entre las flores y espinas de su encumbrado
puesto, como a su amigo García de
Aguilar siguiendo fielmente la va-
ria fortuna de la casa de Colón,
volvamos a la tierra predilecta del
gran descubridor, donde reclaman
nuestra atención otros sucesos que
tuvieron decisiva influencia en la
rebelión del Bahoruco, acaudillada
por el humano, valeroso y hábil
Enriquillo.

Mientras que fray Remigio des-
empeñaba su poco afortunada comisión con el rebelde cacique, Hernando de San Miguel, capitán experimentado en el arte de la guerra,
y que había servido en todas las
campañas de la isla desde el tiempo de la conquista, aceptaba de la
audiencia el difícil encargo de pacificar por fuerza de armas el Bahoruco. A punto de partir de Santo
Domingo a tomar el mando de las
milicias ya reunidas en la proximidad de la sierra, llegó de España
el ilustre obispo don Sebastián Ra-

mírez, que a su alta dignidad eclesiástica unía los elevados cargos de gobernador de la Española y presidente de su audiencia. Era varón de gran virtud y sabiduría. Como sacerdote de un Dios benéfico y de paz, supo imprimir a su potestad de mandatario público el carácter pacífico y piadoso de su ministerio sagrado.

Al informarse de las últimas ocurrencias de la isla, no permitió que el capitán San Miguel saliera a su empresa antes de que fray Remigio regresara del Bahoruco; y cuando el buen religioso llegó y dio cuenta de las disposiciones, actos y palabras de Enriquillo, el prelado sujetó a prudentes y acertadas instrucciones la ardua comisión del veterano.[1] Escribió al mismo tiempo al emperador Carlos V, haciéndole amplia relación del estado en que había encontrado la isla, sin paz ni seguridad, despoblándose continuamente, paralizado su comercio, nulas sus industrias, y casi al borde de una completa ruina; todo por efecto de la rebelión de Enriquillo, y del tiránico gobierno que había dado ocasión a este triste suceso, como al aniquilamiento rápido de la raza indígena.

Extendíase además el prelado presidente sobre los hechos, valor y humanidad del dicho caudillo, a quien creía conveniente y justo atraer a términos pacíficos, por medio de grandes concesiones que repararan en lo posible los agravios que él y los suyos habían recibido en sus personas, libertad y bienes. Partió San Miguel para el Bahoruco después de comprometerse a secundar fervorosamente estas nobles y cristianas miras del prelado; y son dignas de admiración la energía y eficacia con que el viejo militar penetró en las temibles gargantas de la ya célebre sierra, desplegando en su empeño pacífico mayor decisión y esfuerzo que los demás

capitanes sus predecesores en forzar con las armas los pasos y las defensas del Bahoruco.

Hízose conducir por mar con la mayor parte de su gente hasta el puerto de Jáquimo, y desde allí entró rápidamente en las montañas, logrando sorprender descuidada aquella sección del territorio sublevado, que era familiar a sus recuerdos, por haber acompañado a Diego Velázquez, hacía veinticinco años, en la campaña contra Guaroa. Fácil le fue por lo mismo penetrar hasta el punto más céntrico de la vasta serranía, causando grande alarma en los descuidados súbditos de Enrique; sin embargo de que pronto se tranquilizaron, al cerciorarse de que San Miguel hacía respetar esmeradamente cuantos indios caían en su poder, devolviéndoles inmediatamente la libertad, después de informarse con ellos del paradero del cacique soberano; y sin permitir que se tocara tampoco a ninguno de los abundantes y lozanos cultivos que hallaba a su paso, a menos que sus dueños consintieran de grado en vender sus frutos; con lo cual durante dos o tres días prosiguió su marcha sin contratiempo, hasta acercarse bastante a la residencia habitual de Enriquillo y Mencía en el Burén.

Encontró al cabo una tropa de guerreros indios en actitud de disputarle el paso resueltamente. Mandábala Alfaro, uno de los mejores capitanes de Enriquillo, el cual se negó a admitir el parlamento a que le convidaba San Miguel, y empezó a hostilizarlo con sus ballestas y hondas, provocándole a combate.

Entonces el viejo adalid castellano cargó con brío irresistible sobre la gente de Alfaro, y la desalojó de la altura que ocupaba. Por un momento llegaron a creer los defensores del paso que estaba comprometida la seguridad de Enriquillo, y situándose en otro cerro inmediato, mandaron aviso al cacique de aquella gran novedad. Jamás había su-

---

[1] Histórico.

cedido caso igual desde el principio de la rebelión del Bahoruco. Enriquillo al recibir la noticia, no pierde su extraordinaria presencia de ánimo: envía a Vasa a requerir las tropas que custodiaban los desfiladeros principales, y poniéndose él mismo a la cabeza de los pocos hombres de armas que tenía consigo, ceñida la espada y seguido de dos jóvenes pajes que le llevan las dos lanzas con que acostumbra entrar en combate,[1] va el intrépido caudillo al encuentro de San Miguel, que ya distribuía su gente para dar otro asalto a la nueva posición de Alfaro.

Era de ver aquel anciano y esforzado capitán, con su barba venerable y sus bélicos arreos; el cual, dando ejemplos de agilidad y arrojo a sus soldados, franqueaba los obstáculos como si se hallara en los mejores días de su juventud. Enrique lo divisó de lejos, y justo admirador como era de todo lo que salía de la esfera común, resolvió no empeñar combate con aquel valeroso anciano, sino cuando el caso se hiciera del todo inevitable.

Ocupó, pues, con su gente una cresta culminante, a corta distancia de otra escarpadura frontera, por la cual comenzaba a subir el veterano español: entre ambas eminencias había un profundo barranco,[2] y por su oscura sima se oía correr despeñado un caudaloso torrente.

Hernando de San Miguel reparó en el cacique, desde la cumbre a que trabajosamente acababa de ascender, y permaneció un rato suspenso ante la marcial apostura de aquella inmóvil estatua, que tal parecía Enriquillo, medio envuelto en su lacerna,[3] empuñando en la diestra una lanza de refulgente acero, cuyo cuento reposaba en tierra; la izquierda mano impuesta sin afec-

tación sobre el pomo de su espada. Tranquilo y sereno contemplaba los esfuerzos que hacía la tropa castellana por llegar al escarpado risco donde estaba su infatigable jefe. El sol, un sol esplendoroso del medio día, bañaba en ardiente luz aquella escena, y prestaba un brillo deslumbrador a los hierros de las lanzas de los guerreros indios y a las bruñidas armas de los soldados españoles.

San Miguel habló con voz sonora, dirigiéndose a la inmóvil figura humana que descollaba a su frente.

—¿Es Enriquillo?

—Enrique soy —contestó con sencillez el cacique.

—Buscándoos he venido hasta aquí, ¡vive Dios! —dijo el viejo capitán con brusco acento.

—¡Vive Dios, que el que me busca me encuentra! —respondió Enriquillo sin alterarse—. ¿Quién sois vos? —agregó.

—Soy Hernando de San Miguel, capitán del rey, que vengo mandado por su gobernador el señor obispo Ramírez, a convidaros con la paz, o a haceros cruda guerra si os obstináis en vuestra rebelión.

—Señor capitán San Miguel —replicó Enriquillo—: si venís de paz ¿por qué habláis de guerra?

—De paz vengo, señor Enriquillo —dijo San Miguel suavizando el tono—, y Dios no permita que vos me obliguéis a haceros guerra.

—¿Bajo qué condiciones pretendéis que me someta? —preguntó el cacique.

—¡Hombre, hombre! —contestó con militar rudeza el castellano—; eso es para dicho despacio, y ya el sol nos está derritiendo los sesos.

—¿Queréis que nos veamos más de cerca? —volvió a preguntar Enrique.

—¡Toma si quiero! A eso he venido —contestó San Miguel.

—Pues haced que se aleje vuestra gente, quede tan solo uno de atalaya por cada parte, y a la sombra de aquella mata podremos hablar con descanso.

---

[1] Histórico.
[2] Según dice Las Casas *parecía tener 500 estados de profundidad.*
[3] Manto de viaje, o de campaña, de aquel tiempo.

—Convenido, cacique —dijo San Miguel—; y pocos minutos después Enrique, al pie del alto risco, apoyándose en su lanza, saltaba audazmente a través del profundo barranco, yendo a parar a corta distancia del caudillo español.

—Buen salto, cacique, ¡vive Dios! —exclamó San Miguel sorprendido.

—A mi edad vos lo haríais mejor que yo sin duda, capitán —respondió cortésmente Enriquillo—; pues os he visto subir y bajar laderas como si fuerais un muchacho.

—No recuerdo, sin embargo, haber dado nunca un salto como ese —insistió el veterano—. Tratemos de nuestro asunto.

Y entrando en materia expuso a Enriquillo en franco lenguaje la comisión que había recibido del obispo gobernador; el cual exhortaba al cacique a deponer las armas, seguro de hallar en el mismo prelado favor y protección ilimitada, en gracia de las bellas cualidades que había dado a conocer en todo el discurso de su rebelión, y prometiéndole bienestar, consideraciones y absoluta libertad a él y a todos los indios que militaban y vivían bajo sus órdenes.

Era entendido que el cacique debía devolver el oro que había apresado en el barco procedente de Costa-firme, y poner término a las depredaciones de Tamayo.

Enriquillo habló poco y bien, como acostumbraba. Dijo que él no aborrecía a los españoles, que amaba a muchos de ellos a quienes debía beneficios; pero que como los malos eran en mayor número y los más fuertes, él había debido fiar su libertad y su justicia a la suerte de las armas y a la fragosidad de aquella hospitalaria sierra, donde no había hecho cosa de que tuviera que arrepentirse. Agregó que él no estaba distante de avenirse a las proposiciones del señor obispo, que le parecían dictadas por un espíritu de concordia y rectitud, y sólo pedía

tiempo para allanar las dificultades que se oponían a la sumisión, que nunca haría sin contar con la seguridad de que las ventajas con que a él se le convidaba habían de alcanzar igualmente a todos sus compatriotas.

En cuanto a la reducción de Tamayo, ofreció el cacique intentarla en cuanto de él dependiera; y respecto del oro y el aljófar de Costa-firme, expresó que estaba pronto a devolverlos, si se le ofrecía no inquietar el Bahoruco con nuevas invasiones armadas. San Miguel lo prometió, salvando la autoridad de sus superiores, y quedó convenido que al día siguiente, en tal punto de la costa que se designó, Enriquillo haría la entrega de aquel tesoro que tanto echaban de menos las autoridades de la Española, y que para nada había de servir a los alzados del Bahoruco.

Terminado este convenio verbal, Enriquillo y San Miguel se despidieron con muestras de cordial amistad, y se volvieron cada cual a los suyos, a tiempo que el caracol hacía oír sus lejanos ecos avisando la llegada de Vasa al frente de la aguerrida tropa que había ido a buscar, y que el caudillo dejó a sus inmediatas órdenes por precaución.

El día siguiente, en el punto y hora convenidos, se hallaban el oro y el aljófar mencionados, expuestos en grosera *barbacoa* y bajo una enramada o dosel de verdura, todo confiado a la custodia de Martín Alfaro con una compañía de indios bien armados. Ofrecían maravilloso contraste las barras de oro amontonadas y los rimeros de blanco y luciente aljófar, sobre aquellos toscos y rústicos maderos que les servían de sustentáculos. Había otras barbacoas o cadalechos, a guisa de mesas, cubiertos de abundantes víveres y manjares destinados a obsequiar los huéspedes castellanos.

Contento San Miguel con el feliz éxito de su expedición, llegó a la cabeza de su lucida milicia, con banderas desplegadas, marchando al compás de la marcial música de sus trompetas y tambores. Se dio por cierto generalmente que Enriquillo lo aguardaba en la referida enramada, y que despertando sus recelos la vista de aquel aparato militar y de la nave que a toda vela se acercaba a la costa para embarcar los expedicionarios y el valioso rescate, el desconfiado cacique se había retraído al monte, pretextando súbita indisposición; pero es más conforme con el carácter de Enriquillo y con las circunstancias del caso, pensar que para librarse de concluir ningún compromiso respecto de la propuesta sumisión, el prudente caudillo prefirió no comparecer, y excusarse con el referido pretexto. El resultado fue que Hernando de San Miguel, aunque sintiendo muy de veras la ausencia del cacique, hizo honor al festín con sus compañeros de armas y se volvió para Santo Domingo, más satisfecho que Paulo Emilio cuando llevaba entre sus trofeos para Roma todas las riquezas del vencido reino macedónico. El anciano capitán no halló sin embargo el recibimiento que merecía. La liberalidad de Enriquillo fue altamente elogiada en toda la isla; su nombre resonó por el orbe español acompañado de aplausos y bendiciones —¡tanto puede el oro!— mientras que el desgraciado San Miguel no recogió sino agrias censuras, teniéndose generalmente por indiscreto y torpe el regocijado alarde con que quiso el sencillo veterano celebrar la naciente concordia; y nadie puso en duda que aquel acto inocente impidió por entonces la completa sumisión del cacique. ¡Tanto puede la ingratitud! [1]

[1] Tal fue el juicio unánime que se encuentra en los historiadores y los documentos de aquel tiempo sobre el alarde de San Miguel.

LI

PAZ

Poco esfuerzo costó a Enriquillo hacer que el rudo e indómito capitán Tamayo volviera al gremio de su obediencia. Le envió un mensaje con su sobrino Romero, y como que ya el rencoroso indio estaba harto de sangre y de venganzas; como que Badillo [2] y todos los antiguos tiranos habían desaparecido de la Maguana, temerosos de aquellos terribles *saltos* de tigre, que devastaban sus ricas haciendas, y amenazaban de continuo sus vidas, Tamayo, que de todo corazón amaba a Enriquillo y no podía conformarse con vivir lejos de él, vio el cielo abierto al recibir el mensaje, que lo llamaba al Bahoruco, y en el acto se fue para allá con toda su gente, bien provista de ropa, armas y otros preciados productos de sus correrías.

En lo sucesivo no volvió a dar motivo de queja a Enriquillo, y vivió sujeto a disciplina, como un modelo de docilidad y mansedumbre.

Y era natural que se adormecieran en Tamayo, como en todos los indios alzados, las ideas y los sentimientos belicosos: la misión del padre Remigio, como la breve y conciliadora campaña de San Miguel, habían dejado muy favorable impresión en todos los ánimos; los rebeldes bajaban con frecuencia al llano, y traficaban casi libremente con los habitantes de los pueblos circunvecinos. En vista de todo, llegó Enriquillo a admitir la posibilidad de una transacción final, que asegurara la completa libertad de su raza en la Española; objeto que su generoso instinto había entrevisto más de una vez, cual vago ensueño

[2] Sobre el fin del malvado Badillo, véase el apéndice núm. 8.

de una imaginación enfermiza. Él podía caer un día u otro; la muerte le había de cobrar tarde o temprano el natural tributo; y entonces ¿qué suerte sería la de su adorada consorte, qué fin provechoso podría tener la rebelión del Bahoruco para los pobres indios? Si en vez de su precaria existencia, él, Enrique, lograba que, gracias a sus heroicos y cristianos hechos la metrópoli castellana reconociera solemnemente los derechos de hombres libres a todos los naturales de la Española, ¿qué galardón más digno pudiera él desear, que ver coronada su gigantesca obra con la libertad de todos los restos de su infeliz raza?...

Y éste fue el desenlace venturoso de la perdurable rebelión del Bahoruco.[1] Un día llegó a la capital de la Española el esforzado capitán Francisco de Barrio Nuevo, a quien el egregio emperador y rey enviaba con doscientos veteranos de sus tercios de Italia, a bordo de la misma nave *La Imperial,* en que el soberano acababa de regresar a España desde sus estados de Alemania. Barrio Nuevo había recibido el encargo, hecho con el mayor encarecimiento por el monarca, de pacificar la isla Española, reduciendo a buenos términos al cacique don Enrique,[2] a quien el magnánimo Carlos V se dignó dirigir una bondadosa carta, mostrándose enterado de sus altas cualidades personales, y de la razón con que se había alzado en las montañas, ofreciéndole absoluta gracia y libertad perfecta a él y a todos los que le estaban subordinados, si deponían las armas; brindándole tierras y ganados del patrimonio real, en cualquier punto de la isla que quisiera elegir como residencia para sí, y para

todos los suyos, sobre los cuales ejercería el mismo don Enrique el inmediato señorío y mixto imperio, por todos los días de su vida.

Esta lisonjera y, para Enriquillo, honrosísima carta, había sido inspirada a su majestad imperial por los informes del obispo presidente, de Alonso Zuazo, y todas las autoridades de la Española.

Barrio Nuevo manifestó sus poderes a los magistrados y oficiales reales de Santo Domingo, en asamblea presidida por el joven almirante don Luis Colón, hijo del finado don Diego y de doña María de Toledo. Ya el ilustre obispo Ramírez había sido promovido al gobierno de México, donde confirmó la alta opinión que se tenía de sus virtudes y dotes políticas.

Después de largas y maduras deliberaciones se determinaron en la dicha asamblea los medios de dar eficaz cumplimiento a las órdenes soberanas, no queriendo Barrio Nuevo ceder a nadie el arriscado honor de ir en persona a las montañas, a requerir de paz a Enriquillo. Así lo efectuó el digno capitán, arrostrando numerosos trabajos y no escasos peligros; porque el caudillo del Bahoruco, siempre desconfiado, esquivó largo tiempo el recibirle, y solamente consintió en ello vencido al fin por la paciente intrepidez de Barrio Nuevo, que llegó a su presencia casi solo, con desprecio de su vida; prefiriendo *morir en la demanda,* según dijo a sus acobardados compañeros, *a dejar de cumplir la palabra empeñada al soberano, de intentar la pacificación de aquella tierra.*[3]

La entrevista fue en extremo cordial, como no podía menos de serlo, dados todos esos antecedentes. Enriquillo puso sobre su cabeza en señal de acatamiento la carta del emperador, y abrazó al noble y valeroso emisario, a quien todos los ca-

---

[1] Duró la rebelión de Enriquillo trece años.
[2] Así lo denominaba en su carta el Emperador, y todos los habitantes de la Española le continuaron el tratamiento hasta su muerte.

[3] Histórico: sustancia textual del discurso de Barrio Nuevo.

pitanes subalternos del cacique hicieron igual demostración de franca amistad.[1]

Tres días disfrutó Francisco de Barrio Nuevo la hospitalidad de Enriquillo y su esposa, separándose de ellos después de concluido un convenio solemne con el primero, basado en las concesiones y ofertas de su majestad imperial y real. Regresó el afortunado pacificador a Santo Domingo por mar, y las nuevas que llevaba de la sumisión de Enriquillo se recibieron con extraordinario júbilo en toda la colonia. Numerosos y ricos presentes de joyas, sedas e imágenes fueron enviados a Enriquillo y a Mencía por el mismo Barrio Nuevo, y por los demás encargados de la autoridad, desde la capital de la colonia.

El padre fray Bartolomé de Las Casas no se limitó a compartir la general satisfacción por el próspero acontecimiento, sino que saliendo del claustro con licencia de sus superiores, emprendió viaje al Bahoruco,[2] donde fue recibido por Enrique, su esposa y todos los habitantes de la sierra con palmas y cánticos, como el ángel tutelar de los indios. Pasó entre ellos quince días, celebrando los oficios del divino culto, predicándoles y administrando los santos sacramentos, de que, por la misma religiosidad y moralidad de costumbres que les inculcara el cacique, les pesaba mucho carecer. Exhortó además Las Casas a Enriquillo a que completara la obra comenzada, bajando de las montañas, y poniéndose en contacto definitivo y regular con las autoridades del bondadoso Monarca que se le mostrara tan clemente y munífico. La ciega confianza que el cacique tenía en el santo varón acabó de disipar sus últimos recelos. Determinóse a ir en compañía de su ilustre protector hasta Azua, donde fue celebrada su presencia con

grandes obsequios por los regidores y todo el pueblo, no escaseando nadie los elogios al valor y a las virtudes del héroe del Bahoruco.

En la iglesia de Azua recibió Tamayo el bautismo de manos del padre Las Casas.[3] El esforzado teniente de Enriquillo se había convertido de una vez, cuando vio por los actos de Hernando de San Miguel y Francisco de Barrio Nuevo, que los mejores soldados españoles eran humanos y benévolos, y, por la carta de gracias de Carlos V a Enriquillo, que los potentados cristianos verdaderamente grandes, eran verdaderamente buenos.

Hechas sus pruebas y satisfecho de ellas, el cacique don Enrique volvió al Bahoruco, y no retardó más la ejecución de lo pactado con el capitán Barrio Nuevo. Fue un día a orar ante la tumba del inmortal Guaroa. ¡Dios sólo sabe lo que la grande alma del vivo comunicó entonces a la grande alma del muerto! Después reunió su gente; emprendió con ella la salida del seno de aquellas hospitalarias y queridas montañas, y a punto de perderlas de vista se volvió a mirarlas por última vez; se le oyó murmurar la palabra *adiós*, y algo como una lágrima rodó sigilosomente por su faz varonil.

Éste fue el fin de la célebre rebelión de Enriquillo, que resistió victoriosa por más de trece años a la fuerza de las armas, a los ardides, a las tentadoras promesas.[4] La magnanimidad justiciera de un gran Monarca, la abnegación paciente de un honrado militar fueron los únicos agentes eficaces para resolver aquella viril protesta del sufrido quisqueyano contra la arbitrariedad y la violencia; enseñanza mal aprovechada, ejemplo que de poco sirvió en lo sucesivo; pero cuya moral saludable ha sido sancionada con el sello de la experiencia, y

---

[1] Histórico: lo es todo el capítulo.
[2] Ítem, Apéndice, núm. 9.

[3] Histórico.
[4] Quintana. *Vida de Las Casas.*

se cumple rigorosamente a nuestra vista, al cabo de tres siglos y medio.

El tránsito del cacique don Enrique y su esposa hasta Santo Domingo fue una serie no interrumpida de obsequios, que como a porfía les tributaban todas las poblaciones. En la capital les hicieron fastuoso recibimiento y entusiasta ovación las autoridades, el clero y los vecinos, todos manifestando el anhelo de conocer y felicitar al venturoso caudillo.

Reanudaron Enrique y Mencía sus relaciones afectuosas con muchos de sus favorecedores de otro tiempo, y entre ellos encontraron el inalterable cariño de doña Leonor Castilla y Elvira Pimentel, ya viuda del por más de un concepto, arrepentido Andrés de Valenzuela.

Las capitulaciones suscritas en el Bahoruco fueron fielmente guardadas por las autoridades españolas, y don Enrique pudo elegir, cuando le plugo, asiento y residencia en un punto ameno y feraz, situado al pie de las montañas del Cibao, a una corta jornada de Santo Domingo. Allí fundó el pueblo que aún subsiste con el nombre de Santa María de Boyá, asilo sagrado en que al fin disfrutaron paz y libertad los restos de la infortunada raza indígena de Haití. Prevaleció entonces verdaderamente en la colonia la sana política del gobierno de España, y

las voluntades del gran Carlos V tuvieron cumplido efecto.

Hasta el término de sus días ejerció don Enrique señorío y mixto imperio sobre aquella población de cuatro mil habitantes (que a ese guarismo quedaron reducidos los indios de toda la Española). Sobrevivió poco tiempo a su bello triunfo, y fue arrebatado muy temprano por la muerte al amor y la veneración de los suyos; a la sincera estimación y el respeto de los españoles.

Hiciéronle magníficas exequias en Santo Domingo. Su bella y buena consorte llegó a la ancianidad, siempre digna y decorosa, dejando cifrada su fidelidad conyugal de un modo duradero en la linda iglesia de Boyá, construida a costa de Mencía para servir de honroso sepulcro a las cenizas de Enriquillo.[1]

Este nombre vive y vivirá eternamente: un gran lago lo perpetúa con su denominación geográfica; las erguidas montañas del Bahoruco parece como que lo levantan hasta la región de las nubes, y a cualquier distancia que se alcance a divisarlas en su vasto desarrollo, la sinuosa cordillera, destacando sus altas cimas sobre el azul de los cielos, contorneando los lejanos horizontes, evoca con muda elocuencia el recuerdo glorioso de ENRIQUILLO.

[1] Véase el apéndice. Nota núm. 10.

APÉNDICE

Nota 1ª Parte 1ª Capítulo xxxii.
Sobre la residencia de Ovando.

"Envolviendo Nicolás de Ovando las espaldas, como suele acontecer con los ausentes, se le pusieron muchos capítulos por el fiscal, y por otros, y fueron los principales, que Cristóbal de Tapia le pedia un solar, que le mandó tomar para la Casa de la Contratacion, otro para la Plaça de la Villa, el salario de vn Año, que tuvo a cargo la Fundicion, i dos Caciques, que havia quitado de las Obras públicas de Santo Domingo, y les dió á particulares, que todo importaba unos quarenta mil pesos, etc., etc.; y Alonso de Ojeda le pedia treinta mil Castellanos, en vna partida, y en otra quatro mil, y en otra quinientos mil, que dixo, que dexó de ganar, y gastó, por no le haver dexado hacer cierto viage: y pidiéndosele otras muchas cosas de esta manera, acudió al Rey, diciendo que estas demandas no fueron puestas dentro de los treinta dias de la Residencia: en lo qual recibia agravio, pues lo hacian para molestarle. El Rey mandó al Almirante que embiase relacion de todo, y que entre tanto repusiese lo hecho, suspendiese el conocimiento: pues siendo pasados los treinta dias de la Residencia, conforme a las leyes, no era obligado á responder á las demandas".—Herrera.—Décadas.

Nota 2ª Parte 2ª Capítulo xxxvi.
Sobre la ordenacion de Las Casas.

"Acabados sus estudios y recibido el grado de Licenciado en ellos,

Casas determinó pasar a América, y lo verificó al tiempo en que el Comendador Ovando fué enviado de Gobernador a la isla Española (1502) para arreglar aquellas cosas, ya muy estragadas con las pasiones de los nuevos pobladores. Las memorias del tiempo no vuelven a mentarle hasta ocho años despues, cuando se ordenó de sacerdote, por la circunstancia de haber sido la suya la primera misa nueva que se celebró en Indias. Fué inmenso el concurso que asistió á ella, riquísima la ofrenda que se le presentó, compuesta casi toda de piezas de oro de diferentes formas, porque todavía no se fabricaba allí moneda. El misa-cantano reservó para sí tal cual alhaja curiosa por su hechura, y el resto lo dió generosamente á su padrino... *Nota al pié.* La misa se celebró en la ciudad de la Vega. Fué asistida del almirante mozo y su muger la Virreina; los banquetes y festines duraron muchos dias, y hubo la particularidad de no beberse en ellos vino, porque no lo habia en la isla."—Quintana.—*Vidas.*

Herrera dice. "Tuvo una calidad notable esta primera misa nueva, que los clérigos que á ella se hallaron, no bendecian; conviene á saber, que no se bebió en toda ella una gota de vino, porque no se halló en toda la isla, por haber dias que no habian llegado navíos de Castilla"—*Década* 1ª—Libro VII.

Nota 3ª Parte 2ª Capítulo xxxvi.
Las Casas y la Isla Española.

La predileccion y el entusiasmo que las Casas sentia por la isla Española se manifiestan en multiplicadas pájinas de sus obras. Además de la descripcion de la Vega Real que de él copiamos en el texto, trae otra en su *Historia de Indias,* Cap. LXXXIX, encareciendo la misma Vega en estos términos: "cosa que creo yo, y que creo no engañarme, ser una cosa de las más admirables cosas del mundo, y más digna, de las cosas mundanas y temporales, de ser encarecida con todas alabanzas, y por ella ir á prorrumpir en bendiciones é infinitas gracias de aquel criador della y de todas las cosas que tantas perfecciones, gracias y hermosura en ella puso... La vista della es tal, tan fresca, tan verde, tan descombrada, tan pintada, toda tan llena de hermosura, que ansí como la vieron les pareció que habian llegado á alguna region del paraiso, bañados y regalados todos en entrañable y no comparable alegría, y el Almirante (Colon) que todas las cosas más profundamente consideraba dió muchas gracias á Dios, y púsole nombre de Vega Real, etc." El entusiasmo que la belleza de la isla entera despertaba en las Casas no tenia límites: todo el capítulo XX de su *Apologética Historia* está dedicado á hacer una larga y discretísima comparacion entre Santo Domingo, la tierra predilecta de Colon, y "las más cognocidas y celebradas islas que antiguamente fueron en el mundo; éstas fueron principalmente tres: Inglaterra, Sicilia y Creta que agora se llama Candía". Concluyendo de este modo: "Y esto baste para manifestar la grandeza y capacidad, amenidad, templanza, suavidad, riqueza, felicidad y exelencia de esta Española sobre las otras islas."

"En esta isla Española — dice en otra parte, Cap. XXIV de su *Apologética Historia* — digo verdad, que hubo hombres y mugeres muchas de tan buena disposicion y compostura en los gestos, que aunque los tenian algo morenos, señaladamente mugeres podian ser miradas y loadas en España por de buena y egregia hermosura por todos los que las vieran. En la Vega conocí á mugeres casadas con españoles y algunos caballeros, señoras de pueblos, y otras en la Villa de Santiago, tambien casadas con ellos, que era mirable su hermosura y cuasi blancas como mugeres de Castilla, y puesto que en toda esta isla, mugeres y hombres fuesen de muy buenos y proporcionados cuerpos y gestos universalmente, porque aquí no se rompian ni estragaban los rostros más de sola y delicadamente las orejas para poner algunas joyas de oro las mugeres, pero donde fué señalada la hermosura y muy comun á todo género, fué en la provincia de Xaragua, que arriba dijimos estar hácia el Poniente desta isla. Y yo ví un lugar ó villa que se llamó de la Vera-Paz, de sesenta vecinos españoles, los más dellos hidalgos, casados con mugeres indias naturales de aquella tierra, que no se podia desear persona que más hermosa fuese; y este don de Dios, como dije, muy comun y general fué en las gentes de aquella provincia más que en todas las desta isla."

NOTA 4ª SEGUNDA PARTE. CAPÍTULO XLI. *Sobre las bodas y muerte de María de Cuéllar.*

"Desde á poco tiempo se tuvo aviso, que habia llegado á Puerto de Baracoa el Contador Cristóval de Cuéllar, que iba por tesorero de aquella isla, con su hija Doña María de Cuéllar, que habia ido por dama de Doña María de Toledo, muger del Almirante, para casar con Don Diego Velázquez... Despachóse Diego Velázquez de donde estaba, dexando cincuenta hombres á Juan de Grijalva, mancebo sin barbas, y de bien; hidalgo, natural de Cuéllar, á quien Diego Velázquez trataba como deudo (aunque no lo era) y quedó por capitan, hasta que Narváez volviese del alcance de la gente de la provincia de Bayámo hasta la de Camagüey: y dexó con Grijalva á Bartolomé de las Casas, clérigo, natural de Sevilla, para que le aconsejase, y siempre Grijalva le obedecia. Llegado Diego Velázquez á casarse en Baracóa, celebró un domingo sus bodas, con gran regocijo, y aparato; y el sábado siguiente se halló viudo, por que se le murió la muger, que era muy virtuosa, de que quedó con mucho sentimiento."

HERRERA.—Décadas.

NOTA 5ª PARTE 2ª CAPÍTULO XLII.
Sobre Juan de Grijalva.—Su fin.

Grijalva ofrece uno de los más raros ejemplos de la ceguedad y el capricho de la suerte. Tenia todas las dotes físicas y morales para justificar la eleccion que por un momento pareció hacer de él la fortuna para prodigarle sus más preciados favores; pero muy pronto se desvanecieron como un sueño sus aspiraciones y esperanzas, y su misma moderacion fué causa de que otro lo sustituyera gloriosamente en ellas. Oviedo hace muy acertadas reflexiones sobre las desdichas de Juan de Grijalva, y refiere el suceso de su muerte en Nicaragua de este modo:

"La desventura destos fué 21 de enero de 1527 años; é sobre seguro é viniendo los indios á servir á los cripstianos que estaban en Villahermosa con el capitan Benito Hurtado, el qual mataron é diez é nueve cripstianos é veynte é cinco caballos, é allí murió el capitan Johan de Grijalva, de quien se hizo mencion en el libro XVII, que descubrió parte de Yucatan é de la Nueva España: é los indios que lo hicieron eran del valle de Olancho. Así que, el nombre de Villahermosa fué allí muy impropio.
Historia General y Natural de Indias.—Lib. XLII.—Cap. XII.

NOTA 6ª PARTE 3ª CAPÍTULO XXII.
Extracto del discurso de Las Casas ante Cárlos V.

"Y en avisar dello á vuestra magestad sé que le hago uno de los mayores servicios que hombre vasallo hizo á príncipe ni señor del mundo. Y no porque quiera por ello merced ni galardon alguno; porque no lo hago precisamente por servir á vuestra magestad. Porque es cierto, hablando con todo el acatamiento y reverencia que se debe á tan alto Rey y señor, que de aquí á aquel rincon no me moviera por servir á vuestra Magestad, salva la fidelidad y obediencia que como súbdito le debo, si no pensase y creyese de hacer á Dios gran servicio. Pero Dios es tan celoso y tan granjero de su honor, como quiera que á él solo se deba el honor y gloria de toda criatura, que no puedo dar un paso en estos negocios que por solo él tomé, sobre mis hombros, que de allí no se causen y procedan inestimables bienes y servicios á vuestra Magestad. Y para ratificacion de lo que he referido, digo y afirmo que renuncio cualquier merced y galardon temporal que me quiera y pueda hacer, y si en algun tiempo yo ú otro por mí merced alguna quisiere, sea tenido por falso y engañador de mi Rey y señor."

El mismo LAS CASAS; REMESAL; HERRERA, Décadas; QUINTANA, *Vidas.*

NOTA 7ª PARTE 3ª CAPÍTULO XLIX.
Como esplicaban los historiadores y poetas las victorias de Enriquillo.

Oviedo dice y Herrera lo siguió en esto, que el primitivo esfuerzo y las virtudes de los castellanos habian decaido entre los nuevos pobladores, que corrompidos por la molicie no tenian ya el valor y la perseverancia necesarios para vencer en el Bahoruco.

He aquí cómo ha rimado Juan de Castellanos este falso concepto en sus *Elegías de Varones ilustres de Indias.*

Admíranse, lector, entendimientos,
De que cuando se hallaron estos mares,
Varones poco más de cuatrocientos
Venciesen á millares de millares,
Y temblasen agora de doscientos
Tantas ciudades, villas y lugares;
Mas, entoces el hombre vaquïano
No soltaba las armas de la mano.
No comia guisado con canela,
No confites, ni dulces canelones,
Su más cierto dormir era la vela,
Las duras armas eran los colchones;
El almohada blanda la rodela,
Cojines los peñascos y terrones,
Y los manjares dulces, regalados,
Dos puños de maíces mal tostados.
Abrir á prima noche las pestañas
Con ojo vigilante, etc., etc.

Mas ya no hallaréis tales mozuelos
En escuela de Marte ni Minerva,
Pues todos huyen destos desconsuelos
Y dicen que las flechas tienen yerba:
Hay hojaldres, pasteles y buñuelos,
Hay botes y barriles de conserva,
Hay cedazo, y harnero, y hay zaranda,
Y sábeles muy bien la cama blanda.

Por faltar, pues, entónces fuerte gente,
Y usarse ya sonetos y canciones,
El Enrique se hizo tan valiente,
Saliendo siempre con sus intenciones;
Etc., etc.

Elegía V.—Canto II.

NOTA 8ª PARTE 3ª CAPÍTULO XLI.
Muerte de Badillo.

"Desde Santo Domingo adonde llegó García de Lerma, Gobernador de Santa Marta, envió al factor Grageda, el cual con ocasion que el Gobernador Pedro de Badillo no habia acudido al Rey con sus quintos, y que los habia defraudado, y que habia fundido oro fuera de la casa de fundicion, le prendió, y desnudó, y dió tormento, usando con él de muchas crueldades: llegó Gar-

cía de Lerma que se hubo con él con menos rigor; porque sacándole del poder del factor, entendió en su residencia, y al cabo le envió preso á Castilla, y junto á Arenas Gordas se perdió el navío y todos los que venian con él. Y este es el teniente Pedro de Badillo, que por no hacer justicia al cacique Enrique, el año de 19, fué causa que se alzase en la isla Española."

HERRERA. Déc. IV.—Lib. V.—1529.

NOTA 9ª PARTE 3ª CAPÍTULO XLI.
Visita de Las Casas al Bahoruco.

Casi todos los historiadores están contestes en que la visita del padre Las Casas á Enriquillo en el Bahoruco, despues de celebrada la paz, fué por impulso propio y espontáneo. Herrera afirma que por esta causa intentaron las autoridades reprender al virtuoso filántropo, aunque éste justificó su acto con tales y tan buenas razones, que forzosamente hubieron de aprobarlo y aplaudirlo los mismos censores. El padre Remesal, contemporáneo y biógrafo de Las Casas, afirma por el contrario que las autoridades mismas, á causa de la inquietud con que veian que Enriquillo demoraba el cumplimiento de lo pactado, fueron á sacar del cláustro á fray Bartolomé, para que hiciera el viaje á las montañas, y persuadiera á Enrique á que saliera de ellas sin más tardanza. Este dato se halla tambien citado por Quintana, de donde lo tomamos.

NOTA 10ª PARTE 3ª CAPÍTULO XLI.
Sepultura de Enriquillo.

Es tradicion constante y universalmente válida la que consignamos en el texto. Una señora respetable, amiga nuestra, Doña Eneria Tavarez, tuvo la bondad de recojer en el mismo pueblo de Boyá, adonde fué con este fin, datos interesantes sobre el sepulcro de Enriquillo y los últimos vástagos de sus indios. Queda de éstos una anciana llamada Josefa González, de 91 años (estamos en 1882), que como los demás vecinos del pueblo afirma con toda seguridad que el cacique Don Enrique y su esposa están enterrados en la sepultura que ocupa todo el centro de la iglesia de Boyá; pero la inscripcion, copiada por la referida señora de la misma losa del sepulcro, tiene una fecha que parece ser 1651, y dice pertenecer á un capitan cuyo nombre no se lee con claridad, por estar en abreviaturas disparatadas; y además dice que en aquel sitio yace *Catalina Marin, bienhechora desta santa casa.*

El general Don Pedro Santana, desde que ejerció por primera vez la Presidencia de la República, asignó una pension á otra señora india anciana, que se aseguraba era descendiente de uno de los caciques compañeros de Enriquillo, y vivia tambien en Boyá.

ÍNDICE

SEGUNDA PARTE

Esta obra se acabó de imprimir
El mes de marzo de 1998, en los talleres de

PENAGOS, S.A. DE C.V.
Lago Wetter No. 152 Col. Pensil
11490, México, D.F.

COLECCION "SEPAN CUANTOS..."

*Los números que aparecen a la izquierda corresponden
a la numeración de la Colección*

FRANCE, Anatole: Véase: **Rabelais.**

375. FRANCE, Anatole: *El crimen de un académico. La azucena roja. Tais.* Prólogo de Rafael Solana... 40.00

399. FRANCE, Anatole: *Los dioses tienen sed. La rebelión de los ángeles.* Prólogo de Pierre Josserand.... 35.00

654. FRANK, Ana: *Diario,* Prólogo de Daniel Rops 25.00

391. FRANKLIN, Benjamín: *Autobiografía y otros escritos.* Prólogo de Arturo Uslar Pietri... 30.00

92. FRIAS, Heriberto: *Tomóchic.* Prólogo y notas de James W. Brown............... 20.00

494. FRIAS, Heriberto: *Leyendas históricas mexicanas y otros relatos.* Prólogo de Antonio Saborit... 35.00

534. FRIAS, Heriberto: *Episodios militares mexicanos. Principales campañas, jornadas, batallas, combates y actos heroicos que ilustran la historia del ejército nacional desde la Independencia hasta el triunfo definitivo de la República.* 30.00

670. FUENTES DIAZ, Vicente: *Valentín Gómez Farías-Santos Degollado* 70.00

608. FURMANOV, Dimitri: Chapáev. Prólogo de Dionisio Rosales. 40.00

354. GABRIEL Y GALAN, José María: *Obras completas.* Introducción de Arturo Souto A. . 35.00

311. GALVAN, Manuel de J.: *Enriquillo. Leyenda histórica dominicana (1503-1533).* Con un estudio de Concha Meléndez................................... 18.00

305. GALLEGOS, Rómulo: *Doña bárbara.* Prólogo de Ignacio Díaz Ruiz. 30.00

368. GAMIO, Manuel: *Forjando patria.* Prólogo de Justino Fernández. 25.00

251. GARCIA LORCA, Federico: *Libro de poemas. Poema del Canto Jondo. Romancero Gitano. Poeta en Nueva York. Odas. Llanto por Sánchez Mejías. Bodas de Sangre. Yerma.* Prólogo de Salvador Novo....................................... 25.00

255. GARCIA LORCA, Federico: *Mariana Pineda. La zapatera prodigiosa. Así que pasen cien años. Doña Rosita la soltera. La casa de Bernarda Alba. Primeras canciones. Canciones.* Prólogo de Salvador Novo. 30.00

164. GARCIA MORENTE, Manuel: *Lecciones preliminares de filosofía.* 25.00

621. GARCIA MORENTE, Manuel: *Estudios y ensayos.* Prólogo de Luis Aguirre Pardo. . 35.00

GARCILASO DE LA VEGA. Véase: **VEGA, Garcilaso de la.**

22. GARIBAY K., Angel María: *Panorama literario de los pueblos nahuas*........... 25.00

31. GARIBAY K., Angel María: *Mitología griega. Dioses y héroes.*................. 25.00

626. GARIBAY K., Angel María: *Historia de la literatura Náhuatl.* Prólogo por Miguel León-Portilla... 65.00

GARIN. Véase: **Cuentos Rusos.**

373. GAY, José Antonio: *Historia de Oaxaca.* Prólogo de Pedro Vázquez Colmenares.... 45.00

433. GIL Y CARRASCO, Enrique: *El señor de Bembibre. El lago de Carucedo. Artículos de costumbres.* Prólogo de Arturo Souto A...................... 25.00

21. GOETHE, J. W.: *Fausto. Werther.* Introducción de Francisco Montes de Oca...... 25.00

400. GOETHE, J. W.: *De mi vida. Poesía y verdad.* Prólogo de Ernst Robert Curtius. ... 50.00

132. GOGOL, Nikolai V.: *Las almas muertas. La tercera orden de San Vladimiro. (Fragmentos de comedia inconclusa).* Prólogo de Rosa María Phillips.................... 25.00

457. GOGOL, Nikolai V.: *Taras Bulba. Relatos de Mirgorod.* Prólogo de Emilia Pardo Bazán. 25.00

627. GOGOL, Nikolai V: *Novelas breves petersburguesas.* Diario de un loco. La nariz. El copete. El retrato. El carruaje. La perspectiva Nevski. Prólogo de Pablo Schostakovski. 35.00

GOGOL, Nikolai V. Véase: **Cuentos Rusos.**

GOMEZ ROBLEDO (Véase: Maquiavelo).

461. GOMEZ ROBLEDO, Antonio: *El magisterio filosófico y jurídico de Alonso de la Veracruz. Con una antología de textos.*............................... 25.00

GONCHAROV. Véase: **Cuentos Rusos.**

262. GONGORA: *Poesías. Romances. Letrillas. Redondillas. Décimas. Sonetos atribuidos. Poemas. Soledades. Polifemo y Galatea. Panegírico. Poesías sueltas.* Prólogo de Anita Arroyo. 30.00

568. GONZALEZ OBREGON, Luis: *Las calles de México. Leyendas y sucedidos. Vida y costumbres de otros tiempos.* Prólogo de Carlos G. Peña y Luis G. Urbina. 25.00

44. GONZALEZ PEÑA, Carlos: *Historia de la literatura mexicana. (Desde los orígenes hasta nuestros días).*... 22.00

254. GORKI, Máximo: *La madre. Mis confesiones.* Prólogo de Rosa María Phillips. 25.00

397. GORKI, Maximo: *Mi infancia. Por el mundo. Mis universidades.* Prólogo de Marc Slonim. 35.00

118. GOYTORTUA SANTOS, Jesús: Pensativa. Premio "Lanz Duret" 1944. .... 30.00

315. GRACIAN, Baltasar: *El discreto. El criticón. El héroe.* Introducción de Isabel C. Tarán. 40.00

GUILLEN DE NICOLAU, Palma. Véase: **MISTRAL, Gabriela.**

169. GÜIRALDES, Ricardo: *Don segundo sombra.* Prólogo de María Edmée Alvarez..... 30.00

GUITTON, Jean. Véase: **SERTILANGES, A. D.**

19. GUTIERREZ NAJERA, Manuel: *Cuentos y cuaresmas del Duque Job. Cuentos frágiles. Cuentos de color de humo. Primeros cuentos. Ultimos cuentos.* Prólogo y capítulo de novelas. Edición e introducción de Francisco Monterde. 35.00
438. GUZMAN, Martín Luis: *Memorias de Pancho Villa.* 68.00
508. HAGGARD, Henry Rider: *Las minas del Rey Salomón.* Introducción de Allan Quatermain. 35.00
396. HAMSUN, Knut: *Hambre. Pan.* Prólogo de Antonio Espina. 30.00
631. HAWTHORNE, Nathaniel: *La letra escarlata.* Prólogo de Ludwig Lewisohn. 35.00
484. HEBREO, León: *Diálogos de Amor.* Traducción de Garcilaso de la Vega, El Inca. . . . 30.00
187. HEGEL: *Enciclopedia de las ciencias filosóficas.* Estudio introductivo y análisis de la obra por Francisco Larroyo. 35.00
429. HEINE, Enrique: *Libro de los cantares. Prosa escogida.* Prólogo de Marcelino Menéndez Pelayo. 25.00
599. HEINE, Enrique: *Alemania. Cuadros de viaje.* Prólogo de Maxime Alexandre. 35.00
HENRIQUEZ UREÑA, Pedro. Véase: **URBINA, Luis G.**
271. HEREDIA, José María: *Poesías completas.* Estudio preliminar de Raimundo Lazo. . . . 25.00
216. HERNANDEZ, José: *Martín Fierro.* Estudio preliminar por Raimundo Lazo. 20.00
176. HERODOTO: *Los nueve libros de la historia.* Introducción de Edmundo O'Gorman. . 35.00
323. HERRERA Y REISSIG, Julio: *Poesías.* Introducción de Ana Victoria Mondada. 25.00
206. HESIODO: *Teogonía. Los trabajos y los días. El escudo de Heracles. Idilios de Bión. Idilios de Mosco. Himnos órficos.* Prólogo de Manuel Villálaz. 20.00
607. HESSE, Hermann: *El lobo estepario. Relatos autobiográficos.* Prólogo de F. Martini. . 35.00
630. HESSE, Hermann: *Demian. Siddhartha.* Prólogo de Ernest Robert Curtius. 25.00
351. HESSEN, Juan: Teoría del conocimiento. **MESSER, Augusto:** *Realismo crítico.* **BESTEIRO, Julian:** *Los juicios sintéticos "A priori".* Preliminar y estudio introductivo por Francisco Larroyo. 30.00
156. HOFFMAN, E. T. G.: *Cuentos.* Prólogo de Rosa María Phillips. 30.00
2. HOMERO: *La Ilíada.* Traducción de Luis Segala y Estalella. Prólogo de Alfonso Reyes. 25.00
4. HOMERO: *La Odisea.* Traducción de Luis Segala y Estalella. Prólogo de Manuel Alcalá. 25.00
240. HORACIO: *Odas y épodos. Sátiras. Epístolas. Arte poética.* Estudio preliminar de Francisco Montes de Oca. 30.00
77. HUGO, Víctor: *Los miserables.* Nota preliminar de Javier Peñalosa. 70.00
294. HUGO, Víctor: *Nuestra Señora de París.* Introducción de Arturo Souto A. 35.00
586. HUGO, Víctor: *Noventa y tres.* Prólogo de Marcel Aymé. 35.00
274. HUGON, Eduardo: *Las veinticuatro tesis tomistas. Incluye, además Encíclica Aeterni Patris, de León XIII. Motu Propio Doctoris Angelici, de Pío X Motu Propio non multo post. De Benedicto XV. Encíclica Studiorum Ducem, de Pío XI.* Análisis de la obra precedida de un estudio sobre los orígenes y desenvolvimiento de la Neoescolástica, por Francisco Larroyo. 30.00
HUIZINGA, Johan. Véase: **ROTTERDAM, Erasmo de.**
39. HUMBOLDT, Alejandro de: *Ensayo político sobre el reino de la Nueva España.* Estudio preliminar, cotejos, notas y anexos de Juan A. Ortega y Medina. 90.00
326. HUME, David: *Tratado de la naturaleza humana. Ensayo para introducir el método del razonamiento humano en los asuntos morales.* Estudio introductivo y análisis de la obra por Francisco Larroyo. 35.00
587. HUXLEY, Aldous: *Un mundo feliz. Retorno a un mundo feliz.* Prólogo de Theodor W. Adorno. 25.00
78. IBARGÜENGOITIA, Antonio: *Filosofía mexicana. En sus hombres y en sus textos.* . . 35.00
348. IBARGÜENGOITIA CHICO, Antonio: *Suma filosófica mexicana. (Resumen de historia de la filosofía en México).* 30.00
303. IBSEN, Enrique: *Peer Gynt. Casa de muñecas. Espectros. Un enemigo del pueblo. El pato silvestre. Juan Gabriel Borkman.* Versión y prólogo de Ana Victoria Mondada. . 30.00
47. IGLESIAS, José María: *Revistas históricas sobre la intervención francesa en México.* Introducción e índice de materias de Martín Quirarte. 70.00
63. INCLAN, Luis G.: *Astucia. El jefe de los hermanos de la hoja o los charros contrabandistas de la rama.* Prólogo de Salvador Novo. 40.00
207. INDIA LITERARIA, LA. *Mahabarata. Bagavad Gita. Los vedas. Leyes de Manú. Poesía. Teatro. Cuentos. Apología y leyendas. Antología,* introducciones históricas, notas y un vocabulario del hinduismo por Teresa E. Rodhe. 18.00
270. INGENIEROS, José: *El hombre mediocre.* Introducción de Raúl Carrancá y Rivas. . . . 25.00
IRIARTE. Véase: **Fábulas.**

TENEMOS EJEMPLARES ENCUADERNADOS EN TELA

PRECIOS SUJETOS A VARIACIÓN SIN PREVIO AVISO.

EDITORIAL PORRÚA, S. A. DE C. V.

BIBLIOTECA JUVENIL PORRÚA

LAS OBRAS MAESTRAS ADAPTADAS AL ALCANCE DE
NIÑOS Y JÓVENES
CON ILUSTRACIONES EN COLOR

PRECIO POR EJEMPLAR $ 20.00

EDITORIAL PORRÚA, S.A. DE C.V.